善と悪の経済学

Economics of Good and Evil

ギルガメシュ叙事詩、アニマルスピリット、ウォール街占拠

トーマス・セドラチェク
著

村井章子
訳

東洋経済新報社

息子のクリスへ、

私がこれから理解する以上のことを
君はすでに理解しているような気がする。
たぶん私も遠い昔にはそうだったのだろう。
ともかくも、君がいつの日か
もっとよい本を書くことを願って。

Original Title:
ECONOMICS OF GOOD AND EVIL
by Tomas Sedlacek

Originally published in Czech as *Ekonomie dobra a zla*, 2009, 2012 by Nakladatelství 65. pole
Japanese translation rights arranged with Nakladatelství 65. pole through Owls Agency Inc.

従って汝自身を知るがよい。神の謎を解くなどと思いあがるな。

人間の正しい研究題目は人間である。

この中間状態という狭い地域に置かれた、

先は見えないながら賢く、荒削りながらも偉大な存在。

懐疑家の側に立つには知識がありすぎ、

禁欲家の誇りを持つには弱すぎ、

中間に逡巡して、挙措進退に自信が持てない。

神にもなれず、獣とも思えず、

精神と肉体の選択もつきかね、

生まれては死に、判断は誤謬ばかり。

乏しい彼の理性では、考えの多少を問わず、

無知であることに変わりはない。

思想と感情とが混沌として乱雑を極め、

いつまでも自ら欺いたり、悟ったり、

半ばは上をめざし、半ばは下を見、

万物の霊長でありながら、万物の餌食となり、

真理を裁く唯一の存在でありながら、絶えず誤謬に投げこまれる。

まことに世界の壮観で、お笑い草で、おまけに謎でもある。

アレグザンダー・ポウプ『人間論』

まえがき

ヴァーツラフ・ハヴェル

私は幸運にも、トーマス・セドラチェク（チェコ語の読みではトマーシュ・セドラーチェク）のこの本が二〇〇九年にチェコで出版される前に読むことができた。本書は、一般にひどく退屈だと考えられてきた学問について、型にはまらない見方を示してくれる。私はすっかり惚れ込み、そして他の読者の反応を興味津々で見守った。すると、著者にとっても出版社にとっても驚いたことに、本書はチェコ国内でたいへんな評判となり、刊行から数週間でベストセラーになって、専門家の間でも一般読者の間でも大いに話題になったのである。ちなみにセドラチェクは、当時チェコ政府の国家経済会議のメンバーでもあった。この会議は、その行動においても、長期的な視点においても、次の選挙のことしか考えない短絡的な政界とは一線を画していることを付け加えておく。

セドラチェクは、自己中心的で自信過剰な答を出すのではなく、根本的な問いを謙虚に投げかける。経済学とは何か。その存在理由は何か。ときに新しい宗教と呼ばれるこの学問はどこで生まれたのか。経済学の可能性は何か、限界や境界はどこにあるのか。なぜ現代社会は恒久的な成長に依存しているのか。進歩の概念はどこで生まれ、人類をどこへ導くのか。経済を巡る多くの議論が強迫観念や狂信的な様相を帯びるのはなぜか。これらは、考え深い人なら一度は疑問に思うことだが、経済学者自身から答が得られることはほとんどない。

政界の人間の大半は、物質的な狭い視点しか持っていない。政策立案に当たってはまず経済と金融を検討し、そのほかのことは後回しになるか、どうかすると最後になる。文化など、付け足しのようなものだ。政治家の多くは、右寄りであれ左寄りであれ、経済が土台で観念的なことは上部構造だというマルクスの主張を支持し、喧伝している。

このことは、科学的分野としての経済学が単に数字を扱う学問だと誤解されがちであることとも、関係するのかもしれない。だが、人生を形成する多くのものが数えられないか、数えるのが難しいとしたら、いったい何を数えると言うのか。この手の経済学者がオーケストラの仕事の最適化を任されたら、何をするか、つい想像したくなる。たぶん彼は、ベートーベンの交響曲から休符を全部とってしまうだろう。休符のときは何もしない。手は止まっている。だったら、楽団員にはその分の給料をやる必要はない、というわけだ。

セドラチェクの問いは、ステレオタイプを打ち破る。彼は視野の狭い専門化にとらわれず、さまざまな学問分野を縦横無尽に飛び回る。経済学の境界を軽々と飛び越え、歴史、哲学、心理学、古代の神話を渉猟する。それは心躍る冒険というだけでなく、二一世紀の世界を理解するために必要なことだ。そのうえ本書はたいへん読みやすい。素人にもよくわかり、きっと新たな視野を開いてくれることだろう。最初に掲げた問いはずっと答を探すべき性質のものであり、本書で必ずしも答が得られるわけではない。しかし、世界や人間の役割についてより考えを深める契機となるだろう。

私の大統領執務室では、セドラチェクは若い世代に属しており、現代の世界が直面する問題に新しい見方をもたらすと期待されていた。彼らは、四〇年におよぶ全体主義的共産主義体制の負の遺産も背負っていない。私の期待は裏切られなかったと感じる。読者もきっと、この本のすばらしさに気づくにちがいない。

（チェコ共和国初代大統領、二〇一一年一二月没）

謝辞

本書のチェコ語版を出版した際には、ごく短い謝辞しか書かなかった。しかしこれはあまりよいことではなかったので、今回はきちんと書きたいと思う。本書が世に出るまでには数年におよぶ歳月、数え切れないほどの会話、数百回に上る講演、数え切れないほどの、それも多くは夜を徹しての文献の読破を必要とした。

本書は二人の偉大な師に負うところが大きい。私を経済学の研究に導いてくださったミラン・ソイカ教授、何年も前に私のテーマを示唆してくださったミラン・マイク・ミシュコヴスキー教授である。お二人ともすでにないが、本書はお二人の思い出に捧げたい。

また、ルボミール・ムルチョフ教授にも感謝する。私は先生の企業倫理講座でアシスタントとして働く機会に恵まれた。ご指導いただいたカレル・コウバ教授、ミハル・メイストルジーク教授、ミラン・ジャーク教授にも感謝したい。二〇一〇年経済哲学クラスの仲間にも。

書く技術を伝授してくれたジョージタウン大学のキャサリン・ラングロワ教授とスタンリー・ノーレン、ハーバード大学のハワード・ハソック教授にも感謝したい。また、特別研究員の資格を与えてくれたイェール大学にも深く感謝する。この時期に本書のかなりの部分を書き上げることができた。イェール・ワールド・フェローズとベッツ・ハウスに心からありがとう。

それから、ジェリー・ルートには特別にお礼を言わなければならない。一カ月にわたって地下室を使わせてくれたおかげで、完璧な静寂とパイプの煙に包まれて執筆に専念することができた。すべてに関わってくれたデイヴィッド・スウィーン、文献に関して万事取り仕切ってくれたジェームズ・ハルトマン、いちばん大変なときに支えてくれたドゥシャン・ドラビナにも感謝する。

ヤン・シュヴェイナル教授、トマーシュ・ハリーク教授、ヤン・ソコル教授、エラズィム・コハーク教授、ミラン・マホヴェツ教授、ズデニェク・ノイバウエル教授、ダヴィット・バルトニュ、ミレク・ザーメツニークを始め、多くの哲学者、経済学者、思想家にも、この場を借りて敬意と感謝の念を捧げたい。偉大な思想家である弟のルカーシュにも、私の感謝と賛辞を受け取ってほしい。これまで十分に感謝してこなかった家族にも、心から感謝する。とりわけ父と母に。

そして、本書のチェコ語版と英語版の出版に尽力してくれたチームに心からお礼申し上げる。トマーシュ・ブランデイズのアイデアと信頼と勇気に、イジー・ナードバの編集と進行管理の手腕に、ベトカ・ソチューヴコヴァーの忍耐と粘り強さに、ミラン・スタリーのすばらしい絵と創造性と親切に、ダグ・アーレインズの翻訳に、ジェフリー・オステロートの丹念な校正に、感謝を。

さらに、本書の執筆に力を貸してくれた同僚のマルティン・ポスピーシルとルカーシュ・トートにもお礼を言いたい。鋭い意見や熱心な議論と研究には、どれほど感謝してもまだ足りない。そのうえいくつかの章では共同執筆者になってくれた。また、CSOBの同僚にも、創造的な職場環境と支援体制を用意してくれたことに感謝する。

最後に、ずっと支えてくれた妻のマルケータ、ありがとう。いつもの笑顔と、そして忌憚のない意見（妻が社会学者だと言えば、夕食のテーブルでの議論がご想像いただけるだろう）にはほんとうに感謝している。実際、この本は妻の本のようなものだ。

だが私が最大級の感謝を捧げたいのは、いまこれを読んでくださっている、名前も知らないあなたである。

善と悪の経済学

目次

第2部 無礼な思想

終章

ここに龍あり

序章

経済学の物語——詩から学問へ

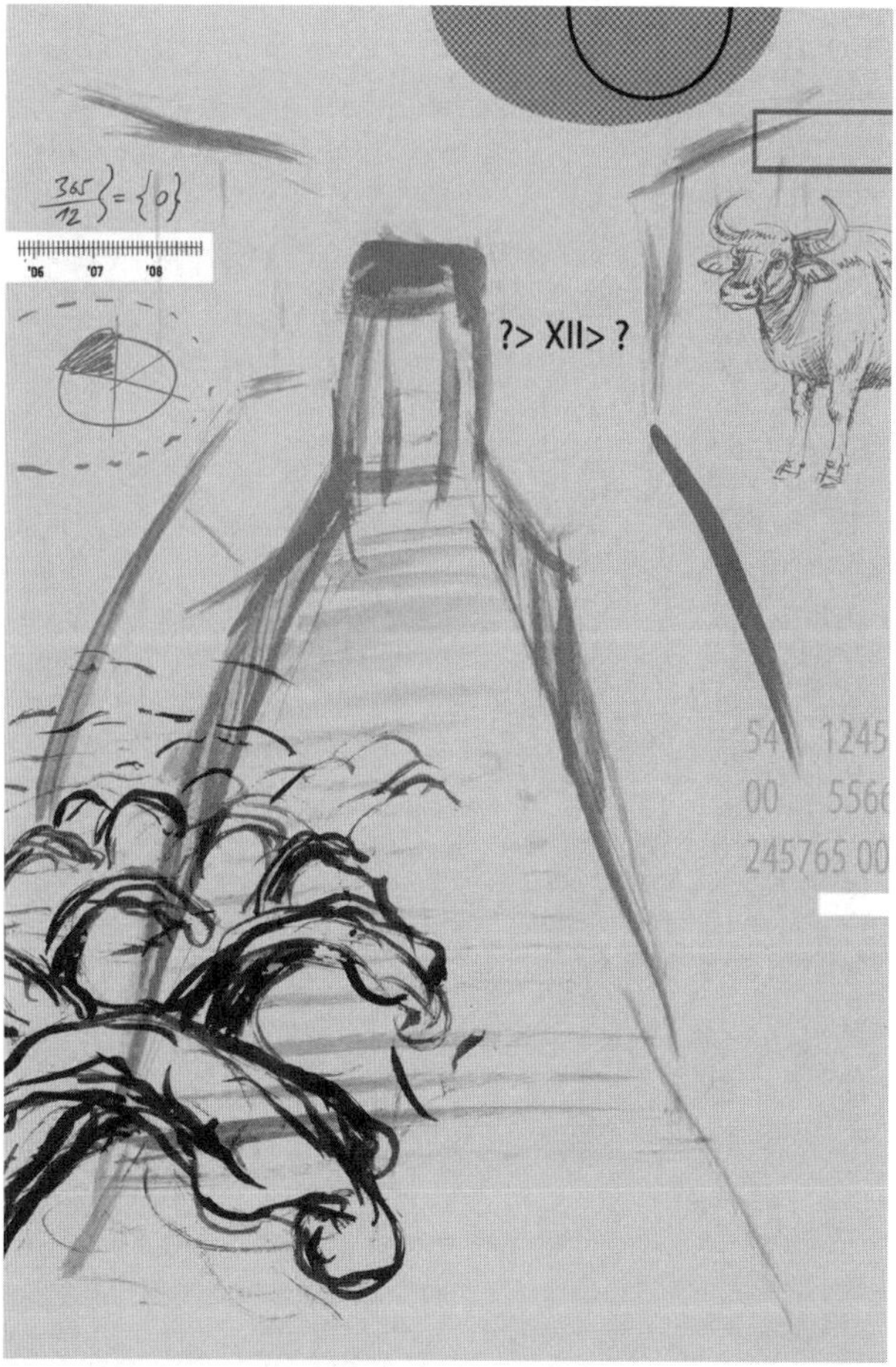

現実は物語から紡ぎ出されるのであって、物質からではない。

――ズデニェク・ノイバウエル

いかに古くばかげたものであっても、
われわれの知識を高められない思想は存在しない。
進歩を妨げない唯一の原理は、“anything goes”（なんでもあり）である。

――ポール・ファイヤアーベント

人間は、自分を取り巻く世界を何とか理解しようと絶えず試みてきた。そのときに役立つのは、物語である。物語は、現実に意味を与えてくれる。現代の人々の目には、そうした物語はときに古くさく映るかもしれない。ちょうど私たちの物語が、将来世代には古くさく感じられるように。だが物語に潜む力には、奥深いものがある。

経済学も、そうした物語のひとつである。この物語はずっと昔に始まった。はやくも紀元前四世紀には、クセノポンが「たとえ財産をまったく持っていない人でも、家計の管理はする」(1)と書いている。かつて経済学は家計を管理するための知識だったが、(2)やがて宗教学、神学、倫理学、哲学といった学問の一部に組み込まれた。しかし徐々に、これらの学問とはまったく異質なものに変化していったように見える。経済学はいつの間にかその微妙な陰影や色彩を失い、ときに技術的・官僚的で白か黒かの世界だと感じられることがある。だが経済学の物語は、もっと彩りゆたかだ。

今日知られている形の経済学は文化の成果であり、文明の産物である。ただし産物とはいっても、ジェットエンジンや時計とは異なり、明確な意図の下に生産あるいは発明したわけではない。両者には厳然たるちがいがある。ジェットエンジンや時計のことを私たちは理解しているし、どうやってできたかもわかっている。どちらも部品に分解し、元通りに組み立てることが（おおむね）可能だ。どうやって動かし、どうやって止めるかも知っている。[3] だが、経済学はそうではない。経済学は、意図せず、自然発生的に、無秩序・無計画に生まれた。そこにはタクトを振る指揮者はいなかった。経済学が一つの学問分野として独立する前は、哲学の一領域、たとえば倫理学の中にうまい具合におさまっていて、数学的・分配的な今日の経済学の概念からは遠く隔たっていた。今日の経済学は、実証的と自任する傲慢さから、数量を扱わないいわゆる「ソフトサイエンス」を見下している。だが千年におよぶ伝統は深く広く根付いており、その多くは頑として揺るぎない。それがどんなものであったかは、知っておく価値がある。

神話、物語、誇り高き学問

経済の研究が科学の時代になってから始まったと考えるのはまちがっている。昔の人々もいまの私たちと同じような問いを発していた。その問いに最初に答えたのは、神話と宗教だった。今日ではその役割を科学が果たしている。したがって両者のつながりを見つけるには、古代の神話や哲学に深く分け入らなければならない。この本を書いた理由は、そこにある。古代の神話の中に経済的な思想を探り、そして逆に、現代の経済学の中に神話を探りたい。

近代の経済学は、アダム・スミスの『国富論』が刊行された一七七六年をもって始まるとされてきた。だが近代以後《ポストモダン》（この名称は、先行する「近代科学時代」[4]に比べると、ずいぶん控えめである）に生きる私たちはもっと時代を遡ることができるし、歴史、神話、宗教、寓話が持つ力に気づいてもいる。科学哲学者のポール・ファイヤアーベントは、「科学史、科学哲学、および科学それ自体との間の乖離は消失する。科学と非科学との乖離も消失する」と述べた。[5]そこで本書では、記録に残された文明の遺産を探る旅に出ることにしよう。経済学の最初の痕跡をシュメール王ギルガメシュの叙事詩の中に探し、ヘブライ人、キリスト教徒、古代ギリシャ人、そして中世の人々が経済の問題をどう考えていたのか調べるつもりだ。さらに、今日の経済学の基礎を築いた人々の学説も、注意深く検討することにしたい。

ある特定分野の歴史というものは、正解とされるものが導き出されるまでの試行錯誤の連なりにすぎず、そんなものを知ったところで何の役にも立たないと考えられているようだ。だが、けっしてそうではない。歴史は、その分野の可能性の範囲を最大限に示してくれるのであり、歴史の外では何も知ることはできない。歴史を知ることによって、いま支配的なものの見方の影響を免れ、一時的な流行を見抜き、冷静に一歩下がって全体像を捉えられるようになる。

古い物語を学ぶことは、歴史家の役に立つだけではないし、単に先人の考え方を理解するためでもない。古い物語は、たとえ新しい物語に押しのけられたり、否定されたりしても、やはりそれとして力を持っている。その端的な例を、歴史上最も有名な論争である天動説と地動説の対決にみることができよう。誰もが知っているとおり勝ったのは地動説だが、いまだに私たちは「日が昇る」とか「日が沈む」と天動説的に表現している。だがもちろん、太陽は昇ったり沈んだりはしない。昇るとすれば、それは地球である。太陽が地球を回るのではない、地球が太陽の周りを回るのだ——すくなくとも、そう教えられている。

本書の第1部で取り上げるこうした古い物語、イメージ、元型といったものは今日もなお生きていて、世界観にも自己認識にも深く関わっている。このことをカール・グスタフ・ユングは「思想の真の歴史は、学術書の中ではなく、一人ひとりの人間の生きた精神組織の中にある」(6)と表現した。

語り部

経済学者は物語の力を信じるべきである。アダム・スミスは信じていた。その証拠に『道徳感情論』の中には「信用されたい、人を説得し、動かしたいという欲求は、生来の欲求の中でもきわめて強いもののひとつだと考えられる」[7]というくだりがある。この一文を書いたのが、人間が自ら最も強く欲するのは自己利益だと言ったとされる、アダム・スミスその人であることに注意されたい。同じく経済学者のロバート・シラーとジョージ・アカロフは、共著『アニマルスピリット』の中で「人間の頭は、物語をもとにして考えるようにできている……だから人間の動機の大半は、自分の人生の物語を生きることから生まれる。自分自身に語りかける物語が、動機を生み出す枠組みとなるのである。そうした物語がなかったら、人生は『次から次へといやなことが起こる』だけになるだろう。このことは、国や企業や制度への信頼にも当てはまる。偉大な指導者はみな、物語を作り出すことに卓越している」[8]と書いた。

ちなみに、この引用のもとの形は「人生は次から次へといやなことが起こるのではない、同じいやなことが繰り返し起きるのだ」である。まことにごもっとも。たしかに人類の偉大な物語である神話は、「つねにあり永遠にあるものをいまここにあらわにする」[9]。別の言い方をするなら、神話は「起きたことはないが、つねにそこにある」[10]。だが厳密なモデルに基づく現代の経済理論にしても、別の言葉（おそらくは数式）で語られたメタ物語にほかならない。したがって、この物語の流れをそもそもの始めから広く知っておく必要がある。ただの経済学者にすぎない人は、けっしてよい経済学者にはなれないのだから。[11]

経済学は、すべてを説明するという壮大な野望を掲げた以上、狭い学問領域を飛び出してすべてを理解しようと本気で努力しなければならない。「いまや救いは、物質的希少性という見方をやめ、経済的ゆたかさという新しい時代に人類を目覚めさせることにある。そのときには必然的に、新たな聖職者は経済学者になるはずだ[12]」という経済・環境学者ロバート・ネルソンの主張がいくらかでも正しいならば、経済学者はこの重要な役割を理解し、より広い社会的責任を果たさなければならない。

善悪の経済学

どんな経済学も、結局のところは善悪を扱っている。経済学は人間の人間による人間のための物語を語っているのであって、どれほど高度な数学的モデルも、実際には物語であり、寓話であり、自分を取り巻く世界を（合理的に）理解しようとする試みだと言える。経済のメカニズムを介して語られてきたこの物語は、今日にいたるまで基本的には「よい暮らし、よき人生」についての物語であり、それは古代ギリシャやヘブライの伝統から生まれた――このことを、本書を通じて示したい。また、数学、モデル、数式、統計といったものは、すべて経済学という大きな器の一部を占めるにすぎないこと、器の大部分はこれ以外のもので占められていること、経済学における論争は物語やメタ物語同士の衝突にほかならないことも示したい。人々が経済学者に教えてもらいたいと思っているのは、何がよくて何が悪いかということであり、これは昔もいまも変わらない。

私たち経済学者は、何がよいか悪いかについて規範的な判断や意見を差し控えるよう訓練されている。だが教科書に書かれていることとは裏腹に、経済学は規範的な領域に属している。経済学はありのままの世界を記述するにとどまらず、しばしば世界はどうあるべきかに言及する。曰く、効率的であらねばならない、完全競争をめざさなければならない、低インフレ高成長を実現せねばならない、競争力を強化すべく努力せねばならない……。そのために経済学者はモデルを構築するが、モデルは現代の寓話であって、そうした（多くは意図的に）非現実的なモデルは、現実世界とほとんど関係がない。経済学者がテレビ番組の中で、現在のインフレの水準に関する一見無害な質問に答えることはめずらしくない。ところが次の瞬間には、そのインフレ水準はいいのか悪いのか、あるいはインフレ水準はもっと高くすべきか、低くすべきかという質問が来る。いや、質問されなくても、経済学者が自分から付け加えることが多い。このようにテクニカルな質問に対しても、彼らはよいか悪いかを瞬時に考え、規範的な判断を下す——低く（あるいは高く）すべきだ、と。

にもかかわらず経済学は、何としてでも「よい」「悪い」といった言葉を使うまいと躍起になっている。だがそれは不可能だ。「もし経済学が真に価値中立的な学問であるなら、経済学界の人々は経済学思想を完全に体系化できていたはず[13]」だが、ご存知のとおり、そうはなっていない。私に言わせればそれは結構なことだが、ともあれ、経済学が規範的な学問であることは、認めなければならない。ミルトン・フリードマンは『実証的経済学の方法と展開』の中で、経済学は価値中立的で、世界をあるがままに記述しあるべき姿を論じないという意味で実証的な学問であるべきだ、と述べた。しかし「あるべきだ」という物言い自体が規範的であり、あるがままではなくあるべき姿を論じている。現実には、経済学は実証的ではない。もしそうなら、そうなるべきではなかった。「言うまでもなく科学者の大半は、そして多くの哲学者も、厄介な根本的問題を考える必要を省くために、つまり形而上学を避けるために、実証主義を掲げる」[14]。とはいえ価値判断をしないこと自体が一つの価値なのだし、すくなくとも経済学者にとっては重要な価値となっている。もともとは価値を研究する学問だったものが価値判断の排除をめざすとは、矛盾ではないか。ついでに言えば、市場の見えざる手を信奉する学問が神話を無視するのも矛盾している。

そこで本書では、次の問いを発したい。善悪の経済学は存在するか。善は報われるのか、それとも経済計算の外に存在するのか。利己心は人間に生来備わったものか。公益に資するなら利己心を正当化できるか。経済学が、さして意味もなく応用も利かない機械論的・分配論的計量経済学モデルに堕すべきでないとすれば、こうした問いは考える価値がある。

なお、「善」や「悪」という言葉をこわがらないでいただきたい。これらの言葉を使うからと言って、道徳を論じるわけではない。誰だって心の中に倫理規範を持ち合わせていて、それに従って行動している。同時に、誰もが何らかの信仰を持ち合わせている（無神論も信仰の一種である）。その点では、経済学も何ら変わらない。「知的影響から自由なつもりの実務家は、だいたいはもうすたれた経済学者の奴隷なのだ。……いずれわかることだが、善悪どちらにとっても危険なのは、既得権益ではなく思想である」(15)とジョン・メイナード・ケインズも言っている。

メタ経済学

本書は二部構成になっている。第1部では神話、宗教、神学、哲学、科学の中に経済学を探す。そして第2部では、経済学の中に神話、宗教、神学、哲学、科学を探す。

先ほどの問いの答を求めて、文明の始まりから現代まで、歴史を渉猟したいと考えている。とはいえ、将来および現世代の経済的世界観に変化をもたらしうる瞬間を網羅することは、本書の目的ではない。歴史の流れの中で、特別な意味を持つ時代（ギルガメシュ、ヘブライ信仰、キリスト教の時代など）や人類の経済知識の発展に影響を与えた重要な人物（デカルト、マンデヴィル、スミス、ヒューム、ミルなど）に注目することにしたい。

本書の目的は、経済学の物語を紡ぐことにある。別の言い方をするなら、本書では経済学の人格が育まれていく過程を示したいと考えている。そのために、経済学的な思考が始まる前に提起された問いを、哲学の問題として、そしていくらかは歴史の問題として投げかけることにしたい。本書が取り上げるのは経済学の境界ぎりぎりの領域であり、たぶんそこから度々はみ出すだろう。それを原始社会学に倣って原始経済学と呼んでもよいだろうし、あるいは形而上学《メタフィジックス》に倣ってメタ経済学のほうが適切かもしれない。[16]「経済学の研究はあまりに狭く、あまりに細分化されており、有効な知見に結びつかない。これを避けるためには、メタ経済学の研究で補完することが必要である」[17]という意味でのメタ経済学である。文化や学問における重要な要素は、その時代のさまざまな制度や組織の構成員が無意識のうちに前提としている基本的仮定の中に見出されるものだ。そうした仮定はごく当たり前になっているため、人は自分が何を前提としているのか気づいていない。哲学者のアルフレッド・ホワイトヘッドが『観念の冒険』の中で書いたように、それ以外の形でものごとが起きるとは想像もできないからである。

経済学者は実際には何をしているのか。そして、それはなぜか。経済学者は、技術的にできることを倫理的にもできるのか。[18]経済学の本質とは何か。経済学は何のために努力するのか。経済学者は実際には何を信じているのか、その信念（往々にして当人は気づいていない）はどこから生まれるのか。学問が「明言された信念の体系」[19]であるなら、それはどのような信念か。今日では、経済学は世界を説明し変えるだけの重要な学問領域になったのだから、これらはすべて問う必要がある。

本書では、近代以降の流儀に倣い、哲学、歴史、人類学、文化、心理学の観点からメタ経済学に取り組みたいと思う。経済にまつわる人間の理解がどのように発展したかを突き止め、それを経済学に反映したいと願っている。経済学が意識的・無意識的に活用している概念のほとんどすべてには長い歴史があり、そのルーツは圧倒的に経済学の外に存在する。それどころか、学問の領域の外に存在することもめずらしくない。まずは経済的な思考の始まり、経済的な観念の萌芽とそれが経済学に与えた影響を調べることにしたい。

総天然色の経済学

主流派経済学は経済学から色彩の大半を捨て去り、黒と白しかないホモ・エコノミクス（経済人）に取り憑かれ、それによって善悪の問題を無視してきた、と私は考えている。経済学者は自ら望んで盲目になり、人間を突き動かす最も重要な力を見なくなった。

人間の経済的行動については、精密な数学モデルから学べるのとすくなくとも同じくらい多くの知恵を、哲学、神話、宗教、詩から学ぶことができる。経済学は価値を論じるべきではないとされてきたが、むしろ独自の価値を探し、発見し、語るべきである。そもそも経済学が価値中立的だというのは、真実ではない。経済学の中には数学も存在するが、それ以上に多くの宗教や神話や元型が存在する。今日の経済学は、中身よりも方法にこだわりすぎているのではないだろうか。経済学者は、さらには多くの経済学徒も、ギルガメシュ叙事詩、旧約聖書、キリスト、デカルトなどの広い情報源から学ぶことが欠かせない。そのことを本書で具体的に示したいと考えている。いまある思想や価値観の成り立ちは、歴史的な出発点に遡り、それが言わば裸の状態にあるときを知ると理解しやすい。裸の状態であれば、おおもとの姿がよく見えるからだ。こうして初めて、自分が何を信じているのかがはっきりする。この種の信仰は、どれほど強固であっても、さまざまな要素が複雑に絡まり合う現代社会では意識されないままであることが多い。

よい経済学者であるためには、よい数学者であると同時によい哲学者でなければならない。経済学は数学に肩入れしすぎて、人間的な要素をおろそかにしてきた。その結果が、偏った人為的なモデルである。この手のモデルは、いざ現実に応用しようとするとほとんど使い物にならないことが多い。

ここで、メタ経済学が重要になってくる。表舞台に出てこない信念、理論や学説の中で無言の前提として支配的な役割を果たしている観念はどのようなものか、経済学の枠を超えて知らなければならない。経済学はトートロジー(同語反復)がきわめて多いが、ほとんどの経済学者はそれに気づいていない。今日の経済学が歴史の視点を失ったのはまちがいだったと私は考える。人間のふるまいを理解するに当たっては、今日の経済学を形成しているさまざまな思想の歴史的変遷を調べる意義は大きい。

長らく続いてきた規範的経済学と実証的経済学の対立に、本書はいくらかでも答を出そうと試みる。古代に規範的な神話や寓話が果たしてきた役割を、現代では科学的なモデルが果たしている。それはそれで結構だが、経済学者はそのことを公に認めるべきである。

経済についての問いは、アダム・スミスよりずっと前から存在した。経済学における倫理的価値の追求は、スミスから始まったのではなく、スミスとともに絶頂期に達したと言うほうが正しい。ところが現代の主流派経済学は、スミスの古典派経済学の後継を自称しながら、倫理を無視している。古典派の議論では善悪の問題が中心だったが、今日では言及するだけでも異端扱いだ。それに、一般的なスミスの解釈は誤りだと言っておきたい。経済学へのスミスの貢献は、市場の見えざる手や利己的なホモ・エコノミクスの導入にとどまるものではなく、はるかに幅広い。そもそもスミスはホモ・エコノミクスという言葉を使ったこともないのである。経済学へのスミスの最も偉大な貢献は、倫理面にある。それ以外の概念は、分業にせよ、見えざる手にせよ、スミスよりずっと前に明示されていた。本書では、市場の見えざる手のルーツが古代にあることを示す。見えざる手の痕跡は、ギルガメシュ叙事詩にも、ヘブライ思想にも、キリスト教にも認められるし、アリストパネスもトマス・アクィナスも言及している。

いまは、経済学へのアプローチを見直すよい時期だと考えられる。債務危機の恐れが強まっているいまなら、人々は耳を傾ける気になるだろう。経済学は、高度な数学モデルを構築することはできても、日曜学校で教わるヨセフとエジプト王ファラオのような単純な物語から大事なことを学んでこなかった。だがもう、成長一辺倒の思考から抜け出すべきである。経済学は美しい学問になれるし、多くの人々を惹き付けることができると信じる。

本書は、ある意味でホモ・エコノミクスの進化史であると同時に、ホモ・エコノミクスの中に宿るアニマルスピリットの歴史でもある。言い換えれば、人間の合理的な部分だけでなく、感情的で不合理な部分の変遷もたどっていく。

好奇心の境界と権利放棄

経済学は、もともと従属していた宗教学、社会学、政治学に対して、自らの思想体系を高圧的に押し付けたわけだが、その流れに逆らう動きは、なぜ起きなかったのだろうか。宗教学、社会学、政治学の視点から経済学を批判的に論じる試みは、なぜなされなかったのだろうか。現代の経済学がずうずうしくも教会の運営に言及したり、家族の絆を経済的に分析して新奇な洞察を導き出したりするなら、なぜ宗教体系や人間関係を検証するように理論経済学を検証しなかったのか。言い換えれば、なぜ経済学を人間的な見地から見ようとしないのだろうか。

そのように経済学を見るためには、まず経済学から距離を置かねばならない。そして、経済学の境界まで、できれば境界の外へ足を踏み出さなければならない。ルートヴィヒ・ウィトゲンシュタインの『論理哲学論考』には、まわりを見ることはできても、それ自体は見られることのない眼の比喩が出てくる。眼を見るためには眼の外に視点が必要だ。それが不可能なら、せめて鏡を使わねばならない。本書ではものごとを映し出してくれる鏡として、人類学、神話、宗教、哲学、社会学、心理学などを援用する。

さてここで、すくなくとも二つの点をお断りしておかなければならない。第一に、あらゆるものに映し出された自分の姿を見ようとしたら、脈絡のない断片的な像しか得られないだろう。私には、緻密に織り上げられた系を示そうといった野心はない（そもそものような系は存在しない）のではあるが、心に留めていただきたいのは、本書の扱う対象は西洋文化と文明の遺産だけで、他の文化・文明の遺産には手を拡げないことである（儒教、イスラム教、仏教、ヒンズー教などからは刺激的なアイデアがどっさり得られるにちがいないが、これらに言及することは本書の手に余る）。また西洋文明に関しても、たとえばシュメール文学を網羅的に取り上げることはできないし、ヘブライ信仰やキリスト教のうち経済に関するものは取り上げても、古代・中世の神学全般を論じることはできない。本書の目的は、今日の経済学のあり方を決定づけた重要な影響や革命的な発想を取り出して示すことにある。こうした幅広い、どうかすると支離滅裂なアプローチを採るにいたった言い訳として、再びファイヤアーベントを挙げておこう。ファイヤアーベントはずっと昔に「なんでもあり」[20]だと言ってくれた。学問がどの井戸からインスピレーションを汲み上げて発展するかは、誰にも予想できない。

第二に、重要と思われるものを遠く隔たった領域から拾い上げていくうちには、単純化したり歪曲したりする恐れがあることを、あらかじめお詫びしておきたい。今日の学問は、象牙の塔に閉じこもる傾向がある。数学の塔、ギリシャ哲学の塔、歴史の塔、公理の塔……。神聖なる塔が林立し、学者は批判や他分野や世間から不当に守られた聖域でぬくぬくとしている。だが学問は開かれていなければならない。さもないと学問は、ファイヤアーベントが賢くも見抜いたとおり、新規参入者に対してはエリート主義の宗教となり、大衆に対しては全体主義の威光を放つことになるだろう。チェコ出身の経済学者ヤロスラフ・ヴァニェクは、「幸か不幸か、人間の好奇心は、専門分野にとどまるものではない」[21]と語った。もし本書が、経済学と他の領域との融合について何か新しいヒントを与えられるなら、その目的を十全に果たしたことになるだろう。

本書は、経済思想の全史ではない。本書がめざすのは、経済学者も一般の人々も見落としがちな視点を提示し、幅広い領域からの影響を検討して、経済思想史を補うことである。

なお、本文中に引用が多すぎると思われる方が多いかもしれない。これは、遠い昔の貴重な考えを、原著者の言葉にできるだけ近い形で再現したかったからである。古代の人々の言葉を簡単に要約してしまったら、その正統性も時代の精神も失われてしまうだろう。これはたいへんな損失である。出典は巻末に掲げたので、より深く調べたい読者は参考にしていただきたい。

本書の構成——七つの時代、七つのテーマ

本書は二部から構成される。第1部では歴史の流れに沿って七つの時代に立ち止まり、とくに七つの切り口から論じる。この七つの切り口を第2部でテーマとしてまとめる。したがって第2部はテーマ別の構成になっており、歴史を横断してテーマを統合する形をとる。この意味で、本書はマトリックス構造になっていると言えるかもしれない。読者は歴史として読むことも、テーマ別に読むことも、両面から読むこともできる。七つのテーマは、次のとおりである。

強欲

古代の神話の中では、労働は人間の本源的な衝動として描かれる。つまり労働はよろこびだった。しかし後には、呪われたものとなる。神にとってさえ、労働は呪わしい（創世記、ギリシャ神話）。すくなくとも、過度の労働は疎ましい（ギルガメシュ）。ここでは、願望や欲望すなわち需要の発生や、さまざまな形の禁欲主義も分析する。やがて現世を軽んじるアウグスティヌスらの姿勢が支配的になり、魂が重んじられ、肉体や現世のことは脇に押しのけられた。続いてアクィナスが振り子を揺り戻し、物質的な世界が再び注意と関心の対象となる。のちに振り子は再び振れ、個人主義的・功利主義的な消費へと向かう。こうした紆余曲折をたどりはするが、人間は歴史に登場したときから、いかにも人間的な理由により自分の皮膚以外のものを身にまとうことが自然であるような、不自然な被造物だった。物質的・精神的な貪欲は人間の基本的な特徴であり、人類最古の神話や物語の中にすでに見受けられる。最後に経済学のトートロジーと効用の最大化について論じる。

進歩

現代人は進歩という概念に毒されているが、古くはこの概念は存在しなかった[22]。時の流れは循環的であるとされ、人間が歴史に足跡を残すとは考えられていなかった。やがてヘブライ人が直線的な時間の概念を導入し、続いてキリスト教徒がめざすべき理想を定めた（正しくはヘブライの理想を強化した）。その後、古典派経済学者が進歩を宗教から切り離した。ここでは、進歩のための進歩、成長のための成長という現在の方向性がなぜ生まれたのかを探る。

善悪

ここでは、善は報われるか、という問題を考える。ギルガメシュ叙事詩では、善悪と報いは結びついていないように見える。しかし後のヘブライ人は、善悪こそが歴史の決定因だと考えた。ストア派の哲人は善の見返りを計算してはならないとしたが、エピクロス派（快楽主義）は、結果として報われればそれが善なのだと考えた。キリスト教は神の慈悲を導入し、善も悪も来世で報われるとした。このテーマはバーナード・マンデヴィル、アダム・スミスによって頂点に達し、「私悪は公益」という主張を巡って有名な論争を巻き起こしている。続いてジョン・スチュアート・ミルとジェレミー・ベンサムが、いくらか快楽主義の原理に近い功利主義の理論を立てた。倫理学は、人間の行動を律するものの定式化を試みてきたと言えよう。

市場の見えざる手とホモ・エコノミクス

市場の見えざる手というアイデアは、どのくらい昔からあるのだろうか。アダム・スミスのどれほど前から人間は見えざる手を意識していたのだろうか。ここでは、見えざる手の前兆が古代思想のそこかしこに見られることを示す。生来の利己心はうまく利用できる、悪徳も何かしらの役に立つのだという発想は、古代の哲学や神話にも見受けられる。またホモ・エコノミクスという人格の発展、「経済人」の誕生も取り上げる。

アニマルスピリット

ここでは、人間の理性的な部分に対して不合理で予測不能な部分を取り上げる。アニマルスピリットはある意味で合理性の対立概念であり、英雄の元型と善悪の観念に影響される。

メタ数学

経済学が世界の動きを数字で説明できると考えるようになったのは、なぜだろうか。ここでは、経済学が機械論的な分配の学問になった理由を考察する。現実の世界には社会的な相互作用があるにもかかわらず、数式でうまく説明できると経済学者が考えるようになったのは、どうしてだろうか。数学は経済学の中心に居座っているのか、それともただの添え物で、経済学という大きな器の一部を占めるにすぎないのだろうか。

真理の探究

経済学者は何を信じているのか、彼らの宗教は何なのだろうか。また真理とはどういうものだろうか。経済学は規範的な学問なのか、実証的な学問なのか。学問から神話を取り除く努力は、プラトンの時代に始まっている。かつて真理は詩や物語によって語られたが、今日では、科学的で数学的なものこそが真理だと考えられている。真理はどこにあるのか、真理を見つけられるのは誰なのか。

本論に入る前に

本書で「経済学」と言う場合には、主流派の経済学を意味する。ポール・サミュエルソンで代表されるものと考えていただけばよいだろう。「ホモ・エコノミクス」という言葉は、利己的な動機にのみ導かれて自己の利益を最大化しようとする合理的な人間を意味する。これは経済学の基本的な人間観である。本書では、経済学がいわゆる科学かどうかという問題は取り上げない。したがって、たまさか経済学を社会科学と呼ぶとしても、それは多くの場合、単に経済学が属す一分野というほどの意味である。経済学は、単なるモノやサービスの生産、流通、消費を扱う学問分野ではなく、もっと広いものだと私は理解している。経済学は人間の関係性を研究する学問であり、その中には数字で表せないものがある。また、取引可能なものだけでなく、友情、自由、効率、成長のように取引不能なものも扱う。

私は人生で三種類の職業に就く幸運に恵まれた。一つ目は大学での理論経済学の研究と教育である（ここでメタ経済学のジレンマに取り組んだ）。二つ目は政府の経済政策顧問である。こちらも学究生活と同じく長年におよんだ。ヴァーツラフ・ハヴェル元チェコ大統領・現財務相・現首相の経済顧問として、経済政策の実践について助言している。そして三つ目は、主要経済紙のコラムニストである。経済学の思想や実務について、広く一般読者向けにわかりやすく、またさまざまな分野に目配りしながら書いている。これは義務であると同時に、多くは喜びである。この経験から、経済学のそれぞれの面の限界と利点を教えられた。三つの職業から得た三つの問い（経済学の意義は何か、どのように応用できるか、他の分野とどのように理解可能な形で結びつけられるか）を忘れたことはない。よくも悪くも、本書は三つの問いに対する私なりの答でもある。

第1部
古代から近代へ

第1章

ギルガメシュ叙事詩

ギルガメシュよ、あなたはどこまでさまよい行くのです
あなたの求める永遠の命は見つかることがないでしょう……
昼も夜もあなたは楽しむがよい
日ごとに饗宴を開きなさい

――ギルガメシュ叙事詩

ギルガメシュ叙事詩はいまから四〇〇〇年以上も前につくられた。[1] 現在わかっている限りで、人類最古の文学作品である。人類初の文字（人類初であって、単に西洋文明初ではない）による記録は、人類最古の遺跡と同じく、メソポタミアから出土した。[2] ギルガメシュ叙事詩は後世の多くの物語にインスピレーションを与え、洪水や不死の探求といったテーマは、いくらか形を変えながらも、今日にいたるまで連綿と受け継がれてきた。この人類最古の作品の中でさえ、今日経済の問題と考えられている事柄が重要な位置付けを与えられている。歴史を遡って経済を探求するとき、これより先に分け入ることはできない。この叙事詩は、地層のいちばん下の岩盤に相当する。

ギルガメシュ叙事詩以前の時代については、ごく断片的な遺跡しか出土しておらず、文字の書かれたものがあっても、主に会計、外交、戦争、魔術、宗教の記録にすぎない。[3] 経済史家のニーアル・ファーガソンが皮肉めかして指摘するように、これらの断片は「人間が初めて自分たちの

記録を書き残すようになったとき、それは歴史や詩や思想を書くためではなく、商売のためだったことを思い出させてくれる」[4]。だがギルガメシュ叙事詩はまったくちがう。最初に文字の書かれた粘土板が手形や帳簿であって、それらは商売や戦争のためだったとしても、最初に書かれた物語が主に描いたのは、偉大な友情と冒険だった。意外にも、そこにはお金のことも戦争のことも出てこない。ものを売る人も買う人も登場しない[5]。他国を征服する国も出てこなければ、武力による脅しすら見当たらない。ギルガメシュ叙事詩は自然と文明の物語であり、英雄、挑戦、神との闘い、悪との闘いの物語であり、知恵と不死とむなしい努力の物語である。

これほど重要な文献であるにもかかわらず、これまで経済学者はまったく関心を抱かなかったようだ。ギルガメシュ叙事詩に言及した経済書は一冊も見当たらない。しかし西洋文明における最初の経済的思考が認められるのは、まさにこの叙事詩の中である。いまやよく知られた市場と見えざる手の概念の萌芽も、天然資源と労力の効率的活用も、ここに出てくる。また、感情、進歩、自然状態、最初の都市建設に伴う広範な分業を巡る悩みも登場する。本章は、ギルガメシュ叙事詩を経済学の視点から理解しようとする初めてのささやかな試みである[6]。

まずは叙事詩のあらすじをかいつまんで紹介しよう（細部はすぐあとで取り上げる）。ギルガメシュはウルクという都市の支配者である。人間を超越した存在で、「三分の二は神、三分の一は人間」である[7]。叙事詩は、ギルガメシュがウルクの周囲に築いたみごとな城壁の叙述から始まる。城壁建設のためにギルガメシュが人民にはたらいた横暴を罰するために、神は凶暴なエンキドゥを創造して送り込む。やがて二人は互いを認め、無二の親友となり、二人して英雄的な冒険をする。のちにエンキドゥは死に、ギルガメシュは永遠の命を求めてさまよう。数々の困難や罠を乗り越えた末に永遠の若さを手に入れるが、それは最後の最後に手からするりと逃げてしまう。叙事詩の最後は始まりに戻り、ウルクの城壁を称えて終わる。

非生産的な愛

比類なき城壁の建設は壮大な事業であり、物語を支える柱の一つである。ギルガメシュは何としてでも人民の生産性を高めようとし、妻や子供に会うことさえ禁じる。そこで人々は神に訴えた。

保証もなく追い立てられたウルクの貴人たちは立ちあがる
ギルガメシュは父親に息子を残さぬ……
ギルガメシュは母親に娘を残さぬ
戦士の娘、貴人の妻をも(8)

この背景には、周辺の農村部を支配する都市の出現がある。「農村部の住人はいまや遠ざけられる。もはや彼らは親しい友や知人ではない。彼らは単なる人民となり、その生活は軍人、役人、支配者、高官、徴税人、兵士など王に直接仕える者たちによって監視され、指導される(9)」。

これは遠い昔のことだが、いまも無縁ではない。今日でも、人間関係ひいては人間性それ自体が生産活動と効率の妨げになるという見方は生きている。人間が非生産的なことに時間と労力を「無駄遣い」しなければ、もっと成果が上がるという見方である。たしかに私たちは、人間性の領域に属す事柄（人間関係、愛、友情、美、芸術等々）は非生産的だと考えがちだ。唯一例外は、再生産すなわち生殖だろう。たしかにこれは、文字通り生産的にちがいない。

あらゆる犠牲を払ってでも効率を最大化しようとするこうした試み、人間を犠牲にして経済効率を高めようとする努力は、そこかしこで人間をただの生産単位に貶める。チェコ語から来た「ロボット」という言葉は、まさにこのことを表している[10]。古いチェコ語とスラブ語では、robotaは「労働」を意味した。労働者としてのみ認識されるようになった人間は、ロボットである。だから、カール・マルクスなら、先史時代における個人の搾取と労働疎外の格好の例として、この叙事詩を大いに活用できたはずだ。なにしろギルガメシュの人民は、家族からも自分自身からも疎外されていたのだから[11]。

人間をヒト・ロボットとして支配することは、はるか古代から独裁者の夢だった。横暴な支配者は、効率は家族の絆や友情とは両立しないと考える。人間を単なる生産・消費単位とみなす傾向は、社会主義的ユートピア（理想郷）、いや、正しくはディストピア（暗黒郷）にも見られる。ディストピアの経済は、生産・消費単位としてのヒト・ロボットしか必要としていない。このヒト・ロボットは、ホモ・エコノミクスというモデルに、的確に、しかし痛々しく表現されている[12]。

この種のディストピアの例をいくつか挙げておこう。プラトンの掲げる理想的な国家では、家庭で子供を育てることは許されない。子供は生まれるとすぐに親から引き離され、専門の施設に入れられる(13)。オルダス・ハクスリーの『すばらしい新世界』、ジョージ・オーウェルの『一九八四年』に描かれたディストピアもこれに似ている。どちらの作品でも、人間関係も、感情や人間性の吐露も固く禁じられ、厳しく罰される(14)。愛は不必要で非生産的とされ、友情も同様である。どちらも、全体主義的な社会体制を破壊しかねないからだ。友情は、個人も社会もそれなしで生きていけるという点からも不必要である。C・S・ルイスが書いたように、「友情は、哲学のように、芸術のように……不必要である。友情に存在価値はない。しかし友情は、生きることに価値を与えてくれるものの一つだ(15)」。

今日の主流派の経済学は、だいたいにおいてこうした考え方に近い。新古典派経済学のモデルは、労働者を生産関数のインプットとみなす。このような見方は、人間性(なんと人間的な!)がどのように経済の枠組みに組み込まれているかをわかっていない。それでも、ヒト・ロボットは完璧にモデルにフィットする。ジョゼフ・スティグリッツの指摘を引用しよう。

新古典派経済学のみごとなたくらみ(「知見」と呼ぶ人もいる)の一つは、労働者を他の生産要素と同じように扱うことである。アウトプットは、インプット(鉄、機械、労働者など)の関数として表される。数式は労働者を商品《コモディティ》同様に扱い、鉄やプラスチックと同じだと錯覚させる。だが労働者は他の商品とはちがう。鉄は職場環境に関心を持たないし、鉄の幸福など誰も気にしない[16]。

杉を切り倒してやろう

友情と紛らわしいものに、仲間意識や連帯や同志といったものがある。こちらは、社会や経済が大いに必要としている。ごく初期の文化でも、労働における協力の価値は認識されていた。こうした「弱い関係」は、社会にとっても企業にとっても有用であり、必要でもある。人々が互いに仲よくやっていければ、仕事はたいそうはかどるからだ。チームワークは効率向上を約束するとされ、チーム構築のための専門会社さえ存在する[17]。

だが真の友情は、ギルガメシュ叙事詩の主題の一つであるが、チームワークとはまったくちがう下地から生まれる。C・S・ルイスが鋭く指摘したように、友情は経済にとっても、生物の存続や文化にとってもまったく必要とされない（これに対して肉体関係や母性愛は、純粋に再生産のために必要である[18]）。だが友情は、偶然や外生的要因も絡んでくるにしても、ゆたかな発想を生み、偉業を成し遂げる下地となり、社会を変えられるほどの力を持つ[19]。友情は、自分一人では逆らえないような既存体制にさえ、立ち向かう勇気を与えてくれる。

ギルガメシュは始め、友情など不要だし非生産的だと考えていた。だが自分自身がエンキドゥとの友情を経験し、それが思いがけない何かをもたらすと知って、考えが変わる。ここに描かれているのは、友情の力を示す美しい物語だ。友情は制度を変え（あるいは破壊し）、人間を変える力を持っている。ギルガメシュを懲らしめるために神から遣わされたエンキドゥは、やがてギルガメシュの真の友となり、力を合わせて神々に立ち向かう。ギルガメシュ一人では、いかに勇気を振り絞ってもできなかっただろうし、それはエンキドゥも同じである。二人の友情は、一人ではけっしてやり遂げられなかった難事業に敢然として取り組む力を与えた。神話の中には、強い友情の絆を表す物語がよく登場する。宗教学者が指摘するように、友は「闘いの前には共に恐れ励まし合い、夢の中では慰め合い、取り返しのつかない死を前にして歎き悲しむ」[20]。

友情と共通の目的という強い絆を感じたギルガメシュは、城壁建設のことを忘れ、つまりそれまでの最大の目標を放棄し、自らが建設した都市を出て、したがって安全な城壁や文明や知り尽くした都市を離れて森をめざす。森の奥深く分け入るギルガメシュは、世界の秩序を変えようとしていた。悪の化身であるフンババを倒すことである。

杉の森にフンババは住む
その者をあの森で打ち滅ぼそう……
その者を殺し、もうその力を使えないようにしてやろう……
わが手にかけて杉を切り倒してやろう
永久なる名を私は打ちたてるのだ。[21]

杉を切り倒す場面で、しばし立ち止まって考えてみたい。古代メソポタミアでは、木はことのほか貴重だった。杉の森に行くのはきわめて危険な行為であり、よほど勇敢でないとできない。その危険性を象徴するのが、森に棲む怪物フンババの存在である。「フンババは主神エンリルに遣わされた杉の森の番人で、貴重な木材めあてにやってくる侵入者を撃退する」[22]。森をそっくり切り倒そうとするギルガメシュの強い意志は、途方もない勇気の表れである（森を切り倒せば莫大な富を手にするわけだが、これは英雄の当然の権利である）。

しかも杉は聖なる木とされ、杉の森はバビロニアの太陽神シャマシュの聖域だった。互いに力強い友を得たギルガメシュとエンキドゥは、神に立ち向かい、聖なる木をただの建設資材にしてしまう。この材料をほとんど無制限に使えるようになった二人は、都市の建設に活用して文明を築き、もともとは自然に属していたものを自分たちの所有物にした。言わば聖域と俗界との境界を動かしたのであり、ある面では「自然は都市と住民に原料や生産資源を供給するためにある」という考え方を示したと言えよう。[23]「杉を切り倒すことは『文明の勝利』とみなされた。ウルクには、建設に使えるような木がなかったからである。こうしてギルガメシュは、貴重な資材を都市のために勝ちとったと評価された。この行為はまた、木だけでなくありとあらゆる生物を原料、材料、財に変えるような『文明の勝利』の先触れとみなすことができる。……聖なる木を建設資材に変えたことは、まさにその一例である。われわれ自身もそうした勝利を熱狂的に追求してきた」[24]。

ここには、一つの重大な歴史的変化も示されている。人々は、都市という不自然な環境で暮らすことを自然だと感じるようになったのである。メソポタミアの人々にとって、人間の住まうところは都市だった。しかし次章で取り上げるヘブライ人にとっては、もともと遊牧民の性格が強かったこともあり、住処はまだ自然の中だった。都市の外の自然を原料や資源の供給源とみなすようになったのは、そして人間を人的資源の供給源とみなすようになったのも、バビロニア人が最初である。自然は、人間がこしらえた庭ではなく、したがって人間には、世話をしたり住んだりする義務はない。だから自然を天然資源の単なる貯蔵庫とみなすことができた。

ギルガメシュとエンキドゥのフンババ退治を巡る場面には、ギルガメシュが名声を得たもう一つの理由が隠されている。彼は、砂漠の中でいくつものオアシスを発見したという。オアシスがあれば、古代メソポタミアの貿易商にとって砂漠の横断が容易になる。「ユーフラテス中流からレバノンにいたる通商路に井戸やオアシスが見つかれば、上メソポタミアからの長距離の通商に一大変化がもたらされたにちがいない。言い伝えのとおりギルガメシュが杉の森への遠征を初めて遂行したのであれば、砂漠の旅を可能にする生命維持装置の発見者として称賛されたと考えるのは、理に適っている[25]」。つまりギルガメシュは単に腕っ節の強さだけでなく、経済的な重要性を持つ発見や行為によって英雄になったと考えられる。杉の森を切り倒して建設資材を手に入れたことも、エンキドゥがウルクの経済を乱すのを防いだことも、冒険の途上で砂漠を横断する新しいルートを発見したことも、これに該当する。

動物とロボットの間

自然の征服は大胆な行為であり、エンキドゥとの友情がなければギルガメシュといえども試みる気はなかっただろう。だが結果から見ると、神々へのこの反抗は、皮肉にも神々の当初の計画に役立つことになった。野生児エンキドゥとの友情を得たことで、ギルガメシュは人民を苦しめる城壁の建設を放棄したからである。同時にギルガメシュは自分の行動でもって、かつての持論を図らずも裏付けることになった。人間関係は城壁建設の邪魔になる、ということである。友と手を携えて都市の外へ向かったギルガメシュは、城壁を未完成のままに放置する。もはや不朽の名を残すことよりも、友との英雄的な冒険に命を賭けることを選んだのだった。

友情は二人のどちらをも変えた。ギルガメシュは憎むべき冷酷な独裁者で人間をロボットとみなすような男だったのが、感情を持つ人間になった。驕りと誇りをウルクの城壁のうしろに置き去りにし、アニマルスピリットの赴くままに冒険に飛び込んで行く。(26) ジョン・メイナード・ケインズの考えるアニマルスピリットは、行動へと駆り立てる自然発生的な衝動を意味し、必ずしも動物性を念頭に置いていたわけではない。だがここでは、さしあたりアニマルスピリットを人間性に潜む動物的な部分と了解しておこう。友エンキドゥの動物的な精神が乗り移ったギルガメシュは不確実な冒険の誘いに屈し、都市を出て自然の中へ向かった。

では、友情はエンキドゥをどのように変えたのだろうか。ギルガメシュが神のごとき完全性や文明や都市支配者の象徴だったのに対し、エンキドゥはもともとその対極の概念として創造された存在である。彼は動物性、予測不能性、征服不能性、野生を象徴する人物だった。その動物的な性質は肉体にもあきらかで、「その全身は毛に覆われ……その髪は大麦のように太かった[27]」。エンキドゥの場合、彼が人間らしくなっていく過程にギルガメシュとの友情が色濃く表れている。こうして二人の英雄は変化した。互いに正反対の側から人間になったと言える。

これに関連して、物語の心理的な面を考えておきたい。「エンキドゥは……ギルガメシュのもう一つの自我であり、彼の魂の暗い獣性を表し、休まらない心を補う存在である。ギルガメシュはエンキドゥとの遭遇によって、憎むべき独裁者から都市の守護神に変貌を遂げた。……二人の巨人は友情を通じて人間らしさを身につけ、半神半獣だった二人はわれわれと似た人間になった[28]」。人間の中には二つの傾向があるように思われる。一つは経済人のそれであり、合理的で、抑制や最大化や効率向上をめざす。もう一つは野生児のそれであり、動物に近く、予測不能で荒々しい。人間であるということは、両者の間のどこか、あるいは両方なのではあるまいか。このテーマは、本書の第2部で再び取り上げる。

飲み物を飲みなさい、それが国の習いなのです

エンキドゥはどのように人間となり、文明に溶け込んだのだろうか。エンキドゥが動物から文明化された人間になる過程の最初で、ギルガメシュは罠を仕掛ける。娼婦シャムハに「男に女の仕事をせよ(29)」と命じるのだ。そして六日七晩エンキドゥが女と交わると、すべてが変わっていた。

彼女の豊かさに満足してしまうと
彼は顔を野の動物へと向けた
エンキドゥを見て、カモシカたちは逃げていった
野の動物たちは彼を避けた
エンキドゥが驚いたことに、彼の体はこわばった(30)
獣が行ってしまうのに彼の膝はきかなくなった
エンキドゥは弱くなり、前のように走れなくなった(31)
だがいまや彼には理性があり、考えも広くなった(32)。

エンキドゥはついに動物的な性質を失う。「群れは彼を拒絶する、彼はその中で育ったのに(33)」。エンキドゥは着物を着せられ、町に連れて行かれ、パンと酒をふるまわれる。

食べ物を食べなさい、それは生きるためです
飲み物を飲みなさい、それが国の習いなのです[34]。

こうしてエンキドゥは「人間になった[35]」。分業化された社会は、未開拓の自然には提供できないものを与えてくれた。エンキドゥも、その一員となったわけである。彼は自然を出て城壁を越えて人間になったが、この変化は不可逆的で、以前の生活に戻ることはできない。「野の動物たちは彼を避け[36]」るようになる。自然は、一度その胎内から出た者が戻ることを許さない。「遠い昔に人間を生んだ自然は、いまも外にあり、城壁の向こうにある。自然は見知らぬものであり、いくらか敵対的である[37]」。

エンキドゥが動物から人間に生まれ変わるこの瞬間は、きわめて重要なことを暗示している。ここに示されているのは、古代の人々にとっての文明の始まりなのである。人間と動物の、正確には人間と野生のちがいが描かれ、文明化された人間の誕生と意識の目覚めが静かに語られる。人類最古の叙事詩のこの部分を読むとき、私たちは人間の動物性からの解放に立ち会う。それは、石から彫刻が削り出される瞬間にも似ていよう。自然に何ら手を加えることもなくそのまま直接に自分の必要を満たしていたエンキドゥが、都市に移り住む。都市は、自然の外の人工的な環境に出現した生活と文明の原型である。「彼は都市に、人間によって作られた世界に住み続ける。彼はそこでゆたかに、安全に、快適に暮らすだろう。パンを食べ酒を飲み、人間の手で苦労して作られた不思議な食べ物を食べるだろう[38]」。

文化の歴史は、自然の気まぐれをできるだけ遮断しようとする人間の努力の歴史でもある。[39] 文明が高度化するほど、人間は自然やその影響から守られ、望み通りの安定した環境あるいは制御可能な環境を整える術を身につける。現代人の予定は、もはや収穫にも、野生の獲物にも、季節にも左右されない。外が極寒であれ猛暑であれ、家の中の温度を一定に保つこともできる。

ギルガメシュ叙事詩には、生活環境を安定化させる最初の試みも登場する。その代表例がウルクの城壁建設である。ウルクが文明のゆりかごとなったのは、この城壁のおかげだった。[40] 安定化の試みは、人間の活動や労働にも見受けられる。各人が自分の得意なことに特化し、他の必要なものは他人の労働に委ねれば、社会はゆたかになる。自分の服や靴は自分で作らねばならず、食べるものは自分で狩りをするか、採集するか、耕さねばならず、飲み水は自分で見つけねばならず、住居は自分で作らねばならなかったのは、遠い昔のことだ。[41] これらは市場を介した分業に委ねられ、アダム・スミスが『国富論』の中で論じるよりはるか前から行われていた。[42] 人々は、それぞれに最も得意な、したがって社会にとって有用なことに専念し、残りの必需品の大半は他人に任せた。

叙事詩には、分業の発展過程における大きな飛躍も描かれている。ウルクは世界最古の都市の一つであり、分業や専門化へ、すなわち新しい社会的な都市へと向かう歴史的な発展過程を体現していた。城壁があれば、都市の住民は身の危険を心配せず仕事に没頭し、自分の技術を深めていける。城壁で囲まれた都市の永続性がもたらした成果には、目を見張るものがある。都市の生活は新たな次元に到達し、人間の一生の間には完成できないような事業に取り組むことも、めずらしくなくなった。「城壁は、都市の永続性を象徴すると同時に、それを実現するものだった。都市は恒久的な建造物であり、住民に安全を保障し、個人の一生をはるかに超えるような事業に投資しうる環境を整えた。ウルクの繁栄と富は、城壁の確実性に支えられていたのである。地方から来た者は都市の住民に憧れ、おそらくは羨んだだろう」[43]。

経済学の視点から見ると、要塞化された都市の出現は重大な変化をもたらす。住民の分業が進むことのほかに、都市には「手工芸や交易の可能性がある。そこでは人々は自分の才覚次第で金持ちになれる。もちろん貧乏になることもあるが。土地を持たない者や、次男坊、三男坊、非人、博打打ち、冒険家といった連中が、世界のあちこちからやって来る。食い扶持を稼げる可能性があるからだ」[44]。

だがどんなことにも代償があり、フリーランチはあり得ない。分業がもたらした今日の繁栄も、例外ではない。自然の気まぐれに翻弄されなくなったことの代償は、社会と文明に依存せざるを得なくなったことである。社会が全体として高度化するほど、その構成員は個人として独力では生き延びられなくなる。社会の分業化が進むほど、生存に関わる程度にまで相互依存の度合いは高まる。[45]

エンキドゥは誰の助けも借りず、一人で自然の中で生き延びることができた。

人も国も知らず……

カモシカたちとともに草を食べた
獣の群れとともに水場で肩を押しあった
動物とともに彼の心は水をよろこんだ。(46)

エンキドゥは動物と変わらなかった。生まれ故郷はなく、土地にも縛られない。自分一人の力で必要なものはすべて手に入れることができ、文明とも無縁だった。ここにもまた、トレードオフが存在する。エンキドゥは多くの動物同様、自給自足していた。その代わり（というよりも、むしろそのせいで）、必要とするものはごくわずかだった。動物が必要とするものは、人間に比べたら微々たるものにすぎない。これに対して人間は、自分のニーズを満たすことができない。どれほど金持ちになって、二一世紀のテクノロジーを手にしても。そう考えれば、すべてのニーズを満たされていたエンキドゥは、自然状態において幸福だったと言ってよかろう。文明人の場合、持てば持つほど、洗練されゆたかになるほど、必要なものは（けっして満たされないものも含め）増えていくように見える。何かを一つ買えば、理論的には必要なものが一つなくなるはずだ。したがって、必要なものの総数は一だけ減るはずである。ところが実際には、「欲しいもの」の総数は、「持っているもの」の総数が増えるにつれて増えていく。ここで、人間の満たされない欲望に気づいていた経済学者ジョージ・スティグラーの言葉を引用したい。「ごくまともな人間が望むことと言えば、欲望を満たすことではなく、もっと欲しがること、もっとよいものを欲しがることなのだ(47)」。

叙事詩の中では、自然から都市へという外部環境の変化は、内面の変化と密接に関連づけられている。それは、野生人から文明人への変化である。ウルクを取り巻く城壁は、とりわけ自然からの心理的な隔たりの象徴であるとともに、人間の力がおよばず人間の利益のために用いることもできない自然の掟に従うことへの反抗の象徴でもあった。

「外的環境で実利的な目的を持つ城壁は、人間の内面にも存在する。自我の形成は、他者の精神から自己を分離する防護壁となる。自己防衛は、自我の重要な特徴である。ギルガメシュは、外面・内面の両面で、自然環境から人間を分離したと言える」[48]。他方でこの分離は、都市社会と結びついたまったく新しい形の人間性の開発を可能にした。「人間の活力の拡大、人間の自我の拡張……そして都市構造のそこかしこで見受けられる分化や差別化は、文明の誕生という一大変化のさまざまな面を表していた」[49]。

自然は自然か

都市と自然を論じる際に、もう一つ注意しておきたいことがある。それは、人間が生まれたときの自然な状態こそが自然の象徴であり、都市はその正反対の状態、すなわち開発、文明、自然の改変、進歩等々の象徴だと考えがちなことだ。この点は、とくにのちのヘブライ思想やキリスト教の思想と比較するときに重要である。

文明と進歩は都市の中で実現する、都市こそは人間の「自然な」住処だ——これは、ギルガメシュ叙事詩を貫く無言のメッセージである。この視点からすれば、自然のままの状態でいることは、人間にとってけっして自然ではない。そもそも都市は、人間のみならず神の住処でもあった。

ウトナピシュティムはギルガメシュにむかって言った……
シュルッパクの町は、おまえも知っている町だが
エウフラテスの岸に位置している
それは古い町で、そこには神々が住んでいた
大いなる神々が洪水を起こすと決めたそのときに。(50)

自然の中で生きるのは動物であり、野生児エンキドゥはそこで暴れていた。自然は、人間が狩りに行き、実を集め、魚を捕る場所だった。自然は人間のニーズを満たしてくれるところであり、それ以上の何物でもなかったのである。人間は都市に帰って眠り、「人間」に戻る。これに対して、自然には悪が潜んでいた。フンババは杉の森に住んでおり、そのことが森を根こそぎにする格好の理由となった。野生のエンキドゥは自然の中で暮らしており、姿形は人間だが、その本性は動物だった。都市に住んでおらず、手が付けられず(51)、人間に害を与える。人間と文明と非自然の象徴である都市は、堅固な城壁で周囲から遮断することが必要だった。エンキドゥは、都市に行って初めて人間となる。

こうしたわけだから、生まれたときの自然な状態は、ギルガメシュ叙事詩の中では不完全であり、悪である。人間の本性は、手を加え、文明化し、育て、押さえつけなければならない。この叙事詩の視点からは、次のような象徴的な見方をすることができる。すなわち人間の本性は不十分な悪いものである。教育や修練によってありのままの姿から断ち切ったときに初めて、よいもの、人間的なものが生まれる。人間らしさこそが文明の始まりなのだ……。

ここで自然観のちがいを理解するために、都市と自然の関係を後世のヘブライ思想と比較してみよう。旧約聖書では、この関係はギルガメシュ叙事詩とはまったくちがう。人間は自然の庭園の中で創造された。そしてエデンの園の世話をし、自然や動物と調和して暮らすものとされていた。創造された人間は裸のまま、何を恥じることもなく歩き出す。彼はほとんど動物であり、人間となるのは、服を着て字義通りの意味でも比喩的な意味でも自分を隠したときである。[52] 誘惑に負けて罪を犯した後、裸を恥じるようになったからだ。[53] 自然な状態、すなわち生まれたときの裸の状態を恥ずかしく思って服を着る行為が、動物と人間とを区別する。旧約聖書の預言者の書では楽園への回帰が語られるが、それはすなわち自然との調和にほかならない。

狼は小羊と共に宿り、豹は子山羊と共に伏す。
子牛は若獅子と共に育ち、小さい子供がそれらを導く。
牛も熊も共に草をはみ、その子らは共に伏し、獅子も牛もひとしく干し草を食らう。
乳飲み子は毒蛇の穴に戯れ、幼子は蝮の巣に手を入れる。[54]

罪深い文明

その一方で、旧約聖書の行間からは、都市文明や定住生活に対する反感も、読み取ることができる。たとえば羊飼いのアベルを殺すのは、悪い農夫（のちに鍛冶屋）のカインである。狩人や羊飼いは遊牧民に近く、都市には住まない。ある猟場や牧草地から次へと絶えず移住する。これに対して農耕は定住を必要とするため、都市型の生活様式と言える。ヤコブの物語の背景にも、やはり定住者への反感が見受けられる。定住して暮らすヤコブは、狩人である兄のエサウ[55]を出し抜き[56]、長子の祝福を偽って自分が受けてしまうのである。

都市は罪悪や退廃や堕落の象徴として、つまり人間性に反するものの象徴として描かれることが多い。すくなくとも、古代ユダヤの書物ではそうだ。ヘブライ人はもともと遊牧民で、都市を避けていた。聖書に登場する最初の重要な都市[57]が誇り高きバビロンだったのも、そのバビロンが神の手によって灰燼に帰したのも、偶然ではない[58]。またアブラハムの甥ロトは、牧草地が手狭になったため伯父一族と離別して都市へと向かうが、アブラハムは引き続き砂漠で暮らして遊牧生活を送る。ロトが選んだ町ソドムと、そしてゴモラが、のちに神によって滅ぼされたのは、周知のとおりである。

ギルガメシュ叙事詩にはことさら自然を讃えた箇所はないが、旧約聖書には詩の形をとった自然礼賛が見受けられる。旧約聖書の「雅歌」は、自然になぞらえつつ男女の愛を高らかに歌い上げる。恋人たちの愛し合う場面は、当然ながら自然の中であり、ぶどう畑や庭園で、すなわち都市の外で繰り広げられる。これに対して、都市の中では不快なことが起きる。ソロモンの恋人は夜警に打たれ屈辱を受け、二人は都市の中では互いを見つけることができない。だが自然の中、すなわちぶどう畑や庭園（エデンの園を思い出させる）の中は安全だ。二人はふたたび一緒になり、何物にも妨げられることなく思うさま愛し合う。

このように、自然や自然状態はヘブライ人にとってよいものであり、都市文明は悪いものだった。神の祭壇の原型は移動式で、固定されたときもただ天幕の中に置かれるだけである。ユダヤ教の幕屋（タバナクル）という移動式の神殿はここに由来する。彼らは、文明は人間をだめにすると考えていたのだろう。自然に近ければ近いほど、より人間らしくいることができた。人間がありのままの姿でいるためには、いかなる文明もよいものではなかったし、人間的でもなかった。ギルガメシュ叙事詩とは反対に、ヘブライ人にとって悪は城壁の中に、文明の中に存在した。

こうした自然観と文明観は、ユダヤ文化においても西洋文化においても、その後複雑な発展過程をたどる。のちにヘブライ人は預言者の反対を押して王を選び、都市を建設し、そこに幕屋を据え、神殿を建設する。エルサレムと呼ばれたこの都市は、やがてあらゆる宗教にとって特別な場所となり、ヘブライ思想においても重要な位置を占めるようになった。また都市のモデルにもなり、その姿は初期キリスト教にも示されている。たとえば新約聖書の最後の書「ヨハネの黙示録」を読めば、楽園の構想が、庭園だった旧約聖書の時代から大幅に変わったことがわかる。ヨハネは、天国を都市として、新しい都エルサレムの楽園として語っている。城壁の内側の様子がことこまかに語られ、純金の大通りや真珠の門があるという。生命の木があり、河はそこから流れ出すとあるが、それ以外に自然に言及した箇所は見当たらない。

ヨハネの語る楽園は、自然観の転換をくっきりと映し出している。つまりこの頃には、キリスト教は、人間のありのままの姿を疑問の余地なくよいものとは考えていなかった、ということである。そこにはギリシャの影響もあったかもしれない。旧約聖書の預言者たちのような自然との牧歌的な関係は、もはやなくなっていた。

このことは、経済に想像を絶するほどの影響をおよぼしたにちがいない。人間の自然のままの状態が善であるなら、強力な統治はいらないことになる。人間が放っておいても善をするように生まれついているなら、国家、支配者、あるいはリヴァイアサンが強制する必要はない。[59]だがホッブズの言うとおり、人間の本性が絶えず暴力を振るう可能性を秘めており、誰もが相争い、人間が人間にとって狼（動物！）であるなら、支配者の力で人間を文明化し、狼を人間にしなければならない。善をなす性質が人間に生来備わっていないとすれば、力ずくで、あるいはすくなくとも力の脅しによって、よい方向に向けてやる必要がある。というのも「自然状態」においては、「地上にいっさい文化はなく……知識もなく」、人生は「孤独で貧しく、汚らしく、野蛮で、しかも短い」[60]からだ。一方支配者が、人間本性は自ずとよい方向に向かうと信じることができ、このよき本性をただ見守り、調和するように導き支えるだけでよいと判断できるなら、経済政策ははるかに自由なものとなるだろう。

経済思想の発展という観点からみると、旧約聖書とギルガメシュ叙事詩にはまた別の興味深いちがいがある。それも、見かけは非常によく似た物語同士に、ちがいがある。ギルガメシュ叙事詩には大洪水の話が何度か出てくるが、その説明は聖書の洪水と驚くほどよく似ている。

六日と七晩にわたって
風と豪雨が押しよせ
大洪水が国土を荒らした
七日目がやってくると、
風はやわらぎ、大洪水は終わった
陣痛にのたうつようだった海は鎮まり、
大嵐はおさまり、洪水は引いた
空を見上げると、静かだった
だがすべての人間は土に帰していた
氾濫した草原は平屋根の高さになっていた。[61]

ギルガメシュ叙事詩では、大洪水は物語の本筋が始まるよりもだいぶ前に起きている。生き残ったのは、ウトナピシュティムだけだった。彼は船を建造し、あらゆる生き物を救う。

私は持てる銀のすべてを積み込んだ
持てる金のすべてを積み込んだ
持てる生命あるものすべてを積み込んだ
家族や身寄りの者をみな船に乗せた
野の獣、野生の生き物、
あらゆる技術と工芸の職人たちも。(62)

ノアとちがうのは、ウトナピシュティムがまず銀と金を積み込んだことである。これらは、聖書にはまったく出てこない。ギルガメシュ叙事詩では都市が「城壁の外の悪」から守ってくれる場所だったとすれば、富との結びつきが肯定されるのは理に適っている。富は都市に集中する。ギルガメシュ自身の名声のすくなくとも一部は、フンババを倒した末に森を伐採して、木材という富を得たことに由来する。

野生の悪と見えざる手

最後にもう一度だけ、野生児エンキドゥが人間になるプロセスに注目したい。想像をたくましくすると、このプロセスは市場の見えざる手、つまり経済思想の重要な概念の最初の兆候と考えられる。

エンキドゥは、あらゆる狩人を怯えさせる無敵の存在だった。彼は狩人たちの目論見をぶちこわし、狩猟や耕作を妨げた。エンキドゥにひどい目に遭わされた猟師の一人はこう語っている。

私は恐れ、私は彼に近よらない
彼は私が掘った穴を埋めてしまった
私が仕掛けた罠を引きちぎってしまった
獣や野の動物たちを私の手から逃がしてしまった
私が野の仕事をするのを彼は妨げた。(63)

ところがエンキドゥが人間らしくなり文明化すると、立場は逆転する。

羊飼いたちが夜休めるように
彼は狼をとらえ、獅子を追い払った
牧者の長たちは横になることができた
彼らの番をするエンキドゥは夜通し起きていた。(64)

人々はエンキドゥに食べ物を与え「飼いならした」。そして、それまで人間に悪さばかりし、都市の掟に反することばかりしていた、手の付けられない野生の悪を手なずけることに成功する。城壁の外にいたときのエンキドゥは、都市の住人にとって邪魔な存在だったが、人間に飼いならされると今度は文明の側に立ち、自然を相手に闘う。このことは、経済学者にとってきわめて重要な意味を持つ。野生児だったエンキドゥを打ち負かすことはできず、文明は損害を被った。だが罠やしかけを使えば、この悪を文明に有用な存在に変えられる、ということである。
これは、人間は生まれつき利己的だとか、自己の利益を隣人の利益より優先する、などとみなす性悪説の立場である。しかしエンキドゥに勝てなくとも、うまく利用することはできる。これとよく似た考えは、それから一〇〇〇年後に経済学の中心的な観念として登場した。いまや経済学者でなくとも知っている「見えざる手」である。悪と戦うよりは、「悪を鋤《すき》に縛りつけて耕す」ほうがよいことがある。悪との戦いに膨大なエネルギーを費やすよりは、そのエネルギーを使って目標を達成するほうが望ましいことがある。流れの向きを変えようと無駄な努力をするよりは、荒れ狂う流れの中に挽き臼を据えてしまうほうがよいことがある。チェコの古い伝説で聖プロコピウスがとった手法も、まさにこれだった(65)。聖人が森を開墾して耕地を拡げるときに、つまり自然を文明化するときに、人々は鋤に悪魔が括りつけられているのを見たという(66)。聖プロコピウスは、危険なもの、恐怖を与えるものをどうやって扱うかよく知っていたようだ。自然の混沌とした力を制圧し、排除し、破壊しようとむなしく試みるよりは、それをうまく利用するほうが賢いし、役に立つと承知していた。聖人は、悪魔の「呪文」をある程度理解していたのだろう。この呪文の一端を、悪魔メフィストフェレスは『ファウスト』の中で漏らしている。

つねに悪を欲し、つねに善をなす
あの力の一部です(67)。

哲学者のマイケル・ノヴァクは著書『民主的資本主義の精神』の中で、悪を創造的な力に変える問題を論じている。[68] ノヴァクによれば、こうだ。民主的な資本主義システムだけが、他のあらゆる（ときにユートピア的な）システムとは異なり、人間の魂には悪が深く根ざしており、この根深い「罪」の根絶はどんなシステムの手にも余ることを理解している。そこで民主的な資本主義システムは「罪の力を挫き、その活力を創造的な力に再転換する（これは、悪魔に復讐する最善の方法でもある）」。[69]

野生を文明化する物語は、トマス・アクィナスの神学講義にも登場するし、数世紀後には、バーナード・マンデヴィルが『蜂の寓話』の中で自由奔放に表現している。この寓話の経済的・政治的な要素は、しばしば誤ってアダム・スミスのものとされてきた。自己利益を追い求める肉屋の利己主義が社会に善をもたらすという有名な一節で、スミスが有名になったことはまちがいない。[70] しかし改めて言うまでもなく、スミスは今日一般に教えられ広く信じられているよりもずっと思慮深かったし、マンデヴィルに批判的な立場をとっていた。これについては後段で論じることにしよう。

ここで一つ指摘しておきたいのは、聖プロコピウスの伝説では、聖人だけが悪を飼いならして人々の幸福に奉仕させる力を持ち合わせていたことである。[71] 今日では、この力は市場の見えざる手に帰するとされている。一方、ギルガメシュ叙事詩では、娼婦が野生児を手なずけて役立つ人間に変えた。[72] どうやら見えざる手は、二つの極端なもの（この場合には聖人と娼婦）の間で振れる運命にあるらしい。

至福点[73]を求めて

ギルガメシュは神の血筋であり、偉大なことを成し遂げるように運命づけられていた。不死の探求は、叙事詩を織りなす重要な経糸である。[74]この種のいかにも古代的な難事業は、英雄でなければ敢えて挑もうとしないものであり、[75]叙事詩の中ではさまざまな形で現れる。

始めギルガメシュは、ウルクの城壁建設というさほど独創的でない方法で自分の名前を永遠に残そうとした。しかし友エンキドゥを得ると、城壁建設を放棄し、英雄としての評価を高めるべく都市を後にする。「永遠の生命を求めて、ギルガメシュは途方もない難事業に挑み、超人的な能力を発揮する[76]」。ここではもはや、自分の幸福や利益の最大化は目的ではない。重要なのは、英雄的な行為の形で人類の歴史に名を残すことだった。冒険と名声の最大化が、利益の最大化に取って代わったのである。不死の探求は、文字の誕生と密接な関係がある——成功したら次世代に書き残す必要があるからだ。ギルガメシュは、永遠の名声を記録にとどめようとして永遠の生命を求めた最初の人物だったと言えよう。「ギルガメシュという有名な名前は、文字や言葉の魔力によって、不死の概念と結びつく。名前は、とくに文字として記録に残されたとき、肉体を超えて生き続ける[77]」。

叙事詩の後半では、古典派経済学の言う利益の最大化も登場する。ギルガメシュの冒険譚は、最終的には願っていた成功にはいたらなかった。生涯の友と思い定めたエンキドゥは先に死んでしまい、ギルガメシュはそこで初めて、自分の行為のむなしさを説く声を聞くことになる。この声は、その後もずっと囁き続ける。「ギルガメシュよ、あなたはどこまでさまよい行くのです、あなたの求める永遠の命は見つかることがないでしょう[78]」と。失望したギルガメシュは海のほとりにやって来て、酒屋の女主人シドゥリに出会う。ギルガメシュの失意を慰めるため、シドゥリは至福の庭を語る。そこは「いまを楽しめ」という快楽主義の砦であり、人々は限りある生を受け入れ、すくなくとも生命が尽きるまでは、地上の快楽すなわち地上の効用を最大化しようとする。

ギルガメシュよ、あなたはどこまでさまよい行くのです
あなたの求める永遠の命は見つかることがないでしょう
神々が人間を創られたとき
人間には死を割りふられたのです
永遠の命は自分たちの手に留めおいて
ギルガメシュよ、あなたはあなたの腹を満たしなさい
昼も夜も満足するがよい
日ごとに楽しみ
昼も夜も遊び踊るがよい

あなたの衣服をきれいにしなさい
あなたの頭を洗い
水を浴びなさい
あなたの手につかまる子供たちをかわいがり
あなたの腕に抱かれた妻をよろこばせなさい
それが人間の仕事だからです。[79]

これはまた、ひどく現代的な消費と快楽のすすめである。この呼びかけを、ギルガメシュは意外にも拒絶する。「女主人よ、おまえは何を言うのか」[80]と。そして、この女のせいで、ウトナピシュティムを探す旅路は邪魔され遅れてしまったと感じる。ウトナピシュティムは大洪水を生き延びたただ一人の人間であり、彼なら不死の秘密を知っているはずだった。ギルガメシュは現世の快楽を最大化するという意味での快楽主義を拒絶し、自分の生を超える難事業に身を投じる。この瞬間に叙事詩は、効用の最大化からあっけなく方向を転じる。主流派経済学が、これこそ人間生来の性質だと言い続けている効用最大化に、ギルガメシュは背を向けたのだった。[81]

ウトナピシュティムを見つけたギルガメシュは、切望していた草を海の底から手に入れる。この草こそ、永遠の若さを与えてくれるはずだった。ところが、彼は深い睡魔に襲われて、草を失ってしまう。「難事業に疲れ果てたギルガメシュは、最もやさしく最も平凡なことに抵抗できなかった。彼は眠りに落ちた。眠りは死の兄弟である。忍び寄る疲労は人を消耗させ年をとらせる」[82]。

蛇が草の香に惹きよせられた
ひそやかに近づいて草を呑み込んだ
去っていくときに抜け殻を置いて行った[83]。

こうして最後の第一一書板で、ギルガメシュは求めていたものを再び失う。シーシュポス同様、手の届く直前で目的に逃げられ、けっして至福の時に到達することができない。だが最終的には、ギルガメシュは不死の生命を得る――彼の名は今日にいたるまで忘れられていない。さまざまな出来事の展開では偶然が重要な役割を果たすにしても、私たちが今日ギルガメシュを覚えているのは、エンキドゥとの英雄的な友情の物語としてであって、ついに完成しなかった城壁のためではない。

まとめ

本章では、人類最古の文学作品に経済的思考の最初の痕跡を発見しようと試みた。この古代の叙事詩から現代に通じる何かが見つかりそうだ、と考えたからである。五〇〇〇年以上の間に複雑怪奇な組織に発展した社会についても、何か発見できるかもしれないと期待した。今日の社会のありようを理解するのは、言うまでもなくきわめてむずかしい。しかし文明が誕生したばかりでまだ半ば裸の状態にあり、全体像を把握しやすい時期ならば、文明の主な特徴を探すのはいくらか容易になる。私は記録に残った文明の一番下の岩盤まで、もうその下には何もないところまで、掘り下げてみたかった。

この叙事詩の分析は何か役に立っただろうか。経済学の観点から何か重要なことを語ってくれただろうか。そこには今日にもなお通じるものがあっただろうか。ギルガメシュの中には、現代人にも共通する元型を見出せただろうか。

まず、神秘的な世界観にも「真実」があることは示せたと思う。現代では、古代の真実を別扱いにし、さも寛大そうに引用符を付けて表現する。だが、次世代の人々が今日の真実をやはり引用符に入れることを忘れてはならない。古代の人々は、さまざまな疑問に物語で答えた。英語の myth の語源であるギリシャ語は「話、物語」という意味であり、「神話は、ある種の『なぜ』を織り込んだ物語である」[84]。神話の物語が数学や科学の物語とどうちがうかについては、本書の第2部で論じる。

ギルガメシュ叙事詩を読むとすぐに、今日の経済学で取り上げる問題とよく似た問題が見受けられることに気づく。当時の人々に関する最初の記録は、今日とそうちがうわけではない。だから、この叙事詩は私たちにも理解できるし、自分自身に重ね合わせてみることもでき、ときにはひどく身近に感じさえする。たとえば城壁建設[85]で、人々をロボットのように効率よく働かせようとする場面がそうだ。人間の内なる人間的な部分は労働の邪魔になるという見方は、いまだに消えていない。経済学はだいたいにおいてそう考えており、人間的な部分を無視しようとする。人間性を重んじれば効率が犠牲になるという見方は、人類が登場したときからあったのかもしれない。独裁者にとっては、感情のない人民こそ理想の存在である。

この叙事詩では、人間の文明化にも立ち会うことができた。自然状態から解放され、自然から遠ざかっていく壮大なドラマである。ギルガメシュは都市を自然から遮断する城壁を築き、文化のための空間をつくった。それでも「文明の偉大な成果でさえ人間の欲望を満足させることはなかった」[86]。人間は、けっして安住することがなく、満足を知らない不安定な傾向を祖先から受け継いでいるのであり、このことを忘れないようにしたい。これが五〇〇〇年も続いてきたこと、今日でもギルガメシュのある種の虚無感に共感できることを考え合わせると、こうした特徴は人間の本質的なものなのだろう。おそらく現代人のほうが、ギルガメシュや叙事詩の作者よりも、こうした満たされない思いを強く感じているように思われる。

しかしギルガメシュのエンキドゥとの友情は、力強く虚無感を打ち砕く。友情は、生物学的には最も弱い愛であり、社会的にも一見不要にみえる。効率的な生産にとっても、社会の福祉にとっても、集団の一員になればそれで十分で、感情的な強い結びつきはいらないからだ。しかし制度を覆し、既存の秩序を打ち壊し、神に反抗するような場合には、友情の助けが必要になる。小さなこと（一緒に狩りに行くとか、工場で働くなど）なら、小さな愛、すなわち仲間意識で事足りるが、大きなことには、大きな愛、真の愛、すなわち友情が欠かせない。経済的な取引や交換からは、友情は抜け落ちている。なぜなら、友情は与えるからだ。真の友は真の友にすべてを与える。これが生死を共にする友情であり、利益や利得のための関係とは決定的にちがう。こうして友情は、希望に満ちた新しい冒険の扉を開き、壁を越える勇気を与えた。そして、壁を作ることも、壁の内側にとどまることも忘れさせた。

ある意味では、ギルガメシュとエンキドゥの関係は、人間の文明的な部分と動物的な部分の関係とみなすことができる（エンキドゥは、死んだ後もギルガメシュの中に生きていると言える）。となればここで、ケインズの「アニマルスピリット」に触れておかねばなるまい。アニマルスピリットは、不経済かつ不合理な冒険に駆り立てる精神を指す。城壁の建設によって、ギルガメシュは人間を原始的な動物状態から解放し、文明化をもたらした。文明は城壁と用心深い支配者によって隠された。にもかかわらずギルガメシュは野生児エンキドゥと友情を結び、未開の自然を征服しようと壁の外に出て行ってしまう。

ギルガメシュ叙事詩からは、都市の建設と共に、分業と富の蓄積が始まったこと、聖なる自然が単なる資源の供給元になったこと、人間の利己的な自我が解き放たれたことも読み取れる。そしてこれらの現象が出現すると同時に、逆説的にも、共同体における構成員の相互依存度は高まるのである。文明化以前の人々は自然に依存していたが、文明化が進むと、当人は自立したつもりでも、じつは他人に依存するようになる。エンキドゥと同じく、現代人も自然を社会と交換した。自然との調和を人間との調和と交換したわけである。

こうしたシュメール人の自然観と、次章で取り上げるヘブライ人の自然観の比較も簡単に行った。ヘブライ人が都市を建設するのはもっとあとのことで、旧約聖書の大部分で描かれるのは、自然と調和して暮らす人々である。人間は、自然状態のほうが自然でいられるのか、都市文明の枠組みの中にあるときのほうが自然なのか、どちらだろうか。また、人間は生まれながらにして善なのか、悪なのか。二番目の質問は、経済政策にとって重要な意味を持つ。というのも、もし人間が生まれつき性悪なら、骨肉相食むことになりかねないため、為政者は強権で臨む必要がある。これに対して人間が生まれつき善であるなら、統治をゆるやかにし、より自由放任型の社会にすることができる。

さらに、「市場の見えざる手」という経済学的な観念として一〇〇〇年後に提示されるものの前兆が、すでにギルガメシュ叙事詩に見られることを示した。それは、野生の悪を手なずけ、人間の役に立つように使いこなすという形で表れている。これに関連して、見えざる手の萌芽が娼婦と聖人という両極端にあったことも指摘した。最後に、酒屋の女主人シドゥリの言葉として、ギリシャ流快楽主義が語られたことにも注目した。ただしギルガメシュは、快楽の誘いを拒絶している。快楽主義が経済的に支持されるのは、四五〇〇年後の功利主義を待たねばならない。

叙事詩の最後は、陰鬱な循環史観で締めくくられる。何一つ変わらず、何の進歩もなく、ささやかな冒険の後はすべてがもとの状態に戻ってしまう。叙事詩自体も循環的で、終わりの場面は最初の場面、すなわち城壁建設の場面に立ち戻る。歴史はどこにも向かわない。すべては、小さな修正を加えながら循環的に繰り返す。ちょうど自然の中の季節の巡りや月の満ち欠けのように。人間を囲む自然は予測不能な神を体現するとされ、その神はと言えば人間と同じ弱点を抱え、人間同様に移り気である——なにしろギルガメシュ叙事詩では、人間がやかましいと腹を立てた神々が、大洪水を起こしたことになっている。自然は神格化され、人間は口出しするどころか、その中に分け入ることさえ想像もつかなかった（半神半人のギルガメシュのような英雄を除いては）。気まぐれで気分次第の神の領域に手を出すのは、危険きわまりなかったのである。

歴史の進歩という概念が登場し、英雄、支配者、自然、人類が非神格化されるのは、ヘブライ思想が登場してからのことである。ユダヤ教の歴史は、しかるべき歴史的瞬間あるいは歴史の終わりに出現するという救世主《メシア》を待ち望む歴史だった。

第2章

旧約聖書

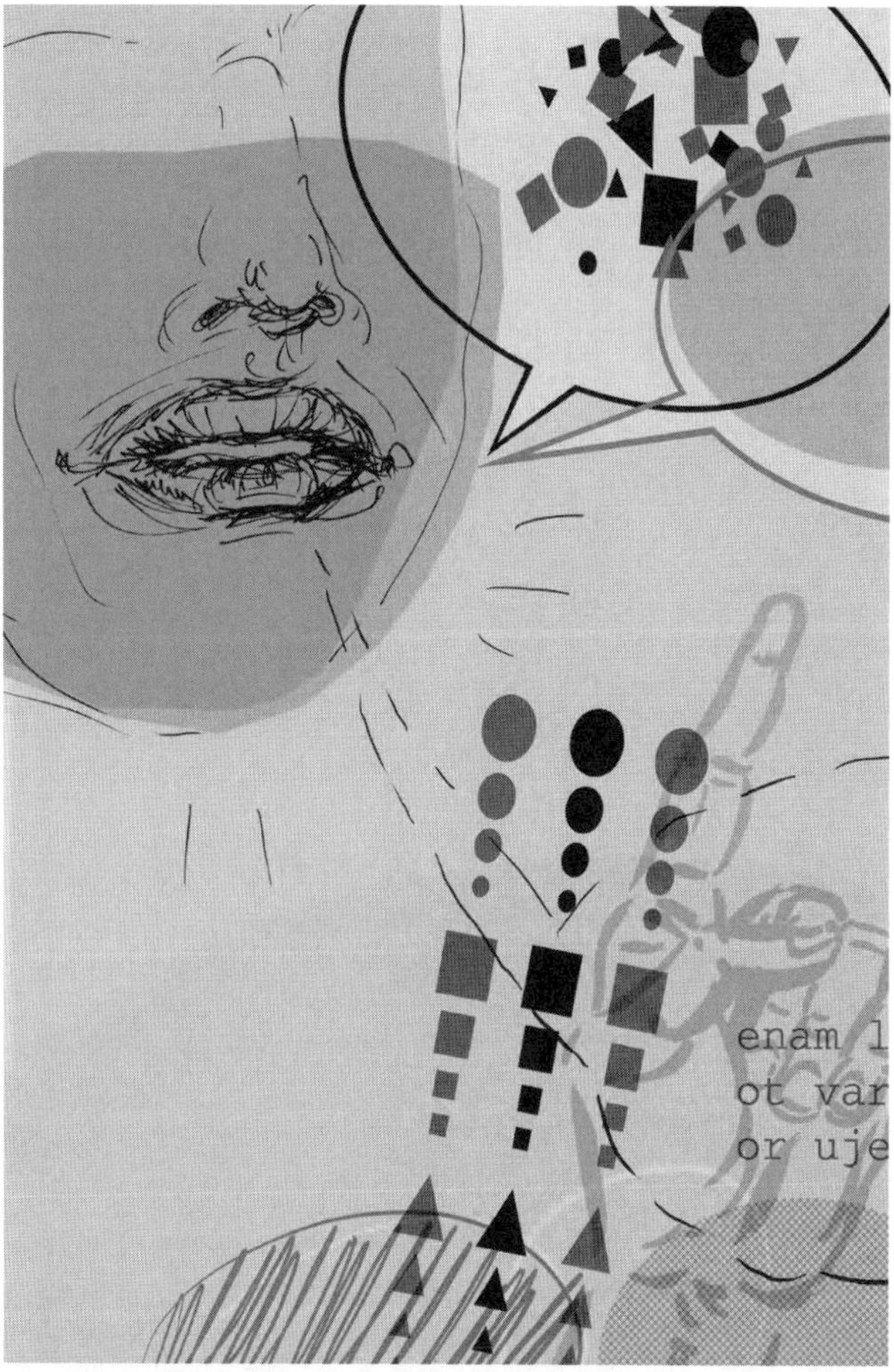

たったいま告白しよう。
ユダヤ教は資本主義のような指導原理だったと私は考えている。
どちらにも同じ精神が見受けられる。

——ヴェルナー・ゾンバルト

旧約聖書時代のユダヤ人[1]は、今日の欧米文化と経済システムの形成に重要な役割を果たしたにもかかわらず、経済思想の教科書や経済書の中で、この点に十分な紙面を割いたものは少ない[2]。マックス・ウェーバーは、資本主義の誕生はプロテスタントの倫理に負うところが大きいと述べ[3]、マイケル・ノヴァクは、カトリックの倫理観と人間観の影響を重視した[4]。しかしゾンバルトによれば、資本主義誕生の背景にあるのはユダヤ教だという[5]。

とはいえユダヤ文化が果たした役割の重要性は、主立った学者も一様に認めている。ユダヤ思想が近代的な資本主義経済の発展に寄与したことは、疑う余地がない[6]。だとすれば、経済学が学問になる前の時代を探ろうとする私の試みに、旧約聖書をぜひとも含めなければなるまい。キリスト教がユダヤ教の上に成り立っており、のちに資本主義の形成と経済学教育に大きな影響を与えた点からも、経済学における人間観や経済学の精神の変革に大きく寄与した点からも、旧約聖書は重要な意味を持つ。

ユダヤの経済的習慣は、多くの面で、近代的な経済学の発展を予見させるものとなっている。

はやくも中世の暗黒時代からユダヤ人は多くの経済的ツールを時代に先駆けて使いこなしており、それらはのちに近代の経済を形成する重要な要素となった。

彼らは金貸業を営み、多くの資産を取引し……とりわけ資本市場での取引に従事し、両替を行い、金融取引においてはしばしば仲介者として働いた……彼らは銀行家の役割を果たし、ありとあらゆる形の発行に関わった。近代資本主義には……本来的に何らかの形でこれに類する活動が、経済的にも法的にも存在する。(7)

ユダヤの伝統を攻撃する人々でさえ、おおむねこの点は認めている。たとえばニーアル・ファーガソンが指摘するように「マルクス自身が『ユダヤ人問題によせて』(8)という論文を書き、資本主義者は信奉する宗教を問わず真のユダヤ人だと述べた」(9)。戦前の煽動的な人種差別主義者の一人であるハインリヒ・クラスは、ユダヤ人は「貨幣と品物を取引するために生まれた」と述べた。(10)なぜそうなったのだろうか。もともとは遊牧民だった民が、どこで商売人の感覚を身につけたのか。ヘブライ人の価値観が、現代文明における経済思想の方向を決定づけたと考えてよいのだろうか。

進歩の概念——世俗化された宗教

旧約聖書が人類に示したものの一つは、進歩の概念である。旧約聖書の物語には発展があり、そこにはユダヤ人の国の歴史も織り込まれている。ユダヤの人々は、時間を線と捉えた。線には始まりがあって終わりがある。彼らは歴史の進歩を信じており、その進歩は現世にあって、救世主の出現で頂点に達すると考えていた。千年至福説では、救世主に政治的役割が与えられていることも少なくない。[11] このようにヘブライ信仰は、観念的な来世ではなく現世と強く結びついており、この世で手に入るものに喜びを感じる者は、当然ながら悪を犯すはずはないとされた。

ユダヤ教における神の戒律の遵守は、この世にないどこかに人を導くのではなく、物質的なゆたかさへと導くものだった（創世記四九章二五〜二六節、レビ記二六章三〜一三節、申命記二八章一〜一三節を参照されたい）。……物質的な富を得るために通常の経済活動に勤しむ者が、非難されることはない。禁欲を要求する声もなければ、貧しさによる罪の浄化や精神的効果を説く声もなかった。したがって、ユダヤ教の創始者である父祖アブラハム、イサク、ヤコブがみな富者であっても、何も不都合はなかった。[12]

時間が線として理解される前は、シーシュポスの苦行のような果てしない循環的な繰り返しとして理解されていた。前章で述べたように、ギルガメシュ叙事詩では歴史に方向性がなく、多少の変化はあってもすべては循環的に繰り返される。それは、季節や生死や月日の巡りと似ている。物語自体も奇妙な時の円環構造を示しており、始まったところで終わりを告げる。そこには、ギリシャ神話や寓話との共通性が見られる。物語が終わりまで来ても、何も進歩はなく大きな変化もない。無限の時の中で物語はある種宙ぶらりんになっており、どこからでも何度でも繰り返せる。何も変わっていないので、元のとおりの物語をまた始められるからだ[13]。

のちに科学を生み出し文明全体に希望をもたらす力となる進歩という観念は[14]、歴史を一本の線と捉えたとき初めて生まれた。歴史に始まりと終わりがあり、それは同一地点ではないとすれば、次世代に実を結ぶようなことを探求するのも、意味のある行為になる。こうして進歩は新しい意味を獲得した。

こうしたわけで、現代文明は進歩の観念に関してヘブライ人に多くを負っている。とはいえ歴史の流れの中で、進歩の観念自体も大きく様変わりした。今日私たちが考える進歩は、当初とはかなりちがったものとなっている。当初は精神的な意味合いだったが、今日ではほとんどの場合に、経済的あるいは科学技術的な進歩を指して使う[15]。それだけではない。経済が進歩することは、現代社会にとってもはや大前提だ。成長はするものとして、定期的に成長予測が行われる。何も革新が起きず、国内総生産（ＧＤＰ）が数四半期連続で横這いになろうものなら、これを「低迷」と呼び、異常だと考える。だが昔からそうだったわけではない。ケインズがおよそ一〇〇年前に書いたように、高い成長率と大幅な物質的進歩が常態化したのは、ほんの三世紀前からのことにすぎない。

記録が残されている最古の時代、たとえば紀元前二〇〇〇年ごろから比較的最近の一八世紀初めまで、世界の文明の中心地に住む庶民の生活水準は、それほど大きく変わっていない。生活水準が上昇する時期と低下する時期は確かにあった。伝染病や飢饉、戦争の時期があった。黄金の時期もあった。しかし進歩はしていない。変動があっただけだ。たとえば西暦一七〇〇年までの四〇〇〇年間でみれば、他の時期より生活水準が五〇%高い時期はあったし、一〇〇%高い時期もあっただろうが、それが精一杯だった。……有史以前の一時期には、それはひょっとすると最後の氷河期が訪れる前の温暖な間氷期だったかもしれないが、ともかくも今日に匹敵するような進歩と発明の時期があったにちがいない。だが記録に残っている時代の大部分には、こうした時期は見当たらない(16)。

循環的な時間感覚から解放され、そこから数世紀が過ぎるまでは、生活水準が目に見えて向上したわけではない。先ほどのケインズの文章に付け加えるなら、標準的な世帯の家具は、四〇〇〇年にわたってほとんど変化がなかった。つまり、キリスト生誕のはるか前に眠りについた人が一七世紀になって目覚めたとしたら、日々の生活で使う道具や設備類にさほど変化を認めなかっただろう。だが現代人は、ほんの一世代先つまり三〇年後に目覚めても、家庭にある設備の操作に大いにまごつくにちがいない。物質的な進歩が当然のこととされるようになったのは、科学技術革命の時代(それはまた経済学が独立した学問分野として誕生した時代でもあった)以降のことなのである。

ケインズは、一〇〇年後にはニーズは経済的に満たされるだろうと、はっきりと述べた。それでも現代の主立った学者の大半は、物質的進歩が利益をもたらすことに何の疑いも抱いていない。だから、つねに成長し続けなければならない。人々は、多くは暗黙のうちに、自分たちが地上の

（経済的）楽園へ向かっていると信じている。チェコの哲学者ヤン・パトチカは、『歴史哲学についての異端的論考』の中で、経済学者が今日きわめて重要な地位を占めているのは、人間が精神的なことより外面的なことを重んじるようになったからだと指摘する。経済学者には、現実を説明すること、マクロ経済予想という名の予言サービスを提供すること、現実を修正すること（危機の衝撃緩和と成長の加速）、そして長期的には約束の地すなわち地上の楽園への道程を先導することが期待されている。ポール・サミュエルソン、ミルトン・フリードマン、ゲーリー・ベッカー、フランク・ナイトを始めとする綺羅星のごとき学者たちが経済的進歩の熱心な使徒となり、自国のみならず他の文化圏にまで福音を説いた。これについては、本書の第2部でくわしく論じることにしたい。

現実主義と反禁欲主義

ヘブライ人が西洋文明にもたらした貴重な遺産は、進歩の観念のほかにもまだある。英雄や自然や支配者から神聖性を剥ぎ取ったことだ。いくらか誇張を承知で言えば、西洋文明に影響を与えたあらゆる思想の中で、ユダヤ思想は最も現世的で現実的だと言ってよかろう。[17] ユダヤの人々にとって、抽象的な観念の世界は存在しない。今日でも、神や人間や動物を装飾や絵画や彫像に表象することは禁じられている。現実のものを象徴化したり象徴的に描いたりすることは、許されないのである。

あなたたちは自らよく注意しなさい。主がホレブで火の中から語られた日、あなたたちは何の形も見なかった。堕落して、自分のためにいかなる形の像も造ってはならない。男や女の形も、地上のいかなる獣の形も、空を飛ぶ翼のあるいかなる鳥の形も、地上を這ういかなる動物の形も、地下の海に住むいかなる魚の形も。また目を上げて天を仰ぎ、太陽、月、星といった天の万象を見て、これらに惑わされ、ひれ伏し仕えてはならない。それらは、あなたの神、主が天の下にいるすべての民に分け与えられたものである。(18)

キリスト教とは対照的に、この世にない楽園すなわち天国という概念は、ヘブライ信仰では発展しなかった。(19) イスラエル人にとっての楽園はエデンの園であり、それは地上にあって、それもメソポタミアのどこかにあると特定されていたし、(20) 存在した時期も、アダムとイヴから数えた系譜で特定できた。またユダヤ人は今日にいたるまで、創世からの年を数える。天国という概念はまったく発展せず、すくなくとも神学的な議論では言及されない。ヴォルテールも、「モーセの律法においては、来世のことについてはいっさい記されておらず、すべての罰と報いは現世に限られている(21)」と書いている。

禁欲主義は、強制であれ自主的であれ、古代ヘブライ思想にはなかった。また、物質的、肉体的なものに対する嫌悪とも無縁だった。こうした嫌悪が現れるのは、ソクラテスやプラトンの影響を受けてからのことである。(22) ギリシャの禁欲的な伝統は、やがてパウロや新プラトン学徒のアウグスティヌスを経てキリスト教に根付いていく。ただしアウグスティヌスは、禁欲主義をある程度までしか認めていない（ギリシャの哲学者と中世の神学者については、あとで禁欲主義に関連して取り上げる）。

マックス・ウェーバーはユダヤ人の現実主義に注目し、「ユダヤ教は、ありのままの世界を拒絶せず、世界を支配する社会的秩序のみを拒絶するという意味において、すくなくとも現世に向かう宗教である……ユダヤ教は、一貫した禁欲主義が相対的に不在だという点でのみピューリタニズムと異なる……ユダヤの律法の遵守は、禁欲主義とはほとんど関係がない[23]」と指摘した。ヘブライ人は世界をありのままに捉え、プラトン的な歴史解釈のように、どこかにあるよりよい世界の影とはみなさなかった。またアウグスティヌスのように、魂が肉体と闘うとも、魂は肉体の囚人であるとも考えなかった。むしろ肉体も物質的世界も、ひいては経済的世界も、すべて善き神が作り給うたものだった。彼らにとって、土地、世界、肉体、物質的現実は歴史の重要な舞台装置であり、最高の創造物だったのである。

こうした発想は、きわめて世俗的な性質を持つ経済学の発展にとって必須の条件である。このため、たとえ精神的な高みに達していなくとも、現世の必要と願望を満たすのにふさわしいとして、正当化され許容された[24]。旧約聖書の教えには、富に対する嫌悪も貧しさの称賛もほとんど出てこない。富者を手ひどく軽蔑する厳格さが表れるのは、新約聖書になってからである。たとえばラザロの話などがそうだ。だがヘブライ人は、現世で羽振りがよいのは神の好意によるものと理解した。社会学者のゾンバルトは、このことを正確に論じている。

ユダヤの文学や聖書、タルムード（口伝律法）を読むと、貧しい人々を富者より尊いものとして賛美する文章がほとんどないことに気づく。その一方で、富者が主に祝福されたといった文章はきわめて多い。富者に対しては、富の誤った使い方やその危険性が警告されるるだけで……富者自体を悪いとする文章は見当たらない。彼らが主から嫌われているという文章はどこにもない。[25]

こうした世俗的な思想を抱くヘブライ人は、旧約聖書の中で英雄、支配者、自然から神性を剥ぎ取る。このことは、経済思想の転換に大きな役割を果たした。

英雄の非神格化

英雄の概念は、ケインズの「アニマルスピリット」の遠い祖先とも言えるし、人が無意識のうちに持っているある種の元型への憧れとも言え、見かけ以上に重要な意味を持っている。おそらく誰もが自分の内に「心のヒーロー」を持っているだろう。それはロールモデルであり、偶像であり、意識的に、あるいは無意識のうちにまねる手本でもある。それがどのような元型かは重要な意味を持つ。元型の果たす役割は理性では説明がつかないうえ、時代や文明によって変化する。人間を突き動かすこの内なる原動力、この夢は、けっして眠らない。人間の行動に、もちろん経済的行動にも、認めたくないほどの影響を与えている。

旧約聖書には、他の文明より現実的な英雄の元型が描かれている。ユダヤの「ヒーロー」は、たとえばギルガメシュ叙事詩やギリシャ神話などとは異なり、はるかに現実的で、身近な人間としてイメージできる。シュメール人の英雄像はすでに見たので、ここで一息ついて、ユダヤ人に強い影響をおよぼしたエジプト文明に寄り道してみよう。ユダヤの歴史が始まった当初、ユダヤ人は数世紀をエジプトで暮らし、一時期はあの有名なラムセス二世の統治下にあったと考えられる。[26]保存されている記録から（官僚組織と記録の伝統を築いた人間がいるとしたら、それはエジプト人にちがいない）、当時の英雄がどんなものだったか、おおまかなイメージを掴むことができる。英雄王の神話はこの時代にさかんに作られており、エジプト学者のクレール・ラルエットによれば、英雄の特徴は、美しく、[27]男性的で力強く、[28]知識と知性を備え、[29]知恵と理解力があり、用心深く実行力に富み、かつ名声と知名度が高いことだという。美しいとは「見るだけでよろこばしい」ような完璧な容姿であることに加え、精神的な美しさも意味した。また名声は敵をも圧倒する力があり、「王の存在を前にすると、千人の男たちも立っていられなかった」[30]という。英雄は臣下に心を配るよき指導者であると同時に、頼もしく勇敢な守護神であり、人民の楯となる存在でもある。さらにエジプトの支配者は、シュメールの支配者同様、半神半人あるいは神の息子であった。[31]

一方、モーセ五書には、超人的な肉体能力を授けられ、偉業を成し遂げるように運命づけられた半神半人の力強い英雄はどこにも見当たらない。唯一の例外は怪力のサムソンだが、そのサムソンは神の一存で超人的な力を失ってしまう。モーセ五書に英雄と呼べる人物がいるとしても、彼らはのべつ過ちを犯し、しかもその過ちは聖書に逐一記録されている。おそらくは、神格化されることを防ぐためにそうしたのだろう。[32] その例は、探すまでもなくすぐに見つかる。ノアは酔っぱらって恥をさらすし、ロトもやはり酩酊状態で自分の娘たちに誘惑されてしまう。アブラハムは嘘をつき、たびたび自分の妻を後宮に売ろうとする。ヤコブは父イサクを欺き、エサウが受けるべき長子の祝福を自分が受ける。モーセはエジプト人を殺した。ダビデ王は家臣の妻を手に入れようとして家臣を死に追いやった。ソロモン王は異教徒の偶像崇拝の対象になった、といった具合である。[33]

どの社会、どの時代にも理想像があり、人は無意識のうちにそれに従って行動する。理想像の多くは、すでに存在するものと結びついている。人類学では英雄にいくつかのパターンが知られており、ポーランド出身の人類学者ポール・ラディンの分類は有名だ。ラディンは北米インディアンの神話を調査して四つの英雄元型を抽出し、著書『トリックスター』で紹介して大きな反響を呼んだ。最も原始的な「トリックスター（詐欺師）」、文化を担う「ウサギ」、肉体能力を表す「赤い角」、最も発達した「双生児」である。ギルガメシュ叙事詩には、この四つがすべて見られる。双生児の片割れとしてギルガメシュを補う存在がエンキドゥである。[34] ヘブライ人とキリスト教徒は、ここに五番目の元型を加えたと言えるだろう。それは、苦しむ英雄である。[35] たとえばヨブがそうだし、イザヤもだいたいにおいてそうだ（キリスト教においては、これは言うまでもなくイエス・キリストである。キリストは弱さによって強さを示し、失うことによって勝利し、十字架の上で屈辱を受けて偉大になった。キリストの役割は、道を示し、人間に代わって苦しむことだったと考えられる）。上記の分類からわかるように、ヘブライ人の英雄の大半はトリックスター、ウサギ、双生児に該当する。英雄と言われて大半の人が思い浮かべる超人的な能力の持ち主（赤い角）は、見当たらない。

このことは、民主的な資本主義にとってきわめて重要である。ユダヤの英雄元型は、今日の生活にふさわしい英雄が登場する下地を準備した。言わば「英雄は武器を下ろし、富裕になるための取引を始めた」のである。(36) ご存知のとおり、取引に腕力は必要ないし、美しくなくても半神半人でなくてもかまわない。今日に続く文明を牽引する英雄としては、抜け目のないトリックスター、文化を担う人、苦しむ人の方がはるかにふさわしい。

自然の非神聖化

旧約聖書では、英雄だけでなく自然も神聖性を失う。(37) 自然は神が創ったものであり、そのこと自体が神聖性の証拠と言えるが、ギルガメシュ叙事詩に登場するような移り気な神の領域とはされていない。(38) ただ、自然を神聖視しないと言っても、けっして略奪や冒涜を奨励するわけではない。そもそも人間は、自然の世話をするために造られている（エデンの園の物語や動物の命名に象徴されるように）。自然の保護と世話というこの役割は、本章の冒頭で論じた進歩の概念とも関係がある。時間を線として捉える場合、次世代へ残すということが当然ながら問題になる。「ユダヤ教は人間による経済の発展をよいものとみなし、自然はこの目的に従属するものとみなす。だが……成長は制限する必要がある。将来世代のニーズを考慮しなければならないからだ。人間は神の世界の番人であり、自然資源は、私有であれ国有であれ浪費を禁じられる」[39]。

支配者もただの人

旧約聖書の教えは、支配者、現代流に言えば政策担当者をも非神聖化した。神はモーセを通じて、ファラオに対して立ち上がれとユダヤ人に呼びかける。これは歴史的にみて前代未聞の出来事である。それまで支配者は神に等しかったし、すくなくとも神の子だった。ウルクの支配者ギルガメシュにしても、三分の二は神である。だが旧約聖書ではファラオはただの人間であり、ファラオに同意しないことも、反抗することも可能だった。

のちにはイスラエル王国の王たちでさえ、預言者から、おまえたちは全能者ではない、おまえたちは神と同じではなく神の僕《しもべ》である、と繰り返し指摘される。そもそも政治支配者という観念自体が、主の意志に反するとされた。そのことはモーセ五書にはっきりと示されている。主は統治の最上位の形態として明白に「士師」を好む。士師は裁きを行う人であって、現代的な意味での権力をもって統治を明示的に行うわけではない[40]。王の支配のほとんどは崩壊し、後世の読者がそう理解するように書き残されている。王制はけっして神聖なものではなく、王となるのは完全に世俗の事柄であり、したがって謙虚であることは支配者として最も基本的な徳とされた。イスラエル王国の最も重要な王であるダビデは、彼の作とされる詩篇の中で、「主は貧しい人々を励まし、逆らう者を地に倒される[41]」と語っている。政治は絶対的な神聖性を失い、政治的な問題は疑義の対象となり、政策は吟味の対象となった。

このように、旧約聖書においては王制という制度自体が奨められておらず、むしろ強く戒められている。イスラエル人が（籤で）王を選ぶ前は、士師によって統治が行われていた。士師は、王のような強い権限は持たない。次の一節では、主は預言者サムエルを通して、王を戴かないように警告する。

彼はこう告げた。「あなたたちの上に君臨する王の権能は次のとおりである。まず、あなたたちの息子を徴用する。それは、戦車兵や騎兵にして王の戦車の前を走らせ、千人隊の長、五十人隊の長として任命し、王のための耕作や刈り入れに従事させ、あるいは武器や戦車の用具を造らせるためである。また、あなたたちの娘を徴用し、香料作り、料理女、パン焼き女にする。また、あなたたちの最上の畑、ぶどう畑、オリーブ畑を没収し、家臣に分け与える。また、あなたたちの穀物とぶどうの十分の一を徴収し、重臣や家臣に分け与える。あなたたちの奴隷、女奴隷、若者のうちのすぐれた者や、ろばを徴用し、王のために働かせる。また、あなたたちの羊の十分の一を徴収する。こうして、あなたたちは王の奴隷となる。その日あなたたちは、自分が選んだ王のゆえに、泣き叫ぶ。しかし、主はその日、あなたたちに答えてはくださらない」。民はサムエルの声に聞き従おうとせず、言い張った。「いいえ。我々にはどうしても王が必要なのです[42]」。

こうしてイスラエルでは、主の祝福がないまま、絶対的な権限を持つ支配者としての王が生まれた。王制の始めから神は不賛成だった。したがって、政治には何ら神聖な要素はないことが予見される。支配者は過ちを犯すし、それはきびしい批判の対象となりうる。実際にも旧約聖書では、預言者によって手厳しい非難が繰り返されている。

秩序と知恵の称賛

創造された世界にはある種の秩序があり、この秩序は人間にも認識できる。このことは、科学や経済学の方法論にとって非常に重要な意味を持つ。無秩序やカオスは科学的に解明することがむずかしいからだ[43]。社会のシステムであれ、経済のシステムであれ、システムには何らかの合理的・論理的な秩序があることは、無言の前提となっている。

とはいえ天地創造の時点では、世界はまったくちがう姿だったにちがいない。すべては形も色もない一つの塊だったのだろう。名前もなければ、識別することも不可能で、すべてが一つに溶け合っていた。(44) 神はまず天と地を創り、続いて一日ずつ、闇から光を分け、夜から昼を、水から大空を、乾いた地から水を、分けていった。こうしてものごとの秩序を定めたのである。(45) つまり世界は秩序立てて創造されたのであり、世界の創造には知恵と理性がかかわっていた。逆に言えば、合理性を重んじる理性的で賢い人なら、世界が創造された方法を、すくなくとも部分的には解読できるはずだ。(46) 世界を統べる原理は検証可能なのである。旧約聖書の「箴言」では、天地創造を行った叡智のことがくりかえし強調され、擬人化された叡智は次のように語る。

主は、その道の初めにわたしを造られた。いにしえの御業になお、先立って。永遠の昔、わたしは祝別されていた。太初、大地に先立って。わたしは生み出されていた、深淵も水のみなぎる源も、まだ存在しないとき。山々の基も据えられてはおらず、丘もなかったが、わたしは生み出されていた。大地も野も、地上の最初の塵も、まだ造られていなかった。わたしはそこにいた、主が天をその位置に備え、深淵の面に輪を描いて境界とされたとき……御もとにあって、わたしは巧みな者となった。(47)

そして、こう呼びかける。

日々、主を楽しませる者となって……人の子らと共に楽しむ。さて、子らよ、わたしに聞き従え。わたしの道を守る者は、いかに幸いなことか。……わたしに聞き従う者、日々、わたしの扉をうかがい戸口の柱を見守る者は、いかに幸いなことか。わたしを見いだす者は命を見いだし、主に喜び迎えていただくことができる。わたしを見失う者は魂をそこなう。わたしを憎む者は死を愛する者。[48]

このように神と、そして神とともにある叡智は、世界の秩序について学べと人間に説いている。世界は人間にとって理解不能なものではない。とりわけ、世界の解明が禁じられていない点に注意してほしい。秩序が人間の理性で理解可能であることは、もう一つの無言の前提であり、これが科学的な解明の試みの支えとなっている。旧約聖書には、知恵を身につけよと強く促す箇所がほかにもある。「知恵は巷に呼ばわり……いつまで浅はかな者は浅はかであることに愛着をもつのか[49]」。あるいはまた、「知恵の初めとして知恵を獲得せよ。これまでに得たものすべてに代えても分別を獲得せよ[50]」とある。

したがって世界を解明することは疑いもなく正しい行為であり、神から要求されてもいる。それはある意味で、神の創造に参加することだと言える。[51]人間は自分自身を、そして自分を取り巻く世界を理解し、その知識をよいことに活用するよう求められている。自然は人間のために存在しており、自然を調べて手を加える可能性は開かれている。いやむしろ、人間にはそれが求められている。

ヘブライ文化は、世界の科学的な解明に道を拓いた。自然を合理的に解明する姿勢のルーツが宗教にあった、という驚くべき事実に留意されたい。世界には、理性だけでは解くことのできない神秘が必ず存在するだろう。それでもこの世界は、直観、理性、経験などを総動員して解明を試みてよい世界なのである。

創造の仕上げをする人間

世界の創造は、ユダヤ教の教えでは「創世記」に描かれている。ここでは神は、第一に創造し、第二に分離し、第三に命名する（傍点筆者）。

初めに、神は天地を創造された。……神は光と闇を分け、光を昼と呼び、闇を夜と呼ばれた。……神は大空を造り、大空の下と大空の上に水を分けさせられた。そのようになった。神は大空を天と呼ばれた。……神は乾いた所を地と呼び、水の集まった所を海と呼ばれた。[52]

名前がないと、現実は存在しない。現実は名前とともに創造される。ウィトゲンシュタインは『論理哲学論考』の中で、「私の言語の限界が私の世界の限界を意味する[53]」と述べた。また人間は、そのものを表す象徴（たとえば名前、記号）を思い浮かべられないものは、考えることができない。再びウィトゲンシュタインによれば、「思考しえぬことを語ることはできない[54]」。

命名という行為は、創造主が行うべき気高い行為とみなされてきた。命名は、創作の最後の仕上げである。ちょうど、絵を完成させる最後の一筆が画家の署名であるように。命名に関しては、「創世記」に注目すべき一節がある。最後の仕上げである動物の命名を、予期に反して神は行わず、人間に委ねるのである。人間は、主が着手した創造を完成させる仕事を任されたのだった。

主なる神は、野のあらゆる獣、空のあらゆる鳥を土で形づくり、人のところへ持って来て、人がそれぞれをどう呼ぶか、見ておられた。人が呼ぶと、それはすべて、生き物の名前となった。こうして人はあらゆる家畜、空の鳥、野のあらゆる獣に名前を付けた。(55)

この短い一節に、「呼ぶ」と「名前」が合わせて四回も出てくる。神は創造したものをいくらか不完全な、いわば半完成品の状態で人間に示し、人間に最後の仕上げをさせ、創造を終えた。命名は象徴的な行為である。ユダヤの文化では、そして今日の西洋文化でも、命名権はきわめて大切に扱われており、探検者（新しい土地）、発明者（新しい原理）、親（子供）など、その生成や起源に関わった人物に帰属する。この至上の権利は、神から人間に譲られたものだ。人間による仕上げというモチーフは、人間が庭園で暮らしていたことにも表れている。(56) 庭は、人間が耕し完成させる場所とみなすことができるからだ。人間は、ジャングルや森や草原ではなく庭に置かれた。森や草原は放っておいても育つのに対し、庭は日々手入れをし、耕さなければならない。

このことは、経済学にどう関係してくるのだろうか。

現実の世界、いわゆる客観的な世界は共同で創造され、人間は創造に参加している。創造は、ある意味では絶え間ない再創造である。

現実は、与えられるものではない。現実を知覚するには、こちらが参加しなければならない。人間が最後の手を加えることで、現実は絶えず創造されていく。人間の創造参加は、解釈、感覚の順応、秩序の形成という形をとる（聖書では、命名、分類、選別、整列という行為で表現される）。現代の科学的なモデルは、解釈し、命名し、論理形式に従って分類し、モデルを介して現実を事実上知覚することによって、現実に仕上げを施している。現実はこうして初めて姿を現すのであって、これなしには意味を持たない。まさにチェコの哲学者ズデニェク・ノイバウエルが言うとおり、「意味を持たないものは目にも見えない」(57)。

人間は自分の理論を通じて世界を発見するだけでなく、世界を形成する。単に自然を加工する（大地を耕し、種を蒔き、干拓して土地の効率や肥沃度を高める）のではなく、より深い存在論的な意味で形成するのである。新しい言語形式や新しい分析モデルを発見したとき、または古い形式やモデルを捨てたとき、人間は現実を構築あるいは再構築している。モデルは人間の頭の中にだけ存在するのであって、「客観的な現実」の中には存在しない。この意味で、ニュートンは重力を発見したのではなく、発明したのだと言えよう(58)。ニュートンは完全に抽象的な架空のフレームワークを発明し、それが広く受け入れられ、やがて現実に「なった」。マルクスもやはり発明をした。階級の搾取という概念を、である。彼の着想によって、ほぼ一世紀にわたり世界の大半の国で歴史と現実の認識が変わった。

いよいよ経済の話題に移ろう。そして、単純なやり方で（つまりモデルを使わずに）現実に仕上げを加えた例を見てみよう。ジョン・ロックが、おもしろいやり方でこれをやっている。人間の労働や世話の「付加価値」を取り上げた箇所が、そうだ。

というのは、囲い込まれ耕された土地一エーカーから生産される人間の生存に役立つ食料は、同じように肥沃な土地一エーカーが共有のものとして荒れ地になっている場合に生産される食料の一〇倍になるからだ。……いま私は改良された土地の価値を、一〇対一ときわめて低く見積もった。実際にはこれは、一〇〇対一に近いだろう。[59]

ノヴァクは、未完成の創造、すなわち人間が「額に汗して」仕上げをしていない「自然状態」の創造に言及し、人間は創造された世界の管理者としての役割を与えられたが、いつの間にか創造を導く仕事も引き受けるようになったという。[60] ちょうど神が創造を未完成に残し、人間にエデンの園を守り世話する仕事を与えて、人間とともに創造を行ったように。また、ノイバウエルは次のように言う。「現実はあまりに濃密なため、自ら結晶化して世界を形成する。したがって現実とは創造であり、客観的な現象の起きる場ではない、と明言できる」。[61]

そうは言っても、ユダヤ思想は不可知の意義を認めている点で、やはり神秘的だと言えよう。ユダヤ思想は世俗的でありながらも神秘主義に浸り、機械論的な因果律で世界を説明することを拒んだ。ヴェブレンによれば、「ユダヤ思想では精神的なもの、目に見えないもの、人知を超えるものを重んじる。一方、異教徒は力学や科学を重んじる」。[62] のちにケインズは、まさにこの立場から経済思想史に登場する。経済学へのケインズの最大の貢献は、知覚不能なものを復活させたことにあると言ってよい。たとえばそれはアニマルスピリットであり、不確実性である。経済学者のピエロ・ミニによれば、ケインズが疑い反抗するアプローチをとったのは、ユダヤ教の教育を受けたせいだという。[63]

人間の中の善と悪——幸福の倫理的説明

ギルガメシュ叙事詩には、善悪に関して倫理的に一貫した言及はない。悪は登場するけれども、それは外生的なもので、城壁の外、人間界の外にある。悪の化身であるフンババは、都市の外の杉の森に住んでいた。都市の外で暴れていた悪者のエンキドゥは、都市に連れられてきたとたんに有用な人間と化す。

この叙事詩を読んだ人なら、悪は自然と、善は都市、文明化、進歩と結びつくことに違和感を感じないだろう。ちなみにエジプト人も都市を神聖化していた。彼らにとって、都市は神性の表象であり、エジプトの文献や詩では、都市はそれぞれ住んでいる神の名前で呼ばれる。[64] シュメールに話を戻すと、ギルガメシュ叙事詩では善悪は倫理の問題とは認識されず、善は道徳的な行為の、悪は不道徳な行為の結果とはみなされない。悪は倫理に反する行動や意図に依るどころか、そもそも人間の犯すものですらなく、自然に存在する。悪はただ生まれる、それだけだ。

対照的にヘブライ人は、倫理的な善悪に非常にこだわる。物語を貫くのは倫理であり、[65] 歴史も倫理に動かされている。ヘブライ人は、倫理こそ歴史の重要な決定因だと考えていたようだ。彼らのみるところ、人間の善悪に応じて歴史の行方は定まるのであり、人間の罪が歴史を左右する。旧約聖書に、よりよい世界を実現するための複雑な倫理規範が掲げられているのはこのためだ。

悪は都市の外に、自然や森の中のどこかに、つまりは人間の外にあるのではない。旧約聖書の多くの物語では、ギルガメシュ叙事詩とは反対に、自然は善の表象とされ、人工的な都市文明は悪を意味する。

シュメール人にとって、森に分け入って悪を一掃するなどということは不可能だった。だからギルガメシュとエンキドゥはフンババを殺して杉を切り倒すために、一大決心をしなければならなかった。シュメール人は二元論を信じており、善の神と悪の神が存在し、地上はその争いの場だった。ユダヤ人は正反対である。世界は善の神によって創造され、悪は倫理に反する人間の行為の結果として生まれる。つまり悪は人間が引き起こすものだった[66]。そして歴史は人間の行動の善悪に応じて定まる。楽園追放はその端的な例であり、アダムとイヴが神の命令に背いた結果だった[67]。また大洪水の物語にも、シュメール人とのちがいが見て取れる。旧約聖書では、人間の堕落と悪行の横行が洪水の原因とされている。

主は、地上に人の悪が増し、常に悪いことばかりを心に思い計っているのを御覧になった[68]。

これに対してギルガメシュ叙事詩では、神は人間がうるさくてたまらないから洪水を起こしたという。このように叙事詩では洪水に倫理的な意味付けをしていないのに対し、「創世記」では洪水を倫理で説明している。旧約聖書には、行為の倫理性によって歴史が決まる例がいくらでも見つかる。たとえばソドムとゴモラの滅亡は、二つの町の悪徳が原因だった[69]。約束の地にたどり着くまで四〇年も砂漠をさまよったのは、シナイ山での反抗の罰だった[70]、という具合である。ユダヤ国家の歴史自体も、倫理の観点から解釈され認識されている。倫理は言わば、ヘブライの歴史を動かし、揺るがす力であった。

倫理的な景気循環と経済的な預言

ユダヤ人の物語の中で、私たちは景気循環の最初の記述に遭遇する。記録に残された歴史において、初めての景気循環である。しかもそこでは、景気循環の理由を説明する試みもなされている。景気循環に関してはさまざまな学説があり、今日でさえ経済学者の間で意見の一致をみていない。心理的な要因、貯蓄と投資の乖離、さらには貨幣数量説から太陽の黒点説まで諸説入り乱れている。ヘブライ人は、景気循環を引き起こすのは倫理的要因だと考えた。だが、あまり先走りすぎてはいけない。まずは順序立てて見ていくことにしよう。

ファラオの夢――ヨセフと人類最古の景気循環

正確に言えば、最初に記された景気循環は神話の中のものである。ファラオは夢の中で七頭の肥えた牛と七頭の痩せた牛を見た。ファラオがヤコブの息子ヨセフにこの夢のことを話すと、ヨセフはこれをマクロ経済予想だと解釈する。すなわち、好況の七年に続いて貧困と飢饉と不況の七年が来るというのだ。

ファラオは夢を見た。ナイル川のほとりに立っていると、突然、つややかな、よく肥えた七頭の雌牛が川から上がって来て、葦辺で草を食べ始めた。すると、その後から、今度は醜い、やせ細った七頭の雌牛が川から上がって来て、岸辺にいる雌牛のそばに立った。そして、醜い、やせ細った雌牛が、つややかな、よく肥えた七頭の雌牛を食い尽くした。ファラオは、そこで目が覚めた。(71)

ヨセフはファラオの夢を次のように読み解く。

今から七年間、エジプトの国全体に大豊作が訪れます。しかし、その後に七年間、飢饉が続き、エジプトの国に豊作があったことなど、すっかり忘れられてしまうでしょう。飢饉が国を滅ぼしてしまうのです。(72)

そしてヨセフは、この結末をどうやって避けるべきか、ファラオに進言する。ヨセフが語るのは、豊作を蓄えて餓死を防ぐことだ。

このような次第ですから、ファラオは今すぐ、聡明で知恵のある人物をお見つけになって、エジプトの国を治めさせ、また、国中に監督官をお立てになり、豊作の七年の間、エジプトの国の産物の五分の一を徴収なさいますように。このようにして、これから訪れる豊年の間に食糧をできるかぎり集めさせ、町々の食糧となる穀物をファラオの管理の下に蓄え、保管させるのです。そうすれば、その食糧がエジプトの国を襲う七年の飢饉に対する備蓄となり、飢饉によって国が滅びることはないでしょう。(73)

ヨセフのこの提案は、ケインズ的景気対策と見なせるだろう。この方法を今日の経済政策に適用することについては、本書の第2部で論じる。

自己回避的な預言

ここで、ファラオとヨセフの物語についていくつか指摘しておきたい。豊作の年に産物の五分の一という形の税[74]を徴収して[75]穀物を貯蔵し、飢饉の年にそれを供給すれば、預言は事実上外れることになる（財政スタビライザー効果により豊年のゆたかさは抑えられ、飢饉は回避される）。このことから、預言が的確であるほど、預言されたことは実際には起こらないと言える。したがって、ここには矛盾がある。問題を予見し適切に手を打てば、問題は起こりもしない。[76]だから旧約聖書の預言は決定論的な未来観ではなく、何らかの対応を要求する警告と戦略的選択肢の提示と見るべきだろう。対応が適切であれば、預言された出来事がまったく起きないこともめずらしくない。[77]この種の「呪われた預言者」あるいは「自己回避的な預言」は、ヨナの物語にも見られる。彼は預言が忠実に守られれば的中しないことに気づいていたため、預言者になるまいとする。実際、ニネヴェは彼の預言にもかかわらず（いやむしろ、まさに預言したからこそ）、破滅を免れるのである。[78]

予想された災厄は、避けること、すくなくとも部分的に回避することが可能になる。ヨセフにしてもファラオにしても、豊作や凶作を防ぐ力は持ち合わせていない（この意味で夢の解釈は正しく、未来の姿は人知を超えていた）。だが、夢が意味したことは避けられた（この意味で夢の解釈はまちがっていた）。エジプトは結局のところ飢饉に見舞われなかったが、それは明快かつ適切な経済政策を適用したからである。[79] 言い換えれば、誰も、たとえ預言者でも、未来を知ることはできない。なぜなら未来に関する情報を受け取ったら、誰しも必ず何らかの方法で手を打つからである。それによって未来は変わり、予言の有効性は損なわれる。この原理は、社会科学でよく知られた自己実現的予言と真っ向から対立する。[80] たしかに、ある種の予言は表明され信じられただけで自ずと実現する。しかしそれ以外の予言は、表明され信じられたことが預言の実現を妨げるのである。

さらに、最初の「マクロ経済予想」が夢の中に現れたことも指摘しておきたい。夢は脈絡のないイメージで理解しがたい現象だとして、合理的な人々は長いこととまともに取り上げようとしなかった。夢が心理学によって復権を果たしたのは、最近のことである。その夢が、旧約聖書の中で経済の将来予測の手段となっているのは興味深い。

今日の経済学者がなぜ将来予測を求められるのか、その理由ははっきりしない。あらゆる社会科学の中で、いや、おそらくあらゆる人文科学の中で、経済学ほど未来のことに注意を払う学問はない。他の分野は、そこまで未来志向ではない。[81] 経済学者の楽園は未来にあるが、社会学者、生態学者、心理学者の楽園は郷愁に満ちた過去（人間が家族や自然やエロスと調和していた頃）にある。このことが経済学の未来志向と関係があるのかもしれない。しかも経済学は、あらゆる人文科学の中で最も正確な科学であると自負しており、これもまた未来に目を向ける理由となっているのだろう。

いや、脱線しすぎたようだ。ファラオの物語に立ち戻ろう。この物語では、なぜ景気循環が起きるのか、理由はまったく述べられていない。豊年になる、その後に凶年になる、というだけである。ほとんどすべてのことに(主に倫理的な)説明をつけたがる聖書にしては、ひどく珍しいことだ。実際、この点に関する限り、ギルガメシュ叙事詩を思い出させる。ギルガメシュ叙事詩では、善も悪もとにかく起きるのであって、人間の行動はそれに対して何ら影響をおよぼさない。ともあれ、聖書では景気循環の理由は説明されず、「なぜ」という問いに対する答は示されていない。[82]

景気循環の倫理的説明

対照的にのちのヘブライ人の解釈は、ユダヤ王国がなぜ栄えたり貧しくなったりするのか、理由を説明しようとした。そしてその理由は倫理的なものだった。ある民族あるいはその代表者(多くは王と祭司)が神の命令に従って行動していれば、イスラエルは戦に勝ち、[83] 周辺の国から敬われ、[84] そしてこれは本書にとって重要な点だが、経済的に繁栄する。

あなたたちがこれらの法に聞き従い、それを忠実に守るならば、あなたの神、主は先祖に誓われた契約を守り、慈しみを注いで、あなたを愛し、祝福し、数を増やしてくださる。

主は、あなたに与えると先祖に誓われた土地で、あなたの身から生まれる子と、土地の実り、すなわち穀物、新しいぶどう酒、オリーブ油など、それに牛の子や羊の子を祝福してくださる。あなたはすべての民の中で最も祝福される。あなたのうちには子のない男も女もなく、あなたの家畜にも子のないものはない[85]。

これこそ、記録に残っているものの中で、景気循環を説明する最初の試みと言ってよかろう。景気循環は今日でも経済学者の間で決着のついていない問題であるが、旧約聖書はこれを倫理的に説明してのけた。イスラエルが法と正義を守り、寡婦と孤児を虐げず、主の言葉に従っているときは、国は栄える。そうでなければ、経済と社会は危機に見舞われる。

寡婦や孤児はすべて苦しめてはならない。もし、あなたが彼を苦しめ、彼がわたしに向かって叫ぶ場合は、わたしは必ずその叫びを聞く。そしてわたしの怒りは燃え上がり、あなたたちを剣で殺す[86]。

次の一節も、この種の説明の一例である。

ユダの王、アハズヤの子ヨアシュの治世第二三年に、イエフの子ヨアハズがサマリアでイスラエルの王となり、一七年間王位にあった。彼は主の目に悪とされることを行い、イスラエルに罪を犯させたネバトの子ヤロブアムの罪に従って歩み、それを離れなかった。主はイスラエルに対して怒りを燃やし、彼らを絶えずアラムの王ハザエルの手とハザエルの子ベン・ハダドの手にお渡しになった[87]。

現代は、経済思想から倫理の視点が消えて久しい。その原因の多くはマンデヴィルの発想、すなわち「私悪は公益」が実行に移されていることにある（マンデヴィルについては第6章で取り上げる）。そのような経済システムにおいては、個人の倫理など無用である。というのも、のちに神秘的に市場の見えざる手と呼ばれるようになるものが、個人の悪徳を公共の利益に変えてくれるからだ。

経済学のいくつかの学派が倫理や信用の重要性を再認識し、制度の質、正義、職業倫理などを評価し、経済および経済成長への影響を検討する際に倫理を重視するようになったのは、ごく最近になってからにすぎない。

だが、景気循環に関するこの二つの対立する解釈にどう折り合いをつけたらよいのだろうか。倫理は景気循環と関係があるのか、ないのか。人々の行動は経済環境に影響を与えうるのか。倫理は将来にも影響をおよぼすのか。これらを問うとき、私たちは倫理学と経済学におけるきわめて重要な問題の一つに直面せざるを得ない。

善悪の経済学——善は報われるか

善は報われるか——これはおそらく、答えるのが最もむずかしい問題の一つである。この問いに対しては、おそらく百人百様の答があるだろう。この問いに答を出す仕事は、本書の範囲を超えていることをお断りしておかねばならない。そこには正義の問題も関わってくる。

旧約聖書を読む限り、善は報われる。ヘブライ人にとって、およそ人間にできる中で最善の投資は倫理である。正義の遵守以上に経済に資することはない。規則と倫理を守った場合の物質的な見返りはきわめて大きい(88)。ただしヘブライ人が、この問題に答えることを一段と困難にした事実を忘れてはならない。というのも旧約聖書は、天国と地獄についてほとんど言及していないのである――まるでヘブライ思想にはどちらも存在しないかのように。だから、死後に埋め合わせるという形で善悪に報いることは約束されない(これに対してキリスト教では、死後の償いが約束されている)。つまりヘブライ思想が語るのは、現世における正義のみである。善悪はこの世で清算されねばならず、来世に先送りすることはできない。

これについて、ゾンバルトは次のように述べている。

> 最も古い形式のユダヤ教は、来世について何も述べていない。幸いも災いもすべてこの世のことである。神が報いや罰を与えたいと考えたら、人間が生きている間にしなければならない。したがって正しい人は現世で栄え、悪人は現世で罰を受ける。主は、「私の教えに従えばあなたは幸福になり、地上で長く生きることができる」と約束する。だからこそ、ヨブは苦しみのうちに叫ぶのだ。「なぜ、神に逆らう者が生き永らえ、年を重ねてなお、力を増し加えるのか。……神はわたしの道をふさいで通らせず……四方から攻められてわたしは消え去る。……神はわたしに向かって怒りを燃やし、わたしを敵とされる」(ヨブ

記二一章七節、一九章八、一〇、一一節）。神の示す道をずっと歩んできた自分をなぜこんな目に遭わせるのか、と。(89)

善に対する報いについては、別の箇所に、十分の一税の納税に関する興味深い記述が見られる。あなたたちは、甚だしく呪われる。あなたたちは民全体で、わたしを偽っている。十分の一の献げ物をすべて倉に運び、わたしの家に食物があるようにせよ。これによって、わたしを試してみよと、万軍の主は言われる。必ず、わたしはあなたたちのために天の窓を開き、祝福を限りなく注ぐであろう。また、わたしはあなたたちのために、食い荒らすいなごを滅ぼして、あなたたちの土地の作物が荒らされず畑のぶどうが不作とならぬようにすると、万軍の主は言われる。諸国の民は皆、あなたたちを幸せな者と呼ぶ。あなたたちが喜びの国となるからだと、万軍の主は言われる。(90)

しかし、この問いに対する答は一様ではない。もし善に見返りがあるなら、イマヌエル・カントの言う「無私の行為」はどこへ行ってしまうのか。利益のために善をなすなら、倫理の問題は単に合理性に帰着する。経済的な打算、すなわち快楽計算に基づき、見返りを期待して善をするなら、その行為の倫理性は失われる、とカントは答えるはずだ。倫理学における重要な思想家カントに従えば、報いは倫理を無効にする。

旧約聖書のあらゆる災いには、この問題がつきまとう。「罪の報いのアルゴリズム(91)」すなわち現世における神の裁きの希求は、ヘブライ思想の重要なテーマだった。信心深いユダヤ教徒とその後継であるパリサイ人は、新約聖書のほうに多く登場するが、厳しい戒律さえ守っておればよいと考えていた。しかし旧約聖書では、善が必ずしも報われるわけではない。その端的な例を、旧約聖書の中で最も哀切で最も複雑な「ヨブ記」に見出すことができる。ここでは、悪の手先をサタンが引き受けている（偶然にも、旧約聖書の中で悪魔がはっきりと姿を現すのはここだけである[92]）。

主はサタンに言われた。「おまえはわたしの僕《しもべ》ヨブに気づいたか。地上に彼ほどの者はいまい。無垢な正しい人で、神を畏れ、悪を避けて生きている」。サタンは答えた。「ヨブが、利益もないのに神を敬うでしょうか。あなたは彼とその一族、全財産を守っておられるではありませんか。彼の手の業をすべて祝福なさいます。お陰で、彼の家畜はその地に溢れるほどです。ひとつこの辺で、御手を伸ばして彼の財産に触れてごらんなさい。面と向かってあなたを呪うにちがいありません[93]」。

こうしてヨブは災難に見舞われる（ちなみに四つの災難のうち三つまでが所有物や財産にかかわるものだった）。このような災いが起きるのは、ヨブが報われるに値する善をしなかったことを示すように見えた。そこで友が見舞いにやって来て、議論になる。この議論はユダヤの詩と哲学の最高傑作の一つだ。友人たちは、ヨブは何か罪を犯したにちがいないのだから、神の罰を受けて当然なのだと言い聞かせる。正しい人であるヨブが何の理由もなく苦しまねばならぬとは、彼らには想像もできなかったのだ。それでもヨブは、自分には罰を受ける謂れはない、自分は何も悪を犯していない、と言い張る。「神がわたしに非道なふるまいをし、わたしの周囲に砦を巡らしている」[94]と。

一見すると、この場面は「正しい人は報われる」という命題と矛盾する。だが、たとえ報われなくとも、ヨブはやはり正しい人である。

神はわたしを殺されるかもしれない。だが、ただ待ってはいられない。[95]

そして、

死に至るまで、わたしは潔白を主張する。
わたしは自らの正しさに固執して譲らない。一日たりとも心に恥じるところはない。[96]

ヨブは、正しく生きることが利益をもたらすから、正しく生きたのではない。報いが死であっても、ヨブは正しい人であり続けた。これによって、ヨブはどのような経済的利益を得ただろうか。

善の収支

正しい人が苦しみ不正な人が栄えるのは、世の中ではよくあることだ。では、善にはどのような存在価値があるのか、どんな論理に従っているのだろうか。行った善または悪（支出）と報いとして与えられる善または悪（収入）の間に相関関係は成り立つのだろうか。これまで旧約聖書を見てきた限りでは、両者の関係は行き当たりばったり、つまりランダムである。となると、支出に見合う収入がランダムにしか得られないのに、なぜ悪ではなく善をするのか。「ヨブ記」のほかにも、たとえば「コヘレトの言葉」には次のように記されている。

この地上には空しいことが起こる。善人でありながら悪人の業の報いを受ける者があり、悪人でありながら善人の業の報いを受ける者がある。これまた空しいと、わたしは言う。[97]

また「詩篇」でも、同じようなことが苦々しく語られている。

それなのにわたしは、あやうく足を滑らせ、一歩一歩を踏み誤りそうになっていた。神に逆らう者の安泰を見て、わたしは驕る者をうらやんだ。死ぬまで彼らは苦しみを知らず、からだも肥えている。だれにもある労苦すら彼らにはない。だれもがかかる病も彼らには触れない。[98]

それなのに、なぜ善をなすのか。聖書に登場する人物の多くは、苦しむ運命を与えられているというのに。考えられる答は一つしかない。善それ自体のために善をなす、ということである。善をなすことの中に報いがある。この意味でなら、たとえ物質的な報いではないにせよ、善は報われる。しかし生産性や収支計算といった経済的次元では、倫理は考えられない。ヘブライ人に与えられた使命は、見返りがあるかないかを問わずに善をなすことである。善の支出が善の収入で報われるなら、それはボーナスであって、[99]善をなす理由にはならない。善と報いは相関しないのである。

この論法は、旧約聖書の中では独自の展開を示す。善の収入の方はすでに人間に与えられているのだから、過去になされた善の収入に感謝して、善の支出をしなければならないというのである(100)。

最後に、倫理と禁欲の問題を取り上げておこう。第3章でストア派とエピクロス派と関連づけてくわしく論じるが、現世で人生を楽しんでよいかどうか、ひいては人間が効用の最大化を望む権利を持つか否かは、善悪の経済学において重要な意味を持つ。善を行ったら、それに対して物質的あるいは精神的な見返りを要求してよいだろうか。カントは、善の支出が善の収入という等価のもので報われるなら、倫理的に何も価値のあることをなしたことにはならないと述べた。なぜなら、効用の増大は、それがあらかじめ計算されたものであれ、予想外であれ、行為の倫理性を無効にするからである。

ヘブライ人は、ストア派とエピクロス派の間で興味深い妥協点を見出している。くわしくは後段で取り上げるので、ここでは簡単に説明しておこう。ストア派は、快楽、言い換えれば効用を求めることを許さず、快楽に拘泥したり、依存したりすることはない。ストア派は規則に従って生きればよしとし(この学派の最大の弱点は、何らかの規則が外から押し付けられたとき、それが普遍的であろうとなかろうと守らなければならない点である)、その結果には無関心を貫く。

エピクロス派は効用の最大化を目的として行動し、外から与えられる規則は顧慮しない(彼らにとって、規則は効用を最大化する系の中で内生的につくられる。この点が、エピクロス派の最大の強みである。彼らは外から与えられる規範を必要としない。与えられた状況に基づいて、その状況ごとに何をすべきか「計算」できると主張する)。

旧約聖書は、両者の間をとる。

> 若者よ、おまえの若さを喜ぶがよい。青年時代を楽しく過ごせ。心にかなう道を、目に映るところに従って行け。知っておくがよい、神はそれらすべてについておまえを裁きの座に連れて行かれると。[101]

言い換えれば、外から与えられた明確な規則は存在し、それは守らなければならず、逆らうことはできない。しかしその範囲内であれば、効用を増やすことは十分に可能だし、むしろそうしなければならない。現代の主流派経済学の言葉で言うなら、個人は予算の制約の範囲内で、効用の最大化を促される。つまり条件付き最大化である。自己の効用(すなわち快楽)の正当な追求と規則の遵守はある種の共生関係にあり、どちらが欠けてもならないが、最大化の対象ではない。旧約聖書が説くのは、現世の快楽を禁じる禁欲的な宗教ではない。むしろ逆に、世界は人間に与えられ、人間がそこから楽しみを得られるようにしたと説く。ただし、神から与えられた規則を放擲して快楽を追求してはならない。「したがってユダヤ教は、富……を求める際限のない欲望を抑え鎮めるよう教える。それによって、市場の行動や消費の形態が神の与えた倫理規範の中にとどまるようにする[102]」。

後段で取り上げるキリスト教は、効用すなわち快楽の追求に対してもっと禁欲的である[103]。その例は数多く見受けられるが、最もわかりやすいのは「ルカによる福音書」の次の一節だろう。

ある金持ちがいた。いつも紫の衣や柔らかい麻布を着て、毎日ぜいたくに遊び暮らしていた。この金持ちの門前に、ラザロというできものだらけの貧しい人が横たわり、その食卓から落ちる物で腹を満たしたいものだと思っていた。犬もやって来ては、そのできものをなめた。やがて、この貧しい人は死んで、天使たちによって宴席にいるアブラハムのすぐそばに連れて行かれた。金持ちも死んで葬られた。そして、金持ちは陰府でさいなまれながら目を上げると、宴席でアブラハムとそのすぐそばにいるラザロとが、はるかかなたに見えた。そこで、大声で言った。「父アブラハムよ、わたしを憐れんでください。ラザロをよこして、指先を水に浸し、わたしの舌を冷やさせてください。わたしはこの炎の中でもだえ苦しんでいます」。しかし、アブラハムは言った。「子よ、思い出してみるがよい。おまえは生きている間に良いものをもらっていたが、ラザロは反対に悪いものをもらっていた。今は、ここで彼は慰められ、おまえはもだえ苦しむのだ(104)」。

この一節を言い換えるなら、こうなる。金持ちは、現世で楽しんだことが理由で、死後は苦しまねばならない。一方、貧者は現世でいいことがなかったからという理由で、来世で祝福される。金持ちにもラザロにも何も倫理的問題はないのである（行間から推察することはできるにしても、この物語自体が倫理を重視しているわけではない）。要するに、現世で金持ちは快楽を享受したが、ラザロは貧困に苦しんだという点が両者の唯一のちがいである。

善の支出と収入については、本書の第2部で独立した章としてもう一度取り上げ、さまざまな倫理観を象徴的な「善悪軸」の上に示すことにしたい。

わたしはあなたの戒めを愛します

ユダヤ人は法（「契約」という言葉の方が適切かもしれない）を単に守るだけでなく、愛するように教えられた。なぜなら、法はよいものだからである。ユダヤ人と法との関係は義務と考えるべきではなく、[105]感謝であり愛である。彼らが善を支出するのは、善の収入がすでになされているからだ。

> イスラエルよ。今、あなたの神、主があなたに求めておられることは何か。ただ、あなたの神、主を畏れてそのすべての道に従って歩み、主を愛し、心を尽くし、魂を尽くしてあなたの神、主に仕え、わたしが今日あなたに命じる主の戒めと掟を守って、あなたが幸いを得ることではないか。見よ、天とその天の天も、地と地にあるすべてのものも、あなたの神、主のものである。主はあなたの先祖に心引かれて彼らを愛し、……孤児と寡婦の権利を守り、寄留者を愛して食物と衣服を与えられる。……この方こそ、あなたの賛美、あなたの神であり、あなたの目撃したこれらの大いなる恐るべきことをあなたのために行われた方である。あなたの先祖は七〇人でエジプトに下ったが、今や、あなたの神、主はあなたを天の星のように数多くされた。[106]

これはまた、今日の法制度とは何というちがいだろうか。当然ながら、今日の法律には愛や賛美といった言葉は出てこない。だが神は、その命令を人間が完全に自分のものとして、義務感からではなく愛をもって遂行することを望む。言うまでもなくこれは、今日の経済学で広く使われている費用便益分析の発想とはまったく異質の考え方だ。費用便益分析では、法律違反をするとしないとではどちらが得かを計算する（露見して逮捕され処罰される可能性と、うまく逃れた場合の利得とを天秤にかける）。法への愛がうかがわれる箇所をいくつか挙げておこう。

あなたたちはこれらのわたしの言葉を心に留め、魂に刻み、これをしるしとして手に結び、覚えとして額に付けなさい。[107]

「詩篇」でさえ、奴隷のように法に屈従するのではなく、法を愛するのだと語っている。たとえば「わたしはあなたの律法を、どれほど愛していることでしょう。わたしは絶え間なくそれに心を砕いています。……それゆえ、金にまさり純金にまさって、わたしはあなたの戒めを愛します[108]」、「いかに幸いなことか。神に逆らう者の計らいに従って歩まず……主の教えを愛し、その教えを昼も夜も口ずさむ人[109]」などである。このモチーフは旧約聖書に繰り返し現れ、善の収入が先験的に示されているから善の支出をすべきだという論理は、新約聖書にも引き継がれている。キリストの贖罪自体がこの論理に基づいており、人間のすべての行為に先行して善がなされている。

ゾンバルトは、ユダヤ人が法律に対して抱いていた愛と敬意について、次のように述べた。

ユダヤの歴史家フラウィウス・ヨセフスの的確な記述によれば、「最初に出会ったユダヤ人に法律のことを訊いてみたまえ。彼はきっと、法は自分の名前よりすばらしいと言うことだろう」。ユダヤ人のこうした姿勢は、おそらく、ユダヤの子供たちが組織的な宗教教育を受けていること、礼拝の一環として聖書の朗読と解説が行われていることに起因するのだろう。また一年の間に、モーセ五書を最初から最後まで読み通す。さらにモーセ五書を学ぶことはユダヤ人の重要な義務の一つである。聖書にも「子供たちに繰り返し教え、家に座っているときも道を歩くときも、寝ているときも起きているときも、これを語り聞かせなさい」（申命記六章五節）とある。……ユダヤ人の偉大な資産であるタルムードは彼らの生き甲斐であり、魂そのものなのだ。(110)

ここでいくつか引用した旧約聖書の文章は、ユダヤの宗教において法律と規則が果たす重要な役割を美しく表現している。そして言うまでもなく法律とは、モーセ五書に提示された法、すなわち神から与えられた法に限られる。(111)

ここで、エジプト人とのちがいにも注目しておこう。エジプト人は支配者を愛さなければならなかったが、(112)ヘブライ人は主とその法を愛するよう教えられた。(113)ヘブライ人を律するのは神から与えられた法であり、神こそがあらゆる価値の絶対的な源泉である。よって、神の法は人間の作った法に超越する。人間の作った法が神の法と抵触する場合、後者が優先する。だからユダヤ人は、たとえ多数決が法律で認められていても、多数決には従わない。倫理と善の概念は、つねに人間の法や規則や習慣に優先する。「あなたは多数者に追随して、悪を行ってはならない。法廷の争いにおいて多数者に追随して証言し、判決を曲げてはならない」(114)のである。

遊牧民の自由と都市の束縛

ヘブライ人はエジプトから解放された過去を持つため、自由と責任をきわめて重視する。もともと遊牧民だったヘブライ人は、束縛を嫌い、自由に移動する生活を好む。一カ所に定住しなければならない農耕生活は、彼らには窮屈に感じられた[115]。

ヘブライ人の理想は、楽園が都市でなくエデンの園だったことにも表現されている[116]。都市文明を軽蔑し、都市を罪深い生活や束縛と結びつける見方は、旧約聖書のそこかしこに暗示されている。たとえばバベルの塔の建設を描いた箇所には、「彼らは、『さあ、天まで届く塔のある町を建て、有名になろう。そして、全地に散らされることのないようにしよう』と言った」という前置きがある[117]。またアブラハムは田舎暮らしを選んだが、ロトは（罪深くも）都市を、すなわちソドムとゴモラを選んだ[118]。「雅歌」の中でも、恋人たちは都市の外の庭やぶどう畑で愛し合うことを夢見る一方で、都市では不吉な出来事が起きる。

遊牧の民であるヘブライ人は、その特徴の多くをアブラハムから受け継いでいる。アブラハムはカルデアの都市ウルを離れた。「あなたは生まれ故郷、父の家を離れて、わたしが示す地に行きなさい」と主から命じられたためだ[119]。移動生活を好み所有に縛られないことは、ヘブライ人の重要な特徴である。このような生活様式が経済に与える影響は、当然ながらきわめて大きい。第一に、このような社会では人間関係が密になり、あきらかに相互依存性が高まる。第二に、ひんぱんに移動するため、運べる以上のものは所有できない。彼らの物質的な財産は、全部合わせてもたいした重さにならなかった。物理的な重量は、人をその土地に縛る。

さらにヘブライ人は、所有主と所有物の間には目に見えない双方向性があることに気づいていた。人は物質的な財産を所有するが、しかしある程度まで、所有物は持ち主を所有し、その物に縛りつける。ひとたびある種の物質的な快適さに慣れてしまうと、それに背を向け、物を持たずに自由に生きるのはむずかしい。シナイ砂漠での物語では、快適と自由の二律背反が描かれている。ヘブライ人は、エジプトでの隷従生活から解放されてしばらくすると、モーセに不平を言い始める。

民に加わっていた雑多な他国人は飢えと渇きを訴え、イスラエルの人々も再び泣き言を言った。「誰か肉を食べさせてくれないものか。エジプトでは魚をただで食べていたし、胡瓜やメロン、葱や玉葱やにんにくが忘れられない。今ではわたしたちの唾は干上がり、どこを見回してもマナばかりで何もない」[120]。

モーセがじつに偉大だったことの一つは、不平を言う人々に対して、奴隷になって「ただで」食べ物をもらうよりも自由で飢えているほうがよいのだ、ときっぱりと言い切ったことである[121]。「フリーランチ」という言葉を使うとすれば、ヘブライの人々は「フリーランチ」にありついているると思い込んでいた。そして、「フリーランチ」は自由と、つまりは存在自体と引き換えだということに、誰も気づいていなかった。

社会の幸福――ソドムのようにふるまってはならない

旧約聖書は、驚くほどよくできた社会経済規則を定めている。これは、同時代の他の民族にはほとんど見られないものだ。ヘブライの教えでは、個人の効用とは別に、社会全体で効用を最大化するという概念が示されているのである。それは、タルムードの*Kofin al midat S'dom*という定めで、「ソドムのようにふるまってはならない、社会の弱者に配慮せよ」という意味だ。ここでは、社会環境を安定させ、ある種のセーフティネットを用意するために講じられた措置として、大恩赦の年、十分の一税などを取り上げる。

安息年と大恩赦の年

七年ごとの安息の年も、そうした措置の一つである。これについては、「レビ記」二五章にくわしい説明がある。

イスラエルの人々に告げてこう言いなさい。あなたたちがわたしの与える土地に入ったならば、主のための安息をその土地にも与えなさい。六年の間は畑に種を蒔き、ぶどう畑の手入れをし、収穫することができるが、七年目には全《まった》き安息を土地に与えねばならない。

これは主のための安息である。畑に種を蒔いてはならない。ぶどう畑の手入れをしてはならない。休閑中の畑に生じた穀物を収穫したり、手入れせずにおいたぶどう畑の実を集めてはならない。土地に全き安息を与えねばならない[122]。

さらに四九年目[123]ごと、つまり五〇年目には、大恩赦が行われるヨベルの年が来る。この年には、土地はもとの持ち主に返還される（カナンの地に入ったときに部族間で分割された区割りに従う[124]）。さらに負債は棒引きされ[125]、債務のために奴隷に身を落としたイスラエル人は自由の身になる[126]。

これらの措置は当時の独占防止策であり、社会政策でもあったと言えよう。当時でさえ経済システムは富の集中に向かう傾向が顕著で、したがって権力も一極集中する傾向があった。これらの措置には、規制当局などを設けずにそうした傾向を食い止める狙いがあったと考えられる。五〇年という期間はおおむね当時の寿命と一致するので、世代間の債務問題を解消するのにふさわしい。借金を抱えた貧しい父親の子世代は土地を取り戻し、再び耕作を始めるチャンスを与えられる。こうして家計の運営に失敗した父親の罪は、息子や娘の重荷とならずに済む。その一方で繁栄のほうも、多くの経済で採用されているように、子孫に直接には受け継がれない。シュメール人のハンムラビ法典にも同様の決まりがあり、なんと三年ごとに債務が定期的に免除される[127]。世界最古の社会が利息を（いくらか懐疑的ながらも）容認すると同時に、一定期間後には債務を帳消しにする寛容な措置を用意しているのは、興味深い[128]。

当時、土地は「売る」ことができるとされていたが、実際には売るのではなく地代をとった。

地代は、安息年までの残り年数によって異なる。土地を借りたら耕してよいが、期日が来たらその土地とは縁が切れ、「よそ者」に戻る。土地も富もすべて主から与えられるのであり、「地とそこに満ちるもの、世界とそこに住むものは、主のもの」である。[129] 人間は借地人にすぎず、何を所有するにしても、それは一時的なことにすぎない。地代は、主から与えられた法に従い、十分の一税として納める。こうしたわけで、ヨベルの年は、土地が人間の所有物ではないことを思い出させる装置としても機能している。

ヨベルの年には、おのおのその所有地の返却を受ける。あなたたちが人と土地を売買するときは、互いに損害を与えてはならない。あなたはヨベル以来の年数を数えて人から買う。すなわち、その人は残る収穫年数に従ってあなたに売る。その年数が多ければそれだけ価格は高くなり、少なければそれだけ安くなる。その人は収穫できる年数によってあなたに売るのである。[130]

売られた土地すべてについて、買った人は元の持ち主に売り戻す責任がある。また売られた奴隷すべてについて、その人が自分を買い戻せるだけ稼いだら、あるいはその人を助ける親戚が買い戻しにきたら、買った人は売る責任がある。もしその人が自分を買い戻せないなら、ヨベルの年まで待たなければならない。その年が来れば解放される。「土地を売らねばならないときにも、土地を買い戻す権利を放棄してはならない。土地はわたしのものであり、あなたたちはわたしの土地に寄留し、滞在する者にすぎない」。[131]

これらの措置は、いかなるイスラエル人からも、自由と相続財産を永久に奪ってはならないという信念を表している。またもう一つ重要なことだが、いかなる所有権も永久ではないこと、自分が耕す土地でさえ自分のものではなく主のものであることを思い出させる働きをする。巡り来るヨベルの年もまた、人間は地上では放浪者にすぎないこと、現世で得た物質的な富は一切とってはおけないこと、何物もこの世から持って行くことはできず、いま持っているすべてのものはある意味で借り物であることを強調する。人間はこの世を通り過ぎるだけだ。人間がいなくなっても、ものは残る。

落ち穂拾い

もう一つの社会的措置として、落ち穂を拾う権利が挙げられる。旧約聖書の時代には、この権利は貧しい人々に最低限の生活手段を保障するものだった。畑の持ち主は、最後の一粒までは収穫せず、落ち穂を貧しい人々のために残しておく責任があった。

> 畑から穀物を刈り取るときは、その畑の隅まで刈り尽くしてはならない。収穫後の落ち穂を拾い集めてはならない。貧しい者や寄留者のために残しておきなさい。わたしはあなたたちの神、主である。[132]

また別の箇所には、こうある。

> 畑で穀物を刈り入れるとき、一束畑に忘れても、取りに戻ってはならない。それは寄留者、

孤児、寡婦のものとしなさい。こうしてあなたの手の業すべてについて、あなたの神、主はあなたを祝福される。(133)

十分の一税と初期のセーフティネット

すべてのイスラエル人には、収穫の中から十分の一税を納める義務もあった。自分が手にしたものが誰のおかげかを改めて認識し、税を納めることによって感謝の意を表明する。収穫の最初の実りは主のものだ。自分が生産したら自分のものだとは考えず、必ず十分の一を主に差し出す。これは寺院に納められた。また三年ごとに、レビ人(主に祭司の下働きをした)、外国人、孤児、寡婦にも与えられた。(134)何世紀にもわたって、宗教的な制度が社会的セーフティネットの役割を果たしてきたのである。この仕組みは、キリスト教の時代になっても受け継がれた。

イスラエル社会には、貧困層のために広く富を分配するという近代的な発想の萌芽とともに、社会政策と結びつけられた巧みな経済規制の概念も認めることができる。ユダヤ教では慈善は善意の表れではなく、むしろ責任とみなされていた。だから社会には、慈善の責任が十分に果たされるよう経済を規制する権利があるとされた。「共同体には貧しい人々に食べ物、住居など必需品を提供する義務があり、そのために構成員から税を徴収する権利ならびに義務がある。最弱者の利益を守るために市場、価格、競争を規制することも、この義務と一致していた(135)」。

施しを始め、貧者のために行われるさまざまな慈善行為は、社会の絆を強める働きもした。主は預言を通じて、主が求めるのは犠牲ではなく慈悲であると、繰り返し説く(136)。それは自ら進んで差し出す贈り物であり、これを通して贈る側は受ける側と接点を持ち、相手がどんな人で、どれほど困っていて、何に使われたのかを知ることができる。

モーセの律法によれば、一族は大黒柱を失った寡婦や孤児の面倒をみなければならない。死んだ男の兄弟は寡婦と結婚し、その間に生まれた最初の息子を死んだ夫の息子とみなす。その子は成人に達したら母親の面倒をみる。寡婦は死んだ夫から何も相続せず、逆に親族に財産を返すものとされていた点は注目に値する。戦時には、寡婦には戦利品の分け前をもらう権利があった。また寡婦の多くは寺院でレビ人の手伝いをしており、危急の際には手元のお金を寺院に預けた。旧約聖書、とくに「申命記」では、繰り返し寡婦と孤児のことが出てくる。どちらにも特段の保護が与えられ、彼らに辛く当たった者には神の裁きが待ち受けている。

弱い者を塵の中から立ち上がらせ
貧しい者を芥の中から高く上げ
高貴な者と共に座に着かせ
栄光の座を嗣業としてお与えになる(137)。

また、次のような箇所もある。

弱者を虐げる者は造り主を嘲る
造り主を尊ぶ人は乏しい人を憐れむ(138)。

弱い人の叫びに耳を閉ざす者は、自分が呼び求める時が来ても答えは得られない。[139]

寄留者を虐待したり、圧迫したりしてはならない。あなたたちはエジプトの国で寄留者であったからである。[140]

以上からわかるように、旧約聖書は寡婦と孤児だけでなく、移民も社会的保護の対象にした。[141]イスラエル人は、自分に適用するのと同じ規則を移民にも適用しなければならない。移民は、生まれによって差別されてはならない。「あなたたちに対する刑罰は、寄留する者にも土地に生まれた者にも同様に適用される。わたしはあなたたちの神、主である」[142]とある。移民にも、イスラエル人と同じように落ち穂を拾う権利があった。そしてイスラエルの人々は、自分たちもエジプトでは奴隷だったのだと、何度となく念を押される。だから、自分たちが最もみじめだったときのことを忘れてはならないし、客人にはもちろん、奴隷にも親切にしなければならない。「ぶどうも、摘み尽くしてはならない。ぶどう畑の落ちた実を拾い集めてはならない。これらは貧しい者や寄留者のために残しておかねばならない」[143]。

ここに挙げた決まりからは、ユダヤ教において共同体およびその帰属意識が果たしていた役割を見て取ることができよう。とはいえ、たくさんの決まりごとを実行するのは困難である。そこで、責任の遂行は次第に「階層化」されるようになった。たとえば慈善行為は、タルムードでは対象の従属性に応じて優先順位が定められた。

ユダヤ教では、困窮者に対する責任に段階を設けている。旧約聖書では、貧しい者には無利子で金を貸しなさいと教えるが（出エジプト記二二章二四節）、タルムードはこの義務を踏まえて次のように優先順位を定めた。まず、最優先の義務は一族の正当な金銭的ニーズを満たすことである。このニーズを満たした後に初めて、自分の町のニーズを満たす義務がある。そしてこのニーズを満たした後に、他の町のニーズを満たす義務が生じる（タルムード、Baba Mezia 71a）[144]。

この例からわかるように、さまざまな社会集団に対する責任は顕著に差異化されており、ユダヤ人の共同体に属すか属さないかで一線が引かれていた。

抽象的な貨幣、利子の禁止、債務時代

現代はお金と借金の時代であり、後世にはたぶん「債務時代」として記憶されることになりそうだ。ならば、なぜそうなるのかを知っておくべきだろう。債務と利子のない現代社会を想像することはむずかしい。ケインズでさえ、利子と資本蓄積が近代の進歩の契機となったと述べている[145]。だがはるか昔はそうではなかった。古代の貨幣は倫理規範、信仰、象徴主義、信用と結びついていた。

最初の貨幣は、借金の額を記載した粘土板の形をとって、メソポタミアに出現した。この債務

は移転可能だったから、やがて債務が貨幣の役割を果たすようになる。「英語の credit の語源が、ラテン語で『私は信じる』という意味の credo なのは偶然ではない」[146]。五〇〇〇年以上前の粘土板は多数現存し、わかっている限りで人類最古の文字の記録となった。硬貨が登場したのは紀元前六〇〇年頃で、エフェソス（トルコ）近郊にあるアルテミス神殿で発見された。現在のものとさして変わらず、獅子のシンボル、女神アテナまたはその聖鳥フクロウが刻印されている。中国に硬貨が登場したのは、紀元前二二一年だった[147]。最初の通貨が担っていたのは信用だったと言っても、まず差し支えなかろう。信用は形で表すことができ、貨幣に記すことができる。たしかなのは、どれほど高価な貴金属で作られていても、「貨幣は単なる金属ではない」ということだ。「貨幣に刻まれているのは信用」なのである[148]。実際、硬貨にせよ紙幣にせよ、お金の価値はその物質的な媒体とは何の関係もない。「通貨は信用であり、さらに言えば信仰である」[149]。チェコ語で「貸し手」を表す言葉 věřitel が、直訳すれば「信じる人」という意味なのは、このことを端的に示している。貸し手とは、借り手を信じる人である。貨幣は社会的な抽象化作用を担っており、暗黙の社会契約を体現している[150]。そう考えれば、金本位制も粘土本位制もさして変わらない。古代の人々は、流通手段としての貨幣は媒体と何の関係もないことに気づいていた。ときに金属が信用の媒体となったが、べつに粘土でもかまわなかった。粘土は地中のどこにでもある物質で、「創世記」によれば、アダムが創造されたのも粘土すなわち「地上の塵」からだった。人類最初の人間も最初のお金も、土から生まれたのである[151]。

「創世記」には、金銭取引に初めて言及した箇所があって興味深い。それは、アブラハムの物語の中に出てくる。アブラハムは妻サラを埋葬するためにヘトの人々に墓地を売ってほしいと頼む。[152] ところがヘトの人々は、墓地は売ったりはしない、差し上げると言い張る。それまで「創世記」に記録されている財産の取引には、お金はいっさい絡んでいなかった。進んで贈り物として差し出すか、[153] 暴力で奪われるかのどちらかによって所有権が移転していた。たとえばアブラハムはソドムとゴモラを攻撃した王から、かなりの戦利品を受け取っている。[154] しかしここでアブラハムは、墓地を得るために十分な銀を払うと主張する。そして無償での提供を二度にわたって申し出られたにもかかわらず、ただで墓地を受け取ることを拒絶するのだ。最終的に支払われた金額も含め、このやりとりは驚くほどくわしく書かれている。贈り物が意味することについては、キリスト教を論じる第4章で改めて取り上げる。

信用には、つまりお金を貸す行為には、利子がついて回る。ただしヘブライ人にとって、利子の問題は社会の問題だった。旧約聖書には、「もしあなたがわたしの民、あなたと共にいる貧しい者に金を貸す場合は、彼に対して高利貸しのようになってはならない。彼から利子を取ってはならない」とある。[155] 利子をとることが罪か罪でないかは、数千年にわたって議論されてきたが、旧約聖書には、ユダヤ人が同じユダヤ人から利子をとることをはっきりと禁じた箇所がある。

同胞には利子を付けて貸してはならない。銀の利子も、食物の利子も、その他利子が付くいかなるものの利子も付けてはならない。外国人には利子を付けて貸してもよいが、同胞には利子を付けて貸してはならない。それは、あなたが入って得る土地で、あなたの神、主があなたの手の働きすべてに祝福を与えられるためである。[156]

のちにキリスト教徒はこの禁止を自分たちにも当てはめ、長い間利子は禁じられ、利子をとれば罰せられた。とはいえ、大方の人は金を借りねばならない羽目に陥るものだが、誰も無利子では貸したがらない。そこでキリスト教の権威者たちは、不浄の民とみなしていたユダヤ人に利子をとることを許可し、むしろ貸すときには利子を付けるよう指導する。そして金貸しは、中世の中欧において堂々と営業できる数少ない職業の一つになった。

ウィリアム・シェークスピアが『ヴェニスの商人』でこの職業を描いたことはよく知られている。この戯曲で重要な役回りを演じるユダヤ人のシャイロックは、債務不履行時の担保として借り手の肉一ポンドを要求する。一四世紀のヴェニスでは、ユダヤ人と言えば金貸しだった。経済史家のニーアル・ファーガソンが指摘するとおり、シャイロックが「アントニオはいい人間だ」と言うとき、それは倫理的によいという意味ではなく、返済能力を備えているという意味である（それでもなお残るリスクは、金銭価値ではなく肉で担保しようというわけだった）。ユダヤ人が、金貸しはどの職業よりもいい商売だと知ったのは、この頃である。銀行（bank）の語源であるイタリア語のbanciは、金貸しのユダヤ人が座っていた椅子（bench）に由来する。[157]

だが古代ヘブライ人は、利子はもとより、借金自体にも慎重だった。そして先ほど触れた大恩赦の年の借金棒引きのほかにも、保証や担保について明確な規則を定めた。担保として、生計を立てる手段を取り上げるようなことはしてはならない。「挽き臼あるいはその上石を質に取ってはならない。命そのものを質に取ることになるからである」[158]。

旧約聖書における利子の禁止に話を戻すと、禁止は社会政策として意図されたものだった。貧者が必要に迫られて金を借りる場合、それは社会の借り入れとみなされた（今日では、借り入れの多くは必要に迫られたものではなく、もっと欲しいからだが）。そして、貧しい人が火急の際あるいは万策尽きて金を借りるときには、さらに利子の重荷を負わせるべきではないと考えられた。

もし同胞が貧しく、自分で生計を立てることができないときは、寄留者ないし滞在者を助けるようにその人を助け、共に生活できるようにしなさい。あなたはその人から利子も利息も取ってはならない。あなたの神を畏れ、同胞があなたと共に生きられるようにしなさい。その人に金や食糧を貸す場合、利子や利息を取ってはならない[159]。

だが歴史の進展とともに、借り入れの役割は変わり、富裕層は投資目的で借りるようになる。アントニオの保証人のケースはまさにそうだ（アントニオは貿易商で、積み荷がまだ航海途上だったため保証人を立てた）。このような場合には、利子の禁止にはあまり倫理的な意味合いはなくなる。中世の神学者トマス・アクィナス（一二二五～七四）も、同じ考えだったようだ。高利の厳格な禁止が緩和されたのは、おそらくアクィナスの指導だったと考えられる。

今日では、貨幣と債務は位置付けも重要性もはるかに高まり、もはや債務（財政政策）、金利、通貨供給量（金融政策）の運営によって、経済・社会の方向性がある程度まで決まってしまうほどである。貨幣は古典的な役割（交換手段、価値の貯蔵手段など）のほかに、経済全体を刺激し、加速（あるいは減速）させるという、より強力な役割を果たすようになる。つまり一国の経済を動かすのである。ずばり「マネー」が名称に入っている学派「マネタリズム」すら存在する。そのリーダー格であるミルトン・フリードマンは、経済活動に影響を与える最重要手段は通貨供給量の調整だと主張した。ただしそうなるのは、債務と金利に依存する高度に貨幣化の進んだ社会に限られる。

ちなみに、価値の尺度としての貨幣は、私たちに帰属してはいない。[160] これらは中央銀行の資産である。お札を燃やしたり破いたりしてはいけないのは、そのためだ（もちろん印刷してもいけない。ここには競争原理は働いていない）[161]。さらに言えば、お金を受け取らないとか、認めない、尊重しないといった自由も与えられていない。

エネルギーとしての貨幣
──タイムトラベルと債務総生産（GDP）

ここで、利子を悪とするのは古代の根強い伝統であり、それはアリストテレスから始まったことを指摘しておこう。アリストテレスは、倫理的な観点からだけでなく、形而上学的な理由からも利子を批判した。[162] トマス・アクィナスも利子に対して嫌悪感を抱き、時間は人間のものではないのだから、利子をとるべきではないと主張した。

時間と貨幣の関係は、じつに興味深い。貨幣はいくらかエネルギーに似ており、時間軸に沿って移動できる。このエネルギーはたいへん役に立つと同時に、きわめて危険でもある。このエネルギーを時空間の連続体の中に置くと、どこに置いてもそこで何かが起きる。エネルギーとしての貨幣は三次元に移動可能だ。垂直方向（資本を持つ者が持たない者に貸す）、水平方向（水平的すなわち地理的な移動のスピードと自由度は、グローバリゼーションの副産物、いやむしろ推進力である）はもちろん、人間とは異なり時間軸に沿っても移動できる。貨幣のタイムトラベルが可能なのは、まさに利子があるからだ。貨幣は抽象的な存在であり、状況にも、空間にも、そして時間にさえ縛られない。ただ約束すればいいのだ。書面でもいいし、口頭でもかまわない。「では今日からカウントしてください。必ずお返ししますから」。これであなたはドバイに超高層建築を建てることだってできる。もちろん貨幣それ自体にはタイムトラベルはできない。だが貨幣は記号にすぎない——エネルギーを物質的・具体的に表現しているだけである。貨幣のこの性質のおかげで、将来のエネルギーを今日の利益のために移転することが可能になる。[163] 債務が未来から現在にエネルギーを移転できるのに対し、貯蓄は過去から今日にエネルギーを移転することができる。金融政策と財政政策は、このエネルギーを管理・運用することにほかならない。

今日に移転された貨幣のエネルギー特性は、ＧＤＰ統計といったもので表すことができる。しかし時間の不確定性があるため、GDP成長率を巡る議論はしばしば無意味に陥りやすい。端的に言ってGDPの伸びは、債務の助け（さらには財政赤字または黒字という形での財政政策）、あるいは金利の助け（金融政策）に左右されるからだ。(164) GDPよりも数倍大きい債務が背後に存在する状況で、GDPの伸びを云々することに何の意味があるだろうか。富を得るために莫大な借金をしていたら、富を計測することに何の意味があるだろうか。(165)

ユダヤ人は、アリストテレス同様、借金には用心深かった。初期の経済的な議論の対象になったのは、利子とくに高利の問題である。古代のヘブライ人は、経済政策（財政・金融政策）が将来果たすようになる役割を知る由もなかったが、それでも無意識のうちに、利子が強力な武器であることに気づいていたのだろう。それはよき僕《しもべ》にもなりうるが、文字通り人を虜にする主人にもなりうる。財政政策も金融政策も強力な武器ではあるが、しかし信用ならない。

喩えて言えば、それはダムのようなものだ。ダムを建設すると、平野部で旱魃や洪水を繰り返す事態を防ぐことができる。自然の気まぐれを抑え、予測不能性をだいたいにおいて回避することが可能だ。ダムがあれば流量をほぼ一定にすることができ、河を管理し、おとなしくさせ、思い通りにふるまわせることができるようになる。さらには、ダムから水力エネルギーを抽出するというおまけまである。ありがたいことに、河はかなり長いことそうやっておとなしくしているだろう。だが流量の調節を誤ると、ダムがあふれ、決壊することもありうる。そうなったときにはたくさんの町が水浸しになり、ダムがなかった場合よりも悲惨な事態になりかねない。

財政・金融政策を通じた貨幣エネルギーの管理も、これに似ていると言える。国家の財政赤字または黒字の操作と中央銀行による金利の操作は文明の賜であり、たしかにすばらしく役に立つ。だがひとたび操作を誤れば、そうした政策を行わなかった場合よりも悲惨な事態になりかねない。

労働と休息──安息の経済学

古代ギリシャ人は労働を否定的に捉えていたが（肉体労働は奴隷のものとされた）[166]、旧約聖書では、労働はけっしてそのように貶められてはいない。むしろ、自然を征服することが神から使命として与えられ、人間への最初の祝福であるとされた。

神は彼らを祝福して言われた。「産めよ、増えよ、地に満ちて地を従わせよ。海の魚、空の鳥、地の上を這う生き物をすべて支配せよ[167]」。

労働が呪いに変わったのは、人間が罪を犯したあとのことだ[168]。主がアダムにかけた唯一の呪いが、労働を苦しく辛いものにすることだった。エデンの園の世話さえしておればよかったのに、いまや人間は「額に汗して[169]」パンを得なければならない。楽しかった労働（今日でも庭いじりは楽しい趣味である）は、突然呪われたものとなる。それまで自然と調和して暮らしていたのに、今度は自然と闘わねばならない。自然は人間に牙を剥き、人間は自然や動物に対抗しなければならない。人間は庭を出て野へ、戦いの場へ移ったのである。

「創世記」が書かれてから数千年が経った今日、私たちはこの最初の呪いからどれほど解放されているだろうか。おそらく先進国では、相当数の人が「額に汗して」パンを得る必要はなくなっていると言ってよかろう。にもかかわらず、庭いじりのよろこびに匹敵するものを労働から得るにはほど遠い。そうしたよろこびを労働から得られる人は、呪いから解き放たれたと言える。もともと労働は、楽しむものであり、満たしてくれるものであり、ありがたい神の思し召しだったのだから。

労働はまた、よろこびを与えてくれるだけでなく、社会的地位の裏づけでもあった。労働は名誉と考えられていた。「技に熟練している人を観察せよ。彼は王侯に仕える[170]」。これほど労働を評価した文化はほかにない。労働を神聖視するのは、ヘブライ人に特有の伝統である[171]。旧約聖書にひんぱんに出てくる祝福の一つは、「あなたの手の業すべてについて、あなたの神、主はあなたを祝福される[172]」である。

プラトンもアリストテレスも、労働は生きるために必要とみなしてはいたものの、それは低い階級のやることだと考えていた。そうすればエリートは労働に煩わされることなく、「純粋に精神的な活動すなわち芸術や哲学や政治」に専念できる。アリストテレスは、労働は「堕落であり時間の無駄であって、真の名誉への道を妨げる[173]」とさえ考えていた。

だが旧約聖書の労働観はまったくちがう。労働を称える文章は枚挙にいとまがない。勤勉な人の手は富をもたらす[174]。てのひらに欺きがあれば貧乏になる。

働く者の眠りは快い。満腹していても、飢えていても。金持ちは食べ飽きていて眠れない[175]。
怠け者は自分の欲望に殺される。彼の手が働くことを拒むからだ[176]。

人間は生まれながらにして労働を運命づけられているが、その一方で、生産性の追求には制限が設けられていた。ヘブライ思想は、聖なるものと世俗とを峻別した点に特徴があり、聖なる領域では、時間の節約をしたり、合理化したり、効率を最大化したりすることは許されなかった[177]。その端的な例が、安息日（土曜日）の定めである。安息日には誰も働いてはならない。使用人や家畜も、である。

安息日を心に留め、これを聖別せよ。六日の間働いて、何であれあなたの仕事をし、七日目はあなたの神、主の安息日であるから、いかなる仕事もしてはならない。あなたも、息子も、娘も、男女の奴隷も、家畜も、あなたの町の門の中に寄留する人々も同様である。六日の間に主は天と地と海とそこにあるすべてのものを造り、七日目に休まれたから、主は安息日を祝福して聖別されたのである[178]。

経済的観点からすれば、七日目をもっと有効活用することは十分に可能だっただろう。しかし七日目は休まなければならないという命令には、人間は働くためにつくられたのではない、というメッセージが込められている。皮肉なことに、十戒のうち、おそらく今日最も守られていないのはこの戒律である。旧約聖書のこのメッセージは、ギルガメシュの主張と真っ向から対立する。ギルガメシュは人民をロボットのごとく扱い、どうしても休ませざるを得なくなるまで働かせ続けた。だがユダヤの安息日は、そのような必要に迫られた休息ではない。そうした休息は、過度の負担をかけた機械や過熱したノコギリに必要な休止と同じである。だが人間は機械ではない。困難な作業に酷使したノコギリはしばし休ませないと熱くなりすぎてだめになってしまう。それと同じように、人間がしばし休息するのは、ジョージ・オーウェルの『動物農場』に登場する雄馬ボクサーの台詞を借りるなら、「わしがもっと働く」と言うためなのだろうか。つまり休息とは、生産性を高め、労災を防ぐためにあるのだろうか。

安息日は生産性を高めるために設けられたのではない。安息日は絶対であって、主が天地創造の七日目に休んだ例に倣っている。主は疲れたから、あるいは元気を回復するために休んだのではなく、大仕事を成し遂げたから休んだ。仕事をやり遂げたら、達成感に浸り、成果を楽しむ。七日目は、楽しむための日なのである。主は六日かけて世界を創造し、人間は六日かけて仕事を完成させる。七日目にはまだ未完成であちこち欠点があるとしても、完成させてはならないし、手直しをしてもいけない。七日目は、仕事の成果をゆっくりと味わう日なのだから。

安息日を守りなさいという命令には、創造には目的があり、終わりがあるというメッセージも込められている。創造するために創造するのではない。すべての生き物は、達成と休息とよろこびを見出すように創造されている。あるものの創造を終えたことは、次の創造へ向かうことを意味するのではなく、そこで休息することを意味する。経済学の言葉で言えば、効用を恒久的に増やし続けることではなく、効用を得たところで休むことに、効用の意義がある。なぜ私たちは、利得を増やし続けることは学んでも、得たものを楽しみ、満足し、愛でることは学ばないのだろうか。

今日の経済学からは、この視点が抜け落ちている。経済活動には、達成して一休みできるような目標がない。今日では成長のための成長だけが存在し、国や企業が繁栄しても、休む理由にはならない。よりいっそうの高業績をめざすだけである。[179] 休息の必要性が認められているとしても、それは達成感に浸り成果を楽しむためではない。酷使された機械の休息、つまり疲れた体を休め元気を回復するための休息である。今日では「休息」という言葉自体がほとんど使われず、ほとんど軽蔑されているのも、ふしぎではない。休息の代わりに使われるのは、「中断」、「小休止」、「オフ」といった言葉である。また労働をしない日々を指して、すくなくとも語源的には「空っぽ」を意味する言葉が使われていることも、注目に値する。英語のvacationも、フランス語のvacancesも、ドイツ語のFreizeitも、自由時間という意味のほかに、空虚な時間という意味がある。これでは休暇は、中身のない空しい日々のようだ。

友人に久しぶりに会ったとき、「いま何してる?」というのは、挨拶代わりによく訊く質問である。ある友人はこの質問に対して、ほほえんで答えた。「何も。すべてやり終えたからね」。断っておくが、彼はけっして億万長者でも大地主でもない。以来、私は何度となくこの会話を思い出す。私たちはいつも急いでいる。現代の経済には、達成して休みをとれるような目標がない。いつになったら私たちは「やり終えた」と言うのだろうか。

まとめ

市場経済民主主義にユダヤ思想が与えた影響は、どれほど評価してもし過ぎることはない。ユダヤ思想から受け継いだ重要なものとしては、反禁欲主義的な価値観、法律と私有財産の尊重のほか、社会的セーフティネットの整備が挙げられる。ヘブライ人は物質的な富をけっして軽蔑せず、むしろ財産の管理を各人に課された重要な責任とみなしていた。進歩の観念と時間を循環するものではなく線と捉える感覚も、ユダヤ思想から受け継いでいる。これによって、人生には意味が与えられることになった。これらはすべて旧約聖書に書かれている。本章では、モーセ五書を通じて、人間の生活で重要な役割を果たしてきた三つのもの、すなわち地上の支配者、自然、英雄が非神聖化されたことを説明した。また、偉大な経済学者の多くが、結局は（ユダヤの人々と同じく）地上の楽園を追求していることにも触れた。

本章ではまた、善悪と効用の関係も取り上げた。人間がなした善または悪（支出）と、その報いとして受け取る効用または負の効用（収入）の関係はどうなっているのだろうか。ヘブライ思想はこれに二つの答を出した。これに関連して、ファラオの夢に登場する人類最初の景気循環の記録と、その対策（ケインズ型政策と呼んでよいだろう）を取り上げた。さらに、ヘブライ人が景気循環の理由を倫理的に説明したことにも触れた。ヘブライ人にとって、歴史を動かすのは倫理だった。

本章では、安息日の定めも取り上げた。おそらく安息日は、人間が四六時中働くためにつくられたのではないこと、人生には聖なる場所と時間があり、そこでは生産性の最大化は許されていないことを思い出させるために定められたのだろう。ヘブライ思想では、人間には創造の仕上げを行う役割があり、エデンの園を管理する責任があると考えられている。ただしその仕事は、決まりの範囲内で行わなければならない。人間が創造の仕上げを行うのは、神からその仕事を割り当てられたからでもあるが、より抽象的で存在論的な意味合いもある。これに関連して、遊牧民の生活と文明化された都市の生活のちがいにも触れた。このほか、信用としての抽象的な貨幣の概念も取り上げた。貨幣が時間軸に沿って移動できるのは、金利をつけられるからである。これに関連して、債務とそのリスクにも言及した。

ヘブライの経済思想は、第8章で改めて取り上げる。そこでは他の経済思想の知見と統合して、結論を導きたいと思う。

次章では、古代ギリシャの経済観を取り上げる。とくに、法や規則に対する対照的なアプローチに注目したい。ストア派は法律を絶対と考え、彼らの哲学においては、効用はほとんど意味を持たなかった。これに対してエピクロス派は、すくなくとも大方の解説によれば、効用と快楽を最重視した。そして、規則は効用の原理に基づいて定めるべきだとした。ヘブライ人が、両者の間で幸福な妥協と呼びうるものを発見していたことは、特筆に値する。モーセ五書は絶対であり、その点に疑いの余地はない。しかしそこに定められた規則の範囲内であれば、効用を増やすことは許されていた。

第3章

古代ギリシャ[1]

西洋哲学の歴史はプラトンの脚注にすぎない。

——アルフレッド・ホワイトヘッド

西洋哲学発祥の地は、言うまでもなく古代ギリシャである。西洋文明の基礎も、経済学の基礎も、さまざまな意味でこの地で芽生えたと言える。エピクロス派とストア派の論争を理解しない限り、経済学の近代的な概念がどのように発展したかを完全に理解することはできない。ここで生まれた哲学の一部は、のちに経済学に不可分のものとして組み込まれたからである。エピクロスの快楽主義は、ジェレミー・ベンサムとジョン・スチュアート・ミルによって、より正確な経済学とより技術的な数学の味付けを施された。一方、合理的な観念化や数学に代表される科学の進歩の基礎も、古代ギリシャに、とりわけプラトンの学説に見出すことができ、これらは経済学の発展の道筋を定めることになった。「プラトンが現代の主流的な思想にもたらした中で、最も重要な不朽の貢献は、科学研究において数学を最高の地位に押し上げたことである。経済学を含め、数学的分析を活用するあらゆる科学は、プラトン的理想主義の本質を理解しない限り、それぞれの分野での数学の重要性と限界を適切に評価することはできない(2)」。しかし本章ではプラトンを取り上げる前に、まず初期の哲学者について、さらに哲学に先立つ詩の伝統について見ておくことにしよう。

神話から――詩人たちの真実

ホメロスの『イーリアス』や『オデュッセイア』で花開く詩の伝統は、ギリシャ文明の初期において非常に重んじられていた。ベルギーの歴史家マルセル・ドゥティエンヌは、著書『古代ギリシャにおける真理の探求者たち』の中で、雄弁術や哲学が発展する前のギリシャでは、詩が今日では想像できないほど重要な役割を果たしていた、と述べている。詩の伝統は朗読と高度な記憶術に支えられ、真理や正義に固有の視点を与えた。哲学は神話、芸術、詩に根ざしており、真理という概念が詩人の独擅場から哲学者の領域に奪い去られるのは、かなり後のことである。こうしたわけだから、プラトンは詩人を「別の分野で別の目的をめざす同僚としてではなく、直接的に競合する危険なライバルとみなしていた[3]」という。初期の哲学者は神話に戦いを挑み、物語から脱却し、知識を不変なものにしようと試み、詩人に代わって「真理の探求者」の役割を担おうとした。のちには神父、神学者、そして最後は科学者が同じことを試み、今日ではこの問題は科学者に委ねられている。

では古代ギリシャにおける「詩的な」真理の概念とは、どのようなものだろうか。ムーサ（詩を司る女神）は羊飼いだったヘシオドスにこう語ったという。「野山に暮らす羊飼いたちよ、卑しく哀れなものたちよ、喰らいの腹しかもたぬ者らよ、私たちは真実に似た偽りをあまた語ることができます。けれどもその気になれば、真実を述べることもできるのです」[4]。つまりムーサは、真偽いずれをも語る権利を主張している。さらに「叙事詩や悲劇を語る詩人たちは、ギリシャでは倫理の思想家あるいは教師として重要な存在とみなされていた。歴史家や哲学者が書く散文の論文に比べて、詩人の作品が重要性に欠けるとか真実でないなどと言う者は一人もいなかった」[5]。真実も現実も演説や物語に隠されていると考えられており、詩人の手になるすばらしい物語は繰り返し読まれ、作者と主人公の名前は語り継がれ、永久に残った。詩とは、現実のイメージである。このことを抒情詩人シモーニデースは「詩は言葉の絵である」[6]と美しく表現した。だが詩人は実際には、言葉の力でもって現実と真実をこしらえ上げ、事実と化すことができる。詩人の言葉で語られた名誉、冒険、功績、称賛は、真実や現実として定着する。詩人の言葉はそうした重要な役割を果たした。詩人の言葉で称賛された者は有名になり、有名になった者は記憶に残る。そしてよりいっそう本当らしくなり、物語の一部になり、「現実化」され、他の人々にとって「現実」となっていく。記憶に留められたものこそが現実であり、忘れられたものは存在しなかったことになる。

真理は、必ずしも今日のように「科学的」だったわけではない。今日の科学的な真理は正確かつ客観的な事実に立脚するが、詩的な真実は、物語や詩の内的・感情的な一致をよりどころとする。「神話は頭に働きかけるのではなく……感覚系に作用する」[7]のである。詩人が「花のような乙女」と謳ったとしよう。科学的に見れば、これは嘘である。そもそも、詩人はみな嘘つきなのだ。人間の女と植物との共通性はほとんどないし、わずかに共通すると言えるものには言及する価値もない。それでも、詩人が正しいと同時に科学的でないことはあり得る。古代の哲学は、のちの科学とまさに同じように、恒常的なもの、不変なもの、定量化できるものを見つけようとした。その科学はと言えば、秩序を探求（あるいは創造）し、それ以外のことは可能な限り無視している。実際の生活がそういうものでないことは誰でも経験から知っているが、現実が全体として無秩序だったらどうするのか、というわけだ。総じて詩は、哲学的な方法より、また科学的な方法よりも、真理に敏感になりうると言ってよい。「悲劇を語る詩は、主題を通じて、また詩の持つ社会的機能を介して、人間や運命の問題に取り組み、掘り下げる。それらは、哲学の文献では、無視したり避けたりすることができる[8]」。

今日では科学者がやっているが、かつては詩人や芸術家が世界のイメージを描き出していた。現実を描写し、象徴し、絵画的で単純化された（したがって人を欺きやすい）イメージで、この点は科学モデルとまったく同じである。もっともモデルは、「現実らしく」見せかけようともしないことが多いが。絵画は、その長い伝統を通じて錯覚の芸術であった。見せたいものを見せたい角度から注目させ、「人を欺く」。芸術においては「大半のことを真実のごとく見せかけて[9]」人を惑わす者が最高とされるのである。

とはいえ、詩人には詩人の真実がある。ギリシャ人は、詩神は隠された真実を暴き未来を見せてくれると考えていた。「わたしの身のうちに神の声を吹きこまれたのだ。これから生ずることがらと、昔起こったことがらを、称え歌わせるように[10]」とヘシオドスは書いている。その一方で、ギリシャ人にとって真実があらわれる特別なときは、多くは睡眠中であったことも指摘しておかねばなるまい。「女は未来を語ってくれる夢というものを発明した。だがその夢の語ることは混沌としていた[11]」。この点は、ヘブライ人と似ている。ファラオの夢に未来が表れ、ヨセフが景気循環を予言したことは、前章で触れたとおりである。だが夢は、あるいは夢を見ている状態の再現は、ルネ・デカルトによる科学的な方法の始まりでもあった。デカルトは純粋な真実を見る方法として、夢を活用して感覚の分離を図った。これについては、第5章でくわしく論じる。

ついでに言えば、デカルトが追い求めた真理は、詩人たちのそれとは異質だったように思われる。デカルトが探し求めたのは不変の真理であり、疑いの余地のない真理だった[12]。主著のタイトルが『理性をよく導き、もろもろの学問において真理を求めるための方法についての序説』となっていることからもわかるように、デカルトが追求したのは学問における真理、すなわちドクサ（doxa）に限られていた。一方、詩人の真理はアレテイア（alethia）だと言えよう。こちらはちょうど夢のように移ろいやすく、理性的でない。

詩人経済学者

ヘシオドスは、ギリシャ詩の最高にして最後の巨匠であると同時に、最初の経済学者と言ってもよい人物である[13]。西洋文明最初の哲学者タレスより一〇〇年ほど前に活躍した。ヘシオドスは資源の稀少性を始めとする問題を考察し、効率的な分配の必要性に気づいた。とはいえ稀少性に関する彼の説明はあくまで詩的であり、神はプロメテウスの行為に対する罰として、資源を稀少にしたという。

これももとはといえば、神々が人間の命の糧を隠しておられるからだ。さもなくばおまえも、ただの一日働けば、後は働かずとも一年を暮らすだけの蓄えが得られるであろうに。さすればおまえは、舵を炉の上にしまえるだろうし、牛や頑健な騾馬の仕事も終わりになるであろう。だがゼウスは、奸智のプロメテウスに欺かれ、怒り心頭に発して命の糧を隠した。[14]

ヘシオドスの説明はなかなかに興味深く、この「分析」からは、労働の元型とも言うべきものを見てとることができよう。これについては後段で改めて取り上げる。

ヘシオドスによれば、労働は人間に定められた運命であり、徳であり、あらゆる善の源泉である。働かない者は、軽蔑の対象でしかない。人間も神も根は怠け者で、「働き蜂の苦労の結晶を、みずからは働きもせず食いつぶす針のない雄蜂に似ている」[15]。ヘシオドスの『仕事と日』は、労働の分析を初めて試みたことのほかに、高利の批判をしている点でも、現代の経済学者にとって興味深い。数世紀後には、プラトンとアリストテレスも同様の批判を行う。この点についても、のちほど取り上げることにしたい。

最初の哲学者たち

ギリシャの思想では、詩においても哲学においても経済はさほど重要なテーマではない。だがギリシャ哲学の祖と言われるタレスは、じつは商売にも長けていた。「哲学が商売敵の知恵にまさることを見せつける気になりさえすれば、商売でも勝てることを存分に示した。オリーブの豊作を予想して圧搾機の借用権を独占的に押さえておき、そのような了見の狭い利益追求がいかに容易かを示した」[16]という。このように古代ギリシャでは、最初の哲学者からして、経済的なことは哲学より下位に位置づけられていた。そして経済にまつわる思考は、哲学とは異なり、利益という狭い対象に早くから限定されていた。したがってそのような浅慮には哲学の視点から熟考を加えることが当然であり、かつ望ましい。タレスは「オリーブ事業」を通じて、そのことを示そうとしたのだった。哲学は空疎な説教ではなく、世の中の現実に広く影響を与えうる。タレスは他に生計の道がないからではなく、ものを考えることにきわめて広い地平を与えてくれるから、哲学の道を選んだのである。この理由から、古代ギリシャ人は哲学を「学問」の女王とみなした。いささか誇張を交えて言うなら、これは今日とは正反対である。現代人にとって哲学はあってもなくてもいい飾り物と感じられることが多く、解けるはずもない問題に無用の努力を注ぎ込んでいると見られがちだ――そう、経済学とは大いにちがって。

数の神秘

古代ギリシャ哲学における主要な概念は、経済学にも多大な影響を与えた。すべてのことをたった一つの原理で説明しようとする伝統を生んだのは、古代ギリシャである。中でもピタゴラスは、現代にきわめて大きな刺激をもたらした。ピタゴラスは、万物は数とその比例関係から成ると考えた。[17] ピタゴラス学派にとって、数は「魔法の力を持っており、単なる数学的性質だけでなく、神秘的な意味も秘められていた」[18]。「数が万物の根源である、すべては数である――この表明を文字通りに受け取るべきか、象徴的な意味と解釈するかという問いには、権威の問題が絡んでくる」[19]。ピタゴラスの弟子だったアリストクセノスは、師について「数の研究を商人の習慣から切り離し、あらゆるものを数になぞらえた」[20]と語っている。経済学の観点から興味深いのは、「アリストクセノスは、あらゆるものの『尺度』を発見する試みの契機となったのが、商業の知恵だったと暗に述べている……彼によれば、すべてを数で表す発想は、経済や商業の観察から始まった」[21]という指摘である。もしそうなら、数学が経済学にインスピレーションを与えたのではなく、逆だったことになる。

ピタゴラス学派が、ヘブライ人や他の民族と同じく数に神秘を見出した点も、興味深い。[22] 奇しくも、二〇世紀前半を代表する論理学者で数学者でもあるバートランド・ラッセルは、神秘主義と科学を組み合わせること（ピタゴラス学派がまさに得意とするところである）が哲学を高めるカギだと考えていた。[23] ピタゴラスにとって、数は単なる量や、何かを数える単位ではなく、質でもあった。[24] それは、調和した世界、すなわち宇宙の原理を記述する手段となるべきものだった。[25] この見方は、プラトンを経て、ヨーロッパの科学的思想の主流となっていく。「プラトンは、基本的にはピタゴラス教団のアイデアをいっそう洗練させたと言える。彼らは、世界は巨大な幾何学装置によって基本単位から構築された合理的な存在だと考えていた。この基本単位とは、点あるいは『一』である」。[26] ピタゴラス学派は、世界は数に還元しうると考えた最初の哲学者である。このことが二〇世紀の経済学にもたらした重大な意味については、後段で取り上げることにしたい。

ヘラクレイトスは、万物は変化すると考えたが、これは同時代の哲学の主流に反する見方だった。当時は、不変性や定常性こそが完全であると考えられていたのである。経済学者が、絶えず変化する現実に抽象的な不変の原理で立ち向かおうとするのは、ここにルーツがあるのかもしれない。対照的にヘラクレイトスによれば、世界は弓と弦のような相対する力によって構成されている。[27] 調和は相反と不調和から生まれ、運動の中で実現する。

エレア派のパルメニデスは、ヘラクレイトスの対極に位置づけられる。アポロンの神官だったこの哲学者は、人間の感覚が把握する世界は絶えず生々流転するが、それは真の姿ではないと考えた。真の姿を把握できるのは理性のみであり、理性による抽象的な思考は一定不変である。この立場からすれば、真理は観念や理論の領域に存する。不完全な経験的世界すなわち現象世界は絶え間なく変化するが、これは真理の領域には属さず、真理は抽象の中にある。経験的世界を真の姿にするには、メンタルモデルを構築し、変化する世界を「固定」し「安定化」させなければならない。

以上のようにパルメニデスは、ソクラテスとプラトンの系譜に先行する哲学者とみなすことができる。彼らの理想像は、他の何にもまして経済学に、そして物理学を始めとする科学分野にも影響をおよぼし、現実以上に現実とみなしうる安定した抽象モデル構築の基礎を築いた。現代の科学は、パルメニデスの世界観とヘラクレイトスの世界観の間でつねに揺れている。前者では現実を再構築する手段としてモデルがつくられ、あるいは現実は再構築可能であると認識され、すくなくともある意味でその恒常性が認識されている。対照的に後者では、合理的なモデルは「真実でなく現実でもない」単なる補助手段とみなされ、絶えず変化する現実世界においては将来予測にいくらか役立つ程度と考えられている。

クセノポン――キリストの四〇〇年前に誕生した経済学

古代の政治経済学の頂点に君臨するのは、アテナイ市民だった経済学者クセノポンである（彼は、哲学者としては凡庸だった）。「クセノポンの著作『政府の財源』は、遅くとも一八世紀には経済・行政問題の実務的な分析に供されていた(28)」にもかかわらず、この古代の経済学者が取り上げた問題を近代の経済学者たちが再発見したのはようやく一九世紀になってからのことで、じつにクセノポンが死んでから二〇〇〇年以上が経過していた。こうしたわけで、哲学とギリシャ文化が始まったときから、綿密かつ明快な経済思考はヨーロッパに存在していた。クセノポンの経済分析は、鋭さの点でアダム・スミスに劣らない。

クセノポンはプラトンと同時代の人である。彼の経済思想の大半は、賢い家計管理について論じる『オイコノミコス』と、国庫への歳入をどう増やすか、国が富み栄えるにはどうしたらよいかを指南する『政府の財源』の二冊にまとめられている。クセノポンは、ミクロ経済とマクロ経済の両方について、人類初の教科書を独力で書いたと言っても誇張ではあるまい。ちなみにアリストテレスにも『経済学』と題する著作があり[29]、その中でヘシオドスの『仕事と日』に言及している。アリストテレスの『経済学』はどちらかと言えば家政管理の本であり、その大部分が夫と妻の関係、とりわけ女性の役割に割かれているため、女性のために書かれたという印象さえ与える。女性は家の中のことをするのに適しているのだから「よき妻は家庭の女主人でなければならない[30]」が、夫は「静かな仕事には向いておらず、家の外での活動に適している[31]」という。

本題に戻ろう。『政府の財源』の中で、クセノポンはアテナイ市民に対して国富を最大化せよと説き、そのための方法を助言する。しかし、税収を増やす手段として国有化や戦時財政は奨めず、貿易の拡大のほうが好ましいと考えていた。これは当時としてはじつに画期的な考え方であり、このような考え方が再び論じられるようになるのは、はるか後年まで待たねばならない。クセノポンはアテナイ市民とりわけ在留外国人の経済活動を活発化するよう主張し、在留外国人の保護委員会を設置することを提言した[32]。外国人のための住宅建設に加えて、そうした保護委員会を設置すれば、外国人の数を増やすだけでなく彼らの好意を得ることができ、それによってアテナイ経済も拡大するというのだ。

さらに付け加えるとすれば、在留外国人の忠誠心であろう。おそらく国籍を持たないすべての外国人は、アテナイに居住する権利を切望しており、それによってアテナイは歳入を増やせると考えられる……さらに、在留外国人に騎兵隊への加入資格を与えるなら、彼らに付与すべき他のさまざまな特権とともに、彼らの忠誠心を高められるであろうし、国家の力を一段と強化できると信じる[33]。

クセノポンは、当時一般的だった見方とは異なり、富や繁栄をゼロサムゲームとは捉えていない[34]。もっと近代的な感覚で、貿易は公共の利益に資すると考えていた。外国人による商業活動が活発化すれば、アテナイ全体が潤う。外国人はアテナイ市民を犠牲にして富を得るのではなく、全体をゆたかにするのである。だからクセノポンは、外国との貿易や投資を活性化するよう説いた。

> 船主と商人が、商船や積み荷の高い品質によって国家に多大な貢献をしたと考えられる場合には、彼らを劇場の最前列の席に招待し歓待することが好ましい。こうした名誉が与えられるとわかれば、彼らはわれわれを友人とみなし、利益のみならず名誉を得るためにわれわれのところに馳せ参じるだろう[35]。

クセノポンが、先見性に富むきわめて有能な経済学者だったことはあきらかである。彼は、人間の意欲を高める要因や特別扱いされることを喜ぶ気質などを鋭く見抜いていた。これらの要素は、今日の経済でも大きな役割を果たしている。

彼の価値論も、現代の経済学者なら主観的だと決めつけるかもしれないが、じつにおもしろい。そのエッセンスは、次の箇所に最もよく表れていると思われる。これは、ソクラテスとクリトブロスの架空の会話である。

「さてこうしてみると、笛を吹けない人たちにとって、笛を売れば、それは財産となるけれども、売らずに持っていても一銭にもならないことがわかる」

「まったくそのとおりです、われわれの議論は一貫しています。有益なものが財産であると定義したのですから。笛について言えば、売らなければ財産ではありません、何の役にも立たないのですから。が、売れば財産になります」

「そうだ」とソクラテスは答えた。「すくなくとも、売る術を心得ていればね。それに売るにしても、使い方を知らないものと引き換えに売るのでは、売れても財産にはならないね、君の説に従えば」

「ソクラテス、あなたは、使い方を知らなければお金でさえ財産ではないと言っているように聞こえますが」

「君だって私に同意しているじゃないか、財産とはそこから利益を得ることができるものだという点では。ともかく、男が女を金で買って、そのせいで体も心も財産も台無しになったとしたら、金銭はこの男にとって有益と言えるのかね」

「まったく言えません。食べると気が狂ってしまうというベラドンナを財産と言うなら、話は別ですが」

「というわけで、クリトブロス、使い方を知らないなら、お金は遠ざけておくことだよ。そして財産とは考えないことだ」[36]。

クリトブロスと笛の例から、クセノポンが使用価値と交換価値の根本的なちがいにも気づいていたことがわかる[37]。のちにはアリストテレス、ジョン・ロック、アダム・スミスも、この見方に基づいて理論を展開していくことになる。

ここですこしアダム・スミスに言及しておこう。近代以降の経済学に対する彼の偉大な貢献の一つは、分業について考察し、生産プロセスの発展と合理化における分業や専門化の重要性を指摘したことにある。ところがクセノポンは、アダム・スミスより二〇〇〇年も前に、分業の重要性を説いているのだ。分業を行う際の共同体の規模を論じた文脈で、彼は次のように書いている。

小さな都市では、一人の職人が寝台も椅子も鋤も机もつくらなければならないし、家も建てなければならないことが多い。なんとかやっていけるだけの注文主がいれば、この職人にとってはそれだけでもありがたいことだ。こんな具合にたくさんの仕事を一人でこなすのでは、どれも上手にやることはむずかしい。一方、大きな都市では、どの品物にも豊富な需要があるため、一つの技能に長けていれば生計を立てることができる。それどころか、一種類の品物の一工程ができれば十分なことが多い。こうしたわけで、靴職人の中には男性用のサンダル専門の職人もいれば、女性用専門の職人もいる。あるいは、かがり縫いだけ、革を裁断するだけ、甲の部分をつくるだけ、全体を縫い合わせるだけでも食べてゆける。時間と労力を細分化された工程にだけ費やすなら、必ず最高の技術を身につけられるものだ。(38)

クセノポンは、さまざまな意味で時代に先行する偉大な思想家だった。トッド・ローリーは次のように書いている。「プラトンは市場規模と分業化の関係について、何もわかっていなかったにちがいない。アダム・スミスはこの問題を取り上げて有名になったが、プラトンと同時代のクセノポンは、『キュロスの教育』の中で、分業についてスミスと同様の説明をしている。彼はどうやら商業取引の性質を見抜くことに関してかなり先を行っていたようだ。大きな都市では分業が発展するが、小さな都市ではほとんど存在できないことまで理解していたのだから(39)」。

未来と予測の限界

すぐれた経済学者だったクセノポンは効用の問題にも取り組み、収量の最大化を研究したが(40)、分析には限界があるとはっきり述べている。農業が今日よりはるかに重要な地位を占めていた当時の経済において、繁栄や低迷を予測することに、彼はきわめて慎重だった。「農業に従事する人は、予測に頼ることはまずできない。どれほど周到に考えられ実行された計画も、霰や霜、旱魃や豪雨、あるいは胴枯れ病によって台無しになってしまう」[41]。同時にクセノポンは、経済現象も文化の枠組みの中で捉えなければならないこと、分析する際に現実の世界から切り離してはならないことを承知していた。現実の世界が需要と供給の法則だけに支配されるわけではないことを、わきまえていたのである。

クセノポンが『政府の財源』の中で示した世界観は、「ヤコブの条件」として知られるもの、すなわち「主の御心であれば[42]」という条件に拠っている。これは、今日の経済学が呪文のように唱える「セテリス・パリバス（ceteris paribus）」すなわち、「他の条件がすべて等しければ」の対極に位置すると言えよう。『政府の財源』には、「あなたがたが以上のことを実行するのがよいと考えるなら、ドドナとデルポイに使節を送り、このような計画は現在および将来、国家に幸福をもたらすだろうかと神々に尋ねるのがよい[43]」という一節がある。クセノポンによれば、経済に関する最高の助言や分析であっても、将来に関するすべての要素を含むことはできない。それが神の御心と呼ばれるにせよ、アニマルスピリットと呼ばれるにせよ。

クセノポンは経済について非常に幅広い考察を行っており、その範囲は雇用と物価の関係[44]、イノベーション[45]、国家によるインフラ投資[46]などにまでおよぶ。先ほど見たように分業にも言及したし、ミクロ経済、マクロ経済の両方についてたくさんの助言も行い、「外国人投資家」に投資を促すことの好ましい効果も検証した。彼が取り上げた範囲は、ある意味でアダム・スミスよりも広く、多くの意味で深かったと言ってよかろう。

とめどない欲望に関するクセノポンの考察も興味深い。これについては後段で再び取り上げるが、とくにおもしろいのは、金銭的欲望に関する考察である（なお当時は、富は銀の量で表現された）。「家具であれば、家に十分整えればそれ以上は買わないものだ。だが銀の場合は、どれほど多く所有しても、これ以上いらないと言う人はいない。巨額の銀を所有する人は、それを使うことに劣らず、余った銀を隠すことに非常な喜びを感じる[47]」。

プラトン──哲学のベクトルを定めた巨人

ソクラテスとプラトンが西洋文明における哲学の伝統の開祖であることに疑いの余地はない[48]。その後数千年にわたって連綿と続く哲学という学問を基本的に形成し、その方向性をある程度まで定めたのは、この二人だったと言ってよい（その枠組みを果たして超えられるかどうかは、いまだに疑問である）。ソクラテス、その弟子のプラトン、その弟子のアリストテレス──この三世代の思想家から始まった問題提起と議論は、今日にいたるまで続いている。

理性を尊ぶべきか、経験を重んじるべきか。プラトンのイデアは存在するのか、それともアリストテレスの批判が正しいのか……。永遠なる知の探求という遺産を残してくれたのは古代ギリシャの伝統であり、ヘブライやシュメールには見受けられない。デルポイのアポロン神殿の入口に刻まれている「汝自身を知れ」という言葉は、のちに詩人のアレグザンダー・ポウプによって皮肉な解釈が示され、さらに映画『マトリックス』にも登場する。預言者オラクルに会いに行く冒頭のシーンで、台所に掲げられていた額に「汝自身を知れ」と書かれている。そこには、「おまえ自身のことについて私からは何も教えられない」という意味が込められている。

洞窟の比喩

プラトンは今日の思考法に、すなわちどのような問いを発してどのように答えるかということにきわめて大きな影響を与えた。さらにもう一つの遺産は、世界を抽象化するという発想である。プラトンは、世界は理性によって最もよく知ることができると考え、合理的思考の伝統を確立する役割を果たした、とパルメニデスは語る。よく知られた洞窟の比喩で、プラトンは従来とはまったく異なる世界観の基礎を築いた。この世界は真の世界ではなく、影にすぎないというのである。「疑問の余地なく必然的に、この世界は何らかのものの投影だと言える」[49]とプラトンは述べる。こうして、プラトンはこの世界に対峙するための神秘的な沈黙の扉を開き、禁欲主義に先鞭をつけ、抽象的な合理的理論に対する信頼の先駆となった。真理は自ら表れるのではなく、人間の目には見えない。隠されている。この隠された永久不変の真理に到達する唯一の手段が、合理的思考である。後期古代ギリシャの最初のテーマは、可変性や不規則性を排除し、絶えず変化する混沌とした経験的世界を突き抜けて、不変の合理的真理を見つけることだった。

ここでもう一度、洞窟の比喩に立ち戻ろう。プラトンはこの比喩で、生涯を洞窟に縛られて終える囚人を想定する。この囚人は顔の向きを固定されているため、目に入るのは壁に映った影だけで、実物を見ることはできない。囚人は影を本物だと考え、それ以外に何かが存在するとは考えもつかないので、影に名前をつけたり、その本質を話し合ったりする。「このような囚人たちは、あらゆる面において、ただもっぱらさまざまの器物の影だけを真実のものと認めることになるだろう[50]」。

この状態では、囚人たちは影だけを見てあれこれ言っているにすぎない。この喩えでプラトンが言わんとしたのは、経験的な現象は目に見えるだけで、ものごとの本質すなわち実在を捉えてはいないこと、それは最終的には抽象的な思考と適切な理論的説明によってのみ近づける、ということだったのだろう。目を開くためには、現象世界に縛りつけるくびきを逃れ、洞窟から足を踏み出し、ものごとの実際の姿を見なければならない[51]。囚人が洞窟を出たら、始めは光に目がくらんでしまう。やがてまわりが見えるようになって現実のものを見ても、そのとき実際にどう見えるかと言うと、「彼にとっては苦痛であり、以前には影だけ見ていたものの実物を見ようとしても、目がくらんでよく見定めることができない[52]」。もしこの囚人が洞窟に戻って（ここがこの比喩のポイントだと私は考えている）、自分の見たことを仲間に話したとしたら、実物の影だけを見慣れている囚人たちは、彼の言葉を信じず、認めようとしないだろう。これは、プラトンの偉大な師ソクラテスの運命を思わせる[53]。

プラトンを導く光は、不変不動の真理だった。だから、変化するものや一時的な現象に囚われまいとした。プラトンによれば、この世界の真理の道筋（お望みなら、構造、方程式、基質《マトリックス》と呼んでもかまわない[54]）は、人間のどこか深いところに生まれる前からすでに記されている。それを探そうとすれば、それだけで、私たちは自分の内に目を向けることになる。外の世界に真理を求めようとするのは誤りだ。なぜならそれは、影を追い、影を論じることになるからである（アリストテレスはこの方法をとったように見える。これについては後段を読まれたい）。現実のものごとは理性によってのみ知ることができ、目などの感覚器官で捉えることはできない[55]。それらは惑わされやすいからである。ポパーはプラトン思想のエッセンスを次のように語っている。「プラトンは、あらゆる種類の通常の事物、すなわち朽ちていく事物には、それに対応する完全で朽ちない事物があると考えていた。完全で不変の事物へのこの信念を『イデア論』と呼び、これがプラトン哲学の大きな柱となっている[56]」。

こうして合理主義の伝統が生まれ、それがやがて経済学においても重要な意味を持つようになる。まさにこの論理が、現実世界を説明する原理を理性によって発見し、行動モデルを形成することにつながった。現実の世界を数学的なモデルや普遍的に適用可能なグラフに表現したがる傾向は、今日にいたるまで経済学の特徴となっている。

ここで、近代科学の祖とみなされているデカルトが、プラトンと深く結びついていることを指摘しておきたい。プラトンは外の世界に真理を求めようとはしなかったが、内に目を向け、内面について観照し、人を惑わす感覚や記憶やその他の知覚やその記録から自らを解き放った。デカルトは夢によって真理を発見したが、やはり（人を欺く）感覚器官から自由になり、理性のみに頼っている。デカルトは本書の重要な登場人物の一人であり、第5章でくわしく論じる。

モデルとしての神話、神話としてのモデル

プラトンは、人間社会同様、知識にも階層が存在すると考えていた。最上位に位置づけられるのはイデアの知識であり、最下位は洞窟の壁に映る影のような、人を誤らせる知識である。こうしたわけで最上位は哲学的知識であって、数学的知識ではなかった。なぜなら、数学で真理のすべてを記述することはできないからである。たとえ世界全体を数式で記述できるとしても、すべての知識を持ったことにはならない（これについては本書の最後の方で論じる）。ものの機能を説明できたとしても、もの同士の関係を理解していることにはならない。

プラトンが真理発見の手段として神話を活用したのは、このためである。神話の不正確さ、つまり曖昧性は、強みであり長所であって、けっして弱点ではない。表現形式としての神話は、科学的あるいは数学的な正確性を身上とするアプローチに比べ、はるかに大きい枠組みや奥行きを持っている。神話は、科学や数学には手の届かないところに行くことができ、絶えず変化する世界の姿を捉えることができる。おもしろいことに現代人は逆で、感覚では扱えない難解な領域に

立ち向かうときに、数学を始めとする正確なアプローチの助けを借りる。method（方法）の語源はmeta-hodosであり、hodosは「道、旅行」を表し、全体としては「道に沿って」あるいは「道の向こうに」という意味になる。つまり方法は、正しい道筋（かつて正しかった道筋と言うべきかもしれない）の道標となり、迷子になることを防いでくれる。あるいは、直観や感覚といった自然の本能が役に立たないような知的探求の中で、方角を見失わないようにしてくれる。

神話は現実の抽象化であり、モデルであり、比喩であり、物語である。神話をこれまでとはちがう角度から見たら、科学にしても、理論を巡る神話を形成していることがわかるだろう。人間は事実を物理的に見るのではなく、事実が表していると解釈したものを見る。太陽が「昇る」のは誰でも目にするが、なぜ、どうして、ということは解釈に拠る。ここに物語の入り込む余地がある。

プラトンは、世界の秘密は「高次の秩序」を構築することによってのみ理解できるとした。メタ物語、広く受け入れられた神話、元型、物語、モデル（あるいはお望みなら基質《マトリックス》）が高次の秩序に当たると言えるだろう。その最上位に位置づけられるのは哲学的な真理であり、善の究極のイデアから導かれる。プラトンによれば、数学的な定義やその派生物の有効性は、人間の外に存在することによって保証される。人間にはそれを解き明かすことができるだけで、形成はできないからだ。このときモデルは、目に見えない法則を明らかにする役割を果たす。

抽象化に対するアリストテレスの見方は、プラトンとはまったくちがうように見えるかもしれない。「アリストテレスとプラトンには根本的な意見の不一致がある。アリストテレスは、イデアは個物（個体）から分離して存在することはなく、むしろ個物から普遍性に到達できると論じた」[57]。ここから、イデアという抽象的なものがどこか人間の外にあるのではなく、理解し、創造することが可能だと解釈できる。

経済学者のディアドラ・マクロスキーは、プラトンの善、万物の原理としての神への信仰の中に、数学と宗教の交点を見出している。

数学者のフィリップ・デービスとルーベン・ヘルシュは、数学と宗教には信仰という基盤がなくてはならず、これは各人が自ら用意しなければならないという。彼らの見るところ、数学者は新プラトン主義の実践者でスピノザの追随者だ。彼らの数学崇拝は、神の崇拝と通底する。神も、たとえばピタゴラスの定理も、物理的な世界とは独立して存在すると信じられており、どちらも物理的な世界に意味を与えると考えられている[58]。

プラトン的世界における宗教は、数学や科学と相容れないものではない[59]。むしろ、両者は互いに補い合い、どちらも互いに相手を必要とする。宗教の背後にも、数学や科学の背後にも、すべてを包含する何らかの原理が存在し、それなしにはどちらも意味をなさない[60]。二〇世紀の哲学者マイケル・ポランニーは、科学でさえ「われわれが信じる信仰の体系[61]」なのだと述べている。またマクロスキーによれば、「信仰は科学に対する攻撃でもなければ、迷信への回帰でもない[62]」。逆に、信仰はあらゆる科学と知識を支える土台だという。たとえば、「世界は知りうる」とするのは、最も根本的な信仰である。その上部構造として、神話が意味を持ち始める。神話は、現実ではないとわかっている証明不能の何か（たとえば経済学における仮説）に対する信仰なのである。

するとここで、経済学はどの程度まで神話創造をしているのかという疑問が湧いてくる。経済学はどれほどの神話を必要とし、どれほどの神話を生み出したのか。経済学という学問は、現代社会を理解する最良の位置にいると自負しているが、どうやらそのためには神話を必要とするらしい。経済学は、多くの点で、またさまざまな形で、神話を利用している。第一に、神話を無意識のうちに仮説に取り込んでいる。第二に、神話や物語をつくっている。ホモ・エコノミクスというモデルは、まさに神話型のモデルである。この物語は数式で語られるが、それでも神秘主義であることに変わりはない。完全な合理性だとか、完全な情報、市場の見えざる手、人間の自由意思と自己決定、永遠の進歩、市場の平衡状態などは、そのほんの一例である。誰もこうしたものを目にしたことはない。つまるところこれらは、経済学と（経済学だけではないが）共鳴する物語であり、信仰であり、神話なのである。そしてこうした物語を裏づけるため、あるいは覆すために、議論や実験が繰り広げられ、統計が活用されている。

神話には何も軽蔑すべきところはないし、恥ずべきところもない。誰だって、立証できないことも信じなければ、生きていけないのだ。ただしそのことはしっかりと認め、そういうものとして先へ進む必要がある。神話は他の神話と対立しうるが、経験主義とも現実世界とも対立しない（そもそも現実の世界は、神話の中で姿を現す）。神話が対立するのは、他の巧妙な説明、つまりは他の神話である。
ギリシャ人は、神話を「文字通り」受け取ることはせず、神話として認識していた。ローマの歴史家サルスティウスが語るとおり、「これらのことは一度も起きなかったが、つねにそこにある」(63)。現代人も、古代人も、自分が語っているのは神話であり、虚構であり、客観的な現実に即したイメージや表象ではないと承知している(64)(たとえそれが実際に起きたと信じていても)。

いささか奇妙に聞こえるかもしれないが、経済学者はいままさに同じことをしている。経済学者には質問が突きつけられているのだ。いったい、自分たちのモデルを本気で信じているのか。人間がほんとうに合理的だと、自分のことしか考えないエゴイストだと、市場は自ずと均衡すると、市場の見えざる手が存在すると、信じているのか。それともこれらは単なる神話にすぎないのか。どちらの答も可能だが、両方にイエスと答えることはできない。ミルトン・フリードマン(65)に倣ってモデルと仮説は非現実的だと答えるなら(66)、たとえば人間は合理的だとする前提は非現実的だとみなすなら、人間が現実世界においてほんとうに合理的である、と結論することはできない。モデルの仮説あるいは結論が虚構だと認めるなら、そのモデルがどれほど有用であろうと、それに基づいて人間を語ることはできない。

一方、モデルは現実を表していると考えるなら、モデルという神話を信じることになる。そして古代の人々以上に、神話と称さない神話に囚われることになる。古代人は、眉につばをつけて神話を聞いた。神話は虚構であり、抽象作用であり、実際には起きたことのない物語だとわかっていた。それでも、ものごとを説明するのに、とりわけ人間の傾向や行動を説明する役には立った。

さあ、どちらなのか。経済学者は決めなければならない。両方を選ぶことはできない。

肉体からの解放と需要

プラトンは肉体をほとんど重んじず、肉体的な快楽を「快楽とされているもの」[67]と呼び、「肉体があるために、われわれは奴隷のように肉体に奉仕しなければならない」[68]と言った。肉体は悪の宿るところであり、その快楽は人を惑わす。「われわれが肉体をもち、魂が肉体的な悪と離れがたく結ばれているかぎり、われわれは求めているものに決して到達できまい」[69]。あたかもすべての悪は肉体に由来すると言わんばかりで、「戦いは、すべて肉体とその欲望が起こすもの」[70]だという。

肉体は邪魔者であり、魂が「肉体とともに何かを探求しようとするときには、肉体によってあざむかれるのは明らかである……魂が最もよく思惟できるのは……肉体を離れ、できるだけ魂だけになって、肉体との協力も接触もできるだけ拒み、ものの真実を追究するときなのだ……したがって、思惟だけを用いて対象に近づく者が最もよくこれをなしうる」[71]。かくしてプラトンによれば、魂は肉体がないほうがよく、肉体は害をなすだけということになる。「われわれが求めこがれている知恵がわれわれのものになるのは、ぼくたちの議論が示すように死んでからなのであって、生きているうちは不可能なのだ……生きているあいだは、つぎのようにすれば、知に最も近づきうるだろう。すなわち、どうしてもやむを得ない場合以外はできるだけ肉体と交わったり協同したりすることを避け、肉体の本性に染まらず、清浄であるようにつとめ、神ご自身がわれわれを解き放してくださるのを待つことだ」[72]。

これはまさに需要サイドを断つ発想であり、初期のキリスト教はこれを受け継いだ。とくに使徒パウロ、そしてのちにはアウグスティヌスがそうである。肉体を魂の監獄とみなすアウグスティヌスの思想（次章で取り上げる）は、先ほどのプラトンの引用の続きのようにさえ見える。肉体性や物質への執着は上位の精神性の対立概念となり、肉体は軽蔑され、抑圧され、物質的なものは退けられた。このことが経済におよぼす影響はあきらかである。禁欲的な社会では、言うまでもなく、ものに対する需要が抑えられる。したがって、分業や専門化は発達しない。個人の需要は必要最小限のものに限られるので、物質的な繁栄も望めない（それに、そんなことを気にもしない）。経済に限らず、肉体的快楽絡みの需要、すなわち生命維持とは無関係のニーズに基づく文化が、今日のような水準に発達しないことは確実である。肉体的快楽が悪だとされることは、このように明白な経済的意味を持つ。理想は財の消費や生産ではない、どちらからも逃れることだとしたプラトンは、ストア派に劣らず厳格だった。

ソクラテスの時代から、このテーマは広く議論されてきた。たとえば「アテナイの政治家カリクレスは、欲望やニーズを持つこと自体はけっして悪くないと考えていたようだ。カリクレスは

『何ものも必要としない人たちが最も幸福である』というソクラテスの主張に嫌悪感を抱き、『それなら、石や死人が一番幸福だということになるだろう』と言い返した[73]」。

結局のところ、ソクラテス自身も愛欲を抑えきれず、愛欲と哲学的探究心との間で苦悩している。美青年アルキビアデスとの同性愛をソクラテスが抑制できたとは言いがたい。しかし、見境のない肉体関係を厳に戒めるのは、ストア派の伝統である。ストア派は、愛欲のみならず物質的なこと全般についてそうした姿勢をとった。

そして供給サイドに関しても、プラトンはできるだけ遮断しようとした。プラトンによれば、不潔な肉体労働や生産は最下層や奴隷のやるものである。理想は、知的かつ精神的な瞑想や自己認識の中で真理に到達する手がかりを得ることであり、それがそのままよき人生、幸福な生活を意味した。

需要対供給、自由、需給の不一致

今日では、財産が多い人ほど自由だと考えられている。だがストア派にとっては、まったく逆だった。依存するものが少ないほど自由になる。この理由から、肉体の欲求（需要）から自由になることが要求された。こうした自由と物質依存からの脱却の例として最もよく知られているのは、ディオゲネスだろう。この哲人は必要なものをどんどん減らし、いらないものは次々に捨ててしまった。最後に残った碗でさえ、水は手ですくって飲めるという理由で投げ捨てる。ストア派の狙いは明らかだ。物欲すなわち需要サイドを切り捨てれば、供給サイドすなわち労働も減らせるということである。ものが少なくてすむ人ほど、少しのもので満足できる。ほんのすこししか必要としない人は、労苦もすこししか引き受ける必要がない。需要と供給が一致しない場合（人間心理においてはこれがふつうである）、ストア派にとっての幸福な人生の処方は需要を減らすことであって、供給（生産）を増やすことではない。一方、快楽主義者にとっては逆になる。

理想の社会——政治と経済

プラトンとアリストテレスは、多くの点で、今日までつながる議論の枠組みを提起した。社会の機能や人間が共存する基盤についての問題提起も、その一例である。ロバート・ネルソンは、「サミュエルソンの経済の教科書も、暗黙のうちに、プラトンとアリストテレスが議論した問題に取り組んでいる。たとえば、利己的な行動が社会で容認されるのはどんなときか、広く社会の幸福のために個人が行動すべきときはいつか、といった問題がそうだ[74]」と指摘する。

さしあたり本書にとって重要なのは、政治経済に関するプラトンの学説である。とはいえ今日にいたるまでその学説には異論が多く、一部では批判の的となっている。たとえばカール・ポパー（および他の多くの研究者[75]）は、プラトンの『国家』がユートピア思想家や共産主義者にヒントを与えたと非難した[76]。「プラトンとマルクスは終末論的な革命思想を提示し、この思想は社会を過激に変貌させた[77]」という。マルクスはプラトンに直接的に言及し、『資本論』ではひんぱん

に引用している。(78)

アリストテレスは人間を社会的動物（zoon politikon）だと考えたが、プラトンの見方はちがった。プラトンの考えでは、人間はよき市民でいるほうが得だからそうしているだけであり、アリストテレスが主張するように、本性からそうなのではない。「社会構造を安定化させるもう一つの要素は、都市の市民による合理的な自己利益の追求である。プラトンは、自己の最善の利益は合理的な意思決定によって実現することを、各人は知っていると主張した。よって、プラトンにとって結論は明白だ。賢明な人間なら誰でも、自分よりすぐれた聡明な人間による統治と指導を歓迎する、ということになる(79)」。

プラトンは社会を資質に応じて三つの階級に分けた。第一階級は理性を代表する支配者、第二は勇気を体現する軍人、第三は肉体的感覚を代表する生産者で、第三階級はプラトンの考える最下層である。支配者階級は、私有財産や自己利益を知らない。それどころか、それが個人に帰属することさえ知らない。こうした支配者像は、プラトンが私有財産に否定的だったことに由来する。高い階級の者はそうした下世話なことに注意を逸らすべきでなく、社会全体のことに気を配らなければならない。統治に携わるエリート階級は、妻あるいは夫を持たない。再生産はほとんど医学的に処理され、育児は専門の施設に委ねられる。エリートたちはできうる限り純粋な哲学に没頭する。今日では想像もつかない世界だ。「『国家』ではまた、最善の生活は理性に支配される生活だと述べられている。さまざまな選択をすべて理性が評価し、順位を定める生活である(80)」。

支配者階級は、国家の問題に携わるだけでなく、思索に耽り、イデアあるいは「絶対的なるもの[81]」を探求しなければならない。要するに肉体の欲望やニーズに関して、プラトンは「価値をいっさい認めていなかった[82]」。ジョージ・オーウェルの有名な小説『一九八四年』と同じく、財産だの家族だのといった日常の煩わしいことは、労働者階級にのみふさわしいとされた。

しかし、支配者階級が財産を望んではならないのは非現実的だろう。「プラトンは支配者階級においては私有財産制を認めないとしたが、アリストテレスは、それは人間の自然な傾向を考慮しない議論だと述べた[83]」。人間本性に関するアリストテレスとプラトンの見方の大きなちがいは、ここにある。プラトンにとって、財産とは人間を堕落させ、真に重要なこと（抽象的な世界の理解）から注意を逸らせてしまうものだった。一方アリストテレスは、物質的安定への欲求から好ましい動機が形成されると主張した。「アリストテレスの著作が俗事、楽観主義、実践、常識、経験主義、功利主義的な姿勢を奨励したのに対し、プラトンのそれは俗事からの離脱、悲観主義、急進主義、啓示、禁欲的な姿勢を奨励した[84]」とネルソンは総括する。

教養高いアテナイ市民だったプラトンは、全体主義的な軍事国家スパルタを賛美していた。単にモノを買ったりニーズを満たしたりするための肉体労働は、労働者階級のすることだった。この最下層の人々は、物質的な財産を持ってもよいし、家族との生活に浸り切ってもよく、自分で子供を育ててもよい。だが支配者階級や軍人階級は共同体で生活し、私有財産はいっさい持ってはならないとした[85]。

欲望が増えるほど国家は衰退するという法則を目の当たりにしたプラトンは、新しい階級を導入して問題を解決しようとしたのだった。それが、哲学者が国家を統治するという構想である。統治者である哲学者は全体の利益を勘案して国を治め、あらゆる地位や職業に中立の立場をとり、自分自身は何も所有しない。地位が上がるほど、私有財産は少なくなる。進歩は非生産と非消費にあるというのがプラトンの考えだった。プラトンは支配者階級に自主的な抑制を求め、あるいは期待し、それによって富を追求する傾向を克服しようとしたのである。しかしこれは、のちに中世で叫ばれた禁欲主義（プラトンはその先駆けである）に劣らず、経済にとって困難な要求と言わねばなるまい。

進歩

プラトンの理想国家の構想からは、社会の進歩についての見方を読み取ることもできる。プラトンは、広く受け入れられた原理だけでは社会を導くには不十分で、社会には道しるべとなる規範や目標が必要だと考えた。とはいえ、子供たちは市民社会全体のものであって国家が育てるとか、その国家は私有財産を持たない哲学者が統治するといったプラトンの構想は、すぐさま実行できる政策ではない。あくまでも理想であり、[86] 縁故主義や血族関係で歪んだ社会を脱し、誰もが出自や家系から切り離されて才能を発揮する平等な機会を与えられるような社会をめざすべし、という理念だった。こうした社会であれば、人々は最も適切な方法で選別され、したがって自分自身にとって最も好ましい生き方ができる[87]。

プラトンの理想的社会を統治する指導者は、高い目標の追求から足を踏み外させるような誘惑に抵抗しなければならない。物質的な誘惑のみならず、性的な誘惑にも負けてはならない。「プラトンもローマカトリック教会も気づいていたとおり、性的関係は強力な所有欲を刺激する。それは、私有財産の所有欲よりも強いと言えるほどだ。この問題に対処するためにプラトンが『国家』で示した解決策は、結婚や自由な性表現の制限を撤廃し、子供は共同体で共有（母親でさえ我が子を見分けられないようにする）して、個人による所有を排除することだった。一方、実際的なローマカトリック教会はプラトンとは逆の措置を打ち出し、神父や修道女は独身でなければならないとした。神と教会に忠誠を尽くすためである[88]」とネルソンは書いている。

人間は、教養を積むだけでは正しい生活は送れない。高みをめざすには洞察力が必要だという理由から、プラトンは、社会の指導者には哲学者がふさわしいと考えた。哲学者は理想を見つめ、宇宙の秩序を探求して人々に伝えることができるからである。エリート指導層が伝える抽象的な言葉は、市民の日常生活を導く指針となる。そもそもeliteという言葉の語源であるeligoは、解放あるいは免除されたという意味を持つ。ここから、さまざまな束縛を免除され、公益に奉仕するために選ばれた人々を指すようになった。プラトンの考える国家を統べるのは宇宙、共同体、人間の調和であり、下位の階級が上位の階級に従うことによって調和が保たれる。理念や先見性なしには、いかなる実際的な決断も下すことはできない、個別のルールではなく全体の構想があって初めて市民の行動を支配し、社会の進歩を促すことが可能になるのだ、とプラトンは主張した。

子供を社会で育てるという発想には、進歩の観念とも関連する他の重要な目的があった。それは、偶発性を減らすことである。ヌスバウムによれば、「ソクラテスは、人間の社会的生活における決定的な真の進歩は、人間が新たな技術、とりわけ計算や測定をこなす技術を発見したときにのみ実現すると述べた[89]」。この観点からみれば、人間と文明の歴史全体は「偶発性に対して人間が次第に支配を強めていく物語[90]」だと言えよう。プラトンの考えでは、偶発性の抑制と数学および計測法の発展によって人間自体も情念から解放され、自分自身と共同体の運命を自ら支配できるようになる。こうして、進歩を後退させかねない偶発事の確率は大幅に低下する。

以下にティマイオスとの対話の例で示すように、プラトンはヘブライ人と同じく、過去こそが輝かしく、文明の進歩という点から見て社会は退化していると考えていた。これについては、ポパーが手際よく総括している。「社会のあらゆる変化は、腐敗か衰退か退化である。……プラトンによれば、この歴史の基本法則は、創造・生成された万物を支配する宇宙の法則の一部である。流転するすべての事物、生成するすべての事物は朽ちる運命にある[91]」。とはいえ「歴史的運命の法則、すなわち万物は朽ちるという法則は、理性に支えられた人間の意志の力によって打ち破ることができる、とプラトンは信じていた[92]」。この意味でプラトンは、人類に至福への扉を再び開くための方法を示したと言えよう。プラトンがヨーロッパに提示した進歩のためのプログラムは、科学だった。

都市、文明、古代への憧憬

都市と共同体は、シュメール人やヘブライ人の見方といくらか異なる意味ではあるが、古代ギリシャにおいて進歩のシンボルだった。ギリシャ人の考えでは、善も悪も人間に由来するのであり、野生はもはや悪の宿るところではない。この見方は、その後の西洋文明に引き継がれている。その一方で、古代の共同体の発展が国家の秩序と密接に結びついていたことに疑いの余地はない。国家統治と宇宙との望ましい調和を実現するうえで、哲学者は重要な役割を果たすと、プラトンとアリストテレスは考えた。調和を発見し、宇宙の秩序と同化する方法を市民に伝えられるのは、哲学者だからである。都市国家の運営や配置といった世事でさえ、宇宙まで見渡す哲学に従属すべきものだった。

都市の中の住人と外の住人の対比は興味深い。都市の外の住人は、文明化されておらず読み書きさえできない。しかし同時にこうした「素朴な人間」、すなわち非文明的な調和の中での生き方をまだ知っている人間は、神の怒りを買うこともない。プラトンの対話篇の中で「神々が洪水を起こして大地を清めるときには、山に住む牛飼いや羊飼いが助かるのにひきかえ、あなたがたの住む地域の都市の人々は海へと押し流されてしまう……洪水はあたかも疫病のように襲来し、あなたがたのうち、ただ文盲で無教養な者だけを生き残らせる。こうしてあなたがたは再び子供に返る」と、ティマイオスは語った。[93] この対話から、子供は都市で育てられ文明化すべきものと考えられていたことがわかる。また、善悪の葛藤を知らない幼児状態の人間と、欲望のままに行動し外的な（自然の）限界のみに阻まれる動物や子供との対比も見て取れる。ジョーゼフ・キャンベルが言うように、当時はまだ、人間が「動物的な本性からほとばしる欲望[94]」と調和していた時期だったのかもしれない。そこでは、のちに切り離される「したい」と「すべき」が完璧に調和していた。

原始の人々のほうがすぐれていたとする見方はプラトンのさまざまな著作に見受けられ、それは他のギリシャ古典とも共通する。「およそ人類を通じて最も立派な、最もすぐれた種族があなたがたの地にかつていたことを、あなたがたは知らない。あなたがた自身も、あなたがたの都市に住むすべての人も……この種族の胤がその昔わずかばかり生き残ったおかげで、その末裔となるが……生き残った人々が何世代にもわたって文字で表現することを知らないままに死んでいったために、あなたがたはこのことに気づかずにいた[95]」。要するに古代の人々のほうがまさるというわけである。こうした「古代の市民」は何の技術も知らず、読み書きもできないが、プロメテウスの「贈り物」に起因する呪いとは無縁のように調和の中で暮らしていた。[96] いずれにせよここでは、進歩は退廃を意味している。古代の人々は野蛮な未開人ではあったが、優等だった。のちに人間は文明化され、「大人」になり、都市に移り住み、自然の気まぐれから遮断されたように見える。だが都市にいてもなお、神の報復から逃れることはできない。いやむしろ、たびたび洪水や他の天災に見舞われるのは、都市文明のほうである。[97] 聖書の中のソドムとゴモラの物語にもあるように、安全でいられるのは文明の届かない山の上だ。[98]

ギリシャ思想には、「至福の無知」、あるいは調和と技術的進歩のトレードオフといったテーマがひんぱんに見受けられる。人々は自然を離れ、自然状態を捨てた。そしていまでは、戻り道を探している――至福に近づくために。

アリストテレス

アリストテレスは、緻密な体系的研究を行った最初の学者の一人と言ってよかろう。「パルメニデスやプラトンの語るソクラテスは神秘的な宗教の創始者にも擬せられるのに対し、アリストテレスは哲学者として専門家と呼びうる人物である」。[99] さらに、おそらくは最初の科学者でもあった。プラトンが神話と分析の過渡期に位置づけられるのに対し、アリストテレスの倫理学説は、じつに精緻に論理が展開される。ソクラテス以前の哲人は美的感覚と記憶術（韻律や押韻など）に頼り、プラトンは対話と抽象化によって真理を探ろうとしたが、アリストテレスの著作に見られる論理と形式は、今日の科学論文の手法と本質的には何ら変わらない。今日的な言葉の意味において科学者の姿勢を初めて示したのは、アリストテレスだった。

アリストテレスの哲学と科学の知識は、今日哲学や科学の領域とされる範囲をはるかに超えている。そもそもアリストテレスは科学と哲学を区別していなかったし、今日では科学とみなされないものも科学に分類していた。アリストテレスにとって、「実用的、詩的、理論的なものはすべて科学（dianoia）だった[100]」のである。だから、実用的あるいは詩的な学問も科学に含めた。実用的な学問とは倫理学や政治学、詩的な学問とは詩および芸術、理論的な学問とは物理学、数学、形而上学である。アリストテレスの科学的な著作の大半は質を論じるもので、数値を論じるものではなかった。また、数学は理論的な哲学や形而上学に最も近いとみなしていた。

比喩的に言うなら、アリストテレスは注意の重心を地上に引き戻した。「日常に戻る方法を教えてくれる哲学が必要だ[101]」と考えたからである。だから観念の世界に向かわずに、レスボス島で魚とともに泳ぎ、森へ行って動物の様子を観察した。そしてリンゴの形相というものはリンゴの中にあるのであってイデアの世界にあるのではないと主張し、リンゴを調べるのみならず、ありとあらゆる創造物を分類した。つまりアリストテレスは、今日で言う経験主義者だった。一方プラトンは、今日ではむしろ合理主義の伝統の先触れになったと言えるだろう。

アリストテレスの主張は当時としては驚くべきもので、「不自然」であるとして人々を怒らせ、ひんぱんに攻撃された。「アリストテレスの聴衆は、彼が現世の日常的なことばかり好んで論じるのに腹を立て、もっと高尚で洗練されたことを話題にせよと要求した[102]」という。だがやがてアリストテレスの語る現世のことは注意を引くようになり、プラトンの観念の世界は脇に押しやられた。アリストテレスは、プラトンが重々しく影にしてしまったことに光を当てたと言える。こうして、「戦略、家政、弁論」といったものが「きわめて尊敬に値する能力[103]」とみなされるようになった。

アリストテレスの学説を一言でまとめるとしたら、現実的であることを別にすれば、目的を意味するtelos（テロス）を重視したことを挙げるべきだろう。プラトンとは異なり、アリストテレスは不変性をあまり問題にせず、運動の意味や目的に注意を集中した。「願望は目的にかかわる[104]」と考えたからである。古代の他の学派と同じく、さらに言えばヘブライ人やキリスト教徒と同じく、アリストテレスは徳を重んじ、とりわけ徳倫理学に力を入れた（これは今日再評価されている[105]）。そして善悪を理解せずに善く生きることはできないとした。

アリストテレスが運動について論じた例を一つ挙げておこう。物体が地面に落ちるのは、それが自然の性質だからだと彼は説明した。石は大地から出たので、そこへ戻りたがっている。石の意味は大地の上または中にあるのだ。気体、火、魂が上に昇りたがるのも同じ理由からである。ニュートンが引力を発見するまで、この説明が長い間受け入れられていた。

多くの経済思想史の教科書は、アリストテレスから始まる。たとえば初めて私有財産制を擁護したのも[106]、高利を非難し[107]、生産的活動と非生産的活動を区別し[108]、貨幣の役割を分類し[109]、共同体の共有地の悲劇を指摘し[110]、独占の問題に取り組んだのも[111]、アリストテレスだった。しかしここでは、経済の発展にとって重要な意味があったにもかかわらず、あまり研究されていないテーマに的を絞ることにしたい。たとえば、効用の役割とその最大化はその一つだ。これらは、経済学が今日にいたるまで取り憑かれているものである（アリストテレスと今日の経済学者との唯一のちがいは、今日は数式を使って考えるという点だけだ。しかしそのために、哲学的な深い意味合いが隠されてしまうことがすくなくない）。アリストテレスはまた、家計の管理を大幅に越えて、今日ではメタ経済学と呼ばれるような広い分野にも取り組み、その意味や目的を論じた。

幸福

アリストテレスは、おそらく誰もが関心を抱いていることを探求した。どうすれば幸福な人生を送れるか、思い通りの人生を送るとは何を意味するのか、ということである。幸福は、ギリシャ語でeudaimonia（エウダイモニア）という。幸福の問題は、論理的に論じられるものではない。アリストテレス自身、「われわれの現在の論究は、他の学問のように理論的知識をめざすものではない（すなわち徳とは何かを知ることを目的とはせず、善き人になることを目的とする）[112]」と明言している。倫理学に関するアリストテレスの二冊目の著作は、まさにエウダイモニアに由来する『エウデモス倫理学』というタイトルであるが、同書もいかにして善き人生を実現するかについて、『ニコマコス倫理学』と同じように考察を始める。同書の冒頭には「幸福こそ、あらゆるものの中で最も美しく、最も善く、最も快いもの[113]」だと書かれている。そしてアリストテレスは、至福の生がいかに善と一体化しているか、いかにしてそれを実現するか、「人は自然的に幸福になるのか、……幸福が一種の学問であるかのように学ぶことによるのか[114]」を考察した。

まず、アリストテレスが個人の幸福を社会全体の幸福という枠組みでのみ捉えていたことに注意しなければならない。アリストテレスが「人間は社会的動物である」[115]と言ったことはよく知られている。また、後世の経済学とは異なり、社会を機械のようなものとは捉えず、有機的なものと捉えた。休息をしなければ、うまく機能しなくなるどころか、生きていられない[116]。その一方で、人間は自分の利益のために社会の一員になるのではなく、それが自然だから一員になるのだとした[117]。

効用はそもそもわかりにくいものだが、そのうえに絶えず変化する。いったい何が効用に影響をおよぼすのか。アリストテレスは、効用が瞬時に移ろうとは考えず、状態だと考えた。この状態に気づくことは可能だが、必ず気づくとは限らない。アリストテレスはまた、効用にはある種の階層があり、基本的なニーズが満たされていない限り、上位のニーズの満足から得られる効用を知覚できないこと、複数の快楽は併存できないことも指摘した。「活動は、他のことから生じた快楽によって妨げられる……より心地よい活動が、そうでない活動を駆逐するのである……たとえば劇場で観客がさかんに菓子を食べるのは、大根役者が演じているときだ」[118]。

効用の最大化、善の最大化

人間は何をするにも効用すなわち快楽を最大化するために行うのかという問いは、アリストテレスにとってはさほど重要ではなかった。「快楽のためにわれわれは生きることを選ぶのか、それとも生きるために快楽を選ぶのかは、さしあたり問題にしなくてもよかろう。というのも活動なくして快楽は生じず、あらゆる活動は快楽によって完璧になる以上、両者は分ちがたく結びついているように思われるからだ[119]」。ただし、「快楽」がつねに完璧や善という概念を伴うとは限らない。完璧な活動が最高の快楽を生むとすれば、快楽は見返りにすぎない。「快楽は活動を完璧たらしめる[120]」とアリストテレスは繰り返し語っている。つまり快楽は目的ではない、目的は善であり完全である。したがって快楽は余録のようなものだ[121]。快楽は活動に意味を与えるものではなく、活動に伴うものであって、活動の目的はあくまで善なのである。

今日の経済学では、ほとんど自動的に、人間は効用の最大化をめざすものと考えている。経済学では効用関数の最大値を求めたり、効用を最適化したり、限界効用を求めたり、限界効用と限界価格を均衡させて利益と費用を均衡させたりする数学的な課題がごまんとある。だがその大半のケースで、数字の羅列の下で哲学的・倫理的問題が渦巻いていることに私たちは気づいていない。

効用を善とみなし、従って目的と考えてよいかということは、エピクロス派とストア派の間で論争の種だった。アリストテレスは、プラトン同様ストア派に近く、効用関数の萌芽と言えるものを認識してはいたが、効用ではなく善の最大化を説いた。

『政治学』の冒頭の文章にはこうある。

人間はつねに、自分がよいと思うことのために行動する[122]。

これは、『ニコマコス倫理学』の冒頭の文章と似ている。

いかなる技術や研究も、同じくまたいかなる行動や選択も、何らかの善を希求していると考えられる。こうしたわけだから、すべてのものは善を希求すると言うことは正しい[123]。

そして同書の第一〇巻では、「快楽」についてくわしく論じている。この巻は「次には快楽を論じなければなるまい。というのも、快楽ほどわれわれ人間の本性に根深く結びついているものはないからである……人間は心地よいものを選び、苦痛を避ける」という文章で始まる。なるほどこれは、経済学の教科書の導入部にふさわしい。だがその次にはこうある。「一部の人は快楽が善であると言い、他の人は反対に、快楽はまったく悪であると言う[124]」。

続く章では、快楽主義者のエウドクソスに反論する。エウドクソスは、「理に適うものも適わないものもことごとく快楽を欲するのを目の当たりにするからという理由で、快楽は善だと考えている」人物だ。対するアリストテレスはこう語る。「この議論は、快楽が善の一つであることを示すが、他の善を上回る善であることを示すとは思われない[125]」。アリストテレスは、快楽が善の一部であることは否定しないが、快楽主義者が主張するように、快楽が善そのものであるとは考えない。

今日にいたってもなお、経済学者はアリストテレスが投げかけたのとよく似た問題に取り組んでいる。『ニコマコス倫理学』の始めの部分にはこうある。「一般の人々も、たしなみのある人々も、それ（善のうちの最上のもの）は幸福であり、善く生きること、善くやっていることを幸福とみなしている。だが幸福とは何かということになると、人々の意見は一致しない[126]。今日でも、同じ質問を発したら、経済学者はさぞ困惑することだろう。「人々が自分にとっての効用を最大化するとしたら、効用という言葉はいったい何を意味するのか」。これは見かけよりずっとむずかしい質問である。くわしくは本書の第2部で取り上げるので、ここでは簡単に触れるだけにしたい。

アリストテレスに倣って、人間は実際には効用を最大化するのではなく、善を最大化するのだと主張することは可能だ。つまり人間は、自分がよいと思うことをする。この場合、「善」という言葉で思い浮かべることは、言うまでもなく、人それぞれちがう。だから、同じことは効用にも当てはまる。アリストテレスの出発点、すなわち「人間はつねに、自分がよいと思うことのために行動する[127]」を字義通り受けとめるなら、効用は「自分がよいと思うこと」の下位概念にすぎないと言える。実際、ある種のことからは効用が得られない（あるいはひどく不自然なこじつけでしか、得られるとは言えない）。だったら、「自分の効用を最大化するためにそれをした」と言うのではなく、もっと単純に「よいと思ったからそれをした」と言えばよい。アッシジのフランチェスコが持ち物をすべて抛《なげう》ったのは、それがよいと思ったからだと言う方が、効用のためにそうしたと言うより、おそらくはるかに自然だろう。ソクラテスが自説を放棄して逃亡しようとせず毒を飲むと決めたのも、死後の効用を期待したからではなく、そのほうがよいと考えたからだ。このように、善の最大化は十分に正当化しうる。それに、効用の最大化という考え方よりはるかに有益だ。

善悪の効用

このように見方を変えたら、私たちのものの見方が善悪の経済学にいかに縛られているかに気づくはずだ。人間が、その時点で完全に悪いとわかっていることを自由意志でやるとは思えない。たとえば盗みをする人は、盗むために盗む（それはまちがいなく悪いことだと本人も考えるだろう）のではなく、たとえば金持ちになるために盗む。そして、金持ちになること自体はよいことである。よって目的は、盗むことではなく金持ちになることだ。なるほど同様の議論は、効用最大化仮説についても行うことができる。(128) 盗むのは、盗むことによって効用が増えるからではなく、たとえば金持ちになることに効用があるから盗むのである。あるいは興奮するからかもしれないし、復讐のためかもしれない。理由はともかく、盗みであれ他の犯罪行為であれ、何かよいことがあるからやるのであり、したがってそのよいことが、行為の背後にある目的（テロス）だということになる。(129) 以上のとおり、善の最大化は効用の最大化と同じことを説明するのではあるが、対象となる行為の範囲がはるかに広い。善の最大化という原理がばかげていると言うなら（この批判には反論できないので、ある程度まではそうだと言わざるを得ない。この点については第2部で取り上げる）、効用の最大化の原理もやはりばかげている。ただ善の最大化のほうが、ばからしさが目立つというだけだ。経済学が効用の最大化に逃げ込んだのは、おそらくこのためだと思われる。

人間は、一時的かつ一方的な効用最大化を目的に行動するのではない。アリストテレスは効用の代わりに「快楽」という言葉を使って、次のように述べている。「何の快楽をもたらさないとしても、われわれが熱心にやることはたくさんある。たとえば見ること、記憶すること、知ること、徳を備えることなどだ。これらのことには必ず快楽が伴うのではあるが、それで事態が変わるわけではない。たとえ快楽が生じないとしても、われわれはやはりこれらを選ぶにちがいない」(130)。なぜこれらのことをしたがるのかと言えば、よいからである。なぜよいかと言えば、人間の自然に適っているからである。見て、覚え、知り、そして徳を身につけるとき、人間はより人間らしくなる。

よい目的を達成できたとき、私たちは無上のよろこびや快楽や幸福を感じる。しかし効用が単独でそのような目的になるとは考えにくい。あくまで目的は善であって、効用は副産物で外生的なものである。一方、人間にとってよいものは、快楽の源泉にもなる。たとえば食べ物がそうだ。だから、こう言えるだろう。私たちは快楽のためだけに食べるのではないが、食べるときには快楽を得る、と。

今日では効用の最大化がしばしば自動的に人間本性と考えられていることに、アリストテレスならきっと抗議するだろう。アリストテレスは、最も偉大な徳は中庸にあると考えていた。「悪は制限のないところに属す」(131)のであり、「善は制限のあるところに属す……よってこの理由から、過剰と不足は悪の、中庸が徳の特徴となる」[132]。したがってエピクロス派の主張とは異なり、善は効用の最大化ではなく節度にあり、めざすべきはどこか中間地点にある。一例を挙げるなら、「財貨の贈与や獲得について言えば、中庸は気前がよく、過剰は放漫、不足はけちである」[133]。より一般的には、「節度……について言えば、あらゆる快楽を享受し、いかなる快楽も慎まない人は放埒になり、田舎者のようにあらゆる快楽を避ける人は、いわば無感覚になる。このように、節度と勇気は過剰と不足によって損なわれ、中庸によって保たれる」[134]。「よって、あらゆる技術がみごとな成果を挙げられるのは、つねに中庸を見つめ、これを基準に成果を判断しているからである」[135]。

このように、めざすべきは中庸であり、いかなる犠牲を払ってでも最大化をめざすことではない。

> あらゆるものについて中間を見つけるのは容易ではない。たとえば円の中心を見つけるのは誰にでもできることではなく、その知識を持っている人だけである。怒ることや、金銭を与えたり使ったりすることはやさしいが、然るべき人に対して、然るべき程度に、然るべきときに、然るべき目的のために、然るべきやり方でするとなると、これはもう誰にでもできることではないし、容易でもない。善がめったになく、また高貴で称賛に値するのはこのためである[136]。

ここに、そうした中間点は認識するのもむずかしいと付け加えてもよかろう。「善き人であることは容易ではない。なぜなら、すべてについて中間を見つけるのは容易ではないからだ」[137]。人間はこのことをわきまえなければならない。至福点というものは、「これがそうだ」とは簡単にはわからないのである[138]。

ストア派対エピクロス派

おそらく古代ギリシャの道徳哲学体系について最もすぐれた解説をしているのは、意外にも経済学の父アダム・スミスである。この解説は歴史的著作『道徳感情論』のきわめて興味深い最後の部にあり[139]、古代ギリシャ哲学思想に関するみごとな概論となっている。スミスは古代の道徳哲学の学説を、競い合う二つの学派に大別した。ストア派とエピクロス派である。彼らの主要な対立点は、「善は報われるか」という問いに対する答に潜んでいる。善行はある種の見返りをもたらすと見込んでよいのか。善の支出は善の収入と釣り合うのか。

ストア派

ストア派は、快楽すなわち効用と善との間にいかなる関係も認めていない[140]。この理由から、善の見返りを事前に計算することは禁じられる。善行の中には快楽（効用の増加）によって報われるものもあるが、まったく報われないものもある。だが善をなした人は、自分の行為の結果や影響に拘泥すべきではない。個人の徳性は、行為の結果がどうあれ、倫理規範を遵守したかどうかによってのみ判断される(141)。

言い換えれば、行為の結果は判断基準の対象ではない。そもそも結果は運に委ねるべきものである(142)。そして倫理に悖《もと》る行為をした人は、「成功してもほとんど満足を得られない」(143)。ストア派によれば、ある行為の倫理性は、行為の影響すなわち効用を増やしたか減らしたかということにはなく、行為自体の正しさの中にある。この理由から、行為の代償や見返りを考えてはならない、とストア派は主張する。

今日ではアダム・スミスは古典派経済学の創始者とみなされており、その古典派経済学の主要テーマは効用の最大化にあると考えられている。だがスミス自身は、ストア派を自任していた。彼はこの古代哲学の教えを熱心に説き(144)、ストア派が自らを律し効用にとらわれないことを称賛している(145)(スミスの今日的な解釈の矛盾については、第7章で取り上げる)。

エピクロス派

快楽主義者と呼ばれるエピクロス派は、ストア派とはまさに正反対の主張をした。エピクロス派によれば、善も規範もあらかじめ決められた外生的なものではない。行為が善であるかどうかは、ひとえにその行為自体の結果、すなわちその行為がもたらす効用にある。さらに、効用は当事者の個人的な視点から判断される。彼らの倫理観の根本にあるのは利己主義であり、計算や思慮がその手段となる。この学派は、友情以外には上位の原理、つまり利他的な原理をいっさい認めない。こうして効用が善き人生の根本原理となり、あらゆる意思決定の指針となる。ストア派は行為の結果をあらかじめ計算することを認めなかったが（そもそも誰が結果を予測できるだろうか）、エピクロス派ではまったく逆に、結果こそが倫理的な判断基準となる。[146]「エピクロスによれば、自然な欲求と嫌悪の究極的な対象は、肉体的な快楽と苦痛だけである」[147]。エピクロス派は善イコール効用だと考えており、行為の善悪は、自分の効用を増やすか減らすかによってのみ決まるとした。[148]

この点に関してエピクロス派がじつに首尾一貫していたことは、指摘しておかねばならない。彼らは「精神の快楽と苦痛はすべて、根源的には肉体の快楽と苦痛から生じる[149]」と主張した。ただし彼らの考える肉体的な快楽はかなり範囲が広く、知的なものまで含まれている。たとえば理性によって、自分の行為が長期的な目標に適うよう律すべきだと考えていた。それにエピクロス派は、目先の快楽は容認しない。「賢く善く正しく生きることなくして、心地よく生きることは不可能である。また、心地よく生きることなくして、賢く善く正しく生きることは不可能である[150]」。

利己主義、将来予測、計算がエピクロス派の倫理観を形成している。これらは現代の経済学が拠って立つものでもあるが、エピクロス派は例外も認めていた。たとえば友情には利己主義の行動原理は当てはまらない。この場合の行動を動機付けるのは、共感である。

善悪の経済学

いま述べたことを経済学の用語で表現するなら、ストア派は一定の「倫理的制約」を設けて人間の行動に限界を定めた（ちょうど今日の経済学が予算の枠内で応用されるように）。これに対してエピクロス派では、言うまでもなく倫理的制約はいっさいなく、倫理は暗黙のうちに効用関数に吸収される。したがって効用の増大を制限するのは、外的な制約（たとえば予算）しかない。もっともエピクロス派の学説は、外生的な倫理体系や規範を必要としない点に優位性がある。この点は、ストア派を始め外生的な規範や責任に依拠する学派の弱点といえよう。エピクロス派の学説は、それ自体が固有の行動原理を形成する。

このほかにエピクロス派がストア派と異なる点として、善の相対化が挙げられる。エピクロス派の倫理観では、善はそれ自体としての価値を持たず、効用の下位概念にすぎない。したがって、より大きな効用をもたらす善をまずしなければならない。このように、善は効用を増やす可能性のある一要素という位置づけであり、効用実現の手段である。この点はストア派と正反対だ。ストア派にとって、善はあらゆる行為の動機となり、効用は倫理規範（結果を判断基準としないことも含む）の遵守から生まれる。

すでに述べたように、エピクロス派を源流とする功利主義的な経済哲学は、ジョン・スチュアート・ミルによって主流となった。[151] 一方アダム・スミスは、エピクロス派についての解説を次のように締めくくっている。「あきらかにこの学説は、私が説いてきたものとは相容れない」[152]。スミスは、エピクロス派の世界観が単純にすぎるとして退けた。「徳をすべてこの一種類の適否で論じた点で、エピクロスはある性癖にとらわれていたと言える。それは、あらゆる現象をできるだけ少ない原理で説明したがる癖で、誰にでも備わってはいるが、とくに哲学者が己の天才を示す格好の手段として、好んで身につけようとしたものである」[153]。

スミスのこの批判が経済思想の将来的発展を予言していたことは、意図せざる皮肉と言うべきだろう。実際、今日では大方の経済学者が、利己主義に基づく行動原理こそが人間の行動の唯一の原動力だと考えている。いっそう皮肉なのは、アダム・スミスがこうした考え方の創始者だと見なされていることだ。そのうえ方法論の面でも、経済学は「できるだけ少ない仮定でできるだけ多くを説明する」ことを試みており、これも皮肉と言わざるを得ない。

善悪の経済学におけるストア派とエピクロス派の対立をあざやかに浮かび上がらせたのは、カントである。カントは著作の中で、意思決定における倫理判断の代表例として両学派を対比させた[154]。カント自身はストア派に与《くみ》しており、ストア学説をよみがえらせ、一段と厳格な説を主張したが、この方向性は経済思想には受け入れられなかった。

まとめ

ギリシャ思想は西洋哲学の源流であり、西洋の人生観に多大な影響を与えた。本章ではまずギリシャ詩における真実の概念、次に哲学の誕生と数の神秘を取り上げた。さらに、クセノポンの興味深い経済思想をややくわしく論じた。

西洋哲学の方向性を決定付けたのは、プラトンである。プラトンはイデアの世界という概念を導入し、人間が生きているのは影の世界であると述べた。また肉体の欲求はいっさい尊重しなかった。本章ではモデルと神話、進歩の観念、文明と自然について論じた。続くアリストテレスは、人類最初の科学者と言ってよい。プラトンとは異なり、アリストテレスは現世のことに力を注いだ。本章では幸福な人生に関するアリストテレスの思想を取り上げ、効用の最大化が幸福に資するか否かを検討した。また、人生の意味と目的として、善の最大化という概念を導入した。

本章の最後では、アダム・スミスの分析を援用して、ストア派とエピクロス派を対比させた。科学としての経済学はあきらかにエピクロス派のアプローチを採用し、善イコール効用と考えている。しかし快楽主義的な方針、すなわち需要を満たすまで供給を最大化するプログラムは、数世代にわたって熱心に追求されてきたにもかかわらず、いまなお達成されていない。

第4章

キリスト教

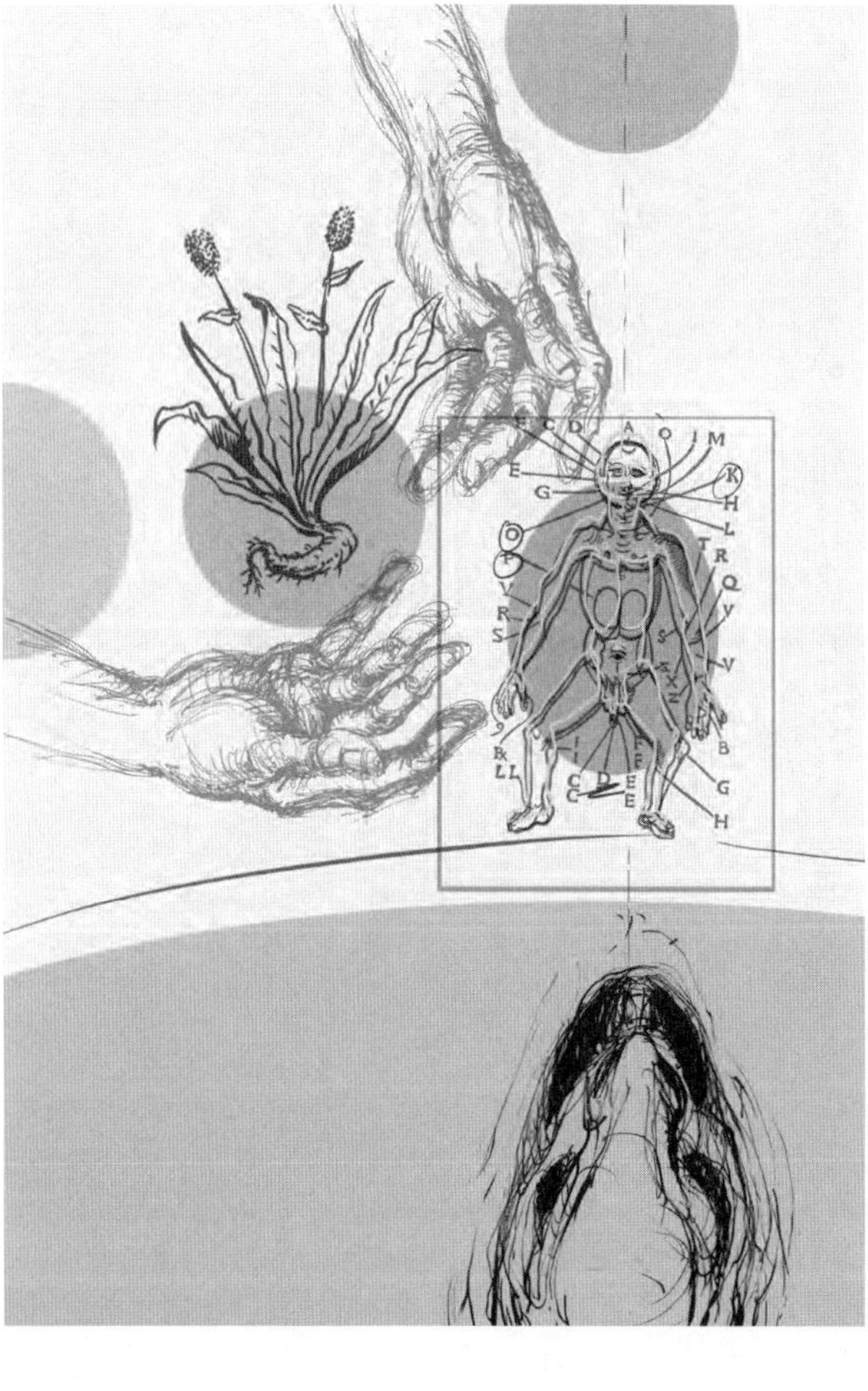

人はパンのみにて生くるにあらず

——新約聖書

イエスは「人はパンのみにて生くるにあらず[1]」と言った。この言葉は、「人はパンなしでは生きられない」が真実であるのと等しく真実である。人間には肉体と精神が与えられている。すなわち、人間は物質的であると同時に精神的な生き物である。肉体と精神のどちらに偏っても人間らしくないし、どちらもある意味で死ぬことだ。物質がなければ実際に死んでしまう。精神なしにはもはや人間ではない。だからどちらも大切だ。一方を犠牲にしなければ他方は得られないとよく言われるが、それが真実であってはならない。また、肉体と精神が互いに無関係であって、相互に何の影響もおよぼさないと考えるのも誤りである。そもそも額に汗して生きていく[2]には、大地を始め物質的要素を必要とする。そこで、肉体と精神を手がかりに経済学を考えてみることにしたい。

本章では、キリスト教がどのように物質と精神の調和を探求したかについて論じる。キリスト教は人間の地上での営みをどう見ていたのか。消費、物質的・肉体的欲求、禁欲についてどう考えていたのか。ここではキリスト教における経済的な観念、市場の見えざる手の先駆的な発想、善悪や社会組織の問題に注目したい。また、善あるいは悪の報いについてキリスト教がどう考えていたかにも言及する。

西洋文明において最も普及した宗教として、キリスト教は近代的な経済の形成に多大な影響を与えた。この宗教は、とくに規範的な問い（ひらたく言えば「どうすべきか」という問い）にしばしば決定的な答を出してきた。キリスト教がなかったとしたら、今日のヨーロッパの市場型民主主義がどのような姿になっていたかは、想像もつかない。

　ユダヤ教を母体とするキリスト教は、[3] ギリシャ思想から多くの要素を取り入れたうえで、独自のまったく新しい救済思想を付け加えた。そしてこの形での信仰が、過去二〇〇〇年にわたり、西洋文明の発展過程で中心的な役割を果たしてきた。だが、キリスト教思想を学ぶべき理由は、これだけではない。一部の経済学者は、経済学はアイザック・ニュートンよりもトマス・アクィナスに近いと主張している。[4] 経済学の立論や説得法は[5]物理学の議論より神学論争を想起させる、という理由からだ。これはまた、経済学自身の言い分に真っ向から対立する意見と言わねばならない。

聖書と経済

　聖書と経済学は、ふつうに考えられているよりもはるかに密接な結びつきがある。新約聖書にはイエスにまつわる寓話が三〇ほどあるが、そのうちなんと一九が経済あるいは社会と関係がある。なくした銀貨の寓話、[6] 銀貨を銀行に預けず地中に埋めておいた愚かな従者を叱る寓話、[7] 不正な管理人の寓話、[8] ぶどう園の労働者の寓話、[9] 二人の債務者の寓話、[10] 愚かな金持ちの寓話、[11] 等々。[12] 経済、社会、司法、富、金銭に関する記述は数千行に上るという研究報告もある。また、社会や経済に関する事柄は、旧約・新約聖書で二番目に多いトピックだという（ちなみに一番目は偶像崇拝である）。[13] 新約聖書について言えば、経済に関わる言及は一六行に一回現れる。ルカによる福音書では、じつに七行に一回である。[14]

「山上の垂訓」はイエスによる最も長く且つおそらくは最も重要な説教であるが、これは次のように始まる。「そこでイエスは口を開き、教えられた。『心の貧しい人々は幸いである、天の国はその人たちのものである』」。[15] 貧困は経済の重要なテーマであるが、それが冒頭に示されていることに注意してほしい（心の貧困ではあるが）。このすぐあとには、「義に飢え渇く人々は幸いである、その人たちは満たされる」とある。神学的解釈に踏み込むつもりはないが、イエスが最大化の法則を逆転させたことはあきらかだ。物質的か精神的かを問わず、不足と貧困に高い価値が与えられている。イエスが教えた祈りの手本は「天にましますわれらの父よ」と呼びかけ、「御国が来ますように」と祈ったすぐあとに「わたしたちに必要な糧を今日与えてください」[16] と続くのである。ちなみに新約聖書できわめて重要な「福音」という言葉は、もともとはよい知らせ（予想外の勝利の知らせなど）をもたらした使者へのご祝儀とか心付けといった意味だった。[17] 後段で贈与の問題を取り上げるときに、こうした経済のテーマも改めて論じることにしたい。

新約聖書がいかに深く経済と関わっていたかを示す最後の例として、聖書の最後に置かれた

「ヨハネの黙示録」から引用しよう。そこには、この世の終末が訪れたら、「刻印のある者でなければ、物を買うことも、売ることもできない」[18]とされている。

借金の帳消し

このように、キリスト教の教えの多くが経済の言葉で語られ、経済や社会と関係づけられる。キリスト教と経済学との結びつきの中でおそらく最も重要なものは、イエスが示した日々の祈りの手本の中に表れている。[19] それは、「わたしたちの負い目（debt）を赦してください、わたしたちが自分に負い目のある人を赦しましたように」というものである。[20] ちなみにギリシャ語の新約聖書では「負い目」に当たる言葉が罪となっているが[21]、言うまでもなく現代の debt は、「罪」よりもはるかに現実的な「債務」という意味で使われる。

イエスはさらに踏み込んだ言葉も発している。当時の人々は、借金が嵩んでとうてい返済できない状態になると、債務奴隷に身を落とした。[22] すでに触れたが、旧約聖書はこうした奴隷の解放についてたびたび言及している。[23] そして新約聖書は、この社会制度をより高い視点から根本的に論じた。奴隷になった人の身代金を誰かが払って請け出してやらなければならない、今日の言葉で言えば救済しなければならないという。債務にせよ罪にせよ、「赦し」は他の主要宗教には見られないキリスト教に固有の特徴である。イエス自身が人間の罪を贖《あがな》い[24]、自らを犠牲にして人間を罪の責め苦から救う。人の上に立ちたいなら「多くの人の身代金として自分の命を献げる[25]」よう、イエスは諭す。神のゆたかな恩寵により、イエスの血でもって人間の罪は贖われ、罪は赦された[26]。さらに、「わたしたちはこの御子によって、贖い、すなわち罪の赦しを得ているのです」とある[27]。当時のユダヤ人の共同体では、身代わりとして動物を犠牲にする（たとえば過越の祭りで子羊を生け贄にする）ことが日常的に行われていた。そこにイエスは、新たな契約を導入したと言える。「雄山羊と若い雄牛の血によらないで、御自身の血によって、ただ一度聖所に入って永遠の贖いを成し遂げられたのです。……こういうわけで、キリストは新しい契約の仲介者なのです。それは、最初の契約の下で犯された罪の贖いとして、キリストが死んでくださったので、召された者たちが、既に約束されている永遠の財産を受け継ぐためにほかなりません[28]」。言うなれば、「ヨベルの年」すなわち借金が帳消しになり罪が赦される年を、イエスは身をもって宣言した。

今日の債務免除

いま挙げたキリスト教の「赦し」は、今日とは無縁のものだと感じられるかもしれない。だが、グローバル金融危機が発生した二〇〇八年のことを思い出してほしい。このとき、銀行や大企業はまさに借金の棒引きをしてもらった。

いささか逆説的ながら、現代社会はこの種の不公平な債務免除という制度がないとやっていけない。いや、古今東西、不公平な債務免除や債務者の依怙贔屓は繰り返し行われてきたのである。政府が頑として「身代金」を払わず、つまり銀行や大企業の借金を肩代わりしてやらずに、金融アルマゲドンの発生を傍観する事態は考えにくい。言うまでもなくこれは、健全な公平の原則に反する。また、資本主義が依拠する競争の原則にも反する。最も巨額の債務を抱えて競争に伍して行けなくなった銀行や企業が、なぜ最も寛容な赦しを得られるのか。ここで私たちは、イエスの語った原理が今日でも（すくなくとも危機のときには）生きていることに気づくのである。もちろん公平ではない。だが窮地に陥った借金まみれの銀行や企業だけでなく、これらを放置して倒産した場合に巻き添えになる人々のためにも、救わざるを得ない。

贈与と売買

経済理論では贈与はアノマリー（異常）の一つであり、既存のモデルでは説明しがたい。一方、対価が支払われない贈与は、キリスト教の救済における基本原理である。「あなたがたは、恵みにより、信仰によって救われました。このことは、自らの力によるのではなく、神の賜物です。行いによるのではありません。それは、だれも誇ることがないためなのです[29]」。神の恵みは無償であり、どんな行為によってもそれに報いることはできない。それは何かと交換されるものではなく、贈り物である。

イエス・キリストを信じることにより、信じる者すべてに与えられる神の義です。そこには何の差別もありません。人は皆、罪を犯して神の栄光を受けられなくなっていますが、ただキリスト・イエスによる贖いの業を通して、神の恵みにより無償で義とされるのです[30]。

さらに「ヨハネの黙示録」には、「わたしはアルファであり、オメガである。初めであり、終わりである。渇いている者には、命の水の泉から価なしに飲ませよう[31]」とある。超越的な行為は金銭取引の対象にならない[32]。文字通り天から賜る。

最初の教会が建てられてからほどなく、魔術師が町にやって来て、神からの賜物を金で買おうとした。これに対して、使徒は予想通りの反応をする。「ペトロは言った。『この金は、おまえと一緒に滅びてしまうがよい。神の賜物を金で手に入れられると思っているからだ[33]』」。ここでしばし立ち止まり、贈与について、また値段の付かないものや付けられない領域について、キリスト教の経済観を探ってみることにしたい。

相互的な贈与は、明示された値段でものを売り買いするよりもはるかに古い取引形態である。人類の歴史においては、長い間ものに値段が付いていなかった。つまり人々は、値段を付けずにものを手に入れていた。大昔の人々は互いに直接的にものをあげたりもらったりするか、でなければ物々交換の場のある共同体で暮らしていたが、圧倒的に多かったのは前者のほうである。貨幣の存在しない社会制度は、贈与経済から始まったのだった。物々交換は、しばしばまったく知らない異国人、ときには潜在的な敵とも行われた[34]。今日でも、お金が使われるのは規模の大きい社会においてであって、古い社会や小さい社会（たとえば家族）ではお金があまり使われないことに気づく。[35]

贈与という現象は、今日にいたるまで経済学者の間で論争の種となっており、異論の多いテーマである。なぜ人々は贈り物をするのだろうか。たとえばレストランやタクシーなどでチップを渡すのは、贈与の一種と考えられる。[36]二度と訪れることのないような異国で自主的にチップを渡すのは、なぜだろうか。[37]

贈り物の最大の特徴は、値段がないことである。価値がないはずはないが、値段は付かない。贈与は相互に双方向で行うことができるし、そうなることが多いけれども、交換価値もつねにはっきりせず、あいまいである（必ずしも等価値のものを交換するわけではない）。キリスト教では、人間は信仰を捧げ（多くの人は信仰をも「神の賜物」と考えている）、神はこの賜物を受け取った人に救いを与える。贈与には値段の交渉の余地はなく、値引きといったこととは無縁である。これに対して売買の場合には、最後の一セントにいたるまで、双方が値段に合意することが必要だ。よく発達した大規模な市場が存在しない限り、正確な価格設定はきわめてむずかしく、結局は揉め事の種になりやすいことを認識しておかねばならない。トマス・アクィナスでさえ、この問題に頭を悩ませたほどである（市場がうまく機能しない状況で価格の監視・設定を行う今日の独占禁止当局も、まさに同じと言えよう）。現代の「投機バブル」も、妄想によって価格が価値から乖離する例に当たる——バブルが崩壊すれば、すぐに価格は想定された価値に戻るが。

また今日では、ありとあらゆる販促活動で贈与が多用されている。いわゆる「おまけ」がそれだ。ガソリンスタンドでくれるテディベア、ケチャップの一〇%増量、「一個買えば一個ついてくる」等々。これらは、競争の枠組みの中でものの正確な値段をわからなくする今日的な試みと言えよう。

もう一つ興味深いのは、人々がひんぱんに値段を隠したがる、あるいは秘密のままにしておきたがることだ。贈り物からは注意深く値札を外すし、レストランでは接待側だけが伝票を見る。高級レストランともなれば、伝票自体がフォルダーに隠されて運ばれる。さらに配慮のある店では、招待客には値段表示のないメニューが渡される。[38] 人々はあきらかに、いちばん価値のあるものはお金では買えない、無償で与えられるべきだと感じている。[39] たしかに人生でいちばん価値のあるものは、売ることはできないし、そもそも値段を付けることもできない。誰もが心の中でそう認識し、大切なものあるいはごく近しい人との間では、厳密な互恵は望ましくないと考えている。『指輪物語』の中では、何一つとして売ったり買ったりされないことに読者は気づいておられるだろうか。必要なものはすべて、旅の途上で贈られる。[40] 細部にこだわる作者のトールキンは、物語のどこにもお金が出てこないよう細心の注意を払った。その効果もあって、『指輪物語』は昔話やおとぎ話、あるいは神話との共通性を感じさせる。ギルガメシュ叙事詩の中にも、お金に関することはいっさい出てこないし、誰かが何かを売る場面もない。大切なものは贈られるか、見つかるか、盗むのである（たとえば「力の指輪」なるものはこれらの方法を使って持ち主を変えるが、売られることはない)[41]。

お金は今日の社会が機能するうえで欠かせないものだが、近しい人同士の間では、あたかもお金が存在しないかのような、すくなくともお金など全然重要ではないかのような状況が作り出されることが多い。その場に居合わせた全員におごったり、割り勘ではなく順番で勘定を持ったりするのは、このためだ。友人というものは、お互いにあまりにたくさん借りがあって、それがどれほどか忘れてしまうような間柄だとも言われる。たしかに、あなたの助力に対して友人がお金を払おうとしたら、あなたは気分を害するだろう。食事に招待するなど何らかの行為で恩返しをするのは受け入れられるが、助力の対価をきっちりお金で払うことはあり得ない。フランスの哲学者マルセル・モースは、この相互の贈り合いを「長いこと忘れられていた重要なモチーフの復活」であり「古くて基本的なものへの回帰」だと述べている[42]。贈与経済こそが基本的なあり方で、お金や物々交換は補助的な存在にすぎないと指摘する人類学者もいる[43]。

実際、お金で買えないもの、たとえば友情には、売買や物々交換をする手だてはいっさいない。親友や心の平穏といったものを買うことはできない。だが、それに近いように見える代用品であれば、買うことが可能だ。あなたは友人のためにレストランのディナーを買うことはできるが、それで親友を買えるかと言えば、答はノーである。あるいは平和に暮らそうと山に別荘を買うことは可能だが、平和な暮らしそのものを買うことはできない。広告は、まさにこの原理で機能している。広告は、まずあなたに買えないものを示す(安眠、しあわせな家族の朝食、美など)。そして、買うことのできる代用品（高価なベッド、朝食用シリアル、山小屋、シャンプー等々）を提案するのである。すると消費者は、それが幻想であって、広告を演じているのは俳優なのだと承知していても、高価なベッドや枕（安眠できないのは安物を使っているせいだ）、新製品のヨーグルトとシリアル（しあわせな朝食にはそれが必要だ）、シャンプー（広告中のモデルは一度もそれを使ったことはないにちがいないが）が欲しくなり始める。

値段に話を戻そう。チェコの哲学者ズデニェク・ノイバウエルが「価格は神聖ではない」と言ったのは正しい[44]。ドイツの社会学者ゲオルク・ジンメルも、お金は「通俗的だ」と述べたとき、同じことを考えていたのだろう。「ものは、そのものの存在意義よりも低い値段を付けられる。……貨幣は、いかなるものについても等しい価値を持つがゆえに通俗的だ。差異を認められるのは、唯一無二の価値を持つものだけである。いかなるものについても等しい価値を持つとは、最も価値が低いものについても等しい価値を持つということだ。この理由から、貨幣は最も価値の高いものを最も低い水準まで貶める。これが、貨幣による等価プロセスにつきまとう悲劇だ。このプロセスは、最も価値の低い要素と直結している[45]」。大切なものにこのプロセスが適用されれば、「儲けようとしている」とか「お金のためにやっている」と非難され、侮辱の材料にもなる。

王国の経済学

贈与にまつわる逆説はさておき、イエスの教えも、寓話と同じく逆説が多い[46]。イエスは、貧しい寡婦が賽銭箱に入れた二枚の銅貨のほうが、金持ちの多額の寄付よりも価値があるとした[47]。イエスが言いたかったのは限界非効用の感受性のことだったのかもしれないが、いずれにせよお金に正統的な価値を認めたことはまちがいない。キリスト教は人生の物質的な面を尊重し、けっしてこれを非難しない。世俗の支配者に税金を納めるべきかどうかと尋ねられたとき、イエスは貨幣に刻印されている肖像を見て「カエサルのものはカエサルに[48]」と答えた。イエスが「神殿の境内で牛や羊や鳩を売っている者たちと、座って両替をしている者たち[49]」を寺院から追い出したことは事実である。だが、イエスがそれ以上追いかけようとしなかった点に注意してほしい。イエスが怒った理由は（追い出すのを思いとどまる理由にはならなかったが）彼らの職業ではなく、神聖な場所を冒涜したことだった[50]。

イエスは財産の双方向性をたびたび問題にし、警告している。所有は一方方向ではなく、相互的な関係だというのだ。この聖書の警告は的を射ていると思われる。世俗のこと、つまりパンのことばかりにこだわるべきではない。そこには罠が潜んでいる。

あなたがたは地上に富を積んではならない。そこでは、虫が食ったり、さび付いたりするし、また、盗人が忍び込んで盗み出したりする。富は、天に積みなさい。そこでは、虫が食うことも、さび付くこともなく、また、盗人が忍び込むことも盗み出すこともない。あなたの富のあるところに、あなたの心もあるのだ。(51)

そのすこしあとには、こう書かれている。

だから、言っておく。自分の命のことで何を食べようか何を飲もうかと、また自分の体のことで何を着ようかと思い悩むな。命は食べ物よりも大切であり、体は衣服よりも大切ではないか。空の鳥をよく見なさい。種も蒔かず、刈り入れもせず、倉に納めもしない。だが、あなたがたの天の父は鳥を養ってくださる。あなたがたは、鳥よりも価値あるものではないか。あなたがたのうちだれが、思い悩んだからといって、寿命をわずかでも延ばすことができようか。……何よりもまず、神の国と神の義を求めなさい。そうすれば、これらのものはみな加えて与えられる。だから、明日のことまで思い悩むな。明日のことは明日自らが思い悩む。その日の苦労は、その日だけで十分である。(52)

ここで興味深いのは、同じ教えが富めるときにも貧しいときにも当てはまることである。この教えは、貧しい人々に、さらには着る服もない人々に当てはまるのと同じように、服を持ちすぎていても（そしてそのために選んだり買ったり注文したりする問題を抱えていても）当てはまる。この視点から改めて読み直してみてほしい。すると、不足ではなく過剰に悩む社会にも有効であることがわかるだろう。過剰の中で私たちは、何を食べるか（脂っこいのではないか、甘すぎるのではないか）、何を着るか（どれを選べばよいのか）に頭を悩ましている。

そしてここに、次の引用を付け加えておこう。「金銭の欲は、すべての悪の根です。金銭を追い求めるうちに信仰から迷い出て、さまざまのひどい苦しみで突き刺された者もいます[53]」。この一節は、「金銭は諸悪の根源」というふうに誤って引用されることが多い。だが聖書の言いたいことは、そうではない。人を誤らせるのは、金銭そのものではなく、金銭欲なのである。この点に関しては、次の引用がわかりやすい。「金銭欲に執着しない生活をし、いま持っているもので満足しなさい[54]」。また種蒔く人の寓話では、「思い煩いや富や快楽[55]」は種が根付いて「実が熟する」ことを妨げる大きな原因とされている。

聖書とゲーム理論

ここで、ゲーム理論の研究成果に目を転じてみたい。よく知られた「囚人のジレンマ」では、二人の囚人は自分にとっての効用を最大化する戦略をそれぞれに選ぶ。しかしそれは、効用の合計を最大化することにはならない。各人は自分の効用を増やそうとして、相手と協力しない選択をするが、そのせいで、協力した場合よりも悪い結果を招くことになる（非パレート最適）。システム自体が、つまりここではゲームの性格自体が、どちらも望まない結果へと当事者を突き進ませるのだ。現代ゲーム理論の第一人者であるバリー・ネイルバフは、キリスト教の教え「己の欲するところを人に施せ」に従って行動すればこうした事態を防げるとし、「この黄金律に従うなら、囚人のジレンマは起こり得ない」(56)と述べた。

人類学的にみると、ゲーム理論と倫理観がたどってきた道のりは興味深い。長い間ゲーム理論の分野では、ゲームを繰り返し行う場合に活用されるのは、しっぺ返し戦略すなわちやられたことをやり返す戦略であると考えられてきた。二人のプレーヤーが協力して不正を犯すゲームでは、最も効果的なのは裏切られたら裏切り返し、それをまたやり返す……というものである。言い換えれば、殴られたら殴り返す一方で、愛には愛を、ほほえみにはほほえみで返すことだ。この戦略がベストだとずっと考えられていたのは、ロバート・アクセルロッドが一九八〇年に行った有名な実験による。この実験でアクセルロッドはさまざまな戦略をコンピュータプログラムに組んで総当たり戦を実施した結果、しっぺ返し戦略が勝ち続けた。これは単純かつ厳密な戦略で、ルールを守り、協力を基本とし、裏切られたらやり返すがすぐに赦す(度合いに応じてすみやかに赦すことによって、最初の裏切り以降ゲームが続行される)。まさに、旧約聖書にある「目には目を、歯には歯を」である。

より効果的な戦略が発見されたのは、ごく最近になってからのことだ。不完全な情報やノイズが飛び交う世界では、信号が途絶えてしまい、多くは無用の報復が始まりかねない(57)。そのうえ、この戦略は応酬するうちに最悪の事態へと向かう悪循環になりがちだ。ネイルバフは、最終的には「より親切にすること」のほうが効果的だと主張する。

西洋文明の初期には、東洋と同じく、「目には目を、歯には歯を」[58]が最も効果的な戦略だと考えられていた。より協調的な長期戦略を初めて示したのは、イエスである。

あなたがたも聞いているとおり、「目には目を、歯には歯を」と命じられている。しかし、わたしは言っておく。悪人に手向かってはならない。だれかがあなたの右の頬を打つなら、左の頬をも向けなさい。あなたを訴えて下着を取ろうとする者には、上着をも取らせなさい。だれかが、一ミリオン行くように強いるなら、一緒に二ミリオン行きなさい。求める者には与えなさい。あなたから借りようとする者に、背を向けてはならない。[59]

繰り返し行われるゲームでプレーヤーがどちらも「目には目を」戦略をとった場合、つまり善には善で、悪には悪で報いた場合、悪がはるかに優勢になる。たった一回の悪、それもおそらくは偶然の結果が、延々と悪の応酬につながる。悪の小さな波は、放っておけば徐々に消えて行くのか、それとも破滅的な大波になるのかは、わかっていない。[60] しかし悪に報復していたら、悪は消えずに膨張する。ネイルバフが指摘するように、悪の最小化には慈悲や寛容のほうが、しっぺ返し戦略よりもはるかに効果的である。イエスも同様のことを言っている。

あなたがたも聞いているとおり、「隣人を愛し、敵を憎め」と命じられている。しかし、わたしは言っておく。敵を愛し、自分を迫害する者のために祈りなさい。あなたがたの天の父の子となるためである。父は悪人にも善人にも太陽を昇らせ、正しい者にも正しくない者にも雨を降らせてくださるからである。自分を愛してくれる人を愛したところで、あなたがたにどんな報いがあろうか。徴税人でも、同じことをしているではないか。自分の兄弟にだけ挨拶したところで、どんな優れたことをしたことになろうか。異邦人でさえ、同じことをしているではないか[61]。

その一方でキリスト教は、この問題に革命ももたらした。悪はつねに倫理問題に直結するとは限らない。ある種の悪（たとえば木が倒れて下敷きになる、など）は災難ではあるが、倫理的な悪ではなく、したがって誰かが罪に問われるべきではない。福音書によれば、あらゆる悪は、ただ起きるものである。故意か不注意か、倫理的な悪かそうでないかを問わない。そしてこれらすべての悪は、救世主が引き受けるというのである。救世主は、この世のあらゆる悪のために身を捧げる。こうした複雑なシステムでは、罪を発見するのは容易ではない。まさにこの理由から、神は不公平である。神は赦すことができる。だから神は、言わば「積極的に不公平をなす」。思えば、労働者に不当に高い賃金を払ったぶどう園の主人も不公平だった[62]。新約聖書においては、恩寵によって赦す倫理観が、罪人探しの倫理観を駆逐する。

善悪の経済学

神がおばあさんみたいに道を横切っても、手を貸すのはやめろ。

——U2、“Stand Up Comedy”

善は（経済的に）報われるのだろうか。なぜ善をなすべきかということはユダヤ思想における難問だったが、新約聖書はこの問題を大部分解決したと言ってよい。

第一に、ユダヤ教にはなかった「神の王国」という新しい概念を導入することによって、キリスト教は善行が報われる文字通り「新しい宇宙」を開いた。現世には必ずしも正義はない。現に正義の人が苦しみ、不正義の人がのうのうと暮らしている。だが、神の王国に入ってくるどんな人にも正義が待っている。ユダヤ教はこの世のことはこの世で報われるべきだとしたが、キリスト教はもう一つの世界、すなわちあの世に正義を移転させた。したがって、なされた善悪（支出）は必ず報われる（収入）という経済的ロジックが成り立つ――ただし天国で、ではあるが。つまり善を行うのも悪に苦しむのも、天国の正義によって必ず見返りが与えられる。

これはエレガントな解決ではあるが、しかし代償を伴う。それも、現世での代償である。旧約聖書ではよい世界であり歴史の一コマであった現世が、新約聖書では脇役に退いた。正しい報いにまつわる古代の経済的矛盾にみごとな解決を与えはしたが、それは現世を犠牲にするという代償と引き換えだった。多くのキリスト教徒にとって、現世は不正で、おおむね悪である。新約聖書の一部に現世と距離を置き、どうかすると現世に抵抗する記述が見られるのは、次のような姿勢に由来するのだろう。「神に背いた者たち、この世の友となることが、神の敵となることだとは知らないのか。この世の友になりたいと願う人はだれでも、神の敵になるのです」[63]。全面的に悪の世界だから正義の人が苦しみ不正義の人が楽しむのであれば、そのような世界からは逃げ出すのが賢いことになる。パウロは「死ぬことは利益なのです……この世を去ってキリストとともにいたい……このほうがはるかに望ましい」[64]という。おまけに新約聖書では、悪の擬人化が旧約聖書よりも具体的で恐ろしい形をとる。[65]旧約聖書では、サタンが明示的に現れるのはたった四回にすぎない。それも、「創世記」の蛇を悪の権化として数えた場合である。[66]一方、新約聖書では五〇回近く登場する。しかもサタンは「この世の支配者」[67]なのだ。この意味で、善悪の経済学は現世では機能しない。正しい人は、あの世では報われてもこの世では報われない（ラザロの物語を参照されたい）。

ここにおいて、キリスト教は現世と距離を置く。この視点から見れば、現世つまりプラトンの言う影の世界は、不公平で悪くて一過性のものであるから、重要ではない。そんなものに一喜一憂するにはおよばないし、囚われるべきでもない。最もよいのは、そのような世界をできる限り無視することである（アウグスティヌスも同じような考えだったが、この傾向は後期キリスト教文化においてアクィナスによって覆される）。

第二に、新約聖書は善悪の差引勘定を根こそぎ取り去ることによって、より深い意味で善悪の経済学の問題を解決した。救済は対価のない贈り物であって、それは金銭で得られるものではない。この意味で、善悪の経済学は成り立たない。この点については後段で再び取り上げるが、ここですこし立ち止まり、キリスト教の最大の戒律、すなわち愛にまつわる戒律について考えてみたい。

愛せよ

旧約、新約を問わず、聖書が第一義的に求めていたのは、「汝を愛するように汝の隣人を愛せよ」ということである。イエスは、これが「神を愛せよ」のあとにすぐ続く掟であり、あらゆる掟の中で最も重要であるとした。[68]「律法全体は『隣人を自分のように愛しなさい』という一句によって全うされる」[69]とある。

この定めは、経済学者にとってとても重要である。というのも、利己主義あるいは自己愛の原理とかかわってくるからだ。際限なく自分だけを愛してはいけないが、かといって自分をまったく愛さないのもいけない。自分に対する関心は、隣人に対する関心と同程度でなければならないのである。隣人を深く愛する人は、自分のことも深く愛することができる。ここで、どちらも愛であることに注意してほしい。自己愛は隣人愛と同じであって、それ以上でも以下でもない。

さらに、愛の支出は他人のふるまいに、具体的には自分に対するふるまい（善の収入）に左右されるべきではない。イエスが望んだのは、何を措いても互いに愛することだった。他人が自分を愛そうと憎もうと無関係に、人は自分同様に隣人を愛さなければならない。

自分の身を守る用心深さ、すなわち思慮は、けっして悪いことではないが、それが妄執的な愛になってはならない。マクロスキーが指摘するように、思慮は七つの徳の一つにすぎない。「トマス・アクィナスは一三世紀半ばに、七つの徳の中に思慮を含めた。すなわち、広い意味での要領や能力、控えめな利己心、合理性を徳に含めた」[70]。ここで注意すべきは、思慮あるいは控えめな利己心、合理性が七つの徳の一つにすぎず、唯一の徳ではないことである。このことを忘れてはならない。

悪の不滅性と雑草の寓話

悪を完全に駆逐することは、不可能ではないにしてもきわめてむずかしい。エデンの園の完璧な状態においてさえ、善悪を知る知恵の木という、悪の潜在性を示すものがなければならなかった[71]。悪は存在しうるし、キリスト教はそれをよく承知していた。しかも人間の努力では、悪から逃れることはできない。悪はひとたび存在すれば、雑草よろしく繁殖する。だからこそ世界は、キリストによる身代わりの犠牲を必要とするのである。人間が自らの力でまことの善を実現できるなら、犠牲は不要になってしまう。この点を念頭において「マタイによる福音書」の雑草の寓話を読んでみてほしい。

イエスは、別のたとえを持ち出して言われた。「天の国は次のようにたとえられる。ある人が良い種を畑に蒔いた。人々が眠っている間に、敵が来て、麦の中に毒麦を蒔いて行った。芽が出て、実ってみると、毒麦も現れた。僕《しもべ》たちが主人のところに来て言った。『だんなさま、畑には良い種をお蒔きになったではありませんか。どこから毒麦が入ったのでしょう』。主人は、『敵の仕業だ』と言った。そこで、僕たちが、『では、行って抜き集めておきましょうか』と言うと、主人は言った。『いや、毒麦を集めるとき、麦まで一緒に抜くかもしれない。刈り入れまで、両方とも育つままにしておきなさい。刈り入れの時、「まず毒麦を集め、焼くために束にし、麦の方は集めて倉に入れなさい」と、刈り取る者に言いつけよう』[72]」。

悪は完全には避けられないし、悪にも役割はある。悪を根こそぎにしようとしたら、よい麦まで抜いてしまうかもしれない。トマス・アクィナスは「あらゆる悪を防いだら、多くの善は宇宙に存在しないだろう[73]」と述べている。アウグスティヌスも同じような考えだった。「神は、どんな悪の存在も認めないよりは、悪から善の高みをめざすほうがよいと判断した」。また別の文脈では「悪が存在することがよくないとすれば、万能の神がそれを許すはずもない[74]」とも書いている。雑草（悪）は畑からのみ引き抜くべきであり、牧草地などそれ以外のところまで手を出すべきではない。

雑草の寓話には、また別の意味合いもある。「よい種」と雑草の種はまずもって見分けがつかないということだ。育ってみなければ、わからない[75]。私たちの抽象的な倫理観も不完全であり、善悪の見分けがつかない。まして実践となれば、なおのことだ。完全に首尾一貫していて矛盾のないことが証明された倫理学派は、いまだかつて存在しない。善悪を見きわめることは、人間の手に余るのである。新約聖書には「人を裁くな。あなたがたも裁かれないようにするためである[76]」とある。雑草の寓話は、今日でも実行されている。十全な倫理基準を確立できないとき、聡明な人は畑の主人と同じことをする。

人間の目には、どうやら善悪を倫理的に歪めて見るレンズが組み込まれているらしい。自分の過ちは見えないのに、「兄弟の目にあるおが屑[77]」は見ることができる。人間は（たとえば律法を厳密に守るパリサイ人のように）高度な倫理体系を構築して小さな悪まで取り除こうとするが、そのくせ巨悪を許してしまう[78]。イエスはこうした人為的な倫理体系を否定し、嘲笑さえした[79]。イエスが残したのは「愛せよ」という掟だけであり、外から裁くいかなる律法も残さなかった。そして、善も悪も人間から、人間の意志または感情から生まれる、という立場をとった[80]。だが人間には他人の心の内は見通せないのに、善悪をどう判断したらよいのか。パウロは、イエスの教えに次の言葉を付け加える。「わたしのこの命令は、清い心と正しい良心と純真な信仰とから生じる愛をめざすものです[81]」。よりわかりやすいのは、「清い人には、すべてが清いのです。だが、汚れている者、信じない者には、何一つ清いものはなく、その知性も良心も汚れています[82]」という言葉だ。さらに、「わたしには、すべてのことが許されている。しかし、すべてのことが益になるわけではない。わたしには、すべてのことが許されている。しかし、わたしは何事にも支配されはしない[83]」とも語っている。

エデンの園に戻ろう。聖書によれば、善悪を判断する能力はこの園でもたらされた。ところが、どうすれば善悪を判断できるのか、何が善で何が悪かを知ることができるか、という問題は、あらゆる倫理学派が互いにしのぎを削っているにもかかわらず、解決されていない[84]。しかも「創世記」によれば、エデンの園から人間が追放されたのは、善悪を知る知恵の木の実を食べたからだということになっている。つまり善悪を知りたいという欲望が破滅の原因となったわけだ。それなのに、倫理学者はいまなお躍起になってそれを知ろうとしている。イエスの言葉は、倫理を行動の領域から思索と想像と欲望の領域にまで拡げた。罪を犯すには、殺すにはおよばない。「腹を立てる」だけでも、「ばかと言う」だけでも、裁きを受ける[85]。怒ることと殺すことのちがいは、神経が図太いか、その機会があるかということにすぎなかったり、ときには単に手段や道具の問題だったりする。「山上の垂訓」に見られるように、他の罪も外から内へ、つまり行為から欲求や意図へと拡げられた。福音書によれば、救済の時が来たら、善悪はもはや問題ではなくなる。パウロが書いたように「主から罪があると見なされない人は幸い[86]」なのだ。赦された人の罪はもはや考慮されない。これは、実際的にも哲学的にも過激な思想であり、倫理規範の迷宮を突き抜けている。キリスト一人が人間の罪を贖い、報いを引き受け、それによって倫理規範を変え、それまで存在していた善悪の概念を無効にし、善悪の経済学も無効にした。神との関係は、貸しも借りもない愛とよろこびに支配されている。しかしそこにキリストは、労せずして得られる不当な恩寵、人間が不当に有利になるような恩寵を示した[87]。

祝福としての労働、呪いとしての労働

本書では、ヘブライ人とギリシャ人の労働観がどのように形成されたかを見てきた。エデンの園に連れて来られた人間は、「そこを耕し、守る」[88]ように言われる。エデンの園は怠惰の園ではない。完全な至福の場であっても、人間は働く[89]。労働は、自己表現、自己実現、そして永遠の内省（自己の可能性と限界、さらには世界における役割についての思索）の源として、人間のものとされた。人間は必要に迫られて働くのではなく、本性によって働く[90]。額に汗する苦しい労働が発生するのは、楽園追放のあとである。

ギリシャの伝説にも同じような物語が見受けられる。かつて労働はよろこびだった。だが人類最初の（それも人類を罰するために創造された）女性であるパンドラが箱を開けてしまったために、ありとあらゆる悪に加えて、労働の苦しみも箱から飛び出す。それまで人類は労苦を知らなかったのである[91]。かつてはよろこびだったことを考えれば、労働自体が呪われているのではなく、労働に苦痛という性質が加えられたとみなすべきだろう。「おまえゆえに、土は呪われるものとなった。おまえは、生涯食べ物を得ようと苦しむ[92]」。アダムに言われたこの神の言葉は、「これまでおまえによろこびを与え存在に意味を与えていたものが、これからはおまえを苦しめ悩ませることになるだろう」と言っているように聞こえる。

このような見方は、労働は負の効用をもたらすと暗に仮定する古典派経済学の労働観を補強する。今日では労働は不効用（苦痛）であって、効用（快楽）を生むのは消費だとされている（だから人間は消費のために働く）。だが私たちは、労働の存在の深遠な意味を見落としているのではないか。つまり労働は人間に固有のものであり、人はそこに深い意義を認め、人生の目標の一部さえ見出す。それは一部ではあっても、重要な一部である。

新約聖書に話を戻すと、労働は人間によろこびと達成感をもたらすものとされている。聖書は肉体労働のない生活を奨励しない。この点は、一部のギリシャ人の理想とは反対である。働くことは人間の責任だとさえ、聖書は語る。「働きたくない者は、食べてはならない」[93]。精神生活を追求する人間はあらゆる苦役や世事から解放されるべきだとするギリシャの見方は、イエス・キリストはエルサレムにやってきたときに大工だったという単純な事実によって覆される。イエスの弟子たちもみな働いている。多くは漁師（肉体労働）だが、中には徴税人（非肉体労働）もいた。哲学で生計を立て、一日中思索にふけっていた弟子は一人もいない。新約聖書の著者の一人として驚異的な量を執筆し、さらにローマへ行って布教活動をした使徒パウロでさえ、精神的な活動にだけ従事していたわけではない。他人の世話にならずに済むよう、働けるときはいつでも働いた。彼は天幕の職人だった[94]。

肉体的に活動する生活と精神的な思索の生活とはどう折り合いをつけるべきなのだろうか。新約聖書も旧約聖書も、どちらかを選べとは言わない。信心深く生きたいなら、誠実に働き、自分の生計は自分で立てよという。パウロは、テサロニケではさまざまな口実で肉体労働をいやがる人が増えてきたと聞いて、同地の教会に宛てて次のように手紙を書いた。

兄弟たち、わたしたちは、わたしたちの主イエス・キリストの名によって命じます。怠惰な生活をして、わたしたちから受けた教えに従わないでいるすべての兄弟を避けなさい。あなたがた自身、わたしたちにどのように倣えばよいか、よく知っています。わたしたちはそちらにいたとき、怠惰な生活をしませんでした。また、だれからもパンをただでもらって食べたりはしませんでした。むしろ、だれにも負担をかけまいと、夜昼大変苦労して働き続けたのです。援助を受ける権利がわたしたちになかったからではなく、あなたがたがわたしたちに倣うように、身をもって模範を示すためでした。実際、あなたがたのもとにいたとき、わたしたちは、「働きたくない者は、食べてはならない」と命じていました。ところが、聞くところによると、あなたがたの中には怠惰な生活をし、少しも働かず、余計なことをしている者がいるということです。そのような者たちに、わたしたちは主イエス・キリストに結ばれた者として命じ、勧めます。自分で得たパンを食べるように、落ち着いて仕事をしなさい。そして、兄弟たち、あなたがたは、たゆまず善いことをしなさい。もし、この手紙でわたしたちの言うことに従わない者がいれば、その者には特に気をつけて、かかわりを持たないようにしなさい。そうすれば彼は恥じ入るでしょう。(95)

また別の箇所では、異教徒に福音を広めるという宗教的な使命に身を捧げているときでさえ、自分は他人からの施しに頼ったことはないと強調する。

わたしは、他人の金銀や衣服をむさぼったことはありません。ご存じのとおり、わたしはこの手で、わたし自身の生活のためにも、共にいた人々のためにも働いたのです。あなたがたもこのように働いて弱い者を助けるように、また、主イエス御自身が「受けるよりは与える方が幸いである」と言われた言葉を思い出すようにと、わたしはいつも身をもって示してきました。[96]

私有財産制——土地の所有権

労働は収入を伴い、それは所有と結びつく。だが、私有財産はつねに認められていたのだろうか。生きることがやっとという時代には、キリスト教は私有財産制を疑った。それでもトマス・アクィナスは、私有財産制は社会の平穏と秩序によい影響をもたらし、人々の意欲をよい方向に刺激すると主張した。ただし、重要な例外規定を設けている。「困窮の際には、すべてのものは共有財産となる。……他人の財産も共有物なのであるから、それをとっても罪にはならないと考えられる」[97]。これは、現世の財産は本来的に共有されるという考え方に基づいている。アクィナスの意見は、スコラ哲学の時代のみならず、古典派経済学の時代にも支持された。ヨーロッパの経済学の伝統を築いたとされるジョン・ロックも、同様の考えを示した。彼は理性と信仰の両方の観点から、次のように述べている。「われわれが自然の理性に従って、人間はひとたび生を享けたならば、生命を維持する権利を持ち、したがって自然が人間の生存のために与えてくれる肉や飲み物などに対する権利を持つと考えるにせよ、あるいは啓示に従って、神は世界に対してこれらの権利をアダムに、そしてノアと息子たちに与えたとの説明を受け入れるにせよ、神が世界を共有のものとして人類に与えたことはあきらかである。ダビデ王も『詩篇』一一五章一六節で『地は人の子への賜物』だと謳っている」(98)。古典派経済学のジョン・スチュアート・ミルも、同様の文脈で次のように述べた。「土地をつくった人間はいない。土地はすべての種がはじめから受け継いだものである」(99)。

人間の法律は、神の永遠の律法に抵触してはならない(100)。私有財産法といえども、社会の一員としての人間より上位に位置づけられることはない。言い換えれば、人間の命がかかっているときには、私有財産制は無視される。

トマス・アクィナスは、富それ自体を悪とはみなさず、むしろ後段で取り上げるように、禁欲主義に向かう傾向を大いに疑問視していた。隣人が極貧に喘ぐ中で誰かが富を占有する事態は、想像もできなかったのだろう(彼は社会を「隣人の社会」とみなしており、それが富の見方にも影響を与えたと思われる)。しかし同時に、世の中には困窮者が大勢いて、全員を完全に満足させるのは不可能だとも気づいていた。「それでも、困窮が顕著で急を要する場合には、手近にあるいかなる手段を使っても、現在の窮乏を改善しなければならない……したがって、他人の財産を公にあるいは密かに取って自己の困窮を救うことは違法ではなく、これを盗みや強奪と呼ぶのは適切ではない[101]。なぜなら「こうした困窮は罪を減じる、あるいは完全に取り去るからだ[102]」。この発想は、(ほとんど絶対的な)財産権の擁護者であるロックの『統治二論』の第一論にも見られる[103]。

金持ちは、困窮の際にはよろこんで他人と共有しなければならない。アクィナスはその例として、他人のぶどう畑から実をとって飢えをしのいでも、罪にはならないとする旧約聖書の教えを挙げている[104]。「飢えた人は満たされるまで他人のぶどうを食べてよいが、一粒たりとも持ち去ってはならない[105]」。アクィナスは、これは社会の幸福を定めた法(私有財産法など)には違反しないとした。なぜなら、法というものは「自らの財産から他人に与えることを心がけるよう教えるために」定めるべきだからである[106]。

落ち穂拾いに関する定めも、同じ考え方から来ている。金持ちは最初の刈り残しを拾い集めてはならない。畑に残されたものはすべて、貧しい人や寡婦や孤児のものである[107]。旧約聖書を読んだ人は誰でも、社会的最弱者を守るための特別な掟がじつにひんぱんに登場することに気づくにちがいない。

小さな愛——共同体、慈善、連帯

経済学の観点からは、最初の教会がある種の共同体に建てられ、終末の日は近いとの予想の下に、共同で所有・運営されていたことに触れておかなければなるまい。

信者たちは皆一つになって、すべての物を共有にし、財産や持ち物を売り、おのおのの必要に応じて、皆がそれを分け合った。……信じた人々の群れは心も思いも一つにし、一人として持ち物を自分のものだと言う者はなく、すべてを共有していた。……信者の中には、一人も貧しい人がいなかった。土地や家を持っている人が皆、それを売っては代金を持ち寄り、使徒たちの足もとに置き、その金は必要に応じておのおのに分配されたからである。(108)

同じような所有形態は、のちに修道院で、ときにはキリスト教徒の都市でも導入された。たとえばチェコのターボルという町は、一五世紀にヤン・フスのプロテスタント運動が展開されている間、市民の財産の共有が行われていた。自主的に形成された宗教共同体が、どうして無神論的共産主義に変貌したのかは、興味深いテーマだ。ともあれ共産主義は、この点に関してキリスト教に負うところが大きい。それでも歴史が証明するように、マルクス共産主義は資本主義に代わるものを提供できなかった。

聖書の「プリスカとアキラの教会(109)」に関する記述からは、共同体主義を読み取ることができる。初期のキリスト教徒は、「現世を支配する強大な社会からできるだけ分離した別の社会(110)」の建設を望んでいた。こうした地域的な共同体は、(111)主をたたえ、(112)貧しい人々のために献金を集めた。(113)

ラテン語のcharitas（カリタス）は「愛」を意味するが、新約聖書では「愛」に相当する言葉が、今日とは異なり何種類も使われている。ギリシャ語のagapē（アガペー）は「人間に対する神の愛」を表し、erōs（エロス）の「性愛、恋愛」とはちがうし、stergein（ストルゲー）の「家族愛、肉親愛」、filia（フィリア）の「友愛、友情」ともちがう。[114] カリタスは一種の社会的な愛であり、慈悲心に近い。この「小さな愛」は、激しくかつ一人か数人に集中する他の愛に比べると、ほとんど感知できないほど弱い。このため引力になぞらえられる。引力は原子力や電力のように強くはないが、遠く離れた物体を引きつけることができる。まさにこの遠くて弱い引力のように、カリタスは大きな単位を、つまり今日で言えば社会を一つにまとめるのである。

この古くからの慈悲や連帯の習慣と約束事は、旧約聖書の時代から知られていた。[115] 新約聖書はさらにこれを拡大し、「必要としない余剰は、宝物のように貯蔵しておくのではなく、施し物として与えるべきだ[116]」としている。ときにはさらに踏み込み、イエスは「ただ、神の国を求めなさい。そうすれば、これらのものは加えて与えられる」と信者たちに呼びかけ、「自分の持ち物を売り払って施しなさい[117]」と言う。

そうは言っても、再分配は善意によって自由意志で行われるべきものである。だからパウロは次のように書いた。「惜しんでわずかしか種を蒔かない者は、刈り入れもわずかで、惜しまず豊かに蒔く人は、刈り入れも豊かなのです。各自、不承不承ではなく、強制されてでもなく、こうしようと心に決めたとおりにしなさい。喜んで与える人を神は愛してくださるのです[118]」。また次の箇所では、教会では信者が互いに助け合っていることを述べ、再分配の平等性を説明している。

だから、今それをやり遂げなさい。進んで実行しようと思ったとおりに、自分が持っているものでやり遂げることです。進んで行う気持ちがあれば、持たないものではなく、持っているものに応じて、神に受け入れられるのです。他の人々には楽をさせて、あなたがたに苦労をかけるということではなく、釣り合いがとれるようにするわけです。あなたがたの現在のゆとりが彼らの欠乏を補えば、いつか彼らのゆとりもあなたがたの欠乏を補うことになり、こうして釣り合いがとれるのです。「多く集めた者も余ることはなく、わずかしか集めなかった者も不足することはなかった」と書いてあるとおりです。[119]

聖なる者たちのための募金については、わたしがガラテヤの諸教会に指示したように、あなたがたも実行しなさい。わたしがそちらに着いてから初めて募金が行われることのないように、週の初めの日にはいつも、各自収入に応じて、幾らかずつでも手もとに取って置きなさい。そちらに着いたら、あなたがたから承認された人たちに手紙を持たせて、その贈り物を届けにエルサレムに行かせましょう。[120]

教会の中では、このようにして社会的セーフティネットが機能していた。だがこれが社会全体に適用されたわけではない。お金が贈られるのは、困窮し急を要するところに限られていた。パウロは保証しなかった。広く社会的に募金を行い公正に分配することまでは、パウロは保証しなかった。

では次に、その後のヨーロッパのキリスト教世界において、経済的な思想がどのように発展したのかを簡単に見ておくことにしよう。

キリスト教の発展
——アウグスティヌスの禁欲主義とアクィナスの世俗主義

アウグスティヌスとトマス・アクィナスは、ヨーロッパのキリスト教世界を形成し、その発展に影響を与えた重要な人物である。イエスの教えは先験的に現世を否定するものではないにもかかわらず、新約聖書では、現世を受け入れる姿勢と現世を軽視する姿勢の対立が読み取れる。イエスの福音が発する主要なメッセージの一つは、「神の王国はすぐそこにある」ということだ[121]。このメッセージは何度も繰り返される。ある意味で神の王国はすでにこの世に存在し、打ち寄せる波のように、この世に届いては砕けている[122]。

アウグスティヌスは多くの面でプラトン哲学と結びついており[123]、この世は幻か影であって、真に存在する世界のことを語るにすぎないと考えていた。つまり、目に見えるものは現実の表象ではなかった（こうした見方は、実体のあるものより抽象観念を上位に位置づける極端な合理的世界観に、多くの点で似ている）。この見方は肉体と精神の二元論に直接結びつくものではないが、それでもアウグスティヌスは肉体を「魂の重し」であるとみなした[124]。経済学がアウグスティヌスをほとんど重視しなかったのは、このためである。経済学の観点からすれば、中世に登場したトマス・アクィナスのほうがよほど刺激的だ。内へ向かう姿勢を逆転させ、外の世界に目を向けたからである。

やはり外の世界に目を向けたアリストテレスがヨーロッパで再評価されたのは、アクィナスの時代になってからだった。中世盛期が終わりに近づく頃、アウグスティヌスの思想を指導原理とするキリスト教世界では、アリストテレスは危険な存在と見なされていた。しかしアクィナスはアリストテレス的な現世の理解を軽蔑するどころか、積極的に支持する。こうして「現世は愛情深い注意の対象[125]」となっていった。アウグスティヌスがプラトン哲学をキリスト教に結びつけたのとまさに同じように、アクィナスはアリストテレスの哲学をキリスト教に結びつけたのである。その書物にはアリストテレスがひんぱんに引用されるだけでなく、唯一無二の哲学者として言及されている[126]。新プラトン主義のアウグスティヌス的解釈は、千年にわたって西欧の教会を支える中心的な思想だったが[127]、アクィナスの主要な功績の一つは、これに代わる思想を提示したことにある。アリストテレスをキリスト教の文脈で捉えることにより、アクィナスは愛情のこもった視線で現世を見つめる思想体系を構築した。アクィナス（および師のアルベルトゥス）が「神学の知識を誇っているが、その実、精神の大半を現世のことが占めている[128]」と批判される所以である。

トマス・アクィナスの現実志向

新プラトン主義者は、世界は神という不動の存在を頂点とする階層構造になっていると考えた。

しかしトマス・アクィナスの考えは、これとはちがった。「生命を持つか持たないか、物質か精神か、完璧か不完全か、さらに善か悪かを問わず、すべては存在し、神という根本的な存在に私たちを直面させる。この世は単に善であるだけでなく、言葉の正確な意味において神聖である」[129]。アクィナスは、あらゆる被造物に対して敬意を持って行動し、地上に存在するものすべてを肯定するよう教え、「どんなものも現に存在しているがゆえに善い……そのものであることは善なのである」[130]、「神は万物に宿る」[131]と語った。アクィナスにとって、物質的な世界はまさしく現実だったのである。現世は、極端なプラトン学派やアウグスティヌスの思想の一部が主張するように、幻影でも罠でもなく、悪の実験台でもなければ、真の世界の不完全な予兆でもない。だから現世の問題を解決することは、まちがいなく意義のあることだった[132]。

アリストテレスが質料と呼んだものに関しては、アクィナスはさらに踏み込んだ考えを示している。アリストテレスは、神は世界をもともと存在した質料からつくったと考えていた。この場合、その質料は神の創造物ではなく、神はそれを材料に使っただけということになる。一方アクィナスは、ユダヤ教の教えと同じく、この原初的な質料も神の手になるものと考え、それらもまた善であるとした[133]。なぜなら、「神がお造りになったものはすべてよいもの」[134]だからである。そして「魂が幸福であるためには、肉体から完全に切り離されなければならない」とするアウグスティヌスの考えに反論し[135]、肉体から切り離された魂は、肉体にある魂以上に神から遠いと述べている。アクィナスにとって、肉体はけっして悪ではなかった。

この問題は当初さほど人目を引かなかったものの、その影響はきわめて大きい。とりわけ経済学にとって、そう言える。神が無から有をつくったのだとすれば、質料も善なる神のつくったものだということになる。したがって質料も現実も現世も善きものであり、論じたり考察したりする価値も、よりよいものにしようと努力する価値もある。思うに今日の世界は、キリスト教世界とは反対側の極端に振れているようだ。物質的なこと、この世のことに心を奪われて、内面の精神世界を無視し魂を忘れていると、ヤン・パトチカは書いた。パトチカは、二〇世紀のチェコの偉大な哲学者である。一方、トマス・アクィナス以前の時代は物質偏重とは正反対だった。両極端は避けるべきだとすれば、このような振り子の逆転には注意が必要だ。評伝作家のG・K・チェスタートンによれば、アクィナスは「神は現実と接することのできる存在として人間を造った。そして神が結びつけた人々が離ればなれにならないようにした」と考えていた。(136) たしかに現代の人々は、経済的行動と認識されているものの中に、神の祝福や解放に相当するものを見いだしている。

市場の見えざる手の元型

では、悪についてはどうだろうか。法や規制によってことごとく罰し、根絶すべきなのだろうか。近代の偉大なる哲学者トマス・ホッブズの答はこうだ——人間は悪に染まって生まれてくる。

したがって人間の行動はしっかりと正し、監視しなければならない。そして解決策として、あらゆる悪を抑圧できる強大な排他的権力を持つ厳格な独裁的支配者を提案した[137]。

そうした権力が不在の場合には、自由な人間は気まぐれに行動し、すぐに万人の万人に対する闘争が始まり、混沌が拡がるという。人々がどれほど経済に関わっていたにせよ、この見方が個人の経済的自由の概念に多大な影響を与えたことは、指摘するまでもあるまい。しかしトマス・アクィナスの見方はちがう。「いかなる悪も何かしら善に基づいている。……悪は単独では存在し得ない。なぜなら、悪は本質を持たないからである。……よって、あらゆる悪は善きものの中にある[138]」。悪は、それ自体としては存在しない[139]。悪行をなす人にとって何らかの善が存在しない限り、悪を犯すことは不可能である[140]。純粋に悪だけを意図することはできないのであって、そのような悪が存在しうるとすれば、それは意図の外にある[141]。悪しきこと、悪しき決心は存在するが[142]、それは人間本性の基本的な方向性に反する[143]。人間の本性や健全な理性は善に向かうのである。ソクラテスも、同様のことを述べている。「醜い行為や悪しき行為をする者たちはすべて、みずからの意に反してそうするのだ[144]」。

誤解を避けるためにお断りしておくが、ここで人間が生まれついて善いものだと言うつもりはない。ただ、本性あるいは核の部分は善である。人間は善を核として、善を本質として創造されたのではあるが、その後に歪められて、実際には悪行をする[145]。だが人間には善に向かう傾向があり、核の部分まですっかり腐ってしまうということはない。キリスト教の言葉で言うなら、人間は「最悪」の者も含めてなお救済に値する。もし人間に善なるものがまったく存在しないなら、なぜ救わなければならないのか。[146] 神が話しかけ、難題を課すのは、まさにこの核の部分に対してである。なされた悪行は、善の一部なのだ。人間は悪行を、たとえば殺人を構想することはできるが、実行するのは別の意図からである（おそらくは復讐心からであり、それはこの人の主観的な正義感である。つまりこの人は正義から復讐を行うのであり、正義は善である）。最もおぞましい悪（ホロコーストや魔女狩りなど）でさえ、より大きな善のためという理由付けの下に行われる（詭弁的な口実ではあるが、多くの人の信念に基づいていた）。言い換えれば、悪の裏には善が隠れている（たとえばナチスは、ゲルマン人のためにより多くの生存圏が必要だと主張した。また異端審問官は、世界を悪から救うと信じていた）。人間はおよそ考えつく限りで最大の悪を完全に誤って実行してきたが、それはつねにある種の善をめざす（見当ちがいの）努力の中で行われてきたのである。だから、善をなすには意思だけでは足りない。知識が必要である。

先ほども述べたように、この世では悪にも役割がある。「あらゆる悪を防いだなら、多くの善は宇宙に存在しないだろう[147]」とトマス・アクィナスは書いた。また、「悪が存在しなかったら起こらなかったはずのことの中に多くの善が存在する[148]」とも述べている。これらを全体として捉えた文章を挙げておこう（傍点筆者）。

> 神の摂理が悪を全面的に禁じているわけではない……全体の善が部分の善に優先される。先見性を備えた支配者にとっては、全体としての善が増えるとすれば、一部の善の欠如

を無視するのは理に適っている……宇宙のある部分から悪が完全に取り去られたら、宇宙全体の完全性は損なわれるだろう。宇宙の美は、悪と善の秩序ある統合から生まれるからである。むしろ、悪しきことは善きことから生まれるのだ。それでもそれらは悪いのであるが。そして神の摂理により、ある種の善きことは悪しきことから生まれる。無音の休止が賛美歌を美しくするように、神意によって、悪は完全には排除されないことになっている。(149)

ある意味でこの主張は、マンデヴィルの『蜂の寓話――私悪すなわち公益』に見られるテーマに似ていなくもない。(150) ハイエクはこの点を見抜き、著作の中でマンデヴィルを引用し、彼の主張が独創的でないと指摘している。「トマス・アクィナスでさえ、あらゆる罪が厳格に禁じられたら、有益なことの多くが妨げられるだろうと認めていたのではないか」(151)。

見えざる手という発想、すなわち社会における個人の無秩序な悪しき努力が結果的に公共の利益に結びつくという考え方は、このように古くから知られていた。これを最初に書き表したのは、アダム・スミスでもバーナード・マンデヴィルでもなく、トマス・アクィナスでさえなかった。なんと古代ギリシャの喜劇作家アリストパネスである。

いにしえの伝説にはこうある、
われらのあらゆる愚かな計画や無益な考えも
やがては覆されて公の善になるのだと。(152)

とはいえアクィナスの考えは、これとはちがう。悪の中に神の非存在の証拠を認める見方とは正反対に、たとえ神が悪を望んでいないとしても、[153]悪が存在することは神の存在と神意の証拠だと捉えるのである。全体の幸福にとっては、部分の悪は存在しなければならない。[154]先程の引用にもあるとおり、全体の善は部分の善に優先する。このことを裏づけるために、トマス・アクィナスは聖書から次の二カ所を引用した。

光を造り、闇を創造し
平和をもたらし、災いを創造する者
わたしが主、これらのことをするものである。[155]

町で角笛が吹き鳴らされたなら
人々はおののかないだろうか。
町に災いが起こったなら
それは主がなされたことではないか。[156]

絶対的な善が存在するなら、それはまちがいなく神の意図によるものだろう。それでも、上記の引用から、ヘブライ人はもっと複雑な見方をしていたことがわかる。平和をもたらすのも神なら、災厄を引き起こすのも神なのである。結局のところ、エデンの園に善悪を知る知恵の木を植えたのは神だった。にもかかわらず、その実を人間が食べてしまったとき、「人はわれわれのように善悪を知る者となった[157]」と慨嘆した。その一方で悪の化身であるサタンにさえ役割があり、ある種の善に貢献している。ただし善や悪という倫理的カテゴリーが存在するためには、ひいては倫理が存在するためには、自由が存在しなければならない。善か悪かを論じられるのは、自由な選択ができる状況に限られるからである。この意味で、善は悪なしには、すくなくとも悪の可能性なしには存在し得ない。完璧なエデンの園にさえ、悪の可能性は存在した。

したがって悪はこの世から消し去ることはできないし、それは望ましくもない。このことが直ちに自由放任《レッセフェール》を正当化するわけではないが、強い味方となることはまちがいない。この点はすでに雑草の寓話でも見たとおりで、力ずくで悪を根絶やしにするといったことからは、ほど遠い。神の摂理は悪を排除しないのである。「個人の悪を防ぐためとして、公共の善を損ねるのは適切ではない。神はこのうえなく強く、いかなる悪も善に導けるのだから、なおさらである」とトマス・アクィナスは書いた[158]。さらに踏み込んで、「人に罪を犯すよう誘惑するのはまちがっているが、他人の罪を善い目的に活かすのはまちがっていない。神も罪を善きものに活かし、あらゆる悪から何らかの善きことを導き出しているからだ[159]」とも述べている。

悪と戦うよりは、利用するほうがよいことがある。悪との戦いに膨大なエネルギーを費やすよりは、望ましい目的の実現にそのエネルギーを使うほうが賢い。激流に水車を据えるよりは、チェコの聖人プロコピウスがやったように、悪魔を鋤にくくりつけてしまうほうがよい。打ち負かせないならだますことだ。気まぐれな自然の力は、むなしく抵抗するよりもうまく利用するほうが賢い。ゲーテのメフィストフェレスが、自分のことを訊かれて思わず漏らした言葉からも、それがわかる。

つねに悪を欲し、つねに善をなす
あの力の一部です。(160)

自己増殖し自ら因果律を形成するカオスの力をこちらの目的に適うようにするには、手綱を取って方向を定めてやればそれでよい、と聖人は語った。このように、経済学は舵取りの技術であるべきだ。カオスと自由意志の相互作用は、たとえ嵐の海のように見えても、じつは障害物ではなくリソースだと捉えなければならない。荒れ狂う波を力でもって鎮めようと無駄な試みをするよりは、どうやってうまく乗り切るかを考えるほうがよい。マイケル・ノヴァクはこの問題について、著書『民主的資本主義の精神』の中でおもしろいことを言っている。現在過去を問わずあらゆる政体の中で、「罪」が人間の精神にどれほど深く巣食っているかを理解しているのは、民主主義下の資本主義だけだというのだ。しかしどんな政体であっても、この罪を根絶やしにすることはできない。この理由から、資本主義は「堕落した世界」を現実の土台とし、そのうえで「エネルギーを創造力に転換する」(161)ことに成功したという。

つまるところ、神も「悪魔を鋤にくくりつけて」いる。神は悪を僕《しもべ》として使うことができるし、「エゼキエル書」から理解する限りでは、荒っぽい僕としてではあるが、実際に使ってもいる。(162)

性善説か、性悪説か

すでに述べたように、人間の本性が善なのか悪なのかは、社会にとって重要な問題である。それによって、ルールの決め方がちがってくるからだ。もし人間が生まれつき悪ならば、「公益」という意味での善へと仕向けなければならないし、自由を制限しなければならない。ホッブズが主張するような食うか食われるかの世界では、強力な国家が、人間を（本性でない）善へと向かわせるリヴァイアサンが、必要だということになる。

だがもし人間の本性、つまり人間の存在の核の部分、平たく言えば「私」というものが善であるなら、自由放任が可能になる。人間本性が自動的に善のほうへと向かうなら、放っておいてよい。国家の介入や規則や自由の制限は、全体の一部としての個人が十分に合理的でない分野や、自発的な社会協調がうまく働かない領域、あるいは強制による協和がよりよい結果をもたらす場合（たとえば外部性が存在する場合）に限られる。無数の個人の自由意志は当てにできるのか、それとも社会は何らかの強制を必要とするのか――これは、経済学にとって重要な課題の一つである。自然発生的な市場が最適の結果をもたらしうるのは、どのような活動領域についてなのだろうか。規制のない自由な活動は、どんなときに自然に善へと向かうのか、どんなときに自然に悪へと向かうのか。学派によってアプローチが異なるのは、まさにこの性善説、性悪説に起因する。現代社会は悪人の社会なのか、それとも善き隣人の社会なのだろうか。

隣人の社会

隣人愛は、キリスト教の重要なメッセージの一つである。人間は社会的動物であり[163]、生まれついての社会的な性質から社会の一員になるのであって、不足や必要に迫られてのことではない——すくなくともそれが第一の理由ではない[164]。地上に初めて創造された完璧なアダムでさえ、一人にしておくべきではないとされた。「主なる神は言われた。『人がひとりでいるのはよくない。彼に合う助ける者を造ろう[165]』」。

トマス・アクィナスは『神学大全』の中で、人間はエデンの園でも、すなわち完全かつ無知な状態でも「社会生活」を営むものとされていた、と述べている[166]。それだけではない。人は生まれながらにしてすべての人の仲間であり、友であるという。これは、ホッブズの言う共喰いの世界とは正反対である。アクィナスにとっての人間は善であり、社会的な生き物であって、他人に対しても善であろうとする。こうした人間観は、社会観にも、さらには経済的手段の形成にも、多大な影響を与えることになった。

加えて、人間は社会的動物であるから、自己の目的を実現するためには他人の助けが必要である。これは、人間同士の相互の愛によって最も適切に達成される。したがって人間を最終的な目的へと導く神の律法により、相互の愛が私たちに定められている……だから、人間が互いに愛し合うのは自然なことである。人間が自然に促されて、そうと気づかないうちに困った人を助けようとすることは、その証拠と言えよう。たとえばわざわざ引き返して、踏み外した人を引き上げてやるといったことをする――あたかも生まれながらにしてすべての人の仲間であり、友であるかのように。(167)

さらに、次のような一節もある。

人間は真理の追究においても互いに助け合う。ある人は他の人を善へと促し、悪に向かうことを防ぐだろう。聖書には「鉄は鉄をもって研磨する。人はその友によって研磨される」(箴言二七章一七節)とある。また、「ひとりよりもふたりがよい。共に労苦すれば、その報いはよい。倒れれば、ひとりがその友を助け起こす。倒れても起こしてくれる友のない人は不幸だ。更に、ふたりで寝れば暖かいが、ひとりでどうして暖まれようか。ひとりが攻められれば、ふたりでこれに対する。三つよりの糸は切れにくい」(コヘレトの言葉四章九〜一二節)ともある。(168)

だがこのような見方をしながらも、なおトマス・アクィナスは支配者が必要だと考えていた。民衆の勝手な行動を御して、社会が分裂しないようにするための支配者である。無秩序はアクィナスの認めるところではなかった。次の引用は、この現実的な見方を示した箇所である。さらに彼は、支配者による人々の利益の調整が経済学の中心的な課題であるとも考えていた。

したがって、大勢のいる社会で暮らすことが人間にとって自然であるなら、集団を治める何らかの手段が人々の中に存在することが必要になる。大勢が一緒に暮らして各人が自己の利益を追求しているのだから、何が公共の利益に属すかを気にかける主体が存在しない限り、大勢の集団は崩壊し、ばらばらになってしまうだろう。ちょうど、人間であれ他の動物であれ、群れの中に支配的な力が存在し、全成員の幸福に気を配らない限り、分裂するのと同じである。この点を念頭に置いて、ソロモンは『指導しなければ民は滅びる』（箴言一一章一四節）と言ったのだ。[169]

また別の箇所では、「また人間には、意図した目的へと向かう道が、その関心事や行動の多様性からもわかるように、さまざまにあるものだ。したがって人間は、自分を目的へと導いてくれる何らかの指針を必要としている」[170]とも書いている。

社会は独裁者も中央計画の立案者も必要とはしていないが、監督し統治し舵取りをする者は必要とする。したがって経済学に備わっていなければならないのは、河の流れを変えたり逆流させたりする技術ではなく、操舵術である。

理性と信仰

中世スコラ哲学時代は盲目的な信仰の時代であり、理性の再発見は啓蒙時代を待たねばならないというのは、たいへんな誤解である。この誤解をしたままでトマス・アクィナスを読んだ人は、知識の合理的な面が繰り返し強調されているのを知って、ページを繰るごとに面食らうだろう。この意味でアクィナスは、理性の声に耳を傾けることにきわめて熱心だったと言える。他の多くの神学者は、アクィナス以前、以後を問わず、ひたすら啓示に訴え、「心を尽くして主に信頼し、自分の分別には頼らず[171]」という聖書の文言を引いて理性を退けた。たとえばマルティン・ルターは、信仰を理性の対概念と位置付け、理性を「悪魔の娼婦[172]」と呼んだ。こうした状況を理解して読んだとき初めて、アクィナスの次の言葉は重要な意味を帯びてくる。「人間の理性が生まれながらにして知っているこれらの原理に信仰の真理が反することはあり得ない……なぜなら、自然を創造したのは神であるからだ[173]」。アクィナスは、一方は互いに他方を必要とするという意味で、信仰と理性の間に対話的な双方向関係が必要だとしている。そして自身も、理性をできうる限り開発し、信仰が誤った方向に進むことがないよう、多大な努力を払った。

それだけではない。科学は教義にとって重要であるとまで主張している。何らかのことが教義に反すると科学によって疑いの余地なく立証しうるなら、解釈や理解が誤っていた項目をあきらかにできるからだ[174]。かつて理性がこれほど高く評価されたことはあるまい。現実の世界での発見が真であると証明された場合には、聖書の従来の解釈を変えなければならない。なぜなら、その解釈は誤りだからである――アクィナスはこのように科学の役割を説明した。チェスタートンは、こうした問題がすべてアクィナスとその支持者に委ねられていたら、宗教と科学の衝突といった

ことは起きなかっただろうと述べている。(175)

アクィナスは、理性を徳にほぼ等しいと位置付けた。彼にとって、理性に反抗するのは神に反抗するのと同じことだった。「科学の領域では、人間における神の代理として、理性が支配する権利を持つ(176)」からである。チェスタートンによれば、アクィナスは、神性を純粋な知性と捉えていた。理性の声に耳を傾け、それに従って行動できる人は高徳の士と言える。理性に従うことが可能な場面でそうしないのは罪であり、「征服可能な無知は罪(177)」である。飲酒について論じた箇所では、理性をないがしろにするという理由から、酩酊は罪であるとした。(178)アクィナスの著作では、こうした理性礼賛がそこここに見受けられる。人間に理性と感覚を与えて自分で自分をだませるようにしたのだから「欺く神」だと考えることなど、アクィナスには想像もつかなかった。この点は、のちのデカルトも同じである。(179)

トマス・アクィナスは最大限に理性を評価した人物と言えよう。この意味で、「不可知論」という言葉をつくったトマス・H・ハクスリーに近い。実際、可能な限り理性に従うという姿勢は、不可知論の手法に関するハクスリーの定義とほぼ文字通り一致する。唯一の問題は、どこまで従うことが可能かという点である。どんな合理主義者も、論証を進めるうちには遅かれ早かれ直観に頼るようになるのだから。(180)

都市、自然、自由

ギルガメシュの友となったエンキドゥが文明化される過程で、個人の自立と社会の進化のトレードオフについて触れたが、じつはトマス・アクィナスも、このテーマを論じている。

人間が他の動物と同じように単独で生きようとするならば、自分を導く者は必要としないだろう。一人ひとりが神から授けられた理性の光によって自分の行為を自ら導く限りにおいて、彼は最高の王である神の下で、自分の王ということになる。しかし人間は、他のどの動物にもまして社会的・政治的動物であり、集団の中で生活することが自然である。このことは、人間の自然状態からあきらかだ。というのも、他の動物すべてには、神は餌となるもの、体を覆う毛皮、歯、角、爪などの防御手段あるいはすくなくとも逃げるための足の速さなどを用意したが、人間だけはそうした自然の備えを何も授かっていないからである。これらの代わりに、人間には理性が与えられた……とはいえ人間は、一人だけではすべてを自力で入手することができない。人間は誰かの助けなしには、十分に生命を維持できないのである。そこで、人間は大勢のいる社会で生きることが自然である。[181]

ちょうどエンキドゥがそうだったように、原始的な状態から社会が発展するに従い、分業や専門化が必要になる。この意味で、ジンメルの指摘は重要だ。「大都市はつねに貨幣経済の発祥の地だった。そこでは経済的な交換が膨大に集中し、交換手段が重要な意味を持つようになる。農村部の散発的な商業では、そうはならない[182]」。

人間は、社会が提供しうる幸福を一人ではすべて享受することができない。一人で砂漠や無人島に住んでいるなら、その人は自分の支配者となるだろう。分業化された社会から受け取る物質的な幸福は得られないが、その代わりに自分だけが自分の支配者である自由を獲得し、社会的階層の中で誰かに従属することもない。だが社会の中で生活し、その恩恵を受けるならば、社会が共通の目的に向かうことを可能にするための秩序に、当然ながら従わなければならない。

まとめ

キリスト教は西洋文明における主要な宗教であり、社会的経済的理念の大半はキリスト教に由来するか、そこから派生している。そして経済は社会の基本構造の一部とみなされ、それ自体は信仰の対象ではないと考えられてきた。こうした一般的な見方に同調する場合（たとえば第2部で取り上げるように経済的進歩は宗教とは無縁だと考える場合）には、果たしてそれが正しいのか、きびしく吟味することが必要だ。

経済が旧約聖書・新約聖書にじつにひんぱんに登場することには、驚かざるを得ない。そもそも原罪は「消費の罪」と解釈することができる。アダムとイヴは、消費する権利がなく、またその必要もないものを消費した。第2部で論じるが、このような消費は罪と関連づけられる。さらにイエスの比喩の大半は、経済の言葉あるいは経済の文脈で語られる。キリスト教の主要概念である贖罪（redemption）も、もとは純粋に経済的な意味を持つ言葉であり、奴隷を買い戻して解放することを意味した。こうした不当とも言える負債の免除や罪の恩赦は、今日の文化でも見ることができる。政府が債務超過に陥った銀行や大企業の救世主となって借金を帳消しにしてやるのは、その端的な例だ。またギリシャ語では、純粋に経済的な債務を表す言葉が「罪」を意味する。要するにキリスト教の主要概念は、経済抜きには意味をなさない。したがってキリスト教の基本的なメッセージは、経済用語を使って解釈すれば現代人にはずっと理解しやすくなるだろうし、はるかに現代にフィットした固有の意味を帯びてくるはずだ。たとえば「われらの罪を赦してください」という祈りは、「われらの債務を免除してください」ということになる――二〇〇八年グローバル金融危機の際の大手銀行にとっては。

本章ではキリスト教の教えの中で、積極的な不公平とも言うべき概念にスポットライトを当てた。債務奴隷の買い戻しや労働者に対する不当に高い報酬は、積極的な不公平である。このような不公平によって、努力とは無関係に、誰もが等しく報われる。したがってキリスト教は、善悪の計算を放棄したと言ってよい。神の赦しは積極的な不公平である。キリスト教は天国という概念を物語に導入し、ヘブライ人が抱えていた現世における神の正義（またはその欠如）の問題を解決してのけた。

本章では贈与と値段の問題も取り上げた。ある種のものは買うことができず、与えられなければならない。今日でもそれに類したことは行われており、私たちは値段を気にしないふりをしたり、意図的にその意味を弱めたりする。そのほか、宇宙を統べる原理としての救済と愛の経済学について、また悪の問題や悪の役割、そして悪を根絶できないことについてもページを割いた。市場の見えざる手にも言及し、悪行が利益に、善意が悪に転換される論理に触れたほか、人間は完全な悪意を持ちうるかという問題や、善と悪の関係も論じた。さらに今日の世界を理解するうえできわめて重要な思想として、アウグスティヌスとトマス・アクィナスも取り上げ、性善説と性悪説を検討した。最後に、理性と信仰の問題、人間の基本的な状態としての社会と自然の問題を取り上げた。

第5章

デカルトと機械論

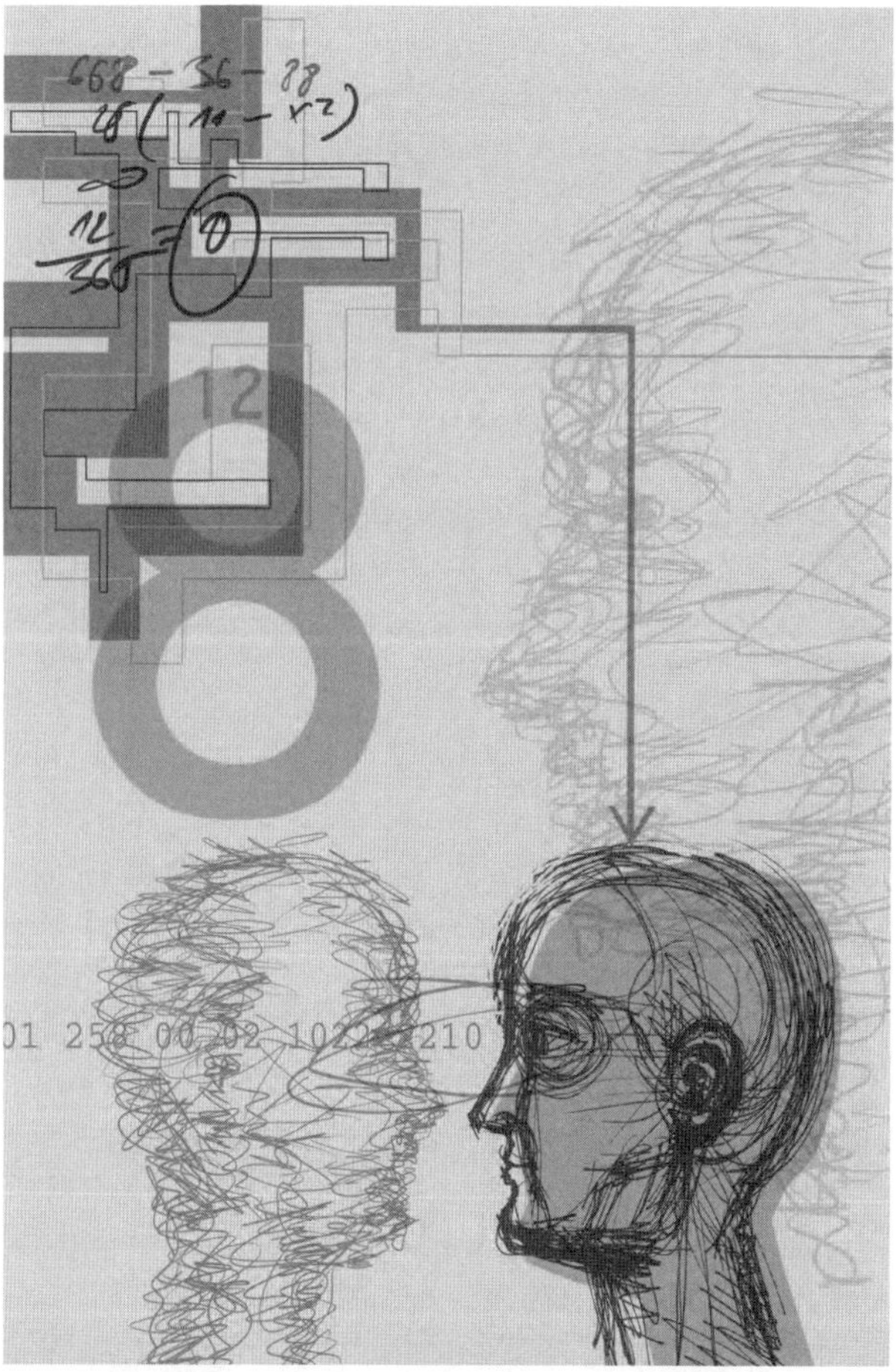

経済理論の拠って立つところは、デカルトである。
人間の概念として想像しうる限りで最も狭いホモ・エコノミクスという概念は、
デカルトの思想にルーツがある。

——ピエロ・ミニ

これまで取り上げてきた時代では、経済も含めて人間を取り巻く世界を説明する際の重要な要素は、神話、信仰、宗教の教義だった。だが科学時代の到来は、これを一変させる（あるいは後段で論じるように、一変させるはずだった）。主観の入り込む余地のない方法で、一点の曇りもなくものごとを説明することをめざすようになったのである。おそらく近代という時代の最も顕著な特徴は、「なぜ」よりも「どうやって」が重視されるようになったことだろう。言うなれば、本質よりも方法が重要になった。そして世界から神秘のベールを剥ぎ取り、機械論や数学や決定論や合理主義の衣裳でくるもうとし、実証的に確かめられない原理、たとえば信仰や宗教といったものを一掃しようと試みた。だが残念ながら、そうした姿勢で臨んでみても、やはり世界の秘密は今日にいたるまで解かれておらず、信仰や信念なしには機能しない。

経済学は社会科学に分類され、とくに主流派経済学は、機械論、数学、決定論、合理主義に大きく依存している。したがって、この地殻変動の経緯には十分な注意を払う必要がある。とりわけ経済学者は、ルネ・デカルトの思想をぜひとも理解しなければならない。「経済的な見方をすることはデカルトに与すること[1]」なのだから。

機械としての人間

世界をどう認識するか――この問題に関して、デカルトの科学的なアプローチが画期的なブレークスルーとなったことに異論の余地はない。このことは、経済学にも当てはまる。市場の見えざる手という概念がアダム・スミスよりかなり前から存在していたことは、すでに指摘したとおりである。そしてホモ・エコノミクスという概念は、その倫理面をエピクロスに拠っているけれども、数学的、機械論的な部分のルーツはルネ・デカルトなのである。なるほど、万物の根源は数であると最初に考えたのはピタゴラスだった[2]（そこには完全に近代以降《ポストモダン》の時代精神が認められる。現代の見方は、結局のところ、過去の物語の焼き直しと組み合わせに過ぎない）。それでもデカルトの思想が、経済学の方法論にとって決定的とは言わないまでも、きわめて重要であることは言を俟《ま》たない。経済学の発展は、デカルトが再評価されたときから始まっている。実際、初期の経済学者の多くは方法を論じ、デカルトの後継者を自任していた。デカルトの思想をイングランドに持ち込んだのは、ジョン・ロックとデイヴィッド・ヒュームである。彼らを通じてデカルト哲学は経済学にも浸透し、今日にいたるまでしっかりと組み込まれている。社会科学の中で、経済学ほどデカルトの思想を熱心に取り込んだ学問はほかにない。デカルトの偉大さはどこにあるのだろうか。また彼の学説は、経済学者にとって基本的にどのような意味を持つのだろうか。

デカルトは近代科学の祖であると広く考えられており、その名誉におおむねふさわしい人物である。[3] デカルトは世界の見方を変えると同時に、[4] 多くの分野でキリスト教的な人間存在の理解の仕方を変えた。こうした科学的な再構築は、後世に多大な影響を与えることになる。ジョン・スチュアート・ミルやジェレミー・ベンサムの快楽計算が倫理学や経済学に寄与したのも、デカルトの影響の一例と言える。功利主義はのちに修正を施されながらも、近代的な経済学の一部として確固たる地位を占めている。

デカルトの影響は、第一に、伝統、神話、迷信といったものの一掃に努めたことにある。中でも、体系化されていない主観的な思考、つまり感覚や感情に左右されることを徹底的に排除した。これによって、客観的な立場から系統的に検証する新しい方法の基礎を築いたのである。デカルトがそこにいたった道筋については、改めて後段で論じる。

第二に、中世にはアリストテレスとトマス・アクィナスがやや優勢だったが、デカルトは古い二元論的な見方を復活させた。すなわち物質と精神の対比である。そして精神の一部が知で置き換えられた。したがってこの新しい二元論は、その本質として認識論ではあったけれども、倫理色は薄かった。人間は質料と知を結ぶ唯一の存在であるとする点は古代の二元論と同じであり、ここでもまた、知は物質にまさるという合理主義的な見方が維持されている。おかげで経済学者は、経験的事実と直接関係づけることなくモデルを構築できるようになった。

第三に、技術の進歩に魅せられたこの時代には、現実を存在論的に認識する枠組みとして数学的機械論が導入された。そしてこれが、機械から最上位の存在にいたるまで広く適用されるようになる。[5] ヘブライ人の思想では倫理が、キリスト教では慈悲が、アウグスティヌスでは愛が現実認識の中心に据えられていたが、デカルトにおいては機械が中心になったのである。この見方の難解さについては後段で取り上げることにして、ここではミニの一考に値する指摘を紹介しておこう。「デカルトは表面的には思索を重視したが、実際にはきわめて小さな役割しか与えていなかった。発見にいたる道は多数あるにもかかわらず、彼が認めたのはたった一つ、機械論しかなかった[6]」。

このように人間存在論が機械論に収斂したのは、知が数学に収斂したことと関連づけられる。そのような世界では感情や偶然が入り込む余地はなく、そもそもいかなる空隙も存在しない。あらゆるものは、決定論によって堅固に、数学の援用によって正確に、互いに関連づけられる。デカルトとその後継者は、「事実上すべてのものを、すなわち宇宙、国家、肉体、衝動、倫理などを、数学の言葉で考えた[7]」。彼らの機械論は、デカルト自身が『人間論』の中でみごとに要約しており、そこでは肉体を「土の像あるいは機械にほかならない」と想定し、その内部には、「歩いたり、食べたり、呼吸したりするのに必要な……すべての部品が据え付けられている」とする[8]。こうした見方は、心理学の守備範囲まで含めて、すべてを説明しうるとの前提に立っている。

「いま説明しているこの機械と噴水装置の間には、次のような対応関係がみごとに成り立つ。前者の神経は後者の管に、前者の筋肉や腱は後者を動かすさまざまな仕掛けやバネに……あたる」[9]。この種の信仰は、現代の経済学においてもなお根強い。ホモ・エコノミクスは完全無欠な数学的原理と機構に従って動く機械的な構造物であって、経済学者はその深奥の動機まで説明できるとされている。

古代ギリシャの哲学者たちと同じく、デカルトも世界全体を一つの法則で説明しようとした。それは宇宙の配置をも表す法則であり、あらゆる物体に共通する分母と言えるものだった。デカルトにとって世界は一つしかない。「天空の物質と地上の物質とは同一である」[10]。このように単一の原理ですべてを推論しようとする姿勢、そして精神世界と物質世界を等しいとする見方は、今日の経済学でも支配的だと言える。そして、経済学がほぼあらゆる機会に依拠しようとする統一的かつ汎用的な基本原理は、言うまでもなく、自己利益である。

我思う、ゆえに我あり

経済学における人間観に決定的な影響を与えた思想家として、デカルトの思索の過程をおおまかにたどっておこう。『哲学原理』の中で、彼はすこしでも疑いの余地のあることはすべて捨て去ろうと試みる。そのために、知っていることはすべて忘れ、感覚によって知ることも捨て、論理思考のみに集中する。こうして最後に、こう考えている自分だけはたしかに存在するという結論に達する。[11]「我思う、ゆえに我あり（cogito ergo sum）」という『方法序説』の有名な言葉は、ここに由来する。デカルトの哲学は、自身の確信に基づくこの堅固な新しい基礎に立脚することになる。その後にデカルトは、神の存在を証明し（われわれの思考にある「神の観念」は神から与えられた）、さらに『哲学原理』の第二部では、物質的世界と宇宙の存在を証明する。

物質的世界、ひいては宇宙は、感覚によってのみ知覚可能であるように思われる。するとここで、経験主義は哲学的な意味において合理主義と衝突する。だがデカルトは合理主義的な方法論をあくまでも貫こうとし、そのための道筋を示した。感覚が理性と異なることを感じた場合には、言うまでもなく理性が正しい。たとえ現実を見ていない場合でも、論理的説明を信じるほうが合理的である。感覚では理解できないことがらも、現に存在しているからだ。それらは目には見えないし耳にも聞こえないが、理性は視覚や聴覚が届かないものも理解することができる。たとえば、粒子が実際には無限に分割できないとしても、思考あるいは想像の中ではそれができる。したがって現実の世界は合理的世界の表象なのであり、「単なる」経験から知り得るものではない。

だが、感覚を信じられないとしたら、外的な現象世界、ひいては宇宙が存在するとどうやって知ることができるだろうか。自分の見ている世界は、ただ夢のようなものかもしれないではないか。しかし、そのように考えることは、神が人間をだまし、見ているものはすべて空間、物質、時間の幻覚に過ぎないと前提することにほかならない。デカルトは外的世界が連続的な夢であって客観的には存在しないと考えてみるが、それは神が人間をだましたがっていると仮定することになる。これはデカルトにとって受け入れがたかった。ある種の神学的証拠をどこで発見し、それに依拠するようになったか、彼自身は分析していないが、その根拠は光を授ける者として神を認識するキリスト教の理解にあったと考えられる。[12] 神が真実で完全であるなら、人間をだまそうなどと望むはずもない。神が夢という阿片で人間を中毒にするはずがないと仮定するなら、[13] 外的物質的世界はたしかに存在し、人間はそれを調べることができると結論しなければならない……。いったい、これのどこが「科学的証拠」なのだろうか。

　デカルトはあらゆる物質の中から、まず身体を取り上げた。身体は物質世界の領域に属すが、ある面で物質に属さない知性と結びついている点で、例外的な存在である。宇宙空間に存在する物質が身体に働きかけると、身体が媒体として機能し、物質は感覚を通じて理性に伝わる。次に、身体に働きかけるものの本質を取り上げた。これこそ、デカルトが原理を探求しようとする外的物質である。その原理は、感覚で知覚できるもの（色、硬さ、温度、質料など）の中にはなく、長さ、幅、奥行きという三つの幾何学特性で記述できる配置の中にのみ存在する。これらは、基本的なデカルト座標軸ではx、y、z軸で表される。[14] 物質の性質が空間における配置で決定しうる理由を、デカルトは石の例で説明する。石は、すりつぶせば硬さを失う。また、石に色はない。さらに、重さや冷たさ・温かさなどの特徴を石から切り離すことも十分に可能だ。しかし三次元的な配置だけは、切り離すことができない。これが、長さ、幅、奥行きを持つ実体（res extensa）である。このことは宇宙についても言える。[15]

モデルと神話

合理主義者デカルトの手にかかると、経験的な知覚（中世後期のスコラ哲学では理性と調和すると考えられていた）は信用できないということになり、「現実」との近さを比べれば、理性がまさるとされた。デカルトは目を閉じて省察する。「私は、自分が見ているものはすべて偽であると想定しよう。あてにならない記憶が示すものは、どれ一つとして存在しなかったと考えることにしよう。自分はいかなる感覚も持たないとしよう。物体、形、長さや幅や奥行き、運動、場所は幻想に過ぎないとしよう。そうなったとき、何を真なるものとみなすことができるだろうか。おそらく、確実なものは何もないということだけだろう」[16]。合理主義者と経験主義者の論争はこのあとの時代にも繰り返されることになり、勝敗の行方はさまざまである。だが、感覚の不完全性ということに関して歴史的一撃を加えたのは、まちがいなくデカルトだった。

アイルランドの哲学者ジョージ・バークリーは、これについて次のように述べている。「感覚の偏りや錯誤は、あらゆるところから姿を現して私たちの視界に入ってくる。これらを理性によって正そうとすると、知らず知らずのうちに奇怪な矛盾や困難や撞着に陥り、思索を進めるほどにそれらは拡大し膨れ上がっていく。そしてついには錯綜した迷宮に入り込み、結局は元いたところに戻るか、さらに悪いことには、絶望的な懐疑論の中で身動きがとれなくなることに気づく[17]」。ガリレオはもっとあからさまに、「新しい（デカルトの）科学は、われわれの知覚を強姦した[18]」と述べた。

デカルト哲学は、「矛盾のパラドックス」とでも言うべきものの代表例とみなすことができる。デカルト派の科学的方法は、おおもとの土台がまちがっているにもかかわらず、今日の主流派経済思想の主たる「手口」となった。経済学それ自体にも、同種の方向性を見ることができる。内部に矛盾を抱えるシステムは、部分的に現実と衝突するうえ、意図的に現実から乖離した前提に依拠していることが多い。また、極端なケースでは不条理な結論にいたることもある。それでもなぜかうまく運用されていく。ある系の寿命は、その絶対的な確実性や論理的一貫性によって決まるのではなく、競合する系がほかに存在しない、ということが決め手となるらしい。この問題は、ポパー、ラカトシュ、ファイヤアーベント、クーンらがくわしく論じている[19]。このように、経済モデルが受け入れられるかどうかは、ほんとうらしさで決まるのではない（もちろん、現実に対応していればより魅力的にはなるだろうが）。むしろ、信じるのが容易か、状況に適しているか、説得力があるか、世界の仕組みに関する人間の内在的な信念、すなわち借用または継承してきたパラダイム、あるいはこう言ってよければ偏見と一致するか、ということが決め手となる。科学や経済学のモデルは、ある系が他の系にとってかわるときに、神話とさして変わらない役割を果たすのである。神学の系が科学の系に置き換えられたとき、まさにこれが起きた。だからデカルトを読むときには、彼がどれほど慎重に人目を引かないように神学上の神話を科学的な神話に置き換えたのか、それをどんな具合にやってのけたのかに注意を払う必要がある。[20]

疑うことを疑う

純粋な論理と合理性の抽出をめざしたデカルトの提出したものが、論理的根拠のない観念や先入観や自らが信じるイデオロギーの集合だったのは、逆説的と言わざるを得ない。このため、理性のみに依拠するはずだったのが、驚いたことに、自分の元の考え、つまり先入観に逆戻りするという結果になった。あるいは、そもそもの疑いを抱き始める前に見ていた世界に逆戻りしたと言ってもよい――彼が疑いを抱いたことに疑いの余地はないにしても。

デカルトによる神の存在の「証拠」は、その一例と言えよう。私たちは、思考の中に神の観念を持ち合わせている。デカルトによれば、この観念は、神が実際にいなかったらあるはずがないという。これが証明になるのだろうか。

デカルトは旅行に行くときも、聖書とトマス・アクィナスの『神学大全』をいつも持ち歩いていたという。そして彼自身も遭遇した神秘的な現象について書いている。[21]言うまでもなく、もし彼がキリスト教徒でなかったら、普遍的に有効であってほしいと自らが願う結論には到達しがたい、と気づいたはずだ。経験的な現象世界に属す外的な事物、すなわち知性のおよばない事物の存在の証明については、デカルトはさらに不条理な判断を下している。乱暴に言えば、感覚は欺かないという前提から出発して、感覚は欺かないという結論を導き出すのである。伝統と偏見を打破するために独自の方法を開発したデカルトは、伝統と偏見をいよいよ堅固にしたと言わねばならない。

このプロセスは、経済学ではおなじみのものだ。周到に選ばれた仮定から出発し、すでに仮定の中に含まれていた結論に、当然ながら不可避的に到達するという仕掛けである。従って結論はどうでもよくて（なぜなら単に仮定の発展形なのだから）、重要なのは仮定ということになる。これは、仮定はともかく重要なのは結論だという、多くの人が抱いている考えとは正反対である。マクロスキーは、主流派経済学のバイブルとされるポール・サミュエルソンの『経済学』が「疑問の余地がなく、形而上学的・倫理的判断や個人的信念を必要としない」科学的知識を約束しているとし、「同書に書かれたことは、経済学者の形而上学的・倫理的判断や個人的信念……を科学的方法と改名しているのだ[22]」と指摘した。科学時代以前の人間と科学時代の人間とのちがいは、前者が前提（神話や信仰箇条）をそれと認識したうえで積極的に受容（または拒絶）するのに対し、後者は多かれ少なかれ無意識に科学信仰を抱いている点である。宗教は信仰の明確な告白を伴うが[23]、科学はそうではない。それでも、科学も信仰を活用しなければならないことははっきりしている[24]。

現代人は自分の科学信仰を恥じているらしいが、これはよくわかる。信仰は科学的に裏づけられないし、現代的な人間観ともあまり一致しないからだ。そもそも「科学信仰」という概念自体が形容矛盾のように聞こえる。だが、けっしてそんなことはない。科学時代以前の人間は、科学的証拠などに惑わされなかった。だから自分の信仰箇条（今日ではこれを偏見と呼ぶのかもしれない）を恥じることもなく、堂々と告白することができた。しかし今日では、科学信仰は公理や原理の中に隠され、「私は信じる」という言葉で告白されることもなければ、証明されることもない。それでも科学信仰の大半は、公理が言及される前から存在したし、いよいよ深くなっている。ただ私たちが気づいてもいないだけだ。ホワイトヘッドはデカルトのアプローチについて、「信じがたい抽象的観念を生み出し……それによって近代哲学は破滅に陥った[25]」と批判している。

現実世界の存在を疑うという思い上がり（そうとしか言えまい）から始まって、デカルトは一巡して現実世界の存在に戻った（ただし今度は「科学的に証明されて」いる）。もし彼がほんとうに疑ったのなら、たとえ夢の中であっても、自分は経験的世界を信じるとか、この世界は実在し欺かないなどとは言えなかったはずだし、この再構成に従って自分の「証拠」を主張することはできなかったはずだ。となれば、疑うべきはデカルトの疑いの完全性だということになる。彼の疑いは疑いうるのである。そして、デカルトの探求の意味を吟味しなければならない。もしそれが、すでに信じていたことを確認しただけなら、何の役に立つだろうか。デカルトが、夢の中で科学的方法と論証の基礎を築き始めたことは、じつに皮肉で逆説的である[26]。

合理性の堂々巡り

のちにカントは、純粋理性がともかくも考えることができるためには経験的・外的世界を必要とする、という命題を提起する。言い換えれば、理性が機能するためには、外的な刺激またはそうした刺激の概念を必要とする。言語は、それ自体としては意味を持たないという点で、抽象作用の連なりにほかならない。合理性は、それ自体は膨張しながら循環するだけで、空虚なのである。その一方で知覚は解釈を奪われており、意味を持たず、したがって無意味であり、よって存在しない。[27]とは言え事実は、理性的な知覚者なしには意味を持たない。この理性的な知覚者のたしかな合理的枠組みにおいてのみ、事実は解釈や名称や意味を獲得する。ブルース・コールドウェルが書いたように、「すくなくとも科学において、単なる事実というものは存在しない[28]」。

デカルトが人間を理性に還元したことは、経済学にとってもう一つ重要な結果を招いた。デカルト以降、人間は感情ではなく論理的な理性によって定義されるようになったことである。知覚による個別性は消滅し、すべての人にとって等しい普遍的な客観的合理性に置き換えられた。計算できないもの、すくなくとも数字で代用できないものは、現実ではなく錯覚にすぎないと扱われるようになった。かくして、数式が真理を表す理想となる。数式は冷徹かつ客観的で、万人にとって同じであり、時間や空間の影響を受けないからだ。人間と現実世界は機械論的・数学的計算で表せるものとされ、それができないのは、自らの無知を証明することにほかならない。そして、数式に表せないものはあやしげな神秘の領域に属すとして軽蔑された。

孤独な夢

このことから、経済学にとって重要な意味を持つもう一つの結論に達する。人間と現実世界を機械論的・数学的計算に帰着させることによって、あまり一般には知られていないが、デカルトは個人を孤立に導いたのである。デカルトの考える人間は、社会的文脈で定義されることがない。社会からの刺激を受けることがない。デカルトは夢の世界でずっと孤独だった。デカルトより二〇〇〇年前に同じような思考実験を行ったプラトンでさえ、そうではなかった。プラトンは、生涯を夢の洞窟で送った人間がくびきを解かれて洞窟を脱出し、現実世界に触れる瞬間を設定している（そして仲間の救出を試みる）。洞窟を出た人が仲間を思い出して戻って行くところこそ、洞窟の比喩のクライマックスである。だがデカルトは、自分の世界に一人閉じこもったままだ。結局のところ、合理性に仲間はいらない。エトムント・フッサールはこう書いている。「デカルトはまったく新しい哲学を創始した。哲学のスタイル全体を変更することで、素朴な客観主義から超越論的な主観主義へと根本的な転換を遂げたのである[29]」。

デカルトの省察の第一段階、すなわちあの有名な「我思う、ゆえに我あり」に到達した道筋を批判しうるのは、まさにこの社会心理学的な立場からである。人間は社会的相互作用を通じて自我を確立すると言うことも可能だし（この点はプラトンの比喩からも読み取れる）、おそらくそのほうが、説得力があるだろう。(30) イマヌエル・カント、マルティン・ブーバー、エマニュエル・レヴィナスらはこの立場に立っている。彼らは人間存在を規定するのは他者の存在であるとし、他者との邂逅を通じてのみ「我あり」という認識は生まれるとした。

まとめ

最後に、フッサールのもう一つの指摘を掲げておこう。デカルトが科学の揺るぎない新しい基礎を築こうと苦闘したのは、科学的知識を統合し、万人にとって自明かつ議論の余地のないものとするためだった。一言で言えば、デカルトは客観性（言い換えれば統合性、より正確には視点の統合）のために苦闘した。それは、対立や疑念や主観性やそれに伴う説明の不整合を、新しい哲学あるいは科学から排除するためだった。デカルトにとって、新しい科学は万人が客観的に同意できるものでなければならなかった。だから、あらゆる疑いを取り除こうとした。

だが見渡してみれば、科学的視点の統一も方法の統一もなされていないことはあきらかだ。哲学者の意見は一人ひとり著しくちがう。いや、科学者（経済学者、社会学者、医者も含めて）の意見もちがう。とりわけ経済学では、最も基本的なモデルについてさえ意見の一致はみられておらず、方法論にいたっては統合にはほど遠い状況だ。この学問を一つの分野にしているのは問いに関する合意であって、答のほうではない。

科学は、デカルトが望んだようには構築されず、いまだ疑いに満ちている。現在の状況は、世界観が宗教によって規定されていたデカルト以前の状況に似ている。唯一のちがいは、科学が現代の宗教となっている点である。本章では、神話が科学にどうにかうまく形を変えた領域に分け入ってみたが、次は経済思想の領域に立ち戻ることにしたい。次章で取り上げるのは、今日にいたるまで経済的思考に多大な影響を与えたにもかかわらず、経済理論の教科書ではほんの数行しか説明されていない人物——バーナード・マンデヴィルである。

第6章

バーナード・マンデヴィル
──蜂の悪徳

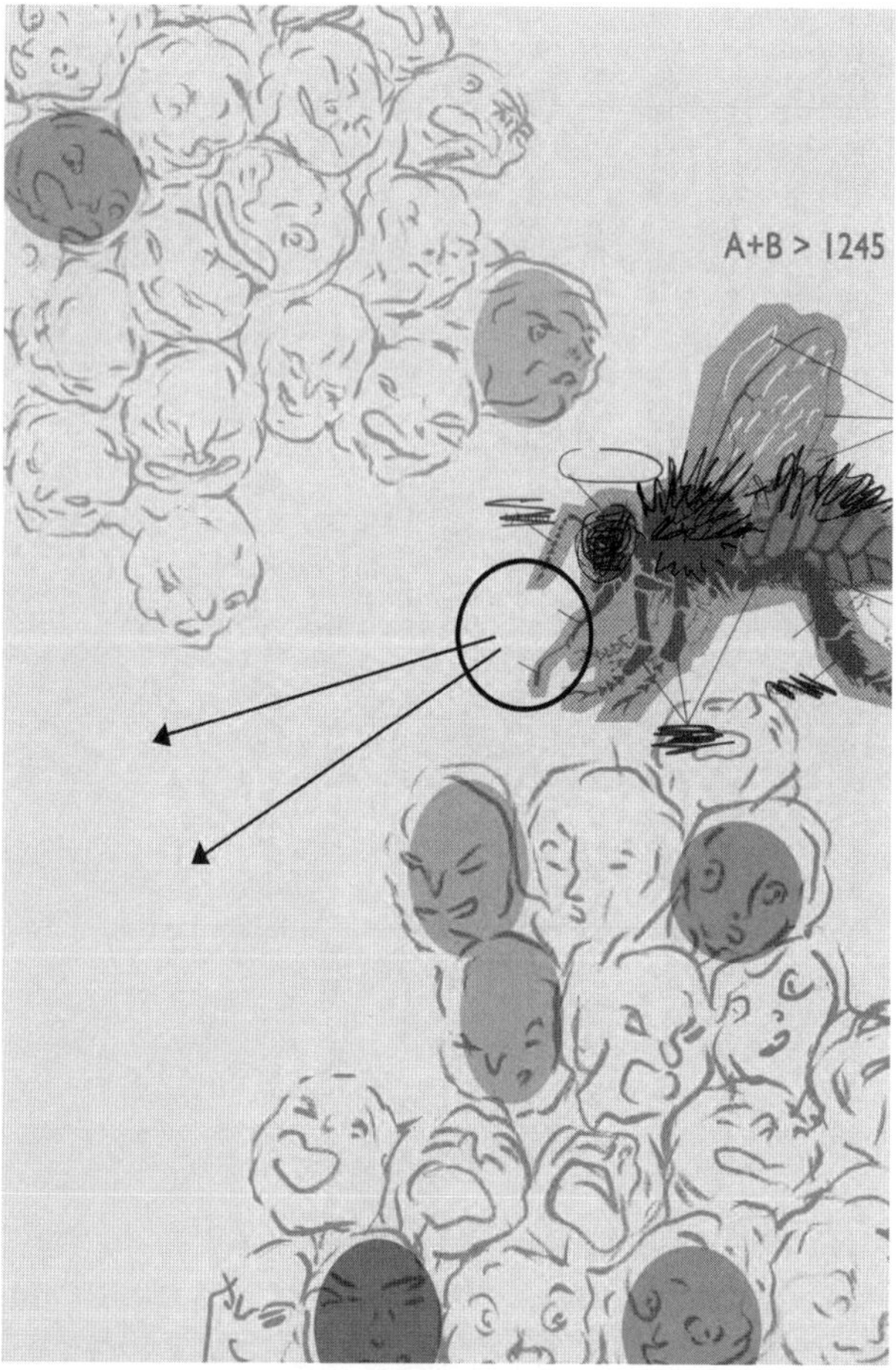

全体のうち最悪のものでさえ、公益のためにお役に立つ。

——バーナード・マンデヴィル

第2章でも触れたが、倫理は主流的な経済思想から消えている。倫理を巡る議論は、利益と富というケーキに添えられた砂糖飾りのようなものとみなされ、経済学者にとって、倫理は興味もなく関係もないものになった。倫理など考える必要はない、市場の見えざる手を頼りにしておればよい、そうすれば個人の悪徳（利己心など）も公の利益（効率向上など）に自動的に変わる、というわけである。しかしここでもまた、私たちは歴史の皮肉に遭遇する。というのも後段で論じるように、市場の見えざる手という発想は、実際には倫理の探求から生まれたのである。それからおよそ一〇〇年ののち、倫理は姿を消し、経済学は倫理と完全に無縁の学問になった。これは、めったにない逆転現象と言わねばならない。自由市場を掲げる古典派経済学の祖とみなされるアダム・スミス、トマス・ロバート・マルサス、ジョン・スチュアート・ミル、ジョン・ロックは、何よりもまず道徳哲学者だった[1]。経済学が分配の科学と化して図表や数式で埋め尽くされ、倫理の入り込む余地がなくなるのは、それから一世紀後のことである。

なぜこうなったのだろうか。この問いに答えるには、バーナード・マンデヴィルについて知らなければならない。アダム・スミスほど有名ではないが、現在知られている形での市場の見えざる手を思いついたのは実際にはマンデヴィルであって、アダム・スミスだとする今日の見方は誤りである。この見えざる手というアイデアは、経済学の倫理性に重大な影響をおよぼした。個人の倫理観はどうでもよろしい、行為が倫理に反しようと反しまいと、すべては全体の幸福に寄与するというのが、経済学の前提になったのである。見えざる手の原理がひどく単純化されて広まったとき、倫理がもはや無用と片付けられたことは、容易に想像がつく。倫理学と経済学の深い結びつきは当初から広く認識されており、そのことは旧約聖書からも読み取れるのだが、この長年の関係が覆されたのである。マンデヴィルの登場を契機に、悪徳が栄えるほど物質的な繁栄が約束されるのだという議論がまかり通るようになった。しかしアダム・スミス自身は、マンデヴィルが提示した形での見えざる手から明らかに距離を置いていた。これはまちがいなく歴史の皮肉と言ってよいであろう。

とはいえ今日の経済学者の関心は再び倫理に向かっており、規範の内在化は魅力的な研究領域となっている。そして、プレーヤーがゲームのルールを守る倫理的環境のほうが、経済がうまく機能することが次第に認識されるようになってきた。国際的に評価の高い研究機関などが、事業環境のクオリティ、コーポレート・ガバナンス、透明性、情報管理などさまざまなテーマで、倫理が経済におよぼす影響を研究し始めている。つまり、倫理が守られているほど経済もうまく回るというヘブライ人の感覚に回帰し始めたわけである。これには、アダム・スミスも賛同するにちがいない[2]。それでは、見えざる手の端緒となった挑発的な詩人マンデヴィルをまず取り上げることにしよう。

ホモ・エコノミクスの誕生

これまで私は、マキアヴェッリの著作のようなものは二度と世に表れないと思っていた。だがマンデヴィルは、はるかにそれを超えてしまった。

――ジョン・ウェスレー(3)

高名な大家の影に隠れた格好になっているが、経済学を初めて明確な形で論じ、経済的厚生や倫理との関係を取り上げたのは、何と言ってもマンデヴィルである。個人の行動が意図せずして社会に利益をもたらすことを初めて系統立てて考えたのも、社会の幸福は利己主義がもたらすことがありうるし、むしろそうであるべきだ、と初めて堂々と主張したのも、マンデヴィルだった。しかもそれを、じつに大胆不敵で挑戦的な独自のやり方で主張した。もっとも、いくつかの章で示したとおり、もっと古い文献にもこの手の主張の痕跡は認められる。それでも、個人の悪徳が全体の経済的繁栄につながるという考えを西洋の主流的思想に持ち込んだのは、まちがいなくマンデヴィルだった。この点から見れば、最初の近代的な経済学者はマンデヴィルであって、アダム・スミスではなかったと言わねばならない。

マンデヴィルは、経済の問題を韻文で述べたという点でもユニークだった。生き生きした短い詩型の中で展開される独自の複雑な思想は、世に流布していた倫理観や社会観を完全に突き抜けてしまうようなものだった。

悪党が正直者に

重要な思想が論争を引き起こさずに済むことはめったにない。当然ながらマンデヴィルの著作も、盛大に物議をかもした。中でも激しく批判したのは、アダム・スミスその人だった――大方の経済学者がマンデヴィルの支持者の一人にちがいないとみなしている、そのアダム・スミスである。

マンデヴィルはもともとオランダで医者をしていたが、イギリスに来てからはおとぎ話の翻訳などをしていた。そして「私悪すなわち公益」と副題のついた『蜂の寓話』一作で一躍有名になる。これは韻文で書かれており、初版は一七一四年に刊行されたが、大騒動を巻き起こしたのは一七二三年に改訂版が出版されたときである。彼は一夜にして、一八世紀最大級の論争の中心人物になってしまった。マンデヴィル批判派の数は増える一方で、ジョージ・バークリー、フランシス・ハチスン、アーチボルド・キャンベル、ジョン・デニスといった大物が参加した。アダム・スミスは、マンデヴィルの説は「ほとんどの点で誤っている」(4)と断言している。イギリスの神学者ジョン・ウェスレーは、邪悪な点でマンデヴィルはマキアヴェッリに等しいと述べた。裁判所はマンデヴィルの学説を禁じ、フランスでは執行人が町の目抜き通りで本を燃やすという騒ぎになる。多くの人がマンデヴィルをキリストの敵とみなし、デイヴィッド・ヒュームとジャン・ジャック・ルソーまで反対派に加わった。

『蜂の寓話』は、繁栄する蜂社会の描写から始まる。この社会のしくみは、当時のイギリスの社会制度を表していた。見かけは平和な社会だが、一皮剥けば悪徳が跳梁跋扈している。どんな取引にもいかさまはつきもの、役人はと言えば賄賂と汚職まみれだ。

　このように部分はすべて悪徳に満ち、
　しかも全部が揃えば一つの極楽。(5)

ところが蜂たちは不満を言う。嘘のない正義の社会のほうがよりよい暮らしができるというのだ。蜂の王ジュピターはこの願いを聞き届け、蜂を正直な高潔な生き物に変えてやる。

　居酒屋はその日から閑古鳥。
　いまや借り主はせっせと借金払い、
　貸し主が忘れた分まで返すほど。
　貸し主はと言えば、無一文には借金棒引き。
　誤った者は反論もせず、
　煩わしい訴訟もまるく収まる。(6)

ところが、この社会で起きたことはこうだった。蜂はいよいよ栄えてよい暮らしをするどころか、まったく逆のことが起きたのである。窓枠もドア飾りもいらない社会では、一握りの鍛冶職人しかいらない。一事が万事で、多くの蜂は職を失ってしまった。判事、弁護士、検事も失業し、法の執行を監督する役人も不要になる。贅沢も暴飲暴食もなくなり、需要が激減して、農夫、執事、靴屋、仕立屋は商売が立ち行かなくなった。好戦的だった蜂社会は平和志向になり、軍隊は廃止される。そして寓話は不名誉な最後を迎える。あわれ大勢の蜂は死に絶え、ごく少数だけが生き延びる。それ以外は必要ないし、生計も立てられないからだ。最後は別の群れに巣を追われ、倒木の残骸に逃げ場を求める……。

悪徳は国家の繁栄の源

見栄と虚栄から建てられる病院の数は、徳が束になってかかるよりも多い。

——バーナード・マンデヴィル[7]

マンデヴィルは、自分が生きた時代を映し出す皮肉な鏡だったと言える。彼のめざしたことはただ一つ、本人も語っているとおり、社会の偽善を暴くことだった[8]。人々は悪徳に憤慨し、いかなる犠牲を払っても駆逐しようとするが、じつは社会の繁栄の源は悪徳にある。仮にマンデヴィルが、悪徳は罵倒すべしと定められた社会に生きていたとしても、悪徳はためになると断固主張したにちがいない。こうして彼は悪徳礼賛に専念することを決める。蜂の王が徳を送り込んだのは、蜂たちの偽善を懲らしめるためにほかならない。蜂の罪は悪徳ではなく、偽善だったのである。ただしマンデヴィルは、悪徳を擁護はしていない。悪徳はあくまで悪徳だと認識していた。ただ、どうがんばっても社会から追放できないだけである。

人々に何かを言って聞かせたら、いくらかましになると言えるのだろうか。教訓に富む立派な書物を数多く与えられて来たにもかかわらず、たくさんの時代を経てなお、人類はほとんど変わっていない。だから私としては、このようにとるに足らないつまらぬ寓話から、過去の書物にまさる成功を期待するほどうぬぼれるわけにはいくまい。[9]

マンデヴィルは、「悪徳は偉大にして強力な社会と不可分である[10]」とさえ主張する。悪徳は通りに捨てられる汚物のようなものだという。たしかに不快で、靴や服を汚し、早く歩けないし、美観を損ねる。だがそれはどんな都市にもつきものであって、「不潔な街路は必要悪[11]」であり、「時々刻々新しいごみが出て当然[12]」なのである。もし誰かが悪を根こそぎにしようと決意したら(マンデヴィル自身は、そのようなことは奇蹟か神の直接介入でもない限り不可能だとしている。この神の介入をマンデヴィルが「有害」だと述べたことは、ここでぜひとも指摘しておかねばならない)、高い代償を払うことになる。なぜなら、悪徳は経済にとってよいことだからだ。

国の幸福とはこうしたもの、
悪が共謀して全体は立派に治まる。[13]

マンデヴィルに言わせれば、みなが職にありつき商売が活発に行われているのは、悪徳や不道徳のおかげだと感謝しなければならない。一国の富でさえ、実際には悪徳が土台なのだ。これを現代的に表現するなら、悪徳は有効需要を増やす乗数効果に相当し、経済の牽引力となる。アダム・スミスは国富の原因を追求したが、マンデヴィルは悪徳と経済を結びつけることによって、それを発見した。

ほんとうに不思議なばかげた悪徳は
商売を回す車輪そのものだ[14]。

もし正直な社会の存続を可能にしたいなら、繁栄は諦めなければならないし、歴史上で重要な位置を占めることも断念しなければならない。マンデヴィル自身は前者がよいとも後者がよいとも言わず、ただどんな体制も最終的には「宗教か商業か[15]」の選択肢に行き着くと指摘した。宗教上の理想を実現したいなら、貧しく「愚かにも罪のない[16]」社会が形成される。倫理か繁栄かは選ばざるを得ないのであり、そこにはトレードオフが存在する。「彼らの結論はまちがっている。虚栄や贅沢なしでも同じものを食べ、同じものを着て、同じものを消費できるとか、職人や熟練工の雇用を同じ数だけ確保できるとか、悪徳が支配する国と同じだけ繁栄できると考えているのだ[17]」。マンデヴィルは、国富は悪徳に依拠すると断言する。

国が富み栄える条件とは何か、考えてみよう。どんな社会にもまずもって望ましいのは、肥沃な土壌と温暖な気候、そしてゆるやかな統治である。……この条件下では、人間は望みうる限り善人になれるだろうし、他人を傷つけることもまずあるまい。その結果、望みうる限り幸福になることができる。だがこのような社会では、技術も科学も発達しないだろう。すくなくとも、隣国よりかなり遅れるはずだ。このような社会は貧しく、無知で、われわれが人生の快楽と呼ぶものは極端に乏しい。高徳の士がいくらいても、丈夫な外套や鍋さえ買うまい。悪徳を恐れる必要がないせいで、怠惰な安楽とばかげた無知に満ちたこの国では、立派な美徳も期待できない。

社会を強大にしたいならば、人々の情熱をかきたてなければならない。……虚栄は人々を熱心に働くように仕向けるだろう。人々に商売や技能を教えたら、彼らは互いを羨み、競争するようになるだろう。そういう人の数を増やしたいなら、さまざまな製造業を興し、あらゆる土地を耕させることだ。……誰も法律を守らなくても、誰もが好き勝手をしても、我慢しなければいけない。……人々の恐怖心をうまく利用し、また技能や勤勉に関する人々の自慢を褒めてやることだ。……外国との貿易も教えるとよい。……そうすれば富がもたらされ、富のあるところ、技術と科学がすぐに発展する……

だが質素で正直な社会を望むなら、最良の政策は、人々を生まれたままの無知にしておくことだ……欲望をかき立てるようなものや知識を高めるようなものすべてから人々を遠ざけておくことだ。(18)

マンデヴィルの寓話では、景気循環について独創的かつ挑発的な説明をしている。蜂が正直者になったので、神は蜂社会を不況に追い込んだというのだ。これは、正直に暮らせば経済は繁栄するとしたヘブライ思想とは、まったく逆の発想である。マンデヴィルによれば、悪徳の追放は、ひどい不幸をもたらすという。実際、蜂の大半は死に、社会全体も崩壊した。部分的な悪の追放がより多くの悪を招くのは、次の理由による。

全体のうち最悪のものでさえ、
公益のためにお役に立つ(19)。

寓話のつねとして、最後には教訓が添えられている。

さらば不平はやめよ、馬鹿者だけが
偉大な蜂の巣から嘘をなくしたがる。
世界のうまいしくみを享受しながら、
武力を誇りつつも安寧に暮らし、
さしたる悪徳もないなど、
想像の中だけのむなしいユートピア。
不正、贅沢、虚栄はなくてはならぬ、
その恩恵をわれらは受ける。
……
いな、民が偉大であることを望むなら、

国家は悪徳を必要とする、
食事が空腹を必要とするように。
徳だけで国民の暮らしを
豪勢にするのは無理な相談。
黄金時代の復活を願う人は、
正直にも質素にも無縁であるべし。[20]

市場の見えざる手

マンデヴィルの社会哲学は、あきらかに利己心、利己主義の原理に依拠している。次章で取り上げるが、この見方にアダム・スミスが与していなかったことは、『道徳感情論』の冒頭を見ればあきらかだ。人間から悪徳を、具体的には利己心を取り除こうとするなら、繁栄は終わるとマンデヴィルは主張した。なぜなら悪徳こそが、財（贅沢な衣裳、食事、邸宅等々）あるいはサービス（警察、規則、弁護士等々）の有効需要を形成するからである。発達した社会は、こうしたニーズが経済的に満たされることによって成り立っているのだと、マンデヴィルは考えた。

部分の悪は全体の善に寄与するのだから、排除すべきではないという考えは、じつはもっと古い文献にも繰り返し表れていた。ギルガメシュや聖プロコピウスが制御できない力とは友達になるという手法をとり、悪を社会に有用なものに変えたことは、すでに見たとおりである。イエスも、雑草は抜かない方がよいと弟子を諭した。「いや、毒麦を集めるとき、麦まで一緒に抜くかもしれない。刈り入れまで、両方とも育つままにしておきなさい」[21]。そしてトマス・アクィナスはこう語った。「あらゆる悪を防いだなら、多くの善は宇宙に存在しないだろう」[22]。

マンデヴィルがこれらに気づいていなかったのは不運だったと言えよう。もし引用していたら、あの寓話が引き起こしていた批判の大半は免れていたはずである。

まとめ

マンデヴィルは強欲必要論の熱心な支持者であり、強欲は社会の進歩に必要な条件だと考えていた。強欲なしには進歩はない、あるいはわずかな進歩しか期待できない、というのが彼の主張である。強欲なしで、悪徳なしで、どこまで行けると思っているのか、とマンデヴィルは問う。社会は発展のごく初歩段階で止まってしまうだろうし、国際競争にも堪えられまい……。マンデヴィルはあきらかに快楽主義的プログラムの支持者でもあった。欲しいものとすでに持っているものとの間に差があるときには、需要が満たされるまで所有を増やすべきだという。マンデヴィルはさらに、快楽主義者以上のことを主張した。進歩を実現する唯一の道は、とにかく需要を増やすことだというのである。この点で、現代の経済学はマンデヴィルの思想の申し子だと言える。

経済学は、人間のニーズは無限であり需要は際限なく増大するが、資源は稀少であると前提する。したがって人間は、需要を満たすために、稀少な資源を有効活用しなければならない。だとすれば、新たな需要を次々に作り出さない限り社会は進歩しないのだろうか。そのためには、次々に新たな悪徳を犯さなければならないのだろうか。すでに持っているもので満足しようと決めたら（ストア派はそれを奨めているように見えるが）、それはその社会の終焉を意味するのだろうか。

善悪の経済学の立場から見ると、マンデヴィルが個人の悪は公益に資する、すなわち有益だと信じていたことははっきりしている。ヘブライ人は（そしてアダム・スミスも）、徳は経済にとってよいことであり、悪徳はそうではないと考えていたが、マンデヴィルの考えは反対だった。またマンデヴィルは、見えざる手によって市場が悪徳を徳に変えると考えた。彼にとって市場は人間の相互作用の単なる調節装置ではなく、人間の悪徳を公益に変える転換装置でもあった。

第7章

アダム・スミス——経済学の父

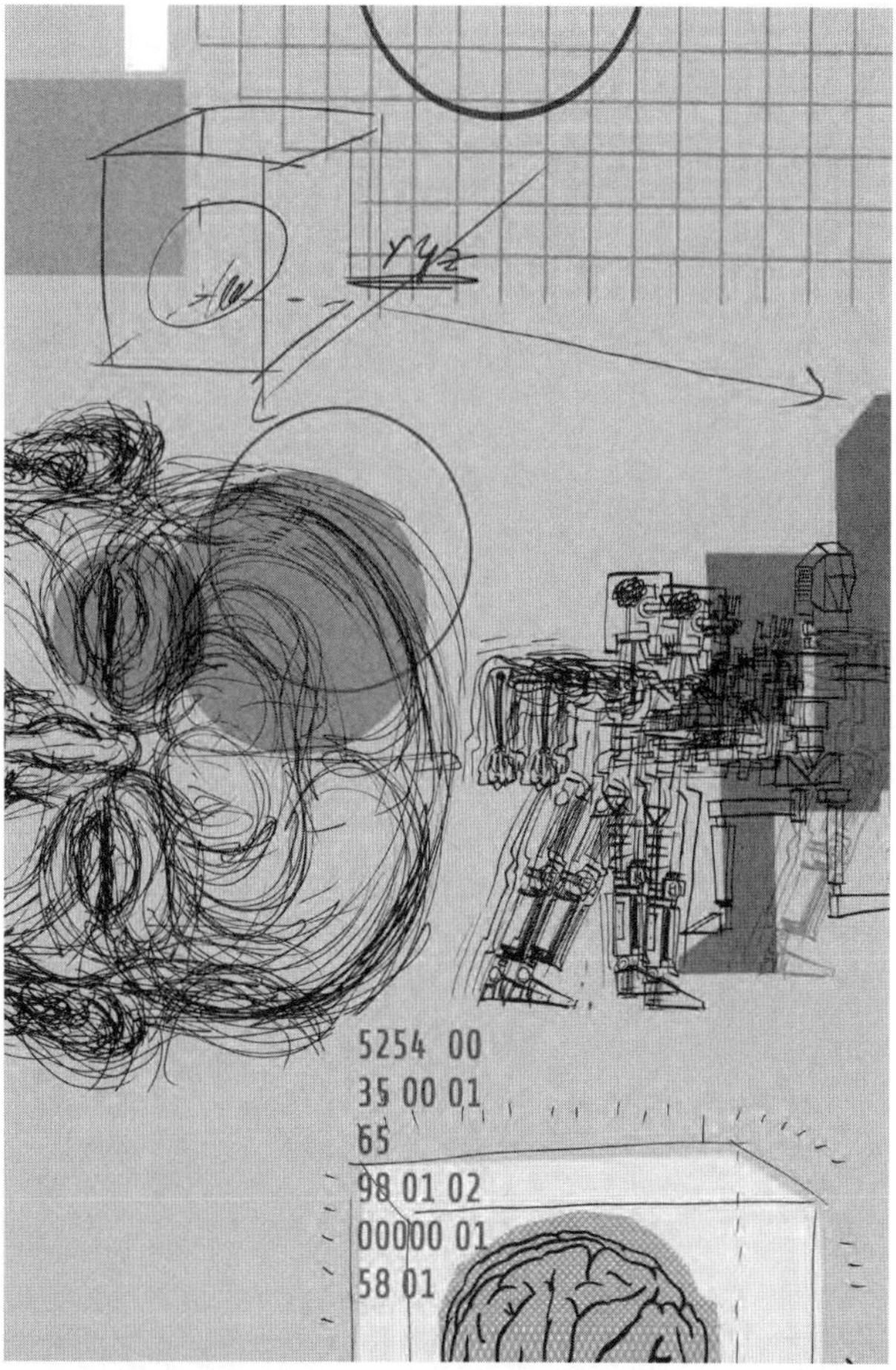

アダム、アダム、アダム・スミス、
おいらの言い分よく聞きな!
あんたはたしかに言っただろ、
ある日あるとき教室で、
我が身大事は報われるってね?
いろいろ教わりゃしたけれど、あれが断然イチバンさ、
そうじゃないかい、スミスさん?

——スティーブン・リーコック(1)

チェコ出身のフランスの作家ミラン・クンデラは、小説『不滅』の中で、偉大な人物が死後に残す不条理で残酷な現実について語っている。死後に作り上げられる伝説は、その人物が残した大切なことを完全に無視し、どうでもよいことが過大視される例がままあるというのだ。おまけにそのどうでもよいことすら、誤伝であるケースが多いという。その代表例が、天文学者のティコ・ブラーエだ。当時はルドルフ二世の治世下でプラハがハプスブルク帝国の一大文化拠点となっており、ブラーエはその宮廷に迎えられ、膨大な天体観測記録を残している。チェコの輝かしい時代を象徴する人物ブラーエのことは誰もが知っているが、残念ながら理由はその功績ではない。膀胱だ。ブラーエの伝説によれば、晩餐会であまりに長いこと尿意を我慢していたために、

膀胱が破裂して死んだというのである。このどうでもよいこと、しかもおそらくは真実ではない逸話のせいで、彼の残した真に不滅の功績はすっかり霞んでしまった。

一八世紀を代表するスコットランド出身の思想家であり、経済学の父と万人にみなされているアダム・スミスも、ブラーエ同様の運命をたどっているようだ。利己心や自己利益の追求と市場の見えざる手によって国の富も個人の富も形成されるとする説は、アダム・スミスが言い出したと誰もが考えている。本章の冒頭に掲げたスティーブン・リーコックの滑稽詩も、そう謳う――「我が身大事は報われる」(2)が一番大事な教えだと言うのだ。

ひょっとするとアダム・スミスはその名前からして、科学時代に経済学の父と呼ばれ、古くからある漠然とした考えを定着させ、経済学研究にしっかりした枠組みを与えた人物として記憶される役回りを運命づけられていたのかもしれない。じつは旧約聖書に出てくるカインはヘブライ語で「鍛冶屋(smith)」を意味し、アベルは「そよ風」を意味する。したがってカインとアベルの物語は、農夫から鍛冶屋になったカインが羊飼いのアベルを殺して風に変えてしまう物語と読むことができる。加えてアダムは、ほかならぬ人類最初の男につけられた名前であり、ヘブライ語で「人間」を意味する。こうしたわけでアダム・スミスという名前は、語源を知ると、じつに意味深長な組み合わせと言えよう(3)。

ともあれ、古典的な利己主義経済学の枠組みを確立したのはアダム・スミスだと考えるのは、短絡に過ぎる。一般的な経済思想史しか知らない人は、『道徳感情論』の冒頭の文章にひどく驚くことだろう。そこには、「人間というものをどれほど利己的とみなすとしても、なおその生まれ持った性質の中には他の人のことを心に懸けずにはいられない何らかの働きがあり、他人の幸福を目にする快さ以外に何も得るものがなくとも、その人たちの幸福を自分にとってなくてはならないと感じさせる(4)」と書かれているからだ。

リーコックの滑稽詩に書かれ、一般にも広く信じられているようなことを、アダム・スミスはじつは一度も口にしていない。まさにクンデラが語ったとおり、アダム・スミスの名前は、彼が発明したわけでもなければ広めたわけでもなく、むしろおおむね遠ざけていた原理のために、経済史に永遠に刻まれることになった。アダム・スミスが経済学において果たした第二の貢献とされている「分業」についても、同じことが言える。すでに論じたように、分業や専門化について最初にくわしく述べたのは、古代ギリシャの思想家だった。とくにクセノポンは、アダム・スミス以上に職業の分化に関心を抱いていたし、深く理解してもいた。

アダム・スミスは、好意的な評価ばかり受けていたわけではない。たとえば二〇世紀を代表する経済学者の一人のシュンペーターは、「女性は、母親を除いては誰一人として彼の人生に登場しない。この理由から、また別の理由からも、人生の魅力と情熱はすべて執筆に向かわざるを得なかったのだ(5)」と書いた。また経済史家のノーマン・デイヴィスはアダム・スミスに「放心癖のある大学教授」というレッテルを貼り、「彼はエジンバラの風景の一つになり切っていた。服を着かけた状態で我を忘れて通りを歩きながら、独特の声を張り上げて自分自身との議論に熱中するのだ。これでは結婚できなかったのも無理はない。スミスは生涯母親と暮らした。頭の中が大混乱したこの魅力的な個性の持ち主が、日々の生活のしくみに知的な秩序を持ち込んだと考えるのは、なかなかに楽しい(6)」と書いている。

倫理か富か

こうした誤解は、アダム・スミスが二種類の遺産、それも多くの点で両立しないように見える二冊の本を残したことに起因する。その一つは、言うまでもなく、今日代表作とされている一七七六年刊行の『国富論』である。

とはいえ、アダム・スミスの著作が『国富論』だけでないことはよく知られているとおりだ。『国富論』に先立ち、一七五九年に『道徳感情論』が出版されている。一見すると、この二冊の本はこれ以上ないほどちがって見える。『国富論』は経済学という学問分野そのものの始まりとなった著作であるのに対し、『道徳感情論』で取り上げられているのは倫理であり、いまや古典となった「市場の見えざる手」のような経済的概念はほとんど出てこない。社会哲学者のデイヴィッド・ラファエルによれば、「スミス自身は、『道徳感情論』のほうが『国富論』よりすぐれていると考えていたと言われる(7)」。だとすれば、四〇〇ページにおよぶ『道徳感情論』の冒頭の文章、すなわち人間のあらゆる行為を隠れた利己主義に帰そうとする試みに明白に反対している文章を信じてよいわけである。[8]

スミスと見えざる手を結びつけたがる連中は、彼をエピクロスの、つまり自己利益と理性と計算を旨とする快楽主義の後継者だと考えやすい。言うまでもなく、これは重大な誤解である。快楽主義者は、現世のあらゆる活動の意義を快楽に求める。快楽を諦めたり苦痛を引き受けたりするのは、それによってより大きい「効用」が得られる（あるいは不利益が少なくて済む）場合に限られる。何らかの行為が善かろうと悪かろうと、そのこと自体に価値はない。すべては結果によって、そして効用すなわち快楽を増やしたか減らしたかに基づいて判断される。善には、結果としての効用を除き、それとしての価値はない。善は行為の目的ではなく、快楽を得る手段にすぎない。こうした考え方は功利主義に先行するものであると同時に、いまや経済学の教義の基礎にもなっている。

専門家の多くは、アダム・スミスの学説が、むしろある程度までストア哲学の系譜に連なるものであることに同意するだろう。[9] スミスは徳の本質を適切さ、思慮、慈愛のいずれとするかによって、道徳哲学思想を大きく三つに分けた。そしてエピクロスを第二の分類としたうえで、きっぱりと「あきらかにこの学説は、私が説いてきたものとは相容れない」[10] とはねつけている。そして続く節で「徳をすべてこの一種類の適否で論じた点で、エピクロスはある性癖にとらわれていたと言える。それは、あらゆる現象をできるだけ少ない原理で説明したがる癖で、誰にでも備わってはいるが、とくに哲学者が己の天才を示す格好の手段として、好んで身につけようとしたものである」[11]と揶揄した。

スミスはストア派を第一の分類すなわち徳の本質を適切さあるいは中庸に求める学派であるとし、多くのページを割いて解説し、評価している。彼はストア派に対しても批判的だし、彼らの提言が実行可能であるとも考えていなかったが、それでもなお、自分に一番近いと感じていたのだろう。スミスがストア思想を称賛していることは、次の一文からもあきらかだ。「彼らの主張に表れた気概と男らしさは、今日の一部の学説の悲観的で哀れっぽい泣き言じみた調子と驚くべき好対照をなしている」[12]。とはいえスミスは、万事に無関心、無感動を貫くストア派の姿勢を嫌悪していた。また、ストア派の理想を実現することがいかに困難であるかも承知していたし、ストア派の自然観は完全には理解できなかった。

スミスにとっては、相互の親切（慈愛）と抑制（自制）を旨とする学説のほうが、社会の基盤としてはより魅力的だっただろう。[13]彼はアウグスティヌス、プラトン、ハチスンを第三の分類として挙げているが、おそらくはトマス・アクィナスもここに該当するはずだ。これらの思想家は、利益は倫理を破壊すると考えた。言い換えれば、善行が報われたとき、その善行は倫理的価値を失い、単なる利益の手段に成り下がる。「たとえば感謝の気持ちからだと思い込んでいた行為が、何か別の恩恵を期待しての行為だったとわかったら、あるいは公共精神からしたことだと思っていた行為が、金銭的報酬を期待しての行為だったとわかったら、どちらの行為も価値はすっかり下がり、称賛に値するとも思われまい」[14]。スミスは、これらの思想家が「利己心は、程度や目的がどうあれ、けっして徳ではあり得ない」[15]と考えていた、と書いている。そしてこうした傾向を好意的に評価し、「この学説には、あらゆる情念の中で最も気高く快い慈愛を心に育み根付かせるという固有の傾向がある」[16]と述べた。それでも、この学説自体に同意するにはいたらなかった。スミスは、愛に基づく親切や慈善の動機が社会を支えられるほど強いとは認めなかったし、人間の本性を説明できるとも考えなかった。

スミスは行為の動機について踏み込んで分析し、中立な観察者という概念と結びつける。中立な観察者とは、人間の胸中にいて、その人の行為を冷静に、しかし親身になって判断する審判官である。

自分を自己の行動の観察者と仮定し、その視点から見たら自分が自分の行動をどう受け止めるか、想像しようと努力する。これが、自分自身の行いが適切かどうかをある程度まで他人の目でもってきびしく見つめるための唯一の鏡だと言えよう。[17]

同様の概念は、ハチスン、ヒューム、のちにミルも採用している。ミルは全体の利益を重んじる功利主義論を展開し、個人は全体の効用を確実に最大化するよう行動すべきだという倫理体系を構築する。すなわち、効用を個人ではなく全体として捉える見方である。私が真の全体功利主義者だとしよう。すると、自分の富を百単位手放すことが誰か他人の効用を百単位以上増やすことがわかったら、私は彼のためにぜひともそうしなければならない。ミルの功利主義の真の継承者たる私にとって、大切なのは自分の効用ではなく全体の効用だからである。しかも私は、自主的にそうしなければならない。「中立な観察者」に導かれる社会は、個人の効用の最大化だけを指針とする社会よりしあわせになるだろう。いかなる経済システムにおいても市場が中心となるべきだと主張し、それを証明した点でスミスは正しかったし、また執筆当時の状況を考えれば勇敢でもあった。それでもなお彼は、経済では市場以外のたくさんの要素が役割を果たしていることを深く理解していた。したがって、純粋な自由放任《レッセフェール》主義的経済システムを支持する材料としてスミスの思想を援用するのは、正しいとは言いがたい。そもそもスミスは、市場による分配がすべての社会に利益をもたらすと主張したことは一度もないのである。

見えざる手の登場

スミスが残したほんとうに重要な遺産は、社会を結びつけるのは共感であるという思想と、中立な観察者という概念の二つである。今日では、見えざる手によって経済社会がうまく運営されている、というようなことをスミスが言ったとされているが、実際には彼自身はこの言葉を三回しか使っていない。主著である二冊の著作で一回ずつ、そして『天文学』で一回である。したがって、なぜ見えざる手がこれほどの熱狂を巻き起こしたのか、まったく解せない[18]。

見えざる手が最初に暗に登場するのは、肉屋の商売の動機を説明した、おそらく『国富論』の最も有名な一節である。この一節と、そして市場の見えざる手が明示的に登場するもう一つの節は、今日にいたるまで、自由市場が果たす役割の説明としてしばしば引用される（傍点筆者）。

われわれが食事ができるのは、肉屋や酒屋やパン屋の主人が博愛心を発揮するからではなく、自分の利益を追求するからである（『国富論』第一編第二章）。

各人が社会全体の利益のために努力しようと考えているわけではないし、自分の努力がどれほど社会のためになっているかを知っているわけでもない。外国の労働よりも自国の労働を支えるのを選ぶのは、自分が安全に利益をあげられるようにするためにすぎない。生産物の価値がもっとも高くなるように労働を振り向けるのは、自分の利益を増やすことを意図しているからにすぎない。だがそれによって、その他の多くの場合と同じように、見えざる手に導かれて、自分がまったく意図していなかった目的を達成する動きを促進することになる。そして、この目的を各人がまったく意図していないのは、社会にとって悪いことだとはかぎらない。自分の利益を追求する方が、実際にそう意図している場合よりも効率的に、社会の利益を高めることが多いからだ。社会のために事業を行っている人が、実際に大いに社会の役に立った話は、いまだかつて聞いたことがない。もっとも社会のためという考え方は、商人の間ではあまりみられないものなので、そのように考えるのをやめるべきだと説明するために、言葉をつくす必要はない[19]（同第四編第二章）。

これに対して『道徳感情論』の中では、これとは文脈がまったく反対のように見える。ここでは、見えざる手は分配する手であり、（再分配を行う政府の）いわゆる「見える手」の役割を果たしているように思われる。

彼らは、土地の活用によって得られた生産物を貧しい人々に分配する。彼らは見えざる手に導かれて、大地がそこに住むすべての人の間で均等に分けられていたら行われたはずの分配とほぼ同じように生活に必要なものを分配し、意図せず知らずして社会の利益に貢献し、種の繁栄の手段を提供する。神が大地を少数の有力者に分配したとき、大勢の人が分け前に与らなかったように見えるけれども、けっしてこれらの人々を忘れたわけでもなければ、見捨てたわけでもない。この人たちも、土地の生産物の分け前を享受している。……この同じ原理、すなわち人間がよくできた組織や装置を好み、秩序や技術や工夫の美しさを重んじることは、社会の幸福をより高めるような制度の推進にしばしば役立っている[20]（『道徳感情論』第四部第一章）。

完全を期すために付け加えるなら、スミスの著作にはもう一回「見えざる手」が登場する。だがこれは、経済にも倫理にも関係がない。初期の著作である『天文学』の中で、古代の宗教思想を取り上げ超自然的存在に言及した文脈で、この言葉が使われた。

火は燃え、水は流れる。重い物体は落下し、軽い物体は舞い上がる。すべてそれぞれの性質からそうしているのだ。これらのことに、ジュピターの見えざる手が使われているわけではない[21]。

以上のように、見えざる手という概念は三つの文脈で使われている。一つは個人の利己心の追求を調整する装置として、もう一つは社会的な再分配の装置として、そして最後は万能神の力としてである。スミスは自分の造語にこれ以上ないほど広い意味を持たせて、人々を混乱に陥れたと言えよう。

こうした次第で、『国富論』はいまだに正しく理解されていない。スミスはひんぱんにマンデヴィルの後継者とみなされるばかりか、人間本性の利己的動機を強調したトマス・ホッブズの後継者と目されることもある。個人が自由に利己心を発揮するだけで社会がうまく回るなら、倫理など不要になる。あらゆることに（善にも悪にもだが、とくに悪に）市場が反応して、公共の幸福に変えてくれる。このような社会は利己心の上に築くことができるし、むしろそうすべきだ……。要するに今日のアダム・スミス像は、スミス本人ではなく他人の言ったこと、たとえば万人の万人に対する闘争を主張したホッブズや、見えざる手によって悪徳が徳になることを匂わせたマンデヴィル、社会進化論と最小国家主義を唱えたハーバート・スペンサー、還元主義とラディカルな利己主義を掲げたアイン・ランドの発言から形成されている。実際にはスミスは、そのような思想はどれ一つとして抱いていない。仮に『国富論』だけを読んだとしても、そう結論できる。しかも『道徳感情論』には、いま挙げた思想とはほとんど正反対のことが書かれているのである。

スミス対マンデヴィル

『道徳感情論』では、さきほど挙げた三種類の道徳哲学思想のほかに、「危険な学説」の章で、善悪を明確に区別しない「堕落した思想」を取り上げている。ここでスミスは、マンデヴィルを名指しで批判した。スミスは彼の学説を一言たりとも容認しようとしない。

しかし、徳と悪徳をまったく区別していないように見受けられ、そのためにきわめて危険な傾向を持つ学説も存在する。それは、バーナード・デ・マンデヴィルの学説である。マンデヴィルの考えはほとんどの点で誤っているのではあるが、人間の本性における一部の現象は、見方によってはたしかに彼の考えを裏づけるように見える。しかもマンデヴィルは、下品で粗野だが生き生きしたユーモアのある雄弁でもっていささか誇張を交えながら語っており、それが学説に真実味やもっともらしさを与えているため、未熟な者を欺きやすい。[22]

このように、誤ってスミスのものとされている思想を当人はきっぱりと否定している。初期の経済学を取り上げて、国の富は利己主義と自己利益の追求によって形成されるというテーマを論じることになったら、ただちに大半の人が、それを言い出したのはアダム・スミスだと言うことだろう。しかし、それは短絡に過ぎる。スミスはマンデヴィルの学説に通じてはいたけれども、

『国富論』では一度も引用していない。引用したのは『道徳感情論』においてのみで、しかもそこでは繰り返し「危険で放縦な」マンデヴィルを批判し、すべてを利己主義で説明しようとする論法に反論している。スミスがこのように直接何度も批判し、軽蔑し、揶揄した相手は、マンデヴィルしかいない。ときには同書全体が、マンデヴィルに反駁するために書かれたのではないかと感じるほどである。こうしたわけだから、スミスがマンデヴィルの後継者を自任するなど、あるはずもない。しかし世間の通説ではそうなっている。

結局のところスミスは、悪徳と徳の間にちがいはないのだという説にどうしても同意できなかったのではないだろうか（もっとも、スミスは手ひどく批判したが、マンデヴィル自身は、悪徳も徳も同じだと主張したことはない）。しかし実際には、善と悪の定義がすこしずれているように思われる。マンデヴィルは、利己主義や利己心は悪徳であると考え、他のさまざまな悪徳はさておき、蜂社会はこの悪徳の上に成り立っているとした。そこで、悪徳は善になるという結論にいたったわけである。しかしスミスは、利己心が悪徳であるとは考えていなかった。彼は利己心あるいは自己愛（self-love）を自己利益（self-interest）と言い換え、しばしば両方を区別せずに使った。そして利己心は商売では重要だが、社会を成り立たせる原理であるとは考えなかった。だからスミスは、当時かまびすしく非難されていたマンデヴィルと反対の立場に自分を据える一方で、基本的な経済理論ではマンデヴィルと似たような前提に立つことができたのである。つまり暗黙のうちに悪徳を徳と再定義することで、軽蔑や批判に直面することなく、マンデヴィルの主張した論理を巧みに利用したと言える。スミスによって、マンデヴィルの軽蔑すべき「利己心」はうるわしい「自己利益」に変えられた。そして自己利益は、『国富論』にも『道徳感情論』にも出てくる。

これは、道徳哲学の教授としては驚くべき手口と言わねばならない。スミスがしかるべき説明もなく悪徳を徳としたこと、マンデヴィルを認める発言を一言も発しようとしなかったことは、いささか奇妙に感じられる。

アダム・スミス問題

いわゆる「アダム・スミス問題」を論じた文献はきわめて多く、それだけで書棚がいっぱいになってしまうほどである。(23) この問題の名付け親はシュンペーターであり、さかんに議論がされたにもかかわらず、スミスが自己利益と共感についてほんとうのところどう考えていたのか、という問いに対する満足のゆく答は、今日にいたるまで見つかっていない。(24)「経済人」というものをスミスがどう認識していたにせよ、また個人や社会を動かすのは利己心だと考えていたにせよ、いなかったにせよ、「経済学の父」たる人が、この生まれたばかりの学問分野に、矛盾をはらんだ不明確で両義的な見方を残したことはまちがいない。

誇張を承知で言えば、論争は今日にいたるまで続いており、経済学派を二分する主因になったと言える。たとえば個人主義と集団主義の論争は、アダム・スミス問題を引き起こしたあいまいな定義といくらか関係がある。スミスは、経済学における人間像を明確に決めておかなかった。『国富論』では、人間は自己利益に動機づけられた個人として描かれる。スミスは道徳哲学の教授だったにもかかわらず、同書では倫理の問題はいっさい論じていないし、人間が社会でどうふるまうかについても、事業や商売の枠組みの中だけで検討している。そこでは、利己心が社会の構成員同士をつなぐ唯一のものであり、それで十分であるように見える。相互の共感の必要性については、ただの一言も触れられていない。「相手の利己心に訴える方が、そして、自分が求めている行動をとれば相手にとって利益になることを示す方が、望みの結果を得られる可能性が高い」[25]という。

さきほどの肉屋の一節は、見えざる手を端的に示している。それは優雅に協調的に支配する手であり、暴力的なこととは無縁だ。このような手さえあれば、他の手の助けは要らないように見える。ところが『道徳感情論』で描かれる人間像は、まったくちがう。人間の行動を支配するのは慈愛であり親切である。そして人間は合理的ではなく、主として感情に突き動かされる。スミスの友人であるデイヴィッド・ヒュームも、同じ立場をとっていた。人間は社会から切り離された個人ではなく、社会とは切っても切り離せない存在である。そして意見を異にする学派をスミスは舌鋒鋭く批判し、マンデヴィルの学説をとりわけ強く非難した。ところが後世の学者は、よりにもよってこの学説をアダム・スミスの業績とみなし、経済思想史への偉大な貢献とみなしたのだから、これほど甚だしい誤解もあるまい。『道徳感情論』におけるアダム・スミスは、経済学者としてではなく、すぐれた哲学者、有能な道徳哲学の教授としての輝きを放っており、この評価は今日も変わらない。彼が構築したのは、大胆で独創的で込み入った心理学と社会学の複合建築とも言うべきものであり、それはひたすら、あらゆる行動の動機に利己心を見出そうとするアプローチは誤りだということを徹底的に示すためだった。こうなってくると、スミスは自分に自分を対決させ、一方の本で他方の本を疑っているのではないか、と考えたくもなる。

行動の動機は一つではない

スミスは、人間の行動には複数の動機があると考えた。この理由から、彼はエピクロスも批判している。スミスは、あらゆる人間の行動の背後に単一の説明原理を求めることを避け、複数の行動原理を求めた。一方には親切がある。こまやかで尊いが、それ自体として強くない。そして親切に利己心が混ざるのは悪いことではない。スミスはそれを悪徳だとも、軽蔑すべきだとも考えなかった。

慈愛から生じたとされる行為に何か他の動機が混じっていたとわかった場合には、それが行為に影響を与えたと思われる分だけ、この行為の価値に対する評価は下がる。……慈愛は、神にあってはおそらく唯一の行動原理だろう。……自己の生存の維持にあれほど多くの外的要素を必要とする人間のように不完全な生き物は、多くの場合、慈愛以外のさまざまな動機から行動せざるを得ない。[26]

一見すると分裂症気味のアダム・スミスの立場を統合して一貫性を持たせようと、ありとあらゆる試みがなされてきた。一部の研究者は、スミスの二通りの理論の不調和を公然と認めた。これは、スミスに思想的転向があったと考える見方である。[27] たとえばH・T・バックルは「実際、一つの主題について二つの見方が存在している。『道徳感情論』ではスミスは人間本性の共感的な部分を分析したが、『国富論』では利己的な部分を取り上げた[28]」と指摘する。そして、「『道徳感情論』では人間の行動を共感に起因するとしたが、『国富論』では利己心だとした。一見した限りでは、二作の間に根本的なちがいがあるように見える。そこで、両者は相互補完的であって、一方を理解するためには他方を理解することが必要だと考えられる」と述べている。また多くの研究者はスミスの二つの視点を結びつけようと努力し、ときにもっともらしく、ときにぎこちない説明を与えた。[29]

『道徳感情論』の次の一節には、二つの視点の融和を見て取ることができる。

社会の成員は、誰もが互いの助けを必要とすると同時に、互いに傷つけ合う危険にもさらされている。この助け合いが愛情や感謝や友情や尊敬の気持ちから行われるなら、その社会は繁栄し幸福であろう。……社会の成員の間に相互の愛や好意が存在しないとしても、社会は多少住み心地が悪くなるかもしれないが、必ずしも空中分解するわけではない。商人同士なら互いに愛や好意などなくても効用を感じてやっていけるように、社会もそうしてやっていけるものである。社会の成員が……互いが合意した価値評価に従い損得勘定のもとに助けを貸し借りすれば、社会は維持されよう。だが、絶え間なく傷つけ合い害し合おうと待ち構えている人々の間では、社会は存続し得ない。……これに対して正義は、構造物全体を支える基柱である。[30]

これを読むと、スミスは基本原理をどちらも重んじており、どの行為でもそれぞれが役割を果たしているのだと言いたかったようにみえる。愛も利己心も重要な感情であり、それぞれが単独で表れることもあるが、たいていは動機の中に両方が入り混じっているものだ。宗教哲学者のマルティン・ブーバーは、人間関係を功利主義的な関係と効用を完全に度外視する関係に分けたが、これはまさに同じことを言っている。[31]赤の他人同士が形成する社会的関係は利己心の原理に支配されるとスミスが考えた可能性はあるが、この動機だけで人間らしい社会が機能するとも思わなかっただろう。そこで、もう一つの行動原理である慈愛が必要になってくる。慈愛は人間の相互関係に見られるもので、これがあって初めて人間の集団はほんとうの社会となる。

スミスの社会的人間

スミスが『道徳感情論』で展開したのは、利己主義とは無縁のテーマである――個人は共感と呼ばれるもので自然につながっていると述べたのだ。スミスの思索は、相互の好意や親切だけでなく、人間の普遍的な傾向や仲間意識や相手を理解する能力すなわち感情移入にまでおよんでいる。人間には他人を思いやる能力が生まれつき備わっており、そのおかげで先験的に適切に行動できるのだとスミスは考えた。他人の動機を尊重するのは、裏を返せば利己心にほかならないという反論（たとえば、同様の苦痛が自分にもたらされるのを恐れる）を避けるために、彼は独自の学説を構築した。それによれば、人間は他人と同じ事態が自分の身に降りかかるのを想像するのではない、他人の陥っている事態に自分を置いてみるのだという。たとえば男は、自分には子供を産むことはできないしその苦しみが自分に起きることはないと知っていても、出産する女性の痛みを共にできる。このちがいは重要だとして、一見すると些細なこの点にスミスはこだわり、たいへんな時間と労力を注いで疑問の余地なく自説を証明しようとした。「自分自身を他人の立場に置く」という手法を使って、当時の個人主義に心理学的な立場から反論し、「共感は、いかなる意味でも利己的な原動力とみなすことはできない」[32]と力説した。

スミスの考える社会倫理は、相互の共感の上に成り立っている。人間は社会的な生き物であり、その本性は感情移入を必要とし、共同体の一部であることを欲する。社会において、倫理が重要な役割を果たすのはこのためだ。「徳は社会を支え、悪徳は社会を乱す」[33]。こうしてみると、スミスとマンデヴィルはこれ以上ないほど対極的な立場にあると言える。なにしろマンデヴィルは、悪徳が社会の繁栄の根源であり、社会の徳が高まれば（スミスはそれを望んだ）貧乏になって崩壊すると主張したのだから。一方スミスは、「社会の歯車のいわば潤滑油である徳は必然的に快感をもたらし、……悪徳は歯車を軋らせ摩耗させるいやな錆のように、必然的に不快感を起こさせる。……徳がそれとして好ましく、悪徳がそれとして嫌悪の対象であるなら、両者を最初に識別するのは理性ではあり得ず、直接的な感情や感覚でなければならない」(34)と考えた。

合理的選択としての社会

社会は個人の合理的な理性の選択に基づいて形成されると現代の経済学は前提しているようだが、ほんとうにそうなのだろうか。人間がある社会のよき構成員でいるのは、合理的計算の結果なのだろうか。それとも何か別の要因が作用しているのだろうか。

スミスの同時代人であるデイヴィッド・ヒュームは、これらの問いに答を出すとともに、経済学的な人間理解全体にも多大な貢献をした。彼は、社会秩序の要因、効用理論と利己心、合理性と過剰な合理性といった、経済学にとって興味深いテーマを取り上げている。ヒュームはスミスの親しい友人だったし、両者の見解には非常によく似た点もあるため、スミスを理解するうえでヒュームはきわめて重要である。

ヒュームは、ホッブズらが提唱する社会契約という概念には反対の立場をとった。ホッブズの理論によれば、人間は自主的かつ理性的に社会の決まりに従うことによって、自己の自由を社会秩序と「交換」すると同時に、他人もそうすることを期待するという。こうして社会は、利己心の原理の上に成り立ち、快楽計算以上のことは何も必要ない。しかし、この見方にヒュームは与しなかった。

利己的な仮説は、常識や良識に反しているため、哲学をよほど拡大解釈しない限り、あれほど途方もない逆説は成り立たない。このことが、あの仮説に対する明白な反証となろう。愛や友情や同情や感謝のような気質が存在することは、どれほど不注意な観察者の目にもあきらかであり……これらは、利己的な情念とはまったく異なる……。（すべてを利己心で説明しようとする）この種の試みは、これまでのところ成功していないことが証明されている。このような試みは、ものごとを単純に説明したがる性癖に由来すると思われるが、そうした性癖は、哲学において数々の誤った推論の元凶であった。[35]

ここでヒュームが述べた論拠は、後にスミスも採用している。ヒュームによれば、人間の本性は「どれほど精妙な想像力をもってしても自己利益のかけらも発見できず、あるいは自分からあまりに遠く隔たっていて現在の幸福や安全とまったく無関係である[36]」ような行為をしたがるものだし、またそうした行為を称賛するようにできているという。たとえ自分自身や自分にとっての効用とは時間的・地理的に無関係であっても、自ずと賛美するのである。自分にとって何の利益もない行為を善とみなすのは、そうした行為が道徳感情に響くからであり、したがって計算尽くではないとヒュームは考えた。だから個人の効用は社会の土台とはなり得ないのだと、さまざまな箇所で繰り返した。「私益が公益と乖離する例、さらには公益に反する例さえある。このように私益と公益が対立する場合でも、道徳感情は継続することが観察された」[37]。そして利己心と個人の効用については、それだけですべてを説明できるとは考えず、より幅広く社会の効用も含めるべきだとした。「有用性は心地よく、自ずと是認もできる。これは日々の観察でも確かめられることだ。だが、有用であるとはどういうことか。誰にとって有用なのか。もちろん誰かにとっての利益にちがいない。だが誰にとっての利益なのか。われわれ自身のみの利益ではない。われわれの是認は、多くの場合、もっと広い範囲におよぶからである」[38]。

これはヒュームの核となる考え方であり、スミスの言う社会的共存の概念を理解するうえでも役立つ。ヒュームは、人間の道徳感情は効用の原理よりもしっかりと根を下ろしていると考えていた。感情は、合理的な計算よりも強力である。人間の行動規範は、国家が成立する前から存在していた（ホッブズの言うやり方で国家が規範を確立したわけではない）。だから、社会契約論の立場からそうした規範を説明することは不可能である。「これらの例から、われわれはすべての道徳感情を利己心の原理で説明しようとする理論は放棄しなければならない[39]」とヒュームは結論づけている。社会道徳は感情や感覚の領域に属すのであって、合理性ではない。「アダム・スミスは、現代の経済学者とは異なり、異なる選択肢を前にしたとき、人は相互関係に基づいて選ぶと考えた。人間は感覚や感情を共有できるので、他人のふるまいにそれらが現れたとき、すぐに気づく[40]」。

ヒュームはアリストテレスやアクィナス同様、人間は社会的動物であると考え、社会の一員になることは人間にとって自然なことだと主張した。裏返して言えば、人は社会の一員になることを、それが効用をもたらすと計算して合理的に「選択」するのではない。本性に適っているから、そうするのである。結局のところ、社会は彼が文字通り生まれおちた場所なのだ。だから人間は自然に善に向かうし、生来の社会的共感も持ち合わせており、感情移入する傾向さえ備えている。「社会の幸福に寄与することはすべて、自ずと是認や好意を得ることができる。これこそが、道徳性の起源の大半を説明しうる原理なのである」[41]。ヒュームはこうした人間の特徴を「人間本性の原理」[42]と呼んだ。

「人間の心が……公共の善にまったく無関心ということはあり得ない」[43]とヒュームは断言し、別のところでは「どんな性格も、こちらにとってまったくどうでもよいということはない。社会にとって、あるいは当人にとって有益な性格が好まれるにちがいない」[44]と述べている。ヒュームが自分の考えを最も的確に要約したのは、おそらく次の一節だろう。「公共の善に思いをいたす傾向、社会の平和、調和、秩序を促す傾向を通じて……われわれが社会的な徳に寄与するようになることはあきらかである。……人間性の原理と共感の原理はわれわれの感情に深く根ざしており、強い影響力を持っているので、強い非難や称賛を感情の中に呼び覚ますことができる」[45]。ここで述べられている行動の動機もまた、長らくアダム・スミスの主張とされてきたものだ。すなわち、人間は自分自身のことを考えるだけでなく、他人や社会に対する強い感情に縛られる、ということである。ヒュームが、人間を社会的な徳に導くのは合理的な計算ではなく、感情だと指摘した点に注意されたい。ヒュームの考えでは、こうした社会的徳は、社会契約論者が主張するように合理的に正当化できるものではなかった。

合理主義やルソーの社会契約論では、社会は効用と合理的選択の原理の上に成り立つと考えたが、スミスもヒュームもこうした主張には与しなかった。人間はそういうものではない、生来の感情に突き動かされて他人と結びつくのである。社会がまとまるのはなぜかという謎も、ヒュームは解き明かした。人間は生まれたときから社会と共にあるのであって、それ以上の説明はいらない、と。

理性は情念の奴隷

人間のふるまいの合理性に関するスミスの見方も、興味深い。ここにもヒュームの強い影響が認められる。

> しかし、徳が求める行動の原則の源泉が理性であり、私たちがそれを適用して下す判断すべての源泉であることは疑いないとしても、何かを目にしたときに最初に正しいとか誤りだと感じとる知覚が理性に由来すると考えるのは、まったくばかげており、理解しがたい。……この最初の知覚は、……直接的な感情と感覚の対象であって、理性の対象とはなり得

ない。……何らかの具体的な対象を、それとして快いとか不快だと決めることができるのは、理性ではない。……理性は、「このものは、本来的に快い（または不快な）何かを獲得する手段である」ことを示し、そのものを誰かにとって、あるいは何かの目的にとって快い（または不快な）ものとすることは、できるだろう。だがどんなものも、直接的な感覚や感情によって快い（または不快な）ものとされない限り、それ自体として快い（または不快な）ものとはなり得ない[46]。

ヒュームを有名にしたのは、合理的な人間像を覆した次の一文である。「理性は情念の奴隷であり、またそうあるべきであって、情念に仕え従う以外のことを厚かましくやることはけっしてできない[47]」（この文章は図らずも、スミスとともに彼が激しく非難したバーナード・マンデヴィルに近い[48]）。この一文は、理性と感情は衝突するのではなく、一方が他方に従うのだという彼の哲学を端的に表している。両者は同じ土壌にあって競い合うものではない。人間の行動は感覚や感情や情念に導かれ、理性は正当化の過程で補佐的な役割を果たすにすぎないのである[49]。ジョン・ロックも同様の主張をしている。「理性は、この自然の法を確立し宣言するというよりは、探求し発見したと言うべきだろう……理性はこの法の創造者というよりは解釈者にすぎない[50]」。

人間は、利便性や効用や費用を注意深く計算した結果として行動するのではない。自分では理解できない力や感情によって動機づけられるのである。ケインズのアニマルスピリットにも、こうした不合理な性質が認められる。

現代のホモ・エコノミクスという人間観に対して、ヒュームなら次のように反論するだろう。人間の行動の原動力となるのは、合理性ではなく感情である。理性だけでは、人間の行動を動機づける力としては不十分だ、と。ヒュームによれば、社会の利益は「それだけをとっても、われわれにとってまったく無関係ということはない。有用であるとは、何らかの目的にとってそうであるにすぎない。目的自体がこちらにとってどうでもよいのに、目的のための手段として何かが好ましいというのは、あきらかに矛盾である[51]」。理性自体は、その人の選好に対して行動を命じることはできないし、行動を動機付けることもできない。「名誉、公正、適切、高貴、寛容な行為は人の心を捉える。人々はそうした行為に感銘を受け、支持し、擁護する。一方、知識、証拠、確率、真理といったものは冷静な理解や納得をもたらすにすぎない。知的好奇心が満たされると、探求は終わりになる[52]」。

カントも同様の見解を示し、「純粋理性は、いかなる目的も先験的に命じることはできない」と述べた[53]。理性が果たす役割は、目的までの最善の方法を見つけるといった補佐的なものにとどまる[54]。つまり人間が行動するときには、理性と感情が協力しているのである[55]。これについては本書の第2部であらためて取り上げることにしたい。ともあれ、矛盾を生み出すのは理性だけである。ヒュームの言うとおり、「自分の指を一本欠くことより全世界の破壊を選んだとしても、理性に反しない[56]」のだから。

アダム・スミス問題の解

二人の偉大な経済学者、ハイエクとシュンペーターは、マンデヴィル(57)とスミス(58)いずれについても経済思想の独創性を否定する一方で、心理学、倫理学、哲学に関しては両者を重要な思想家と評価している。それなのに、経済学の基礎を築いたのはスミスだという見方がなぜ定着したのだろうか。これは要するに、実際には心理学、倫理学、哲学が経済学の核の部分に存在するからではあるまいか。加えて、大昔から今日まで続いている経済論議のクライマックスの時期に彼らが登場したからだと言えるかもしれない。なぜ重商主義者が、あるいは経済表を掲げた重農主義者が、経済学の父と呼ばれないのだろう。今日でも使われている有名なキャッチフレーズ「レッセフェール」を生んだのは、スミスの一世代前に活躍したフランスの重農主義者ヴィンセント・ド・グルネーだった。だが今日では、彼の名を聞くことはほとんどない。その一方で、アダム・スミス問題はいまだに熱心に議論されている。

アダム・スミス問題は、結局のところ「利己主義」という言葉の定義の範囲に関する問題である。言い換えれば、この言葉にどんな意味を込めようとしたか、ということである。ボヘミア出身の宗教改革者ヤン・フスは信念を曲げることを拒んで火刑を選んだが、その行為も利己的ということになるのだろうか。あるいは、自分の財産も分け与えたアッシジのフランチェスコの行為もそうなのか。もしそうなら、どんな人のふるまいも利己的ということになり、「利己主義」という言葉は明らかに意味を失う。何でもありの検証不能な言葉になり、すべての行為、つまり利己主義とは正反対の行為まで説明できることになってしまう。

まとめ

本章では、アダム・スミスが最初に提唱したとされる「市場の見えざる手」を巡る誤解を論じ、さらにマンデヴィルとの関連性、合理主義者が掲げる社会契約論についても検討した。いわゆるアダム・スミス問題も取り上げ、人間の行動は利己主義のみでは説明できないと指摘した。スミスの親しい友人だったデイヴィッド・ヒュームの思想も取り上げた。スミスはヒュームの考えを多く取り入れている。たとえばヒュームは理性を脇役に降格させ、感覚と感情を主役に据えた。一方スミスは、社会的な行動の原理は共感にあるとし、共感は社会を結びつける役割を果たすと述べた。ヒュームもスミスも、人間は生まれついて社会的な動物であり、共同体の最も遠いメンバーともつながりを感じるものだと考えた。

現代の主流派経済学はスミスの古典派経済学の後継を自称しているにもかかわらず、倫理を無視している。善悪の問題は古典派経済学ではきわめて重要だったが、今日では仮にそれが話題に上る場合でも、異端扱いだ。だが私は、アダム・スミスにまつわる通説は誤解に基づいていることを示そうとしてきたし、これからも主張し続けるつもりだ。スミスの経済学への貢献は、市場の見えざる手といういささか疑わしい概念や、利己的で自己中心的なホモ・エコノミクスの誕生よりも、はるかに幅広い。

世間に流布したスミス理解は、経済学を偏ったものにした。経済学の現状を理解するには、スミスの著作を二冊とも読まねばならない。『道徳感情論』の幅広い内容を無視して『国富論』のよく知られた箇所だけを重視したら、スミスの意図とはかけ離れた結論に到達してしまう。

スミスが後世に残した遺産はいささか混乱を招くものではあったが、彼が倫理の重要性をよく理解し、それが社会で果たす役割を重視してもいたことはまちがいない。倫理の問題を経済学に含めるべきであり、むしろこれが経済学の重要な問題であるとしたことが、スミスの残した貴重な遺産だったと私は考えている。私にとって彼の経済学への最大の貢献は、倫理に関することだ。善悪を巡る議論を始めたのはスミスではないが、スミスによって深まったと言える。

第2部

無礼な思想

苦しみがなければ、人間性のごく些細な部分でさえ変わらない。

——C・G・ユング

バビロニアの叙事詩や聖書の寓話といったものは、いったい何の役に立つのだろうか。現代は、とりわけ経済学は、こうした古い物語から何を学ぶべきだろうか。これらの古い思想は、不安なことだらけの債務危機の時代に何を教えてくれるのだろうか。

心理学者のカール・グスタフ・ユングは、人間の思考も世界観も元型の中で変わるだけで、その元型は数千年にわたってずっと同じままだと考えた。ならば、元型なるものを探求し理解する価値は大いにありそうだ。元型を調べる最も簡単で最もよい方法は、文明の揺籃期におけるその裸の状態を知ること、その後の歴史的な変遷を追跡することである。

人間の無意識の中に保存されているものは、危機の際に最もよく認識できる。ユングは「深い意味が立ち現れるのは、予想されていなかった恐るべき混沌の中からである」(1)と書いている。ユングにとって、しばしば破壊点こそが理論の出発点だった。

経済も、その強みを発揮しているときよりも、弱みをさらけだしているときのほうが、多くを語る。経済が裸で傷ついているときのほうが、自信満々ですべてをばかにしているときよりも、多くを知ることができる。強さは往々にしてものごとの本質を隠してしまうが、弱さはそれを露呈するからだ。

第8章

強欲の必要性——欲望の歴史

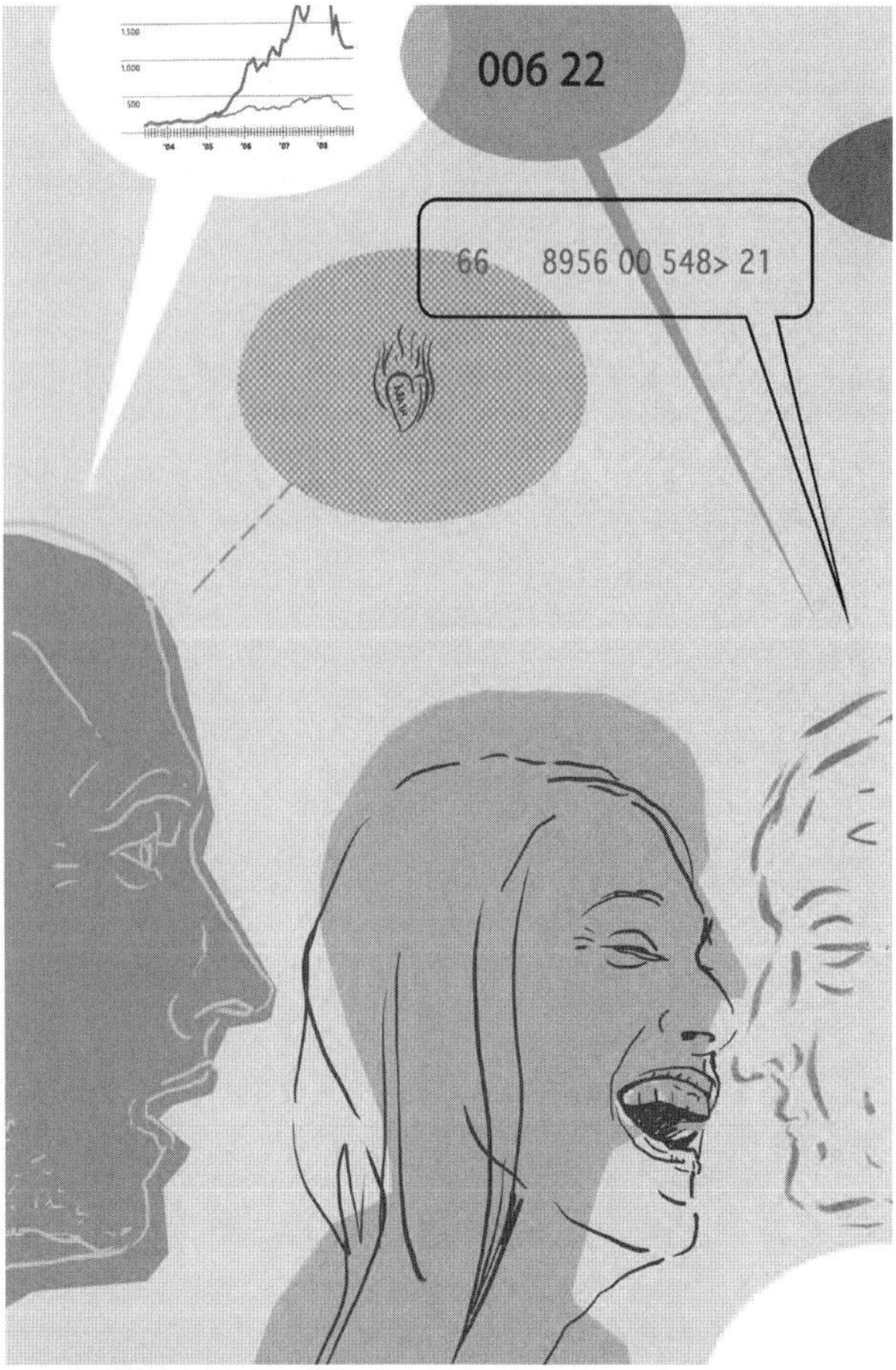

愛が欲しかった、
成功が欲しかった。
もう何も欲しくなくなるまで、
大好きなものもいらなくなるまで。

——P・J・ハーヴェイ、"We Float"

パンドラの箱を開ければ、必ず厄介ごとが次々に起きることは誰でも知っている。だが、パンドラとは何者で、箱の中には何が入っていたのだろうか。本章では人間の欲望に焦点を絞り、それがどのように始まったのかについて論じる。欲望とは、生存には必ずしも必要でないものを欲しがることを意味する。つまり、必要でもない外部の財から効用を得ようとする。経済学がニーズあるいは欲望の満足を重視することを考えれば、これは興味深いテーマと言えよう。

ギリシャ神話では、パンドラは最初の女性とされている。つまり旧約聖書におけるイヴの位置付けと似ている。ただしイヴが「アダムを助ける者」として造られたのに対し、パンドラは神の人間に対する復讐として送り込まれた。パンドラは箱（一説によれば壺）を持たされたが、その中にはそれまで地上に存在していなかったありとあらゆる苦しみと悪が閉じ込められていた。好奇心に駆られて彼女が箱を開けると、さまざまな悪や病気が、さらに本章の最大の関心事である労働の呪いが飛び出してくる。それまで楽しかった労働は、辛く疲れるものとなった。パンドラはあわてて蓋を閉めたが、手遅れだった。

神の呪い

イヴとアダムの物語にも似通った要素がある（エデンの園の物語ではアダムはあくまで脇役なので、ついイヴを先に書きたくなってしまう）。イヴは、アダムにはまったく効き目のなかった悪賢い蛇の誘惑に負け、おそらくは好奇心にも負けて、禁断の果実を食べてしまう。その結果、楽園から追放されたうえ、地上には悪がはびこるようになった。だがアダムは、労働の呪いというたった一つの呪いを誘発しただけである。[2]「おまえのゆえに、土は呪われるものとなった。おまえは、生涯食べ物を得ようと苦しむ。……おまえは額に汗してパンを得る[3]」。

ここには、興味深い点がいくつかある。第一に、二つの物語の登場人物は、労働が楽しかった時代を覚えている。人間は、たとえばエデンの園にいても働かなければならなかった。神は人間を「エデンの園に住まわせ、人がそこを耕し、守るようにされた[4]」からである。原初の文化においては、完全な状態とは何もしなくてよい状態ではなくて、楽しく働く状態だった。

第二に、どちらの物語でも、悪をこの世にもたらしたのは、欲望であり、好奇心であり、とりわけ過剰な欲求と貪欲、つまりは人間のよからぬ性質だった。イヴとアダムは「園のすべての木から[5]」たわわに実った果実をとって食べることができたにもかかわらず、それでは十分ではなかったのである。最初の人類がなぜこのように不適切な欲に駆られたのか、理解しがたい。楽園の完璧な暮らしに、いったい何が欠けていたのだろうか。この点でエデンの園の物語はパンドラの物語と似ており、何不自由なく暮らしていても、それだけでは人間は満足できないことがわかる。人間は必要もないもの、それどころか禁じられているものを消費したがるという、まったく無用の性癖を備えている。だからパンドラの箱を開けてしまう。

映画『マトリックス』第一作の最後で、エージェント・スミスがモーフィアスにこう言う。「最初のマトリックスが完璧な人間界としてデザインされていたことを知っていたか？　そこでは誰も苦しまない、全員が幸福だった。だがそれはとんでもない失敗だった。誰もプログラムを受け付けなかった」。そしてこの異常事態の原因を推測して、こう続ける。「完璧な世界を記述するプログラミング言語を失ったからだ、と考える連中もいた。だが私が思うに、人間という種は、苦痛や不幸を通じて自己を規定する」[6]。トッド・ローリーがエデンの園の物語から引き出した教訓も、これと似ている。「アダムとイヴは、禁断の果実を食べることによって自分たちの選択の権利を主張した瞬間に、ゆたかな世界を閉め出されて稀少性の世界に投げ込まれ、額に汗してパンを得なければならなくなった。神によって定められた自然な稀少性の世界においては、知識の獲得と選択権の行使という重荷を負わなければならない」[7]。

第三に、神は人間に直接呪いをかけたわけではない。神は、人間が自ら不幸を選ぶように仕向けた。エデンの園に植えられた禁断の木やパンドラの箱は、その象徴である。欲望と好奇心は姉妹であり、禁断の木の実は「いかにもおいしそうで、目を引き付け[8]」るようにできていた。ちょうど目を奪う広告のように。そして広告は、人間の理性を超える部分、すなわち動物的な性質に訴えかける。[9] エデンの園では、蛇が言葉巧みにイヴの内なる欲望を目覚めさせた。それは、蛇に会うまでイヴが意識していなかった欲望であり、それも、まったく必要でないものに対する欲望だった。すでに持ち合わせてはいたが眠っていた欲望を刺激したのだから、「目覚めさせる」という言葉がこの文脈にまさにふさわしい。蛇は無から欲望を作り出したのではなく、目覚めさせたにすぎない。

中世には、エデンの園における人類最初の罪は肉欲だったとされることが多い。だがこの主張には納得できない。むしろ最初の罪は（過剰）消費の性格を備えていたと言うほうが、はるかに適切ではないだろうか。結局のところ、イヴとアダムは文字通り果実を消費した。「女は実を取って食べ、一緒にいた男にも渡したので、彼も食べた[10]」という具合に、「食べた」という言葉が二回も繰り返されている。

歴史家のノーマン・デイヴィスは、アダム・スミスは「人間の強欲は何を意味するのかと自問しているうちに経済学の領域に踏み込んだ[11]」とみている。これは、国富の源泉を研究した理由についてのきわめて思慮深い考察と言えよう。この見方に従えば、強欲は人類の歴史の始まりにおいて最初の罪の原因となっただけでなく、理論経済学の誕生にも重要な役割を果たしたことになる。

欲望の経済学

ではヘブライとギリシャを離れて、今度はシュメールの物語に注目しよう。ギルガメシュ叙事詩では、エンキドゥは、ギルガメシュを罰するために神が送り込んだ人物である――まさにパンドラのように。だがエンキドゥは、やがてギルガメシュの生涯の友となった――ちょうどアダムとイヴのように。

エンキドゥは、始めは動物のように森に住んでいた。都市へ連れて行って彼を象徴的に人間にしたのは、寺院の娼婦シャムハである。この筋書きは、互いに補い合う二通りの解釈が可能だ。

第一は、女はエンキドゥをある意味で破滅させたという解釈である。それまでエンキドゥは満足して暮らし、食物、住居、安全といった必要不可欠なもの以外、何の望みも持っていなかった。しかも彼は、動物と同じく、文明の力を借りずとも自分の力で必要を満たすことができた。だがシャムハが来て、何が足りないかを彼に教えた。スロベニアの哲学者スラヴォイ・ジジェクが言うとおり[12]、現代人は足りないものを教えてくれる人を必要としている――だから広告が現代社会に欠かせないのだ[13]。教えられて初めて、もっと欲しいという欲が出てくる。動物のように暮らしている間は、不満もなければ願望もない。エンキドゥは必要なものはすべて持っていたし、そもそも必要なものは少なかった。アルフレッド・マーシャルは、「文明化されていない人間は、野生の動物以上の欲望は持ち合わせていない。だが進化の梯子を上るにつれてニーズは多様化し、それを満足させる方法も多様化する」[14]と書いている。

かくしてエンキドゥは、より多くを必要とするようになった。欲望が生まれたのである。欲望とは、自分が持っていないというだけで、ほんとうには必要ではないものを欲しがる気持ちを意味する。さらにシャムハはエンキドゥを都会へと連れて行き、動物や自然やなじみの環境から遠ざけてしまった。

第二は、女はエンキドゥの救い主だったという解釈である。シャムハは不足しているものを示し、野生児を人間にした。高い目標を与え、満たされない思いを教えた。シャムハは文化を運んで来たのであり、都会へ連れて行き、文明化させ、飲み物を与えて、言わばエンキドゥを進化させた。

これが欲望の目覚めである。満たされようとしてつねにより多くを求めるのは自然な傾向であって、文明や人類の本質であるように見える（古代の人々は、このことにはっきりと気づいていた）。さらに踏み込んで、不満は進化の推進力であり、市場資本主義の原動力であると言うこともできよう。前世代でおそらく最も重要な経済学者であるシカゴ学派のフランク・ナイトは、「決して満足しない人間の本性が、生活水準を押し上げてきた」[15]と述べた。ナイトに師事したジョージ・スティグラーは、「ごくまともな人間が望むことと言えば、欲望を満たすことではなく、もっと欲しがること、もっとよいものを欲しがることなのだ」[16]とまで書いている。

絶えず多くを欲しがるうちに、私たちは労働の楽しみを台無しにしてしまった。あまりに欲しがり過ぎ、あまりに働き過ぎている。現代の文明は、過去のどの文明よりもゆたかではあるが、満足感すなわち「十分」という感覚からほど遠いという点では、はるか昔の「未発達」な文明に劣るとは言わないまでも、さして変わらない。あらゆる犠牲を払ってでもつねにGDPを増やし生産性を向上させる必要がもしなかったら、つねに「額に汗して」働き過ぎになることはなかったと思わずにはいられない。

マルサスの三度目の復活――消費中毒

ほんとうには必要でないものは、
いつだって十分には手に入らない。

――U2、"Stuck in a Moment"

トマス・ロバート・マルサスは、一八世紀終わりから一九世紀初めにかけて活躍した尊敬すべき経済学者である。その学説の多くは物議をかもしたが、彼の名は代表作『人口論』とともに、今日にいたるまで人々の記憶に残っている。同書の中でマルサスは、「人口の増殖力は、人間の生活資源を生産する土地の能力を大幅に上回る」[17]と主張した。言い換えれば、地球は人口の増加を賄いきれないという[18]。これはつまり、人間の需要は無限だが、地球の農業資源は限られているということである。だがその後に農業技術、肥料、農薬が進化したおかげで、土地の生産能力は当時と比べて数百倍という飛躍的な向上を遂げ、地球はこれまでのところうまくやっている。マルサスの問題は解決したのだ。現在では食糧は十分にあり、問題はその分配や新技術の実行のほうにある。

時代が下がると再びマルサス的な議論が登場し、土地の生産能力や技術や労働生産性の向上には限界があるはずだと主張した。しかし、この二度目のマルサス的悲劇も回避された。したがって、ここで提出する議論は三度目ということになる。それは、人間のニーズはその充足を上回るスピードで増加する、というものだ。

すこし前までは、多くを手に入れたら、必要なものや欲しいものは少なくなると考えられていた。だがいまや、それは思い違いだったことがあきらかになっている。持てば持つほどニーズは増えるのである。だから、けっして満たされることはない。経済学的に言えば、供給の伸びが新規需要の伸びに追いつくことはけっしてない。マルサスが気づいていたとおり[19]、伸びに拍車がかかるだけである。経済学者のドン・パティンキンは、「歴史が教えてくれるところによれば、欧米社会は欲望を満足させる手段の開発より速くとは言わないまでも、すくなくとも同じペースで、新たな欲望を創出してきた[20]」と述べている。これでは欲望が満たされるはずがない。ジジェクは、「欲望の存在理由は、それを完全に満たすことではなく、欲望を再生産することにある[21]」と言った。

また旧約聖書には、「目は見飽きることはなく、耳は聞いても満たされない」[22]とある。

今日の現実を見ると、アルフレッド・マーシャルの次の予想はだいぶ不正確だったと思わざるを得ない。「人間の欲望や願望には数え切れないほどの種類がある。だがそれらはおおむね抑制されているし、満足させることができる」[23]。おそらくニーズは満たすことができるだろうが、欲望や願望が満たされるとは思えない。どちらも際限がないように見える。いやそれどころか、持てば持つほどもっと欲しくなるように思われる。アルコール中毒患者が飲んでも飲んでも飲みたくなるように、次から次へと消費したくなるのだとしたら、消費は本質的には中毒と同じではあるまいか。GDPが伸び悩んで低成長やゼロ成長になることを強迫観念的に恐れるとしたら、それは成長中毒に陥っているのではないか。ほどほどということがわからないのは、消費が麻薬のように作用するからではないか。

精神分析医にして詩人のクラリッサ・エステスは、『狼と駈ける女たち』の中で、中毒について興味深いことを書いている。「中毒は、外見はよくなったように見せかけながら人生を破滅させる」[24]。また作家のサルマン・ラシュディは『怒り』の中で、罪というものはどれも不適切の罪である、すなわち自分に何の権利もないことに権利を主張するという不適切さに起因するのだと述べた[25]。「悪は無制限なものに属する」[26]と述べたアリストテレスの見方も、これと似ていると言えよう。

従来は、欲望が満たされれば満足が得られると考えられてきた。だが残念ながら、歴史的にみてゆたかすぎる今日の社会ですら、借金漬けになっている。ここには何か重大な誤りがあるにちがいない。需要はひたすら新たな需要を創出する。供給は需要を満たすのではなく、新たな需要を喚起する。しかも需要は、新たな供給が与えられるたびに大きく膨らむ——過飽和状態に陥り、「どの食べ物も忌むべきもの」[27]になるまで。ミラン・クンデラの『可笑しい愛』に収められた「永遠の欲望という黄金の林檎」と題する短編は、幸福を追求することの中にいくらかの幸福は存在するが、最後の至福の瞬間はけっして訪れないと暗示する。この話の冒頭でクンデラはパスカルを引用し、猟師の中には「自分たちが求めているのは獲物ではなく、獲物を追いかけることだとわかっていない連中がいる」[28]と書いた。フランク・ナイトが指摘するとおり、「報奨として感じるのは、所有のよろこびよりも追求のよろこびなのだ。……近づくより早く遠ざかる目標に到達しようと、個人は、あるいは社会は絶望的に努力する。したがって、自ら選ぶにせよ、その気質から仕向けられるにせよ、人生はシーシュポスの苦行のようなものだと言える」[29]。

この見方が正しいなら、人間は永遠に自分の至福点あるいは飽和点を知ることはできない。目隠しをされているかのように手探りで追い求め、あとになってから、あれがそうだったのだと気づく。最高にしあわせだった時はあっても、しあわせが減り始めてからでなければ、そのことには気づかない。ジンメルが言うとおり、幸福に近づいているときほど、幸福願望は強まる。強い願望を呼び覚ますのは、到達不能な遠い目標ではなくて、いかにも到達できそうな目標なのである。しかも万事を金銭価値で表す現代では、どんな目標も手が届きそうにみえる[30]。だが実際にはそれは、虹の根元に埋まっているという宝物のようなものだ。虹に向かって歩けば歩くほど、虹は遠ざかり、宝物は逃げて行く。「満足はつねに地平線の向こうにある。そして地平線と同じく、満足は近づくほど遠ざかる」[31]。供給がけっして需要に追いつかないとすれば、均衡経済学の失敗はあきらかだ。「目的地に近づくほど、滑って転んじまうものさ」とポール・サイモンは歌った。

供給は需要に追いつけるか

この乖離を埋めるにはどうしたらいいだろうか。需要と供給の距離を縮める方法は二通りあると考えられる。一つは、個人のレベルでも国家のレベルでも、供給を増やすことである。需要が満たされるまで、つまり欲しいものをすべて手に入れるまで。これは、快楽主義のやり方である。欲しいものを見つけて（先ほど述べたように、これ自体がそう簡単ではないが）、それに向かって突き進む。これは終わりのない物語であり、つねに鼻先にぶら下げられたニンジンである。ギリシャ時代から今日にいたるまで、人類が選んできたのはこれだ。GDPがずっと拡大し続けてきたのも、ずっと欲しがり続けてきたからにほかならない。

もう一つはいまとは正反対に、需要と供給の間に乖離があるなら、現在の供給に見合うまで需要を減らすというやり方である。こちらはストア派の哲学にルーツがある。とはいえ欲しがらないでいるのは、「言うは易く行うは難し」だ。ストア派の哲人たちでさえ、その修練を生涯かけて行わなければならなかった。それでも、「満足な豚であるより、不満足な人間である方がよい。満足な愚者であるより、不満足なソクラテスである方がよい[32]」。なるほどそのとおり。だがもっといいのは、（すくなくとも消費に関しては）満足したソクラテスになることではないか。ちなみに『ゴルギアス』の中には、「何ものも必要としない人たちが最も幸福であるなら、石や死人が一番幸福だということになるだろう[33]」という意味の一節がある。最終的にプラトンは、第1部で論じたように、肉体にまつわる欲望や必要は人を欺くとして価値を認めなかった。

この見方に従うなら、多くを必要とするのは貧しい人であるが、真に「ゆたか」な人はすでに持っている以上には欲しがらない、ということになる。したがって理論的には、満足を知らない億万長者は、満足した貧乏人よりはるかに貧しい。

モノへの執着

マックス・ウェーバーは『プロテスタンティズムの倫理と資本主義の精神』の終わりの部分で、「外的な事物についての配慮は、いつでも脱ぐことのできる薄い外套のように、聖徒の肩にかけられているべきだった。しかし運命は、この外套を鋼鉄の檻にしてしまった[34]」というピューリタン牧師リチャード・バクスターの言葉を引用している。私たちは聖人ではないうえ、文明がどれほど栄えても「外的な事物についての配慮」、単刀直入に言えばモノへの執着が「鋼鉄の檻」になり得ることを重々承知している。では、いったいどうしたらいいのだろうか。ストア派の哲人の助言に従い欲望を抑えるべきか、それとも快楽主義のパラドックス(35)を引き受け、けっして幸福になれない道を選ぶべきか。幸福を、幸福だけを追求していたら、けっして幸福にはなれない。幸福は何かよいことをしたおまけにすぎず、それ自体は目的とならないように見える。いや、そもそもこれは、経済学で扱うべきことなのだろうか——もちろんである。つねに効用の最大化をめざす学問である以上、このことを少なくとも知っておくべきだ。

今日では、持てば持つほど幸福になり自由になると考えられている。だがストア派の哲人は、まったく逆の考えを持っていた。犬儒学派を代表するシノペのディオゲネスは、その典型である。ディオゲネスは、現代人と正反対に、持つものが少ないほど自由になると考えた。

誤解のないようにお断りしておくが、私は持っているものをいますぐ捨ててしまえなどと言うつもりはない。ただ、いまのあり方はけっして終わらない物語だと言いたいだけである。人間は、放っておけば満足しない。すでに見てきたように、貪欲ははるか昔から人間の本性に植えつけられているのであり、ディオゲネスは例外中の例外である。「所有をやめてある時点で満足し楽しむことは、人間本性に反する(36)」とカントは書いた。問題は、人間の生まれついてのこの性質にどこまで屈服するのか、逆に言えばどうやって自分自身を制限するのか、ということである。望みうるものを全部望むべきではあるまい。

トートロジーと効用の最大化

おお、幸福!
われら人間のめざすところ!

——アレグザンダー・ポウプ『人間論』

経済学では、人間は何をするときでも効用の最大化を図ると考える。これを経済学的アプローチと呼ぶ。人間の多様な行動にこのアプローチが適用できるとしたのは、ゲーリー・ベッカーである。ベッカーは、「経済学的アプローチは包括的なものであり、あらゆる人間の行動に適用できる。貨幣価格あるいは潜在価格が関与する行動にも、頻度の高いあるいは低い意思決定にも、重要あるいは些細な決定にも、感情的あるいは機械的な目的にも、富者あるいは貧者にも、男にも女にも、大人にも子供にも、賢者にも愚者にも、患者にも医者にも、実業家にも政治家にも、先生にも生徒にも、適用可能である[37]」と主張した。

だが「効用」とはいったい何を意味するのか。効用最大化モデルは多数存在するし、経済学者は効用最適化の公式を求めて何年も研究に費やしている。数学的な定義やデータの洪水の中、厳正なる教科書は、「効用」が正確に何を意味するのか、書き忘れてしまったらしい。いやいや、書き手は自分のやっていることをよく承知しているのだ。効用を定義してしまったら、学生はすぐさま興味を失ってしまうにちがいない。だから効用の中身については沈黙しておいて、便利な数学的ツールに注意を引くほうがよい、というわけである。しかし「効用」は、人間のあらゆる活動の目的だとされている。だとすればここで「効用」について検証し、経済学の前提がどこまで押し通せるものか、調べてみるべきだろう。ディドロも「仮説をぐらつかせるには、その仮説がどこまで成り立つか試してみるだけで十分であることが多い[38]」と言っている。

では、始めよう。コリンズ経済学事典では、効用は次のように定義されている。

効用：財やサービスの消費から得られる満足または快楽のこと[39]

この定義で、効用、満足、快楽という言葉を自由に入れ替えていることからもわかるように、この三つは同義語である。コリンズの定義はA＝Aというタイプで、効用＝満足または快楽ということになる。したがってこの文章は、次のように書き換えることが可能だ。

効用とは、財やサービスの消費を通じて得られる効用のことである[40]

ただし人間は、絶えず財やサービスの消費を通じて効用の最大化を図っているわけではない。眠ることもあれば、怠けることもあり、子供や友人とおしゃべりすることもある。まともな人なら、こうした活動を財やサービスの消費とは言うまい。するとここで、驚くべきことが起きる。効用の定義が拡大されて、睡眠も子供とのおしゃべりといったものも含むようになるのである。人間は何をしているときでもつねに効用の最大化を図るという定義を維持したければ、わかりやすい「狭い」定義は捨てざるを得ない。かくして、効用の定義は次のようになる。

> 効用とは、財やサービスの消費、休息、労働など（ここには、人を主観的に幸福にするすべてのこと、言い換えれば効用を増すすべてのことが含まれるものと解釈されたい）を通じて得られる効用（満足または快楽）のことである

もう一つの解決策は、「消費」という言葉のほうの範囲を拡大し、消費者にとっての効用を増やすような活動をすべて含めてしまうことである。結果はもちろん同じになる。

> 効用は、効用を増やすものの消費（または創出）を通じて得られる

これ以上続ける必要はあるまい。このような効用の最大化に関する文章は、どれも必ず正しい。なぜなら、トートロジー（同語反復）だからである。

> 効用は、効用を増やす活動を通じて得られる

そして人間はどんな活動からも効用を得ようとするのだから、次の文章が導かれる。

> 人間はしたいことをする

この文章に中身がないことはすぐにわかる。だからこそ、つねに正しい。なにしろA＝Aと言っているだけなのだから。この方法で、たとえば子供に対する母親の愛情を経済学的に説明することが可能になる。母親は子供を愛することから効用を得る、よって子供のために母親が払う犠牲はすべて効用を最大化するためだ、と。つまり、子供を育てるのも効用を得るためである。これは、母親は子供を育てたいから育てると言うのと変わらない。経済学者は、何か新しいこと

を言わない限り、循環論法に陥る。一方、母親が子育てを放棄したら、放棄することに効用を見出したから放棄したのだ、と言わざるを得ない(41)。

別の方法として、「効用は取引可能な財から得られる」などのように、狭い意味で定義することは可能である。だがこの場合には、ホモ・エコノミクス・モデルではあらゆる人間の行動を説明することはできない、という結論になる(42)。この結論は十分に検証に堪えうるものだが、経済学者は受け入れようとしなかった。そして、来世の報いから得られる期待効用まで含めて、あらゆることを包含する方向で「効用」を再定義した。こうすれば、殉教者も聖フランチェスコも、利己的に自分の死後の効用を最大化しようとした、ということになる。かくして経済学は、カール・ポパーの言う反証不可能性の罠に陥った(43)。事実上「人はしたいことをする」と言っているだけのモデルは、反証不能である。「人は自分にとっての効用の最大化を図る」と言ったら、ポパーはただちにこう反論するだろう——効用を最大化しないためには、人はどう行動しなければならないのか、あるいは別の言い方をするなら、効用最大化関数を逆向きに進むことはできるのか、と。その具体例を提出することができないなら、この理論は反証不能であり、したがって成立しない。

本題に戻ろう。政治経済学者のブルース・コールドウェルは、フランシス・ハチスンの理論をさらに深めて、次のように指摘した。

科学には、実証的観測により反証可能と考えられる命題と、そうでない命題が含まれている。反証可能でない命題はトートロジーであり、したがって実証的な内容を持たない。このことから、純粋理論の命題にはいかなる実証的な内容もないことになる。[44]

さらにコールドウェルは、「自己利益の追求は、あまりに狭く定義されるなら役に立たないとされる。……あまりに広く定義するなら、あらゆる行動が利益最大化行動となるために、空虚になると言われる[45]」とも述べた。

誤りから学ぶことはできても、トートトロジーからはほとんど何も学べない。論理的思考の訓練としてはいいかもしれないが。トートトロジーは定義からして誤りをいっさい含まないが、だからといってつねに有効だとか真理だということにはならない。トートトロジーは意味不明ではないが、意味がなく内容もない。「トートトロジーは無条件に真であり、それゆえ真理条件をもたない。そして、矛盾は真となる条件をまったくもたない。トートトロジーと矛盾は無意味である。……トートトロジーと矛盾は現実を表す像ではない。どちらも、起こりうる状況を表していない。トートトロジーは起こりうる状況をすべて許容し、矛盾はいっさい許容しないからだ[46]」。

ここで私たちは、重大なパラドックスに立ち至る。ホモ・エコノミクス・モデルにはあらゆる可能性が含まれており、したがってすべてを説明できるという経済学者の矜持は、じつに笑止千万なのだ。意味のない言葉や原理ですべてを説明できるなら、いったい自分は何を説明しているのか、疑問に思わなければならない。

ついでに言えば、抽象的思考はつねにものごとを単純化するという認識は正しくない。ときにはひどく複雑にしてしまうこともある。フリードリヒ・ニーチェはこの点を承知しており、理論的認識はあきらかな事実を見えなくすると述べた。そうした例の一つに、オイディプスの悲劇がある。オイディプスは民の中で最も賢かった（怪物スピンクスの謎を解いた）にもかかわらず、あるいはむしろそのせいで、あきらかな事実が見えなかった。どんな子供でも知っていること、すなわち自分の父親と母親は誰か、ということを知らなかったばかりか、知らないままに父を殺し、母を妻にしてしまった。

債務の時代とイカロスの墜落

アリストテレスは、度を超すことは人間の大きな弱点だと考えていた。よいことも、行き過ぎれば害悪になる。激しい愛はすさまじい嫉妬を伴いかねないし、健全な自意識も、度を超せば、自分の利益以外はどうでもよいという手に負えない利己主義に陥る。アリストテレスが中庸の哲学者として尊敬されるのはこのためだ。両極端のどちらにも偏らず、過剰にも過少にもならないことが中庸であるとアリストテレスは説いた。この中庸こそ、現代に欠けているものである。現代人はあまりに富の魅力に眩惑されている。ちょうど、あまりに高く飛ぼうとしたイカロスのように。

おそらくいまの時代は、「債務の時代」として歴史に記録されることになるだろう。ここ数十年ほど、債務は膨らみ続けている。それも、少ない状態から増えるのではなく、すでに多すぎる状態から増えてきた。現代の先進国社会は飢饉に苦しめられることはないが、逆の問題を抱えている——すでに満腹の人に何を食べさせるか、ということだ。スロバキアの諺では「目は腹より大きい」と言う。古代ローマの金持ちは、胃が受け付けなくなるほど大食すると、食い意地の張った目と満腹の胃の葛藤を解消するために、吐いてまた食べたと言われる。だがこれはいくら何でも見苦しい。そこで新しい手が考案された。

それは食べつつ食べずに済ますという方法である（言うまでもなく、これは現代の先進国の話である。先進国も過去の大半は飢餓に苦しんだし、今日でも開発途上国の多くがそうだ）。そのために、無脂肪のクリーム、バターを含まないバターが発明された。要するに、食べ物から最も栄養価のある部分が取り除かれている。[47] この状況で読むと、イエスの次の言葉には含蓄がある。

> 自分の命のことで何を食べようか何を飲もうかと、また自分の体のことで何を着ようかと思い悩むな。命は食べ物よりも大切であり、体は衣服よりも大切ではないか。[48]

何を食べようか何を飲もうか悩む飽食の世代にも、この言葉は胸に響くことだろう。ただし、食べるものが少なすぎて悩んだ古代の人々とは、まったく逆の意味で。

持てば持つほど欲しくなるのはなぜだろう。持てば持つほど必要なものは減るという従来の見方は、直観的に頷ける。必要の領域から所有済みの領域へ移るものが増えるほど、必要の領域は縮小するはずだ。そうすれば消費は飽和に、ニーズは満足に達するにちがいない……。だがそうはならず、むしろ持てば持つほど、もっと必要になった。このことは、二〇年前には必要としていなかったもの（コンピュータ、携帯電話）と、いまどうしても必要なもの（超軽量ノートパソコン、一年おきに最新型の携帯電話、モバイル端末の超高速ネット接続）を比べるだけで、すぐに納得がいくだろう。満たされていないニーズは、富裕層のほうが貧困層より少ないはずだが、実際には完全に逆になっている。ケインズは賃金には下方硬直性があると言ったが、まちがいなく消費には下方硬直性がある。消費の梯子は、上るのはたやすいが、下りるのはじつに不快である。満たされた欲望は新たな欲望を生じさせ、結局私たちは欲しがり続けることになる。だから、新しい欲望には注意しなければならない。それは、新たな中毒を意味する。消費は麻薬に似ているからだ。

第9章

進歩、ニューアダム、安息日の経済学

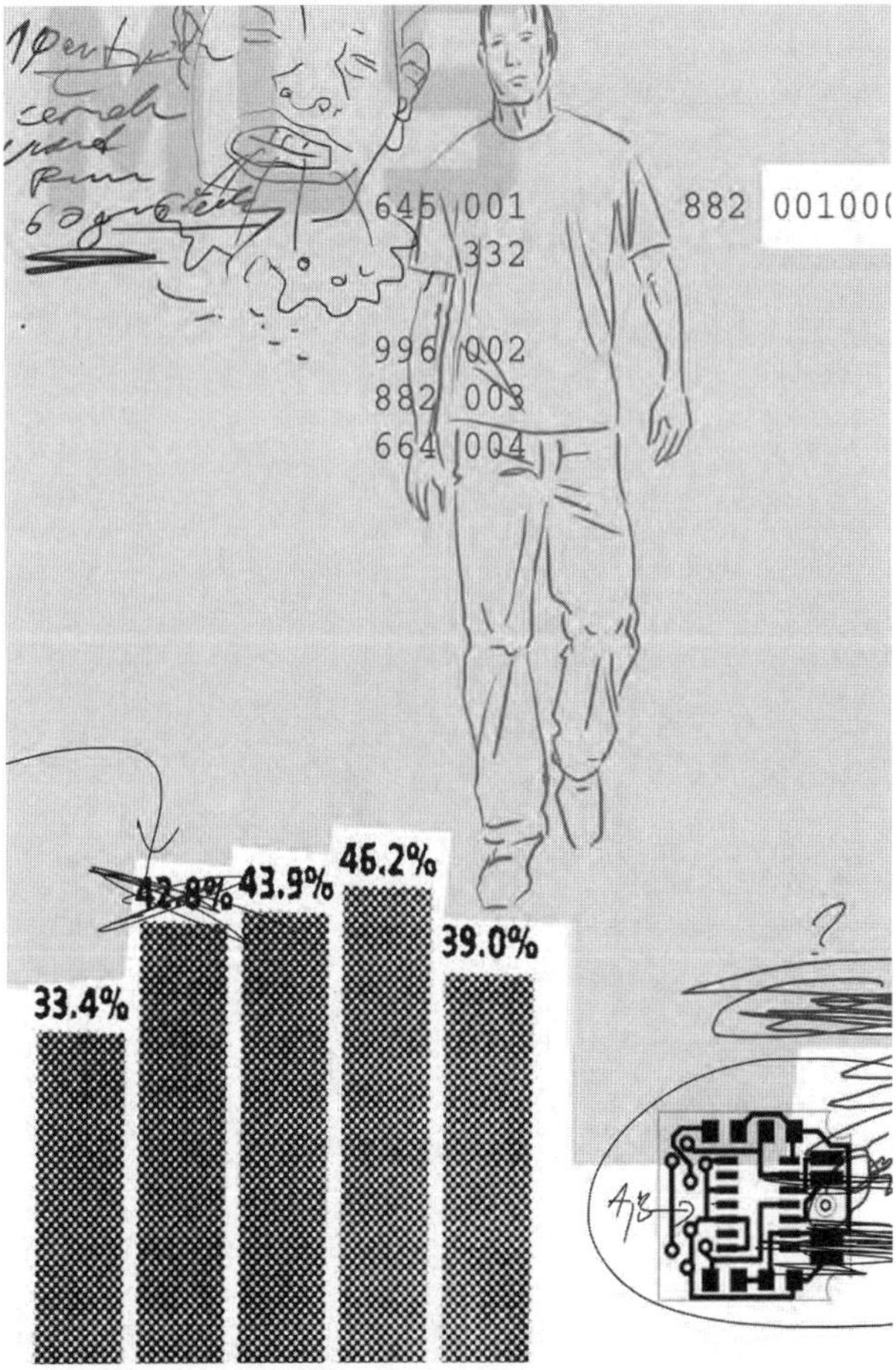

あるものを見ることができるのは、そのものの観念に取り憑かれ、頭を支配されてからである。しかしそうなってからは、ほかのものはほとんど目に入らない。

——ヘンリー・デイヴィッド・ソロー(1)

進歩という概念

二〇〇八年にグローバル金融危機が発生したとき、エリザベス女王は、なぜ危機を予測できなかったのかと経済学者たちに質問した。一方、チェコの大統領だったヴァーツラフ・ハヴェルは、危機に直面したとき、成長の意味を問うた。「なぜつねに成長しなければならないのか。産業は、すなわち製造や生産は、なぜ増え続けなければならないのか。なぜ都市は、風景が一変し草木一本なくなるまで、四方八方に拡大し続けなければならないとされているのか(2)」。ハヴェルは共産党政権下で通算五年以上におよぶ獄中生活の経験があり、そこではつねに労働をしなければならなかったが、その大半が意味のない労働、つまり「労働のための労働」だった。では経済成長にはつねに意味があるのだろうか。成長のための成長にすぎないのではあるまいか。

何かがあまりにありふれて当たり前になってしまうと、往々にしてそのことに気づかないものだ。しかもその何かは、きわめて重要なことだったりする。私たちはそれについて、もはや確信した状態になっている。そういうものの一つが、進歩という概念である。進歩はどこにでも転がっている。テレビにも、広告にも、政治家の演説にも、経済学者のコメントにも。進歩は現代における問答無用の至上命令であり、当たり前のこととして自動的に受け入れられているために、気づきもしない。しかし現代のこうしたあり方は、『マトリックス』の仮想現実とみなすことも可能だ。進歩の概念は、私たちを支配し奴隷にしてしまう力を持っている。「臭いを嗅ぐことも、味わうことも、触ることもできない監獄に閉じこめられている」[3]というモーフィアスの言葉を思い出してほしい。

最近のグローバル金融危機は、現代社会がいかに成長に依存しているかをまざまざと見せつけた。人々はGDPのほんの一〇分の一パーセントの落ち込みを、まるで神に裏切られたかのように受けとめたものである。

だが、終わりなき成長という期待は、いったいどこから生まれたのだろうか。どう見てもこれは、新種の衣裳をまとった進歩の概念にほかならない。最初の衣裳は宗教（天国）だった。次の衣裳は現世（地上の天国）だった。そして今日では、進歩、いや成長を実現するためには、市場を、国家を、科学を大切にしなければならない、これは義務だとされている――まるで経済成長が人類を地上の天国に近づけてくれるとでもいうように。GDPが少々減っただけで、ゴールは遠のいてしまったと感じ、それは悪いことだと考える。成長は最高によいことであり、それは経済学の格律にとどまらず、社会として、政治としてめざすべきものとされている。

産業革命以前の時代は、さほど成長を期待できる状況ではなかった。しかし産業革命以降の経済は目を見張るスピードで成長し、いまでは自動的に成長するものと考えられている。[4] しかも、進歩を経済的、技術的な意味合いで捉えるようになった。以前は、進歩とは大なり小なり精神的かつ内面的なものとみなされていたが、今日では進歩は俗化され、外的環境と関連づけられている。アメリカでGDPが継続的に計測されるようになったのは一七九〇年のことだ。つまり、それまで人類はGDPなしで済ませていた。何パーセント、あるいはコンマ何パーセント去年より裕福になったかどうかなど誰も知らなかったし、他国と比較することもできなかった。ちなみに一七九〇年のアメリカの一人当たりGDPは、現在価値に換算して一〇二五ドルであり、現在の約四〇分の一である。[5] そして過去二〇年間で、アメリカの一人当たり実質GDPは三七%増えている。驚くべきことだろうか――たぶん。だが人々がこの成長ぶりに感謝しているか、満足しているか、ということになると、答はまずもってノーである。

黄金時代はどこに

すでに見てきたように、古代には進歩という概念はほとんど存在していなかった。時間は循環するという見方が支配的で、すべては季節のように巡っていると考えられていた。すべては移ろい、戻ってくるのであって、それ以上のことはない。こうした循環史観は多くの場合、季節の再来を願う宗教的儀式を伴っていた。物語は円を描くように永遠に続き、神話は起きたことはないが、つねにそこにあった。また古代文明の多くでは、人類の黄金時代はこれから来るのではなく、すでに過ぎ去ったとされていた。人間は昔のほうがよくできており、そこから遠ざかるほど出来が悪くなる、という見方である。これは、現代とは正反対の見方だ。現代人は、進歩のおかげで「原始」状態から解放されたのだとありがたく思っている。

時代が下ってヘブライ、次いでギリシャの思想家は直線的な時間の概念を導入し、それとともに歴史の発展という概念が生まれた。社会学者のロバート・ニスベットは、「過去三〇〇〇年間の西洋文明において、進歩という概念ほど……重要なものはほかにない」[6]と述べている。この概念はとりたてて近代的な性格のものではないが[7]、世俗化されて経済に取り込まれると、経済学、科学、政治の存在理由となっていった。文明は進歩とともにあり、進歩に依存するようになる[8]。すこし先には、めざすものが必ずあるように見えた。イギリスの小説家にして神学者のC・S・ルイスは、このことを皮肉めかして「よいこと＝次に来ること」[9]と簡潔に表現している。そして人々は恒常的な成長の最大化に取り憑かれ、そのためなら進んで借金を背負い込むようになった。不況や危機のときだけでなく、経済が比較的順調に成長している時期にも借金をした。成長のこれほどの部分が債務頼みとあっては、近年の成長は「国内総生産（Gross Domestic Product）」ではなく、総債務の産物という意味で「債務総生産（Gross Debt Product）」とでも呼ぶべきだろう。いまや成長は強迫観念と化しており、何のための成長なのかわからないままに、ひたすら加速して不足を埋め合わそうとしている[10]。

だがこれは、自然なことなのだろうか。技術の進歩によって黄金時代が近づくのか、それとも遠ざかるのかについては、古代から議論が繰り広げられてきた。古代ギリシャ人でさえ、答を出すにはいたっていない。たとえばヘシオドスは、「黄金時代には知識は存在しなかったが、それと同時に徳や万人の幸福を汚すものも存在しなかった[11]」と主張した。この言葉からは、進歩と知識は往々にして幸福、平安、調和と引き換えにもたらされるという警告を読み取ることができる[12]。

啓蒙時代になると、トマス・ホッブズの表現を借りるなら、原初の自然状態における人間の生活は「汚らしく、野蛮で、しかも短い[13]」という見方が生まれる。そこで、楽園は未来にあり、それも精神的な達成の中にではなく、人間の技術や科学の発展の中にあるとされた。こうして一九世紀半ばには、「フィヒテは、真の楽園は遠い昔に神の恩寵によって与えられ人類が享受したものではなく、そう遠くない未来に人間の努力によって征服される約束の地だと主張した[14]」とミロスラフ・ヴォルフは指摘する。

だがこの見方は、じつは古代ギリシャにも見受けられる。「初期の偉大なソフィストだったプロタゴラスは、人間の歴史は原初の無知と恐れと不毛の時代から、知識の着実な進歩によって生活条件は徐々に向上したという自説を強調した[15]」とニスベットは指摘する。また紀元前六世紀後半には、クセノパネスは「神ははじめ、人間にすべてを教えようとはしなかった。だが人間は自らの探求を通じて次第に知識を獲得していった[16]」と考えていた。

プラトンは『プロタゴラス』の中で、プロメテウスにまつわる印象的な場面を描いている。「プロメテウスは人間に火を贈り、人間が知識や文化を高めて神に近づくことを促したという『罪』

のために、ゼウスからおそろしい罰を受けて歎き悲しんだ。永遠の罰を与えられたプロメテウスが、地上に置かれた人間がどれほどみじめな状況だったかを語る下りほど、心を打つ場面はほかにない。人間は何も持たず、怯え、無知で、獣と同じように洞穴で暮らしていた。プロメテウスは火をとってきてやり、人間が自らの努力で徐々に文明の梯子を上って行けるようにしてやった。そして言葉、技能、技術を学び、集団や国家を形成して、仲よく暮らせるようにした[17]」。

ここには、エデンの園の物語を彷彿とさせるものがある。どちらの場合にも、知恵の木あるいはプロメテウスの技術知識という形で、知識が人間の状況に根本的な変化をもたらした。しかし、知識が進歩を後押ししたように見える反面、神の怒りを招き、人間と神との関係を悪化させたという見方もできる。

未来の終わりと近代の神父たち

物質的な進歩はさまざまな意味で現世の宗教となり、現代の希望となった。この問題に取り組んで二冊の本を著した経済学者のロバート・ネルソンは、次のように書いている。「多くの経済学者は、宗教的な意味合いで進歩を信奉している。彼らにとって進歩とは、人間の基本的条件を大幅に改善してくれるものである[18]」。経済学者のロバート・サミュエルソンは、このことを次のように表現した。「どの時代も幻想を抱いている。現代の幻想は、繁栄という力に対する熱狂的な信仰である[19]」。

私たち経済学者は、もちろんこのことに気づいている。いや少なくとも、フランク・ナイトは気づいていた。「科学というものが宗教である時代[20]」に人々は生きている、とナイトは述べている。今日では、宗教は必ずしも定められた神を戴かなくてよい。アメリカの最高裁で示され、広く受け入れられている定義は、「たとえ超自然的な存在や力への言及がなくとも、幅広い信仰体系は宗教として有効である[21]」というものだ(ここには、二〇世紀においておそらくは最もすぐれたドイツのプロテスタント神学者パウル・ティリッヒの影響が認められる)。もともとは宗教的な理念だった進歩は、世俗化されて「科学は人類を救う」という技術信仰に変貌した。そして富は人間を幸福にする(個人にとっての地上の楽園)だけでなく、社会もよりよくする(公にとっての地上の楽園)と考えられている。

貪欲の終わりという夢

物質的な望みは自動的に進歩と結びつけられるだけでなく、貪欲が打ち止めになるという倫理的・社会的な夢も進歩と関連づけられている。「進歩は世界を救う」という理念は、社会にとって輝かしい希望の光となった。デイヴィッド・ヒュームは「自然がわれわれに物質的富の余剰を与えてくれ、誰もがすべてを十分に持ったなら、そうしたよろこばしい状況においてはありとあらゆる徳が花開くにちがいない[22]」と述べた。不正は姿を消し、「司法はもはや不要になる」という。経済学の開祖の一人であるジョン・スチュアート・ミル[23]は、「互いの足を踏みつけ、押しつぶし、肘で突きのけ、蹴飛ばし合う」[24]状態は過渡的な現象にすぎないとし、その時期を過ぎたら「誰もそれ以上の富を望まない」[25]安定した時期に入ると考えていた。ただしミルは、「定常状態」と題する章に次のように書いている。

だが進歩の性質ではなく進歩の動きを見ていると、その動きの法則を探すだけでは満足できなくなる。何のための進歩か、と問わずにはいられない。産業の進歩によって、社会はいかなる究極の目標をめざしているのか。進歩が止まったとき、人類はどのような状態に置かれるのか。富の増大が無限ではないことを、経済学者は多少なりともつねに明確に意識すべきである。[26]

経済学が誕生以来長い間「陰鬱な学問」だったことを忘れてはならない。始めの頃は、とくにマルサスの影響により、いずれは陰鬱な定常状態に達すると考えられていた。これではまるで、人類が地上の地獄をめざしているようだ。陰鬱な学問が、なぜ幸福で楽観的な学問に変貌し、進歩を確信するようになったのか、この点は一考に値しよう。経済学者は、楽観論者（地上の楽園が待っている）と悲観論者（アルマゲドンが必ず来る）におおざっぱに分けることができる。ミルとヒュームは前者であり、一九三〇年代にケインズがここに仲間入りした。ケインズは、一〇〇年後にはそうした地上の楽園が実現するとの希望を表明し、「生活の物質的な環境にかつてなかった大きな変化が起こる」と予想した。そうした変化（以下に示すように、それは物質的な性格のものだけではない）は、新人類、いわばニューアダムを出現させるだろう。ニューアダムはのべつあくせく働く必要はなく、たっぷりと余暇がある。

結論として……一〇〇年以内に経済的な問題が解決するか、少なくとも解決が視野に入ってくると考えられる。……これまでつねに人類にとって、生き延びるための競争が主要かつきわめて切迫した問題だった。いや人類だけでなく、最も原始的な生命が誕生して以来、生物界全体にとって、つねに主要かつきわめて切迫した問題だった。したがって人類は生来の衝動や根深い本能によって、経済的な問題を解決する目的に向かって自ずと進化して来たと言える。経済的な問題が解決されたときには、人類は誕生以来の目的を奪われることになるだろう。……今後もかなりの時代にわたって、人間の中のオールドアダムがなお根強いため、何か仕事をしなければ満足できまい。……一日三時間働けば、大半の人のオールドアダムを満足させるには十分である。[27]

これを読めばわかるように、ケインズは経済の進歩に関して、おそらく最大級に楽観的な経済学者である。経済成長による物質的な救済を予見しただけでなく、ヒュームと同じく倫理観も刷新されると考えていた。ケインズは「倫理規範」の変化について、次のように書いている。

富の蓄積がもはや社会にとってさほど重要ではなくなると、倫理の考え方が大きく変わるだろう。過去二〇〇年にわたって人々を苦しめてきた偽りの道徳原則を棄てることができる。この偽りの原則は、人間の性質の中で最も不快な部分を最高の徳として賛美してきた。

……したがって私たちは、宗教と伝統的な徳の原則の中でとくに確実なものに立ち帰る自由を手にするだろう。すなわち貪欲は悪徳であり、高利は悪であり、金銭欲は憎むべきだという原則、明日のことをほとんど考えない人こそ徳と叡智の道を正しく歩んでいるのだという原則である。そして再び手段よりも目的を重視し、効用より善を選ぶようになる。一日一時間を清くゆたかにすごすことを教えてくれる人、ものごとを素直に楽しめる陽気な人、労せず紡がない野の百合に敬意を払うようになる。(28)

この状態をケインズは「経済的至福」と呼び、一〇〇年以内にそこに達するための条件は四つあるとした。

人口の増加を抑制する能力、戦争と内戦を回避する決意、科学のほうが適切に解決できる問題は科学に任せる意思、資本蓄積のペースである。このうち資本蓄積のペースは生産と消費の差によって決まり、最初の三つの条件が整えば自ずと高まる。(29)

ケインズは、人々のニーズの経済的充足に関して、最も強い信頼を表明した経済学者だったと言えよう。一方、現代の経済思想家の大半は、物質的進歩の有益性に信頼を表明している。だから人類は、成長し続けなければならない。めざす先には地上の楽園が待っているのだから。

司祭としての経済学者

現代人は、内なる魂の声に耳を傾けるより、外のことに注意を向ける。経済学者が重要な地位を占めるようになったのは、このためだ。彼らにはいろいろなサービスが期待されている。オリンポスの神々よろしく移り気なウォール街の現況を解釈し解説すること、マクロ経済予測という名の予言を発表すること、危機の衝撃を和らげ成長を加速させて現実を修正すること、そして長期的には約束の土地への旅路でリーダーシップをとることである。サミュエルソン、フリードマン、ベッカー、ナイトを始め大勢の大物経済学者が経済的進歩の情熱的な伝道者となり、自国のみならず他の文化圏にも伝道して回った。ネルソンはこの現象を経済的熱狂と呼び、経済学者は「やむにやまれぬ情熱に駆られてそうしていた[30]」と述べている。ベッカーが個人的な賛辞として述べたように、フリードマンは「真実の伝道に使命感を抱いており……反対論者や無知な人々の説得に熱意を燃やしていた[31]」。

そして、民主資本主義の勝利という形で『歴史の終わり』を示したフランシス・フクヤマの信念は意味深長だ。いまや残された課題は、市民全員に正しい（経済的）信念を植えつけ、それを他の文化圏、ありていに言えば経済的に未成熟の野蛮な地域に輸出することである。先進国は経済的楽園が視界に入っており、それを他国にも与えたいと考えている。多くの宗教がそうであるように、信者が増えれば増えるほど、最初の宣教者は多くの見返りを手にする。貿易は貧困国に恩恵をもたらすように見えるが、より多くを得るのはまちがいなく先進国のほうだ。

読者もよくご承知のとおり、経済的楽園の実現は容易なことではないし、まず当分は実現できまい。いずれは、経済学の役割がずいぶんと過大評価されてきたことが広く認識されるようになるはずだ[32]。ここでは、マルクスが過大評価の先鞭をつけたことを指摘しておくべきだろう。マルクスは、経済と経済学は社会の土台であって、倫理や文化など他のすべてはその上に成り立つ上部構造だと信じていた。彼の見方によれば、経済以外のことは偽の意識であり社会が共有する幻想であって、大衆の阿片だったのである。こうして経済の発展が、歴史を読み解く重要な要素となった。経済史家のニーアル・ファーガソンは、次のような説得力のある文章を書いている。

私が中学生だった頃の歴史の教科書には、二〇世紀の暴力についてさまざまな説明が載っていた。中には、まるで政治的紛争は不況や不景気のせいだと言わんばかりに、経済危機が原因だとする説明もあった。よくある説明は、ワイマール共和国における失業率の上昇がナチスの台頭とアドルフ・ヒトラーの政権掌握を招き、ナチスの台頭が第二次世界大戦を招いたとするものだった。……だから、二〇世紀は階級闘争の世紀だという。

……ここで、こうした教科書的な思考を見直し、もっと正確な言葉で説明してみよう。……深刻な経済危機は、戦争を招いたわけではない。第一次世界大戦が資本主義の危機の結果だと主張することは（マルクス主義者は長年試みてきたが）、いまとなっては不可能である。事態はむしろ逆だ。第一次世界大戦は、かなりの高度成長と低インフレを伴った異例のグローバル経済統合の時代に乱暴に終止符を打ったのである。(33)

進歩批判

科学的進歩というものについて、また二〇世紀前半にこの概念に対して行われた批判について、ここで一言いわせてほしい。マルクス・レーニン主義者さらには民族差別主義者（彼らは極端なダーウィン主義を根拠にしていた）が、ことあるごとに「科学的」という形容詞を使って自分たちの主張の科学性を強調したことは、ぜひとも指摘しておかねばならない。当時は、何らかの所与の理論に対して「客観的に」疑念を提出する方法が存在しなかった。もっとも今日にしても、方法論として知っているだけだが。問題なのは、科学界が科学的だと認めた手法は、そのまま科学的になってしまうことだ[34]。しかし当然ながら、これはあべこべである。その結果、科学的事実なるものは、何らかの客観的評価の対象とはならず、自前の学界の評価に委ねられている。これでは、科学界に政界と似たような傾向があるのではないかと疑うことは、十分に可能だろう。そう考えると、流行の理論や発想には用心する必要がある。真理を「生み出す」と同時にそれを「評価する」科学界がどうして科学的なのか、ここで議論するつもりはないが、ともかくも真理を生む人と評価する人が同じだと言うだけで十分だろう。政治の世界には分業があるし、それが世間に監視されてもいるが、科学の世界では分業はないらしい。おかげで、マルクス・レーニン主義も、さらには民族差別主義も、少なくとも当時は「科学的」という形容詞を我が物顔で使うことができた。科学の時代である現代が歴史上最も血なまぐさい時代であるという事実は、進歩を奉じる科学信仰にとって深刻な打撃と言えよう。社会学者のジグムント・バウマンは、ホロコーストは近代性の過ちや失敗ではなく、その直接の結果だと論じている。[35]

満足を知らず、欲しいものを知らない現代人

現代の経済学にとって、このテーマは興味深いことだろう。進歩は両刃の剣である。進歩の追求は、たしかに現実の進歩を生む。たとえば近年の経済が(GDPベースで)飛躍的な成長を遂げたのは、人類が成長を強く求めたからだ。しかしその一方で、成長とともに満足が深まったとは言えない。人間はどうすれば満足が得られるのかを知らないし、そもそも満足が望ましいとも思っていない。「進歩の信奉者にとって満足は望ましいことではない[36]」のである。

客観的に見ると、私たちは歴史上最もゆたかな時代に生きている。にもかかわらず、それで十分だとは感じていない。むしろ、ゆたかさは新たな問題を生んでいる。甘いものが大好きな人が、お金はたっぷりあるのに七種類のデザートから一つしか選べないとしたら、じつに苦痛だろう。どれかに決めた瞬間に、他の六種類はあきらめなければならないし、ピスタチオでなくヘーゼルナッツのほうがよかったのではないか、いやチョコレートにすればよかったと後悔するにちがいない。いちばんいいのは全部食べることだが、そんなことをすれば胃がもたれてしまう。かといって選べば、後悔しながら店を出ることになる。

経済学者にとって、こうした状況は理解しがたい。経済学が主に扱うのは、満たされない人間

が消費を(あるいは儲けを)増やしたがる状況であって、それ以外は想像もつかない。しかし資源は大幅に増え、十二分に満足できる水準に達している。経済学は「稀少資源の分配」の学問だとされているが、では資源が豊富になったらどうするのか。いまや至福点は、どこか人類の力のおよぶ範囲内に、予算の制限内に存在するはずである。だがそれを見つけるのはむずかしい。物質的な過剰に陥り、過飽和につながる可能性は十分にある。過剰も過飽和も至福とは言いがたい。食べ過ぎた結果、肥満を呪うことは大いにありうる。

小説『ファイト・クラブ』で重要な役割を果たすタイラー・ダーデンは、消費社会のライフスタイルを体現する人物だ。「みんな、大嫌いな仕事を続けている。なんでかって? ほんとは必要じゃないものを買うためさ」[37]。高度成長で特徴づけられる戦後期には、一九六〇年代に入って消費批判の第一波が起きる。しかし言うまでもなく、ヒッピー世代が抱いたのは誤った希望であったことが判明する。社会は富ばかりか負債に依存するようになっていく。富は幸福に寄与するか否かの問題を巡っては、心理学者、経済学者、社会学者の間で今日にいたるまで論争が続いている。[38] 多数の国で幸福度調査を行った社会学者のロナルド・イングルハートは、富が増えれば幸福度はいくらか高まるが、その度合いは次第に小さくなると結論した。[39] 言い換えれば、幸福度関数は上に凸の曲線を描く。富裕国では、富が増えても幸福度はごくわずかしか増えないし、増える余地がほとんどない。イングルハートによれば、所得と幸福度の相関性は「驚くほど弱い(それどころか、無視できる程度である)[40]」という。これは一般に「イースタリンのパラドックス」

と呼ばれている。

社会心理学者のデイヴィッド・G・マイヤーズは、「幸福に関する限り、BMWで通勤するか、大方のスコットランド人のように徒歩やバスで通うかは、ほとんど関係がない[41]」と指摘する。フォーブス誌の米国長者番付にランクインした一〇〇人を対象にした調査でも、富豪たちの幸福度は「平均をごくわずかに上回る程度」だったという[42]。マイヤーズは富がもたらす一時的なよろこびについても考察しており、「宝くじの当選者は、一過性の衝撃的な歓喜を味わうに過ぎず、この高揚感は長続きしない。ところが、かつては楽しい活動とされていたもの、たとえば読書は、昨今では楽しみが減じたように見受けられる。一〇〇万ドルを一気に獲得する高揚感に比べたら、まともなよろこびは色褪せてしまうからだろう」と指摘する[43]。アリストテレスも、激しい快楽が通常の快楽を薄れさせる効果について語っている[44]。激しい快楽が出現すると、通常の快楽のよろこびは消え失せてしまう。言わば、この新しい快楽が基準になるためだ。

全員が四〇〇平米の家に住んでいる社会の住人の幸福度は、全員が二〇〇平米の家に住んでいる社会の住人と変わらないという[45]。どれほど持っているか持っていないかは、長い目で見れば問題ではなくなるようにも思えるが、この点は新たな議論のテーマとなっている[46]。想像上の至福点に到達したとして、人はそこにとどまり、それ以上は求めないようにする術を知っているのだろうか。そもそも、その点に達したことをどうやって知るのだろう。いや、もうすでに達しているのではあるまいか。戯曲『ゴドーを待ちながら』の一節は、意味深長である。

ヴラジーミル　言ってごらん、ほんとでなくても。
エストラゴン　なんて言うんだ？
ヴラジーミル　だから、わたしはしあわせだ。
エストラゴン　わたしはしあわせだ。
ヴラジーミル　わたしもね。
エストラゴン　わたしもね。
ヴラジーミル　わたしたちはしあわせだ。
エストラゴン　わたしたちはしあわせだ。（沈黙）さて、しあわせになったところで、何をしよう？
ヴラジーミル　ゴドーを待つのさ。(47)

消費に関して幸福になる道は二つありそうだ。一つは、永久に消費し続けること（次の幸福を手に入れるためには、もっと消費する必要がある）。もう一つは、すでに十分持っていると気づくことだ。私たちに不足している唯一のものは、不足それ自体である。

経済学がその目標を失ったとき、唯一残されたのが成長だった。成長には計測可能な目標がないため、ひたすら成長することしかない。だが無目的なものは、(48)無意味だし、(49)いつまでも達成感は得られない。ゴールをめざして走ることと、走るために走ることは本質的に異なる。たとえばジョギングなら、同じところをぐるぐる走ってもいっこうにかまわないが、どこにもたどり着かなくてもそれは当然である。

「プライベートの時間がとれない」という言葉は、かつては無能力の表れであり残念なことと受け取られていた。しかし今日では、いかに仕事に打ち込んでいるかを示す証拠とみなされ、多忙に対する敬意の念を期待して発されるようになっている。かつてギルガメシュは、強制的に民衆を駆り集めて彼らの家庭生活を奪ったが、現代人は自主的にプライベートの時間を捧げている。ちょうどギルガメシュが（必ずしも必要でない）城壁のためにそうしたように。

不足の不足

まことに逆説的だが、現代人は、多くは人為的に不足状態を作り出している。何かが足りないときに初めて冒険は始まるのであり、心躍る楽しみも人生の意味もそこから始まる。かくして、この目的のためにまるまる一つの産業が出現した――エンターテイメント産業である。この産業は、規格品の娯楽を提供するが、その多くが擬似的な不足状態を作り出すことで成り立っている。なぜなら、何かが足りない状態は、現代の日常生活では見当たらないからである。そこで過飽和に達した人々は、暖房の効いた部屋でテレビの冒険ドラマに目を凝らすことになる。ドラマの中では、主人公が寒さと飢えに堪えている。自分もやってみたいと思いながら、人々は危険なシーンを楽しむ。満たされ安全であればあるほど、人工的な冒険や作り物の危険を求めるようになるというのが、第一の逆説である。そしてここには、第二の逆説もある。飢えや寒さに苦しむシーンを楽しめるのは、あふれる物に囲まれ、暖房の効いた部屋で片手にポップコーンを抱えた状況に限られる、ということだ。本物の不足、すなわち飢えや寒さに苦しめられた状況でそうした映画を見ることなど、あり得ない。

おそらく人々が望んでいるのは、足りない状態、追い求める状況である。さらに言えば、望むことを望んでいる。僭主と詩人の対話を描いたクセノポンの『ヒエロン』の中では、僭主が、自分には庶民より楽しみが少ない、快楽が多すぎて楽しめないからだと告白している。「十分すぎるほどに食事が出されると、それだけ早く満腹感に襲われる。したがってよろこびの続く時間も、多くの食事を供される人は、ふつうの生活をしている人より劣っているのだ[50]」。

現代のこうした気まぐれな望みを一段と助長するのが、借金経済である。どうやら現代社会は、つねに焦げ付きぎりぎりの綱渡りを好むらしい。どんな犠牲を払ってでも最大限に成長することが至上命令である以上、真の休息や満足は得られるはずがない。そして成長に意味はないなら、「人間は存在論的に退屈[51]」な状態にあるとヤン・パトチカは言う。パトチカはチェコの哲学者で、ハヴェル元大統領が共産政権下で投獄されたときの同志である。パトチカによれば、退屈は狂乱を、熱狂と興奮の中にすべてを解放するお祭り騒ぎを要求するという。日頃の節度を蹴飛ばせば、何でもありの世界に飛び込める。そこにはもはや限度はない。

人間のふるまいに関するパトチカの説明は、今回の危機にも当てはまる。つまり借金頼みの大消費パーティーだったということだ。

欲求不満の継承

欲求不満は人間につきものであり、人間の特徴とも言える。エデンの園の物語から読み取れるように、原罪が犯される前から満たされぬ思いは存在しており、それがついには楽園追放につながった。「人類は、資本主義を待つまでもなく、貪欲というウィルスによって欲求不満を伝染させることができた……このウィルスは、つねに人類とともにあった……このウィルスは不活性だが、社会経済条件や文化的条件が変化して好都合な環境が出現すれば、ただちに活性化した[52]」。

だが人間は、何を不足と感じるかをある程度は選べる。したがって、何を選ぶかに注意を払うべきだ。アリストテレスが言うとおり、ある情念は他の情念を押しのける。近年の富の急増にもかかわらず、私たちはまだ満足していない。まるで「新たな生産は、自らが産み出した空隙を埋めるだけ[53]」のように見える。不足を避けるには、どれほどたくさん持たなければならないのだろうか。満足できないのは、のべつ気が変わるせいなのだろうか。いつまでたっても心の平穏が得られないのはなぜだろう。

ある面から見れば、こうした気まぐれや不足は有益だと言える。新しい発見や新しい活動の原動力になるからだ。継続的な経済成長が可能なのは、まさに次々に生み出される不足のおかげである。この創造的破壊においては、昨日まで完璧に機能していたものを新しいものが押しのける。ある経済学者によれば、これが資本主義と自由の原理にほかならない。

別の面から見れば、これは経済学者のフレッド・ハーシュの言う逆説的状況である。すなわち、富が増えてもいっこうに人々は幸福にならない(54)。

あなたがコンサートの聴衆の一人だとしよう。全員が座っているのに、突然誰かが立ち上がった。この人は比較優位を得たことになるが、それは邪魔された人たちの犠牲を伴う。やがて他の人たちもまねして立ち上がってしまえば、最初の人の比較優位は失われる。全員が再びほぼ同一条件になるわけだ。ただし、全員の足が前より疲れることになるが。やがて誰かがつま先立ちすれば、再び同じ光景が繰り返される。肩車をする人が現れれば、また同じことになる。

要するに満足は相対的なもので、絶対的な満足というものはない。隣人が新車を買った瞬間に、それまで自分の車に満足していたのに、突然ひどくみじめに感じる。こうした負のスパイラルから逃れる方法はないのだろうか。この消費地獄から脱出して、おだやかな心の楽園に到達することは、おそらく不可能ではあるまい。物質ではなく精神にやすらぎを得ればよいはずだ。イエスも、弟子たちに「幸福があなたと共にありますように」とは言わず、「平和があなたと共にありますように」と言った。

アウグスティヌスの『告白』には、「人の心はあなた（神）にあってやすらぎを見いだすまでは、満ち足りることがありません(55)」という印象的な文章がある。だがアウグスティヌスの心は、生きている間に休まることはなかったのだろうか。探し求めていたものを見つけ、それ以上求めるのはやめたのではなかったのか。旧約聖書時代のユダヤ人は、とうとう約束の地にたどり着いたときにも、戦い続けなければならなかった。そこには望んでいた平和も休息もなかった。エルサレムは「平和の町」という意味だが、この美しい名前にもかかわらず、今日にいたるまでこの町に平和が訪れたことはない。このことから、精神世界も物質世界とさして変わらないようにも思われる。どちらにおいても、人はより多くを求め、けっして十分ということはない。欲求不満という破壊しがたい要素が人間の中に受け継がれていて、際限なく圧力をかけているように思われる。

アリストテレスは、人間は持てるもので満足しなければならない、幸福はそこに存するという結論に達している。さもないと、「虚栄の市」の罠に陥り、持てば持つほど欲が出ることになってけっして満足できない、と喝破した。しかし旧約聖書には「何もかもものうい。語り尽くすことはできず、目は見飽きることはなく、耳は聞いても満たされない」(56)という一節がある。これがいまから数千年も前のことなのだから、アリストテレスの助言はもっともだとしても、守るのはむずかしい。欲求不満の残滓が現代人にも受け継がれているのなら、なおのことである。しかもこの感覚は、近年一段と募ってきたように思われる。それでもやはり私たちは、感謝し満足することを知るべく努力しなければならない。信じられないほど貧しかった古代の哲人に比べれば、少なくとも物質的には何百倍もゆたかな状況にあるのだから。

安息日の経済学

この状況で探すべき解決方法は、禁欲主義ではなく、安息日の考え方ではないだろうか。くつろぐのは心地よく楽しいことのはずだが、「安息日を守る」という掟は、十戒の中で今日最もひんぱんに破られているようだ。安息日を守れない現状を変えるべきなのか、それとも進歩がもたらした現状をよしとすべきなのかは、悩ましい問題だ。ユダヤの律法では、人間は六日働いて七日目に休むべし、と定められている。体を休めて深く考え、自分のした仕事の成果を楽しまなければならない。これが掟になっているのは、ふしぎな感じがする。神は何も働くことを禁じなくとも、それも死刑に処すとまで脅して禁じなくとも[57]、休むように奨めるだけで十分だったのではなかろうか。だがおそらく人間の本性には働き続けたがる傾向があって、そのために律法で定めなければならなかったのだろう。

旧約聖書では、七年ごとに土地を休めなければならないとしている。この定めには、休耕地にして土壌を改善する以上の意味がある。そして四九年ごとに土地はもとの持ち主に返される。また債務は帳消しになり、債務奴隷（ヘブライでは、借金が嵩んで返済できない者は奴隷に身を落とした）は奴隷労働から解放される。要するに、一定の年月が過ぎれば富の蓄積は失効する。言ってみれば組織的なリセットであり、再起動である。

この数十年を振り返ると、人類はじつに多くを成し遂げたと感じる。私の祖国チェコは共産政権の残照から脱し、なんとか欧米スタイルの経済の体裁を整えた。しかしその間に先進国は、技術でも経済でもさらに大幅な進歩を遂げている。だが、馬にあまりに鞭を入れすぎたのではないだろうか。経済と社会が至上命令とするのは最大化であって、満足ではない。成長を最大化し、消費を最大化しなければならない。新技術は時間の節約になるというふれこみだが、だからといって休息が増えるわけではない——正確には、私たちは自分に休息を与えようとはしない。

それに、技術の進歩で得られた新たな活力を、すべて消費や成長のために投じる必要があるのだろうか。これを何か別のことに投じてもいいはずだし、楽しいことはほかにもたくさんある。最大化という至上命令と対極にあるのが、安息日の掟である。絶え間なく最大化をめざしてはいけない、とこの律法は命じる。消費の効用は、ほとんど枯渇しているように思われる。効用の井戸はすでに干上がり、もはや最大化など不可能に見える。

この状況では、進歩がもたらした新たな活力で何をするか、ということが問題になる。私の見るところ、技術の進歩によって得られた時間の節約は、すべて生産に投じられている。進歩の恵みを楽しもうとせず、より多くの恵みを得ようというのだ。アメリカは、過去二〇年間の技術の進歩によって大幅な時間の節約を実現した。逆に言えば、二〇年前の生活水準を維持することを選択し、節約された時間をすべて余暇に充てていたなら、労働時間を四〇％減らせたはずである。これはまさに、ケインズが七〇年前に予想した週三日労働に相当する（ここで私は、「他の条件がすべて等しい」との前提を設けたことを白状しなければならない）。

アメリカとフランスの競争力格差は、このこととよく似ている。アメリカは、年ベースで比較するとフランスより生産性が高い。すなわち、平均的なアメリカ人の一年間の生産高は、平均的なフランス人より多い。ところが時間ベースで比較すると、フランス人のほうが多くなる（もちろん、フランス人が実際に働いている時間の生産高のことである）。このちがいは、主に休暇の日数が原因だ。ここに、アメリカとヨーロッパのトレードオフが存在する。ヨーロッパの人々がGDPを増やしたければ、休暇を半分に減らして働けばよい。これで問題は解決である。しかし、GDPを増やすことにそれだけの価値があるのだろうか。

つねにGDPを最大化する以外の選択肢はないのだろうか。たとえばヨベルの年のように、「今年はお休み」と宣言することはできないのだろうか。旧約聖書時代のヘブライ人の社会は、現代よりはるかに貧しかった。その彼らがヨベルの年を実行できたのなら、どうして私たちにできないことがあるだろう。だが現代社会は安息にはほど遠い。これまでのところ、現代社会は第一歩を踏み出すことさえできていない。まずは、借金頼みの見せかけの成長から脱することである。GDP拡大に取り憑かれる前の経済思想を知ったなら、ブレーキをかけることはさほど愚かな行為ではないと考えられる。

ヨセフ、ファラオ、出来損ないのケインズ政策

景気は、はるか昔から循環していた。第2章で取り上げたように、景気循環の最初の記録は四〇〇〇年前に遡る。エジプト王ファラオは、七頭の肥えた牛と七頭の痩せた牛が出て来る夢を見た。これは、七年の豊作と七年の飢饉を表すものと解釈された。言わば一四年分のマクロ経済予想である。豊作と飢饉の理由は、聖書には一切説明されていない。豊作は善行の報いではなく、凶作は悪行に対する罰でもない。むしろこれは、知恵のテストだったと考えるべきだろう。起こりうる事態に人間がどう対処するのか、神が知恵を試したのである。

ファラオの夢解きをしたヨセフは、一種のケインズ政策を進言した。豊作の年に余剰を積み上げ、それは消費せずに貯蔵しておいて、凶作の年に備える。おかげでエジプトは富み栄え、周辺国を支配下に置くことができた。すくなくとも「創世記」四一章によれば、そうなっている。

この物語はじつに単純で、小さな子供にも理解できる点がすばらしい。ところがおぞましいことに、いまや人類は、この物語の知恵からはるか遠くをさまよっている。エジプトから一気に現代にワープしてみよう。今日では政策立案に精緻な数学的モデルを使うが、大事なことを見落としている。二〇〇八年のグローバル金融危機後に大不況が発生するとケインズ政策が復活したが、これは本物には似ても似つかない代物で、「出来損ないのケインズ政策」と言うほかない。ケインズの学説の一部（赤字を容認する）だけが採用され、大事な部分（余剰を蓄積する）は忘れられた。

そして今日では、景気拡大期でさえ赤字が容認されている。現在のやり方はケインズよりはるかに過激であり、凶作に備えて穀物を備蓄するどころか、貯蔵庫は借用証でいっぱいになっている。

欧州連合（EU）には、財政赤字をGDP比三%に抑えるというルール（財政安定化・成長協定）がある。ところがこのルールは、「三%を上限とする」から「三%ならOK」にいつの間にか変わってしまった。つまり心理的には、赤字三%が「財政均衡」のようにイメージされている。だから赤字が三%より小さければ、健全財政として称賛される。[58] なぜ、こういうことになったのだろうか。そして、経済の調子からみれば当然財政黒字になるべきときに、なぜ赤字削減に取り組まなければならないのだろう。赤字削減は、一般に借金の増え方をゆっくりにするという意味で使われている。だが現に必要なのは、借金をゆっくり増やすことではなくて、できるだけはやく減らし、すくなくとも次の危機が起きる前までに、ある程度の黒字を蓄えることだ。将来的には、GDPの伸びの一部を犠牲にして経済成長を人為的に減速し、その分の余力で債務削減を実行すべきである。これがいわゆる緊縮型財政政策である。景気を刺激して成長率を押し上げる時期（財政拡大）があったら、そのツケを払う時期（財政緊縮）の覚悟をしなければならないが、多くの人はこの事実を忘れてしまっている。

これまで、「景気拡大期に黒字を積み上げよ」というルールは存在しなかった。まずはこれをルール化すべきだろう。このルールを守っても景気後退は回避できないが（いや、何をしても避けることはできまい）、対応する余地を生み出すことはできる。現状では、この余地がどんどん乏しくなっている。

債務危機に関する限り、財政規律を回復するための単純な方法は「新ヨセフ・ルール」を守ることである。すなわちGDP成長率と財政赤字（または黒字）の差引合計を、たとえばGDP比三％以内に抑える。つまり成長率が六％なら、財政黒字は最低でも三％計上しなければならない。成長率がマイナス三％になったら、財政赤字は六％まで容認される。景気後退期の赤字は許されるが、景気拡大期に必ず埋め合わせなければならない。

最後の成長局面だった二〇〇一～〇八年（七年間である）の間に、途方もない富が積み上がった。だがその中から古い債務の返済や景気後退期の備えに充てるために取りのけられた額は、ごく少ない。それどころか、多くの国が一段と借金を増やしている。

ブレーキを踏め

いまの私たちは、不況期のために用心深くとっておくべきもの（財政赤字）を、好況期に食べてしまっている。夏は木が乾いているし集めやすいので、冬に備えて薪を集めておくのが賢いやり方である。ところが私たちは、夏に薪を燃やしている。しかもその分を集めて補充するどころか、隣から借りて来た木まで夏の間に燃やしてしまう。必要なのは、ヨセフのルールだ。余剰があるから、不足を凌げるのである。現時点で赤字なら、まずは借金を早いところ返さなければいけない。二〇〇八年の危機は、先進国を破滅に追い込みはしなかった（とはいえ一部の国は破産またはその寸前まで追いつめられた）。だが次の危機は、おそらく三〇年か五〇年先にはやってくるだろう。債務を抱えたままで次の危機に突入したら、今度こそ致命傷になりかねない[59]。

したがって、経済政策の目標を見直す必要がある。GDPの最大化から債務の最小化へ、すなわちMaxGDPからMinDebtへの政策転換である。現世代ではGDPの最大化が問答無用の呪文のようになっている——どんな犠牲を払っても、借金をしようと、働き過ぎになろうと、GDPを増やせ、と。だがいまは、妥当な水準の成長をめざすべきときではないか。もしも強い追い風が吹いて予想以上のペースでの成長が見込めるときが来たら、先進国は財政再建に取り組み、債務を減らして黒字の実現をめざすべきだ。下り坂でスピードが出たら、ブレーキを踏むのが当たり前である。スピードを落とし、電気自動車のようにその分のエネルギーを回収することが望ましい。下り坂でアクセルを踏み続けるのは意味がない。いまこそMaxGDPからMinDebtへ切り替えて、エコノミー・ドライブをするときである。

第10章

善悪軸と経済学のバイブル

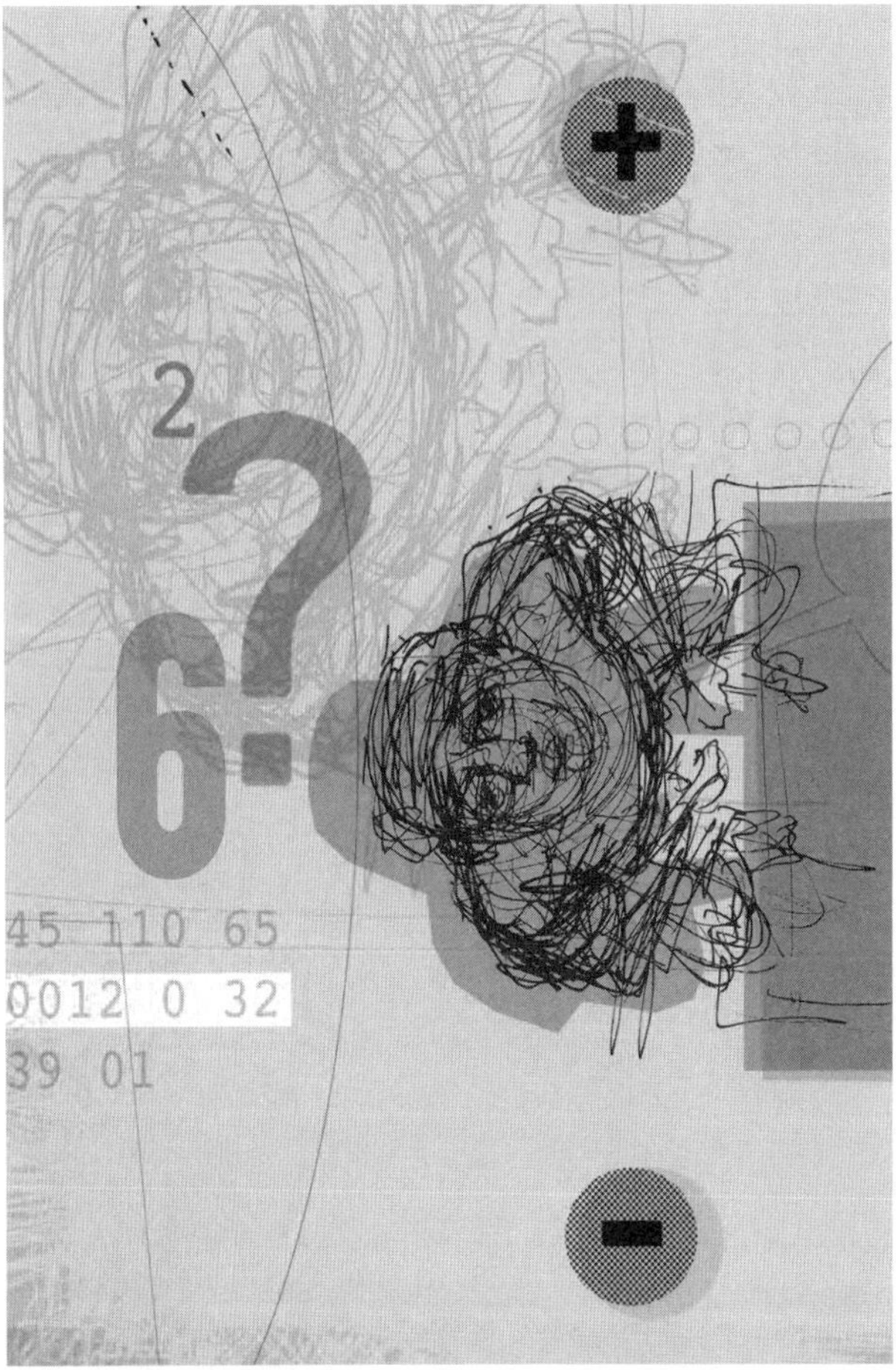

第1部のはじめに、「どんな経済学も、結局のところは善悪を扱っている」[1]と書いた。現代の主流派経済学は、善悪の判断のみならず、いっさいの価値判断や主観的意見あるいは信仰を、何としてでも避けようと躍起になっている。にもかかわらず、経済学がそれに成功したのか、あるいは成功する可能性があるのかは大いに疑問だ。経済学、さらに科学全般は、善悪と袂を分かち、実証主義や価値中立性をめざすことを望んでいる。それを見ていると、人間が善悪のちがいを知らなかった時代を思い出さずにはいられない。アダムとイヴは、知恵の木の実を食べたために善悪のちがいがわかるようになったのなら、食べる前には価値中立的だったはずだ。二人は何がよくて何が悪いか知らなかった。つまりこの点に関する限り、無知だった。となれば経済学、ひいては科学全般は、ある種の事柄は知ろうとするが、こと倫理については無知になりたがっていることになる。

だがもうこれ以上、善悪に無知でいることはできない。科学を含め、人間のあらゆる活動には倫理がつきまとう。経済学が価値判断とは無縁でいたいと望むとしても、経済学の根本的な部分は規範的判断に基づいている。つまり、苦痛、非効率、貧困、無知、社会的不平等などは悪いとされ、（科学の力で）取り除くべきだとされている[2]。そもそもどんな科学もどんな進歩も、悪から逃れたいという願いから始まっているのではないか。

歴史の大半を通じて、倫理と経済学は緊密に関連づけられ、互いに影響をおよぼしあうという考え方が支配的だった。ヘブライ人、ギリシャ人、キリスト教徒、そしてアダム・スミス、デイヴィッド・ヒューム、ジョン・スチュアート・ミルはみな、経済学と倫理学の相互作用をきわめて重要なテーマと認識していた。彼らが達した結論はどうあれ、倫理の研究が経済学にとって欠かせないという点では一致しており、経済と倫理を切り離して考えることはまずなかった。

善悪軸

歴史を渉猟していると、「善は報われるのか」という基本的な問いにたびたび出くわす。善行は「経済的」なのか、効用あるいは経済的見返りを伴うのか、という疑問である。そこでここでは、この問題に取り組んだ主な学派の関係性を示すために、敢えて容認しうる限りの単純化を行い、「善悪軸」上に位置付けてみたい。位置付けは、「善は報われる」すなわち善は効用を伴うとどれだけ強く主張しているか、その度合いに応じて決める。また主な学派の中には、現代の主流派経済学も含めることにする。善と効用をきっぱりと切り離した学派から始めて、効用すなわち善であると考えた学派で締めくくることにしよう。

イマヌエル・カント

まずは最も厳格な学派から始める。カントは、現世における見返りを求めることは何によらず批判すべきだと考え、それは行為の徳性を貶めると主張した。カントの考える倫理的行為とは、報われることのない行為である。自らの命の危険を冒して誰かを救ったとしよう。その行為に報奨を要求しても、報奨あるいは他の効用を見込んでその行為を行っても、行為の徳性は失われる。この点で、カントの思想はキリスト教の倫理観にいくらか近いと言えよう。それを最もよく表すのが、聖書のラザロの逸話である。それによれば、富者が地獄に堕ちるのは、単にこの世で楽しんだからという理由であり、貧者が天国へ行くのはこの世で苦しんだからだとされている。

カントにとって、善行とは無私であるからこそ、つまり絶対的な倫理規範への純粋な忠誠心に従って行われるからこそ、善行だった。カントの倫理学は、功利主義に真っ向から対立する。高潔な人間は効用の多寡にはいっさい注意を払わない。倫理を重んじて行動したいなら、言わば効用関数に逆行し、カントの言葉を借りるなら「自己を超克」し、自己の効用を増やしたいという衝動に逆らって行動しなければならないのである。この意味で、カントは倫理に関して最も厳しい思想家だった。

ストア派

ストア派は、善行に対する報奨を拒絶すべきだとまでは考えていない。この点で、カントほど厳格ではない。ただしストア派は、報奨が行為の動機になってはならないとする。ストア派は、カントと同じく、行為の結果には無関心である。自分が報われるか、罰されるかは気にしない。あくまで規範に従って行動するところまでが自分の責任で、その結果が毀誉褒貶いずれであっても無頓着である。彼らが重視するのは動機であって、行為そのものではない。行為が個人におよぼす経済的影響や効用の増減は、ストア派の関心の範囲外であり、考慮の対象にさえならなかった。

プラトンとアリストテレスは、どちらもストア派に近い。快楽がつねに悪かどうかについて意見の不一致はみられるものの（アリストテレスによれば、プラトンはつねに悪だと主張した）、善く生きることが大切だという点では、両者は一致している。アリストテレスは、快楽は必ずしも悪ではないとしたが、善き人生という大きな目的の下に置かれるべきだと述べた。

キリスト教

キリスト教は伝統的に禁欲主義的であり、この点で、効用や快苦に無関心を貫いたストア派に近い。キリスト教は肉体的な動機や快楽も軽蔑し、それは堕落した肉体の特徴であるとした。肉体というものは飼い馴らし、抑圧しなければなら

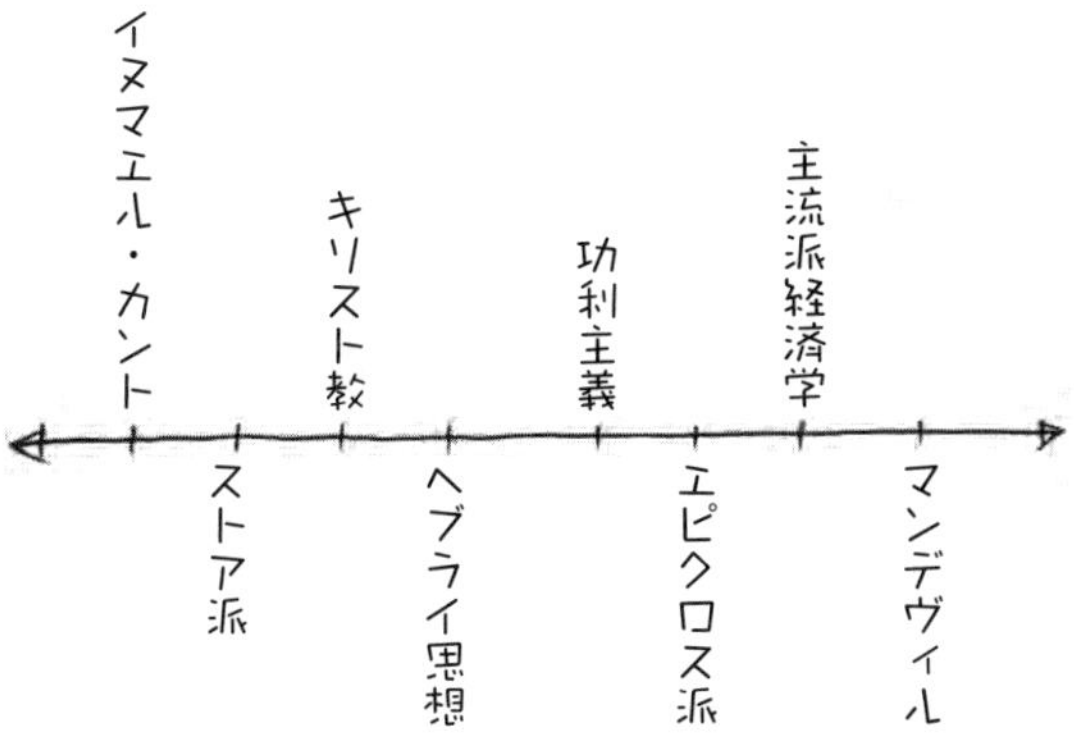

ない。どうやってそれをするかという点で、キリスト教はストア派と一線を画す。人間は、独力では理想に届かないとしたのである。その一方でキリスト教の理想は、ストア派の理想よりも条件がきびしい。ストア派は物理的な行為の中にのみ罪を認めたのに対し、キリスト教は思考の中にも罪を指摘したからである。称賛に値する人生は、ストア派のような強い意志や自己否定ではなく、天からの助けに頼るべきものとされた。ここに、ストア派とは異なる新しい超自然的な次元が出現する。

トマス・アクィナスは、理性にも重要な役割を与えた。それまで感覚的な宗教だったキリスト教に合理的な基礎を与えたのは、アクィナスである。神は純粋な知性であるから、理性は徳であるとした。理性の声に耳を傾け、それに従って行動できる人は有徳である。理性を働かせようとしない人々をアクィナスはあからさまに非難した。彼にとって、「無知は罪」だった。

キリスト教には、信者の内面に深い変化を起こし、その後は動機や願望が自ずと善へ向かうようにする情緒的な働きもある。聖書ではこのことを「回心する」、「生まれ変わる」と表現している。

ヘブライ思想

効用と倫理の観点から見ると、古代ヘブライ思想はストア派と功利主義の間のどこかに位置づけられる。ヘブライ人は、キリスト教よりも効用について好意的だった。旧約聖書は、快楽にあきらかによい意味を見出しており、人間は「日々を楽しむ」べきだとしている。旧約聖書の教えは、効用の最大化を禁じない。ただし、神の定めた掟を超えてはならないとする。つまり、ある程度の限度を設けた中での最大化を認めている。このことを美しく表現した一節が、「コヘレトの言葉」にある。「若者よ、お前の若さを喜ぶがよい。青年時代を楽しく過ごせ。心にかなう道を、目に映るところに従って行け。知っておくがよい、神はそれらすべてについてお前を裁きの座に連れて行かれると(3)」。

旧約聖書時代のヘブライ人は快楽に反対ではなかったし、善行が報われたからといって、その善行を否定することもなかった。この点で、効用に対して無関心を貫いたストア派とは立場を異にする。またキリスト教の多くの宗派とも異なり、肉欲を非難せず、神から授かった自然な傾向の一部と捉えた。善行に対する報い、つまりは善行の効用は、あの世に委ねられるものではなくこの世で得るものとした点でも、キリスト教とはちがう。その一方で快楽主義者とは異なり、快楽は一定のルールに従うべきであり、効用の追求には限度があると考えていた。

功利主義

功利主義は、エピクロス派すなわち快楽主義よりも善悪軸の手前に位置づけられる。ミルが示したように、両者の基礎の部分は似通っているが、功利主義は「中立な観察者」という胸中の審判人を導入して利己主義を克服しようと試みた点が異なる。

「最大多数の最大幸福」を唱える功利主義は、けっして利己的ではない。全体の幸福を個人の幸福の上位に位置づける。ある人にとっての効用が減っても、全体（または別の人）にとっての効用がそれ以上に増えるなら、その人は全体（または別の人）の利益のために、よろこんで自分の効用の縮小を受け入れる。一方、マンデヴィルの蜂は絶対にそのようなことはしない。

ミルは、効用の追求に関して、快楽主義者よりはるかに利他的である。両者のちがいは、快楽主義者が個人の効用の最大化を最高善とみなすのに対し、ミルは社会全体の効用の最大化を最高善とみなすことに由来する。何らかの行為をするに当たっては、全体の効用の最大化を考え、自己の効用の最大化を考えてはならない、とミルは主張する（快楽主義者はまさに後者であり、この点はマキアヴェッリとよく似ている）。

エピクロス派

ストア派の思想的なライバルだったエピクロス派すなわち快楽主義者は、何らかの行為の善し悪しを、その行為がもたらした効用のみに基づいて評価した。「目的は手段を正当化する」という信念を最初に掲げたのは、彼らである。したがって善悪軸上では、このエピクロス派から、悪や悪徳が容認される領域に入ることになる。快楽主義者は、彼らの神聖なる目的のために罪深い手段を必要とした。目的がよいものであって、他のどの目的よりも全体の幸福を高めるのであれば、そのことが手段を正当化する。ここで取り上げる中では、エピクロス派は、外から与えられるルールの必要性を否定した最初の学派である。外生的なルールが要らないということは、議論ではきわめて有利になる。万人にとってつねに正しい抽象的なルールの有効性を主張することは、ストア派からカントにいたるまで、あらゆる学派にとって危険な陥穽だった。これに対してエピクロス派は、その近代版である功利主義と同じく、抽象的な体系を必要としない。善は観察可能であり、計算可能であり、系や状況から内生的に生じる。

ここで、エピクロス派が悪の最小化にも努めたことに言及しておかなかったら、彼らに対して不当な仕打ちと言えよう。この点は、マンデヴィルとは反対である。マンデヴィルは、進んだ社会が適切に機能するためには悪が必要だと考えており、悪をできるだけ減らそうなどとはつゆ考えていなかった。そんなことをすれば、むしろ蜂の社会の安定と繁栄は危うくなる。

主流派経済学

現代の主流派経済学の学説を軸上に位置づけるとしたら、エピクロス派の次ということになるだろう。エピクロスは、人間の行動のすべてが利己心によるとは言えないとの立場をとり、利己的でない関係の一例として、友情を挙げている。一方、現代の経済学は、母親の愛や夫婦関係も利己心で説明できるとする。

現代の経済学では、すべてを利己心と計算尽くに還元しようとする傾向がきわめて強く、エピクロス派でさえこれにはおよばない。しかも現代の経済学は、ミルの功利主義を継承したにもかかわらず、彼の説いた個人の道徳原理や胸中の観察者の視点は引き継がなかった。ミルの正統的功利主義は、全体の利益のために個人が自己の効用を自主的に放棄することを要求するが、これは現代の経済学にはまったく見受けられない。今日の経済学の人間観はさまざまな思想の寄せ集めである。そして、市場の見えざる手が個人の悪を全体の幸福に変えるのだから、個人の倫理には関わらないという立場をとっている。

マンデヴィル

ごく控えめに言えば、マンデヴィルは、倫理に対する配慮は自分の議論とは無関係であるとした。だが実際に彼がやったのは、それ以上のことである。倫理と経済の間に逆相関関係をこっそりと持ち込んだのだ。個人が不誠実になればなるほど、国家や制度にとっては好ましいというのだから、経済と倫理に関してこれほど過激な見方はほかにあるまい。まさに私悪は公益というわけだ。たしかにマンデヴィルは、利益と倫理は相互依存関係にあると考えてはいたが、それは逆の意味においてだったのである。ここで挙げた他のすべての学派とは異なり、マンデヴィルは、悪徳が増えるほど全体の幸福の余地が大きくなると主張したように見える。

以上で、善悪観に基づく経済学の分類を終えるとしよう。善悪軸は、無私の善を求めたカントに始まり、善が増えれば社会は衰退すると論じたマンデヴィルで終わる。

経済学のバイブル

アダム・スミスとその後継とされる古典派経済学者は、倫理学と経済学の問題は密接に結びついていると考えていた。彼らの多くは、道徳哲学者（ミル、ベンサム、ヒューム）か教育者（マルサス）である。この意味で、アダム・スミスは経済学の父と言うよりは、倫理学と経済学を巡る議論を最も深めた功労者と言ってよかろう。スミス以降の経済学では、倫理に対する関心が低下していく。古典派経済学の最後の重鎮は、倫理の問題に熱心に取り組んだアルフレッド・マーシャルである。その一方で、マーシャルは経済思想の本流に数学を取り入れた最初の学者でもあった。ただしマーシャル以前にも、ごく一部の学派やフランスの経済学者は数学を導入していた。

標準的な経済学の教科書となった最初の経済書は、アダム・スミスの『国富論』で、一七七六年に刊行された。一八四八年（奇しくもマルクスが『共産党宣言』を発表した年である）には、ミルの『経済学原理』が取って代わる。同書には、「その社会哲学への応用」という雄弁な副題がついている。『国富論』にも『経済学原理』にも、グラフや数式は一つも登場しない。そもそも章番号以外、数字はほとんど見当たらず、まして数学的モデルは言うまでもない。どちらの著作もむしろ哲学的な性格であり、物語的である。一八九〇年にはマーシャルの『経済学原理』が経済学のバイブルとなる。この本には簡単なグラフが数十枚（正確には、七八八ページの本に三九枚、すなわち二〇ページに一枚）含まれているが、「数学的な注記」は巻末の付録に回された。その一方で、経済思想の歴史および経済運営や倫理と経済を巡る議論の歴史は当然のごとく取り上げられている。

ジョン・メイナード・ケインズも、経済学の倫理的側面をきわめて重視した経済学者である。ケインズは数学に造詣が深かったにもかかわらず、代表作の『雇用、利子、および貨幣の一般理論（以下一般理論）』にはグラフや数式はごくわずかしかない。しかし次のバイブルとなったポール・サミュエルソンの『経済学』は、ケインズ理論を発展させたものであるにもかかわらず、もはや物理学の教科書といった風情だ。このあまりにも有名な教科書には、ほとんど一ページおきにグラフ、式、図表が登場する。倫理と経済を巡る議論は登場しない。曖昧なところは何もなく、経済学は機械装置であるかのように解説される。

第11章

市場の見えざる手とホモ・エコノミクスの歴史

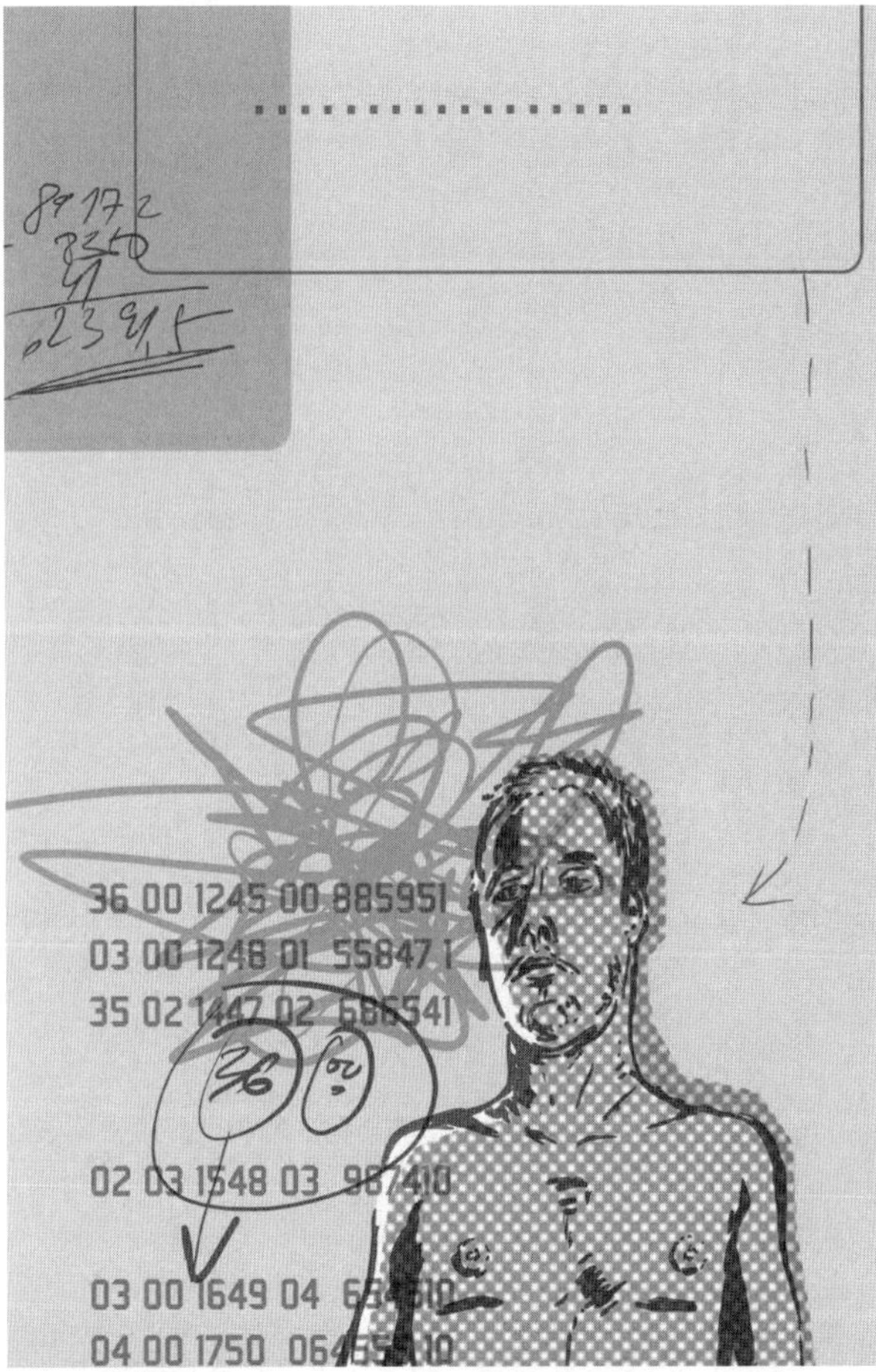

「見ることは信じること（百聞は一見に如かず）」ということわざがある。だがこれは、なんだかおかしい。自分の目で見ているもの、つまりどうみても疑いの余地のない（なさそうな）ものをどうやって信じるのだろうか。それに、見ていないもの、見たことのないものは信じなくてよいのだろうか。目に見えないもの、たとえば見えざる手は、見ることができない。だから経済学者は、それを信じる（あるいは信じない）と決めなければならない。

市場の見えざる手への信仰は、まっとうな待遇をされてきたとは言いがたい。見えざる手は万能であって、いつでもどこにでも出現し、日常的な問題の大半をひそかに解決してくれると盲目的に信じる人々がいる一方で、こんなものは諸悪の根源だとみなす人々もいる。経済学のもう一つの重要な概念であるホモ・エコノミクスも、同じような状況だ。

経済学者のアルバート・ハーシュマンが指摘するように、アウグスティヌスは悪徳（または欲望）には大きく分けて三種類あると考えていた。[1] 第一は権力欲、[2] 第二は性欲、第三は金銭欲である。しかしこれらの悪徳は、主立った思想家の著作の中で、人類あるいは社会の原動力として重要な地位を与えられてきた。そして最終的にはどれも、その時々の時代に合ったやり方で、人類と社会を前進させる原理にまで高められている。

たとえば権力欲を取り上げてみよう。ニーチェの言う「力への意志」は、これに近い。両者の唯一のちがいは、ニーチェがこの欲望を徳と考えていたのに対し、アウグスティヌスは悪徳だと考えていたことである。[3] 性欲に関しても、初期の心理学、とくにジークムント・フロイトにおいては、人間のあらゆる行動の原動力とみなされ、きわめて重視された。

これら三種類の欲は、どれもそれぞれに一種の見えざる手とみなすことができよう。よくできた社会システムによってうまくコントロールされれば、この三つの「個人の悪徳」は社会に利益をもたらしうる。アウグスティヌスは、古代ローマ社会が固有の発展を遂げたのは、私人の利益も公の悪徳もたっぷりあったからだ、と皮肉を込めて指摘した。(4) つまり、一〇〇〇年以上のちにバーナード・マンデヴィルが謳った市場の見えざる手の原則「私人の悪徳は公の利益」の逆だったわけだ。

市場の見えざる手の超自然的な能力に対する信頼は、経済学の基本的な信念の一つである。これは謎だと言わざるを得ない。次の一文は、この謎をうまく捉えている。「見えざる手は不可思議な神である。超自然的な（少なくとも説明のつかない）方法で働きかけ、奇蹟以上のものを起こして全体の利益を生み出す。そんなことは、自己利益を追求する人間の現世的な動機からは、想像もできない(5)」。

しかし見えざる手は経済学の議論における主要なテーマであり、数世紀にわたって論じられてきた。市場の見えざる手はどこまで当てにできるのか。どんな社会でも、自由意思の生み出す混沌が最終的には秩序にいたると信じてよいのか。どの領域は政府が計画し指導するほうがよく、どの領域は自由放任にすべきか。こうした議論の末の一つの極端な解決が、計画経済だった。自然発生的なカオスを防ぐために、ほぼすべてのことは政府が決めてしまおうという方式である。

そしてもう一つの極端な解決が、自由放任主義だった。

利己主義やマンデヴィルの言う私悪を、市場の見えざる手が全体の幸福に変えてくれる、とどこまで信じてよいのだろうか。この永遠の問題に本章で答を出すことはできまい。[6] ここでは見えざる手の歴史を遡り、この概念（あるいは信仰、あるいは理論、あるいは神話）の意味を探ることにしたい。

見えざる手とアニマルスピリット

個人の悪を公の善に変えてくれる見えざる手は、本書にたびたび登場するおなじみのトピックである。この言葉そのものの生みの親はアダム・スミスだが、彼はたまたま紛れ込んだとでもいうように控えめに使ったにすぎない。ケインズの「アニマルスピリット」も同じようなケースと言える。二人とも自分たちの造語を神秘に包まれたままにしておいたため、後年に多くの議論や対立や誤解を招くことになった。それは数世代にわたって続き、今日では「見えざる手」や「アニマルスピリット」をテーマにした本で図書館の棚が埋まってしまうほどである。

広い意味では、市場の見えざる手には次の二つの働きがあると考えられる。一つは、先程から繰り返し述べているように、個人の悪を全体の善に転換することである。マンデヴィルの『蜂の寓話』のサブタイトル「私悪すなわち公益」はまさにそれを表している。もう一つは、経済と社会の基本構造を結びつける接着剤の役割を果たし、カオスから秩序を生み出すことである。『国富論』の有名な一節には、肉屋が効用を得ようとする結果として肉が供給される、とある。

悪を飼い馴らす

アダム・スミスが名付け親となった見えざる手の概念は、実際にはそれより前にマンデヴィルが思いついたものだった。[7] しかしこの概念の前兆は、さらに遡って西洋文明が始まった当初から存在している。はやくもギルガメシュ叙事詩において、人間と文明に対する悪は手なずけられ飼い馴らされ、野生の悪（エンキドゥ）は、最後は社会の利益のために活用される。一対一対決でこの相手を打倒することは不可能だったため、この手のつけられない野生児を社会の利益に貢献させるために、トリックが使われた。

F・A・ハイエクが指摘したように、古代ギリシャ人は市場の見えざる手の原理を知っていた。[8] 喜劇作家のアリストパネスは、こう書いている。

> いにしえの伝説にはこうある、
> われらのあらゆる愚かな計画や無益な考えも
> やがては覆されて公の善になるのだと。[9]

キリスト教にも、善と悪の共同作業という発想が見受けられる。たとえば雑草の寓話では、イエスは良い麦に混ざってしまった毒の麦を抜くことは奨めなかった。良い麦まで抜いてしまうことを恐れたからである。[10] 悪を根絶やしにすることは、少なくとも現世では可能ではないし、望ましくもない。敢えてやろうとすれば、多くの善まで損なわれかねない。

トマス・アクィナスは、このテーマをよりくわしく論じた。次の一節からも、アクィナスがマンデヴィルよりはるか昔にこの問題に親しんでいたことはあきらかだ。「個人の悪を防ぐためとして、公共の善を損ねるのは適切ではない。神はこのうえなく強く、いかなる悪も善に導けるのだから、なおさらである」[11]。また、「人間の法は、ある種の事柄を罰さずにいる。これは、すべての罪が厳しく禁じられ、相応の罰を受けるとしたら、多くのよさを失ってしまう人間の不完全さを考慮したからである」[12] という一節もある。

このように、見えざる手という発想はすこしも新しいものではない。ハーシュマンが的確に指摘したとおり、啓蒙思想家もこのことに気づいていた。「あらゆる英雄的な徳は、ホッブズでは自己保存として、ラ・ロシュフコーでは自己愛として、パスカルでは真の自己認識に由来する虚栄と逃避として示されている」[13]。政治学にも、独自の見えざる手があった。これに言及したのは、モンテスキューである。「各人はそれぞれみずからの個人的利益に向かっていると信じながら、公共の善に向かっているといったことが生ずる。たしかに……国家のあらゆる部分を導くものは、いつわりの名誉ではある。しかし、このいつわりの名誉が公共にとっては有益なのだ」[14]。この名誉の働きを、モンテスキューは次のように説明している。「(君主政体は)すべての物体をたえず中心から遠ざける力とそれらを中心へ連れ戻す重力とが存在する、宇宙の体系のようなものと言えよう。名誉は政体のあらゆる部分を行動へと駆り立てる」[15]。啓蒙時代の経済学者は、利己心による相互の抑制と均衡をまさに同じように理解していたにちがいない。さらにパスカルは、マンデヴィルよりおよそ半世紀前に、次のように書いている。「邪欲そのものの中における人間の偉大さ。邪欲の中から驚嘆すべき規律を導き出し、それで愛の模写を作ったこと。偉大さ――現象の理由は、邪欲からあれほどみごとな秩序を引き出した人間の偉大さを示す」[16]。こうしたわけで、見えざる手には生みの父が大勢いた。

最後に、次の一文を引用しておきたい。「マンデヴィルの思想の大半は、ラ・ロシュフコーの洗練された箴言に集約できる。それは、『われわれの美徳は、ほとんどの場合、偽装した悪徳にすぎない』というものである」[17]。このように、見えざる手が経済に当てはめられる前には、もっと多様な思想が存在した。神学には神学の、政治学には政治学の見えざる手があった。見えざる手は経済学だけ、経済だけのものではない。

社会ダーウィン主義

市場がすべてを自ずとうまくやってくれるという発想の背景に、自然の調和に対する古代ストア派の信頼を見て取るのはむずかしいことではない。つまり市場にとっての自然は、均衡に収斂することだ、というわけである。だが、なぜ自然に均衡へ向かうのだろうか。この点を考えてみると、市場の見えざる手という概念は、市場による選択だとみなすことができよう。市場は最も適応したプレーヤーを選別し、適応できなかったプレーヤーをふるい落とす。つまり社会ダーウィン主義である。

もっとも実際には逆で、ダーウィンは社会的なプロセスからヒントを得て生物学にその原理を応用したのだった。社会学者のハーバート・スペンサーはダーウィンよりだいぶ前に適者生存について書いており、この言葉を広めたのもスペンサーである。ジョナサン・ターナーはユーモラスにこう語っている。「スペンサーが社会ダーウィン主義者だと言うのは正しくない。むしろ、ダーウィンが生物スペンサー主義者だと言うべきだろう」[18]。ダーウィンは、デイヴィッド・リカード、アダム・スミス、トマス・ロバート・マルサスの経済理論から多大な影響を受けた。この「見えざる手による選別」は、チェコの生物学者であり哲学者でもあるスタニスラフ・コマーレクが指摘したとおり、「環境に適した者が生き残り、適さなかった者は死に絶えるという……動物や植物は生存と再生産以外の意図は持ち合わせていないとする見方[19]」にほかならない。

実際、ダーウィンの言う自然淘汰（この言葉を彼は大文字で書いて所有権を主張している）は、市場の見えざる手を強く想起させる。アダム・スミスが生み出したこの社会的な概念を、ダーウィンが後に発展させて生物学に応用したと言うことは十分に可能だろう[20]。

自然淘汰理論の問題点は、効用のそれと似ている。どちらも、人間の行動や社会・自然の進化をこれだけで説明できると主張している点だ。社会的な淘汰であれ生物学的な淘汰であれ、何が起きたらこの理論が成り立たないか、事前に言えるのだろうか。別の言い方をすれば、市場あるいは自然が適者を選別しなかったらどうなるのか。これは、いくらかトートロジーである。なぜなら、現に生き残っているのはつねに最適者だからだ。そもそも、実際に最も適応したのは誰なのか、それを言うことは可能なのだろうか。なるほど、たしかに生き残っている者が最適者にはちがいない。しかしそれは事後に、つまり後知恵でしか言うことができない。したがって、この有名な理論をちょいと書き換えるなら、こう言っているだけのことになる――現在生き残っているのは、生き残る能力に最もすぐれた者である（「適応する」の代わりに「生き残る」を使った）。つまり、生き残っているのは生き残った者である。となれば、生き残っている者は誰でも、自分は最も適応したと主張できる。よって、この「理論」に同意せざるを得ない、なぜなら反対することはできないからだ。つまり社会ダーウィン主義は自明の理である。

聖パウロと見えざる手

経済思想では、意図せざる善というテーマが何度となく取り上げられてきた。古典派経済学もこのテーマを大いに論じている。スミスの利己的な肉屋は、あくまでホモ・エコノミクスとして自分の利益をめざしたのであり、当人にとってはどうでもよいおまけとして社会に利益をもたらした。アダム・スミスの有名な一節には、「われわれが食事ができるのは、肉屋や酒屋やパン屋の主人が博愛心を発揮するからではなく、自分の利益を追求するからである」[21]とある。マンデヴィルでは言うまでもなく、またスミスの通り一遍の一般的な読み方でも、社会的な善は、自己利益の追求によって自動的に得られる正の外部性だと解釈されている。市場の見えざる手には、利己主義を全体の利益に転換あるいは変化させる能力がある、というわけだ。マンデヴィルの『蜂の寓話』の副題「私悪すなわち公益」も、見えざる手のおかげで私悪が意図せず自然に公益になるようなイメージを与える。

じつは使徒パウロも同じような問題に取り組み、意図的な善悪と意図せざる善悪の関係を考察したことがある。ただし興味深いことに、マンデヴィルとは正反対の立場からだった。

> それで、善をなそうと思う自分には、いつも悪が付きまとっているという法則に気づきます。……わたしはなんと惨めな人間なのでしょう。死に定められたこの体から、だれがわたしを救ってくれるでしょうか。[22]

このように、マンデヴィルの蜂とは正反対に、聖パウロは善をなそうとしているにもかかわらず、結局は悪を犯してしまう。このことは、エデンの園で犯された人類最初の罪の意味を、いくらか解き明かしてもくれる。アダムとイヴは、善悪を知る禁断の知恵の木の実を食べて神に近づいた。[23] 善悪のちがいを抽象的に区別できるわけではなく、したがって善を行えるわけでもないが、善と悪はちがうのだとぼんやりと感じとれるようになった。こうして人間は善悪の観念を知ったが、聖書の雑草の寓話が示唆するように、両者を峻別して善だけをなすことはできない。しかも人間は、たとえ善を望んでいても、悪を犯すようにできている。善意が予期せず悪を生むのはよくある話であり、ことわざにも「地獄への道は善意で舗装されている」という。

見えざる手に関するマンデヴィルの見方は、これとは逆である。個人の悪徳は、そのつもりがなくても、全体の幸福に、それもただで変換されるというのだ。個人の意図がどうあれ、自己の利益を追求した結果は全体の幸福になる。この考え方が、現代の経済学においては、倫理に対する無関心につながっている。まず、現代の経済学は個人の倫理に期待していない。しかも悪徳は、個人の意図とは無関係に自動的に全体の幸福に転換される。そこで個人の悪徳は、暗黙のうちに善に分類される。よって、人間が何をしでかすにせよ、この視点から見る限り、まったくどうでもよろしい。なぜなら悪徳も、全体の経済的幸福に寄与するからである。

意図せざる結果

市場の見えざる手という古典的な問題は、意図せざるという視点、すなわち利己的な行為の意図せざる結果のみを取り上げる。しかしこれは、社会的相互作用のごく一部にすぎない。にもかかわらず、この問題を論じる際には、善行の意図せざる悪い結果も、善行の意図せざる善い結果も、悪行の意図せざる悪い結果も無視される。これを図示すると、次のようになる。

キリスト教神学の思想家は、これとは異なる概念的アプローチによって、意図せざる社会悪を分析した。そして誰も望まなかったにもかかわらず悪が生じるのは社会制度に原因があると考え、ローマ教皇の回勅の中でこれを罪深い構造と呼んでいる[24]。ある種の社会制度においては、個人としては悪を犯していなくても、最終的には何らかの悪が生じてしまう。たとえば環境破壊がそれで、個人にはその意図はなかった。古いローマの言い伝えは、おそらく同じようなことを言いたかったのだと思われる。「元老院議員は善人だが、元老院は悪いけだものだ[25]」。

分業は、責任や罪の分担に比べれば、単純な概念であるように見える。労働の分担は比較的容易に思い浮かぶが、その結果としての生産物に瑕疵があった場合、罪や責任をどう分担するかということは、かなり悩ましい。この種の問題で厄介なのは、事後にならないと罪がわからないことである。たとえば公害がそうだ。当初から悪い結果をめざすわけではないから、制度設計の段階で予見することは困難であり、結果が出て初めて気づくことになる[26]。さらに、誰がどの程度の責任を負うべきか、厳密に定めることも

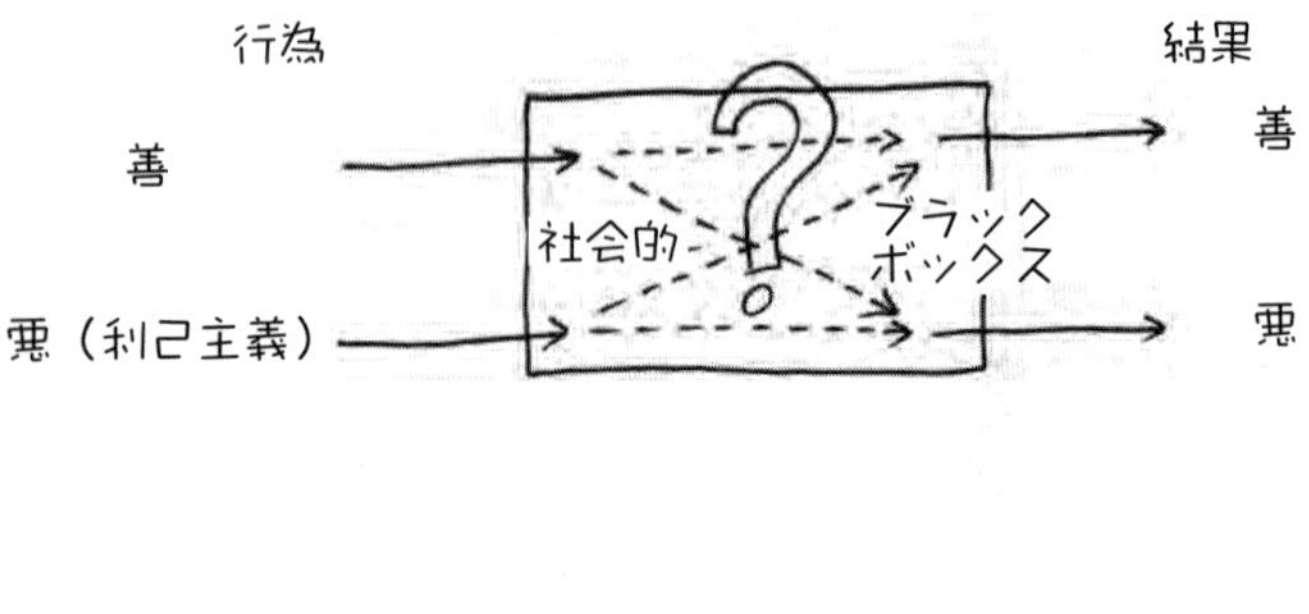

容易ではない。労働の分担であれば、誰がどの程度の付加価値を生んだかを識別するのは比較的容易だが、罪の場合にはそうはいかない。高度に分業や専門化が進んだ社会では、言うなれば分業の隙間で悪が芽を出し繁殖する。

旧約聖書の時代には、人々は社会制度のグレーゾーンで生まれるこうした悪に対して、毎年象徴的に生け贄を捧げることによって対処した。罪を誰か特定の人間に負わせることは不可能でも、悪を防ぐことが全体のために必要だと考えたからである。新約聖書の時代になると、「自分が何をしているのか知らない」[27]人々や「目の見えない案内人」[28]のための象徴的な生け贄は、キリストによって永遠に果たされた。キリストは自ら生け贄の子羊となったのである。社会が複雑化するほど、知らないことが多くなる。私たちは、いま着ているシャツを誰がつくったかさえ知らないし、知ろうともしない。しかもこれは、ごく単純な事柄である。もっと複雑な社会の相互作用になったら、どれほど無知かは改めて言うまでもあるまい。

善に従属する悪

ここで、「悪」というものについてしばし考えてみよう。悪はなぜ生まれるのだろうか。ヘブライ思想では、悪はつねに善の従属関係にある。初期のキリスト教の時代には、善と悪は同一の次元に存在するという二元論的な議論があった。神と悪魔は対極の存在であり、互いに拮抗する、したがって同じ次元にいるのだ、という議論である。一時期、善悪二元論のマニ教を信奉していたアウグスティヌスは、この問題に真剣に取り組み、「マニ教の罠」と題する論文も書いている。[29]ただしアウグスティヌスは、神と善は同一次元にあるが、悪魔と悪はそうではないと主張した。悪魔は、一部の伝説では神への反抗者とされているが、実際には神の天使の一種なのだという。そして、神の許可や同意のないことは何もできない僕《しもべ》であるとした。[30]旧約聖書の「ヨブ記」は、このことを雄弁に物語っている。実際にヨブに苦痛をもたらしたのは悪魔だが、すべては神が許可したことである。だからヨブも、神に対して嘆く。[31]「全能者の矢に射抜かれ、わたしの霊はその毒を吸う。神はわたしに対して脅迫の陣を敷かれた[32]」。そして、「なぜ、あなたは御顔を隠し、わたしを敵と見なされるのですか[33]」と神を詰問する。万事神がしたことだから、ヨブは悪魔に呼びかけようとはしない。いやそもそも、悪魔の存在に気づいてもいない。神に直接不満と非難をぶつける。

悪は、善から目的を借りて来なければならない。というのも、悪には固有の目的がないからである。[34]善は己にふさわしい目的を持つが、悪にはそういうものはない。悪は自分で選べる存在理由がないのであって、単なる悪というものは存在しない。言うなれば、悪はつねに善に寄生している。[35]人間が何か悪いことをするときには、必ず正当化する理由を持ち合わせている。悪を行う者の価値観がいかに歪んでいようとも、悪の理由は必ず何かよいことなのだ。たとえばものを盗むのは、自分の財産を増やすためである。そして財産自体に悪いところは何もない。盗むために盗む人はいないのであって、スリルを味わいたくて盗むというのであっても、スリル自体は悪くない。どちらの場合も、悪なしでもできることをするために、悪い手段が選ばれている。つまり悪は、不適切な近道である。

ともかくも、悪は善に従属するのだから、悪はある意味で上位の善に仕えなければならないというのが古代の見方だった。この見方に代わって登場したのが、ある種マニ教的なモデル、すなわち善悪二元論である。数学めかして言うなら、二元論では善の絶対値と悪の絶対値は等しいとみなす。しかし現在では、大半の一神教がこうした二元論を退けている。たとえばアウグスティヌスやトマス・アクィナスは、悪はある程度まで善に従属すると考えた。したがって存在論からしても神学からしても、悪が善に変わることはありうる(36)。

ホモ・エコノミクスの倫理観

もともとは道徳哲学の一分野だった経済学から、なぜ倫理性が失われたのだろうか。この点を探るために、まずはアルフレッド・マーシャルの希望に満ちた説明から始めよう(傍点筆者)。

大企業の経営陣が、不正を行う数々の誘惑に日々さらされながら、ごくわずかしか不正に手を染めないことは、正直と正義の精神が今日すばらしく発達していることの揺るぎない証拠と言える。……したがって、商業と倫理の進歩は今後も続くと期待してよい。……事業経営の共同体的で民主的なあり方は、これまで失敗してきたさまざまな方向に今後は確実に発展していけるだろう[37]……。

正直の精神が発達して経済成長に必要な条件が整うという、じつに楽観的な説明にみえるが、じつはここで採用されているのは、まったく逆の見方である。

経済を社会の土台とみなすマルクスの見方は、経済理論に受け入れられたようである。マーシャル自身、正直の精神を生むのは経済だと考えていた。このことは、経済学者の関心の方向が転換したことの有力な理由となり得るだろう。人間の行動の原動力として倫理を探求する姿勢から、経済は実際に社会の土台なのだから個人の行動はすべて経済（経済独自の倫理観も含む）に由来するという認識へと転換したのである。かくして、スミスの警告が現実のものとなった。経済学は、経済学というたった一つの視点からすべてを説明しようと試み始めたのである。

経済学の中には、この学問の起源である倫理学に立ち帰れと主張する学派も多く存在する[38]。ケインズでさえ、この声に耳を傾けた。チェコの経済学者ミラン・ソイカは、「ケインズは道徳哲学としての原点に帰れと主張し、新古典派経済学に特徴的な、自然科学をまねた科学的アプローチに批判的だった[39]」と書いている。主流派経済学に対する批判の多くは、アメリカの社会学者アミタイ・エツィオーニの表現を借りるなら、「人間の誤った単純化[40]」を問題視する。「人間は所与の予算制約の中で自己の効用の最大化をめざす合理的主体である」と単純化することによって、経済は数学に傾斜し始めた。主流派経済学の背後にある基本思想は、広く信じられ主張されているのとは異なり、今日ではもはや功利主義ですらない。今日支配的な経済理論によれば、個人は自己の効用関数に反して行動することはできないのである。このような理論は、快楽主義と呼ぶべきだろう。いや、快楽主義者は倫理を重んじる点を考えれば、快楽主義とさえ呼べまい。すでに述べたように、エピクロスは人間の行動のすべてが利己心によるとは言えないとの立場をとり、利己的でない関係の一例として、友情を挙げている。

翻って今日では、倫理に関係のあることはことごとく経済学から閉め出されている。これは、アダム・スミスを巡る誤解が原因だと考えられる。経済学が実際に発展させてきたのはマンデヴィルの思想であって、スミスはこれを強く批判しているのである。この誤解の下で、経済学は道徳哲学から数学的分配の学問へと軸足を移した。もちろん後者も重要ではあるが、前者を無視すべきではあるまい。経済学が倫理的な問題にも等しく時間と知力を注いできたなら、この学問が現在抱える難題の一部は解決されていたことだろう。経済学は全体として、その母体となった倫理学に驚くほど無関心である。

利己主義の倫理性——自己愛も愛である

利己主義が倫理的に批判に値するかどうかということは重要な問題である。アダム・スミス自身は利己主義をある程度まで擁護したものの、この問題に深く立ち入ろうとはしなかった。

だがキリスト教の最も基本的な戒律には、こうある。

汝自身を愛するように、汝の隣人を愛せよ。[41]

この掟では、自己愛は隣人愛と同等に位置づけられており、隣人愛以上でも以下でもない。隣人に快楽(効用の増大)をもたらすことがその人にとって快楽(効用の増大)になるなら、この行為は隠れた利己主義か、親切のどちらかになる。自分でアイスクリームを食べてしまわずに子供にあげたら、私は親切をしたと言えるだろう。このことは、次のように言い換えられる。私は自主的にアイスクリームをあげたのだから、自分の利己的な効用を増やしたかったわけではない。ふつうはこのような行為を利己的とは言わず、むしろ感謝や称賛に値するとみなす。だが経済学の観点から厳密に言えば、自分で食べるより子供にあげるほうがより大きな効用が得られるなら、その行為に感謝するにはおよばない。利己的な行為を褒めるのは不適切だ。むしろアイスクリームをあげた側が感謝すべきなのであって、もらった側ではない。なぜなら、あげるという行為によって、あげた側の効用が増えたからである。しかしこれは、どうみてもおかしい。

その一方で、敵や虫の好かない人間の失敗や不運を望むのは人間の本性である。その例を旧約聖書の詩篇に見ることができる。

娘バビロンよ、破壊者よ。いかに幸いなことか。おまえがわたしたちにした仕打ちを、おまえに仕返す者。[42]

言い換えれば、相手の効用を減らしたのと同じだけ自分の効用を減らさなければならない。

人に傷害を加えた者は、それと同一の傷害を受けねばならない。骨折には骨折を、目には目を、歯には歯をもって人に与えたと同じ傷害を受けねばならない。(43)

以上のように旧約聖書では、自分の効用を損ねることと、それをした相手の効用を損ねることは等価とされており、それ以上でも以下でもない。となれば、「汝自身を愛するように、汝の隣人を愛せよ」という掟は、「汝の敵が汝を憎むように、汝の敵を憎め」と言ってもよいことになる。こうすれば、自分の効用は他人の効用と等しくなる。

イエスはこれについて、有名な「山上の垂訓」でこう語った。

あなたがたも聞いているとおり、「隣人を愛し、敵を憎め」と命じられている。しかし、わたしは言っておく。敵を愛し、自分を迫害する者のために祈りなさい。あなたがたの天の父の子となるためである。父は悪人にも善人にも太陽を昇らせ、正しい者にも正しくない者にも雨を降らせてくださるからである。自分を愛してくれる人を愛したところで、あなたがたにどんな報いがあろうか。徴税人でも、同じことをしているではないか。自分の兄弟にだけ挨拶したところで、どんな優れたことをしたことになろうか。異邦人でさえ、同じことをしているではないか。だから、あなたがたの天の父が完全であられるように、あなたがたも完全な者となりなさい。(44)

敵を愛し、敵のために祈るのは、愛する人のために祈り、敵を憎むことに比べれば不自然である。それでもキリスト教は、敵を愛せと教える。この徳は、不自然な徳である。

利己主義も、他人への親切や共感も、ともに強力な行動原理だとすれば、どちらが有力なのだろうか。他人に挨拶するときには、とくに自分にとって不利益にならない限り、「お元気で」とか「よい一日を」などと言うだろう。「悪い一日を」などという言葉は、聞いたこともない。自分にとって直接の効用は何もなくても、他人によかれと願うのは人間の自然な姿である。これは、絵であれ景観であれ、美しいものが破壊されたと聞いただけで心を痛めることと、相通じると言えよう。自分にはそれを見るチャンスがまずなく、したがって自分にとって何の効用もないとわかっていても、心が痛む。

だがアダム・スミスの言うとおり、このような純粋な利他主義を社会の主な原動力として依存するのは、あまりに空想的だろう。

> 人は相手の善意に訴えるのではなく、利己心に訴えるのであり、自分が何を必要としているのかではなく、相手にとって何が利益になるのかを説明する。主に他人の善意に頼ろうとするのは物乞いだけだ[45]。

アリストテレスでさえ、私有財産を論じた文脈で、同じようなことを驚くほど現代的に語った(傍点筆者)。

> しかも満足度にかけては、何かを自分の物だと思うことがどれほどちがうか、言葉には尽くせない。だれもが自分自身を愛することは、自然に植えつけられているのであって、それはおそらく意味のないことではない。ただし、利己的なのは非難されて当然である。そ

れは単に自分自身を愛することではなく、しかるべき度合いを超えて愛することである。金銭愛にしても同じことだ。ほとんどの人がこうしたものを愛するのは事実だ。しかしそれ以上に快いのは、友人や客人や仲間に親切にし、助けてやることである。それは、財産が自分のものであってこそ、できることだ[46]。

このように、利己主義は社会のあらゆる場面でひんぱんに見られる行動ではあるが、やはり抑えなければならない。アリストテレスはしかるべき限度内にとどめるべきだと言っている。そして近しい人に対しては、愛で、あるいは共感や感情移入でもって補わなければならない。キリスト教もスミスもそう語っている。

人間は社会で他人とともに暮らす動物である以上、徹頭徹尾利己的であることはできないし、それを望んでもいない。ロバート・ネルソンは、いささか挑発的な著作『宗教としての経済』の中で、市場経済の根本的な矛盾をついている。「多くの経済学者の言うところによれば、市場経済は自己利益の追求によって機能しているという。だが何らかの限度を超えたら、市場経済そのものの機能が損なわれかねない」。

第12章

アニマルスピリットの歴史

誰の心の中にもギルガメシュやプラトンの断片、貴族や詩人の精神が息づいている。しかし、そのことにたいていは気づいていない。この得体の知れないものはとても強力だ。こちらがコントロールするのではなく、逆に操られているのかもしれない。映画『ブルー・ヴェルヴェット』では、「夢は語りかける、夢はともに歩く」と歌われる。人間は夢を支配できない、夢に支配されるのである。夢には、行動に駆り立て、合理性を失わせ、人生に目的や意味を与える何かがある。言うなれば世界を説明する合理的な原因・結果の方程式からは、ふしぎな余りが出る。これが、ケインズの言うアニマルスピリットだ。アカロフとシラーが共著『アニマルスピリット』の中で指摘したように、「重要な経済的出来事を本当に理解するには、その原因がもっぱら心理的な性質のものだという事実を直視するしかない。……理論は……アニマルスピリットの役割を無視していた。そしてまた、人々は自分がジェットコースターに乗ったことに気がつかないかもしれないという事実も無視していた[1]」。

経済学は合理性を重視する科学を装っているが、一皮めくればそこには説明のつかない要素がじつにたくさんあり、また経済思想の多くは宗教的・感情的な要素を伴っている——これは本書の主な論点の一つであり、本章ではこれについて論じていく。こうしたメタ経済学的な研究は重要だと信じる。経済学は何を信じているのか、その「舞台裏」には何があるのかを、経済学の枠を飛び越えて知らなければならない。経済にまつわる知恵は、精緻な数学的モデルに劣らず、哲学、神話、宗教、詩からも学べるはずである。

この立場からは、ある意味でホモ・エコノミクスの対立概念であるアニマルスピリットが、よい検討材料となるだろう。アニマルスピリットに注目すれば、主流派経済学がよりどころとする厳密な合理的・機械的モデルへの依存がいかに偏っていて誤解を招きやすいかを理解しやすい。

人間を駆り立てる何か

そもそもアニマルスピリットという言葉は何を意味するのか――この点は、アダム・スミスの見えざる手と同じく曖昧で混乱している。スミスは「見えざる手」という言葉をさまざまな著作にまたがって三回しか使わなかった。そしてケインズも、『一般理論』の中で三回使っただけである。のちにケインズのトレードマークとみなされるようになり、専門家が本まで書いて解説するようになったこの言葉は、連続する短い二つのパラグラフのみで使われた。それは、次のような文脈である。

人間の天性が持つ特徴からくる不安定性もあります。人々の積極的な活動の相当部分は、道徳的だろうと快楽的だろうと経済的だろうと、数学的な期待よりは、自然に湧いてくる楽観論によるものなのです。たぶん、かなりたってからでないと結果の全貌がわからないようなことを積極的にやろうという人々の決断は、ほとんどがアニマルスピリットの結果でしかないのでしょう――これは、手をこまねくより何かをしようという、自然に湧いてくる衝動です。定量的な便益に定量的な発生確率をかけた、加重平均の結果としてそんな決断が下されるのではありません。……ですから、アニマルスピリットが衰えて自然発生的な楽観論が崩れ、数学的な期待以外あてにできなくなると、事業は衰退して死にます……個人の努力が適切になるのは、適切な計算がアニマルスピリットに補填支持される場合だけなのです。(2)

アニマルスピリットという言葉自体、どこか神秘的である。ビショップの辞書にも「アニマルスピリットがどこから生まれたのかは、いささか謎めいている」(3)とある。一般的には、アニマルスピリットとは行動せずにはいられない気分と解釈されており、動物とは何の関係もない。ここでは、より広く包括的かつ野性的な従来とは異なる意味で捉え、動物的な精神、あるいは人類の過去の残滓と解釈したい。人間は野生の自然を離れ、文明化され不確実性の少ない都市に移ったが、それでも野生の部分は人間の中に残っている。野生は人間とともに都市に移り、人間とともにある。言うなれば、人間の中にはエンキドゥがいる。

アニマルスピリットとは、何の理由もなく人を刺激し、行動に駆り立てる何かを意味するのだと思われる。それは人間に希望、目的、夢を与える。アニマルスピリットは予測不能で、数学的分析の対象になりにくい。「ジョン・メイナード・ケインズは、株式市場に影響を与え景気循環を促すような予測不能な人間の動きを表すものとして、アニマルスピリットを定義した」(4)とみる学者もいる。またアカロフとシラーは、もう一人の偉大な経済学者アダム・スミスの思考実験に言及した際、「人々が経済以外の動機からも行動するという事実を考慮していないし、不合理あるいは見当ちがいである可能性も考えていない。つまりアニマルスピリットを無視している(5)」と述べた。

自然は不自然

進化論の立場をとるにせよ、天地創造説を信じるにせよ、人間が動物に近いことにまちがいはない。それでも人間と動物はたしかにちがう。ほとんどの言語では、人間を動物に喩えるのはたいへんな侮辱である（ブタ、虫けら等々）。ただし、称賛になることもある（ライオン、虎、ハトなど）。人を侮辱するときには、隠された部分、すなわち生殖器官にまつわる言葉もよく発される。となれば、動物と生殖器官には何か関連性がありそうだ。どちらも隠されているという点かもしれない。実際、人間の中の動物の部分も裸も隠されている。すると、恥ずかしいという感覚と動物に何か関係があるのだろうか。私たちはタブー視されているもの、恥ずかしいと感じるものを侮辱し嘲笑する。性に関することは、まさにそうだ。これらのことは、経済学にとってどんな意味を持つだろうか。

他の生物との比較で言えば、人間は不自然でいることが自然な唯一の生き物であると思われる。逆に言えば、人間にとって、自然でいることは不自然である。早い話が裸だ。裸は文字通り人間の自然な状態であるが、裸でいることは不自然である。中には、裸は現代社会における不可侵のタブーだという学者もいる。[6] C・S・ルイスによれば、「人々は儀式の礼服として裸を着ていると言って差し支えない」[7]。その一方で幸福の概念と絡めて、「幸福という言葉からイメージされるのは、草の上にすわっている裸の野生児である」[8]とも言っている。裸は野生や未開を連想させ、それは充足した状態を想起させる。

「創世記」では、アダムとイヴはエデンの園で何の不自由もなく裸で暮らしていた。だが知恵の木の実を食べた後、二人が最初に感じたのは、裸でいるのは恥ずかしいということである[9]。そして体を隠す必要を感じた。経済学的に言えば、生殖器官を隠した葉は、人間が初めて所有した外部財である。アダムとイヴは、体を隠さなければと感じたとき、初めて体以外の、つまり自分以外の物を必要としたのだった。エーリッヒ・フロムの「持つことと在ること」をもじって言うなら、「在ること」だけでは足らずに「持つこと」を求めた[10]。そして体以外の物を持つことによって、自然になったと感じた――罪を犯す前は、裸で満足していたのに。彼らが最初に使った外部財は、恥ずかしさを隠すためだった。楽園追放に際して、神は二人に動物の皮で衣をつくってやるが、これもまたじつに不自然なことと言わねばならない。人間の皮の上に動物の皮が着用されたのである。しかしそのおかげで、アダムとイヴはずっとあたたかくなった。

隠したい、所有したい、自分の身を守りたい（一人でいたくない、裸でいたくない）、傷つけられたくないという願望は、自由の喪失とモノ依存に結びつく。このことを、ルソーはみごとに表現した。

野生人は休息と自由を満喫しながら暮らしており、ただ生きること、何もせずにのんびりと過ごすことだけを望んでいる。ストア派の平静の理想も、ほかのすべてのものに対する野生人の深い無関心にはおよばない。それとは反対に、いつも何かしている都市の市民は汗を流し、たえず動き回り、もっとせわしない仕事を探して苛々し続ける。彼は死ぬまで働く。そして生きることができるようにするために、ときには死に向かって突進することさえある。不死の命を求めて死ぬことだってするのだ。……野生人と文明人のちがいを作り出している根本的な原因は、まさにここにある。野生人はみずからのうちで生きている。社会で生きる人間は、つねにみずからの外で生きており、他人の評価によってしか生きることがない。自分が生きているという感情を味わうことができるのは、いわば他人の判断のうちだけなのである。[11]

ここに書かれていることは、エンキドゥによく当てはまる。エンキドゥは、動物のように暮らしていたとき、何も不足していなかった。娼婦のシャムハが不足に気づかせた。エンキドゥは都市へ行って市民になると、自然状態では存在しないという意味で不自然な酒を飲むようになる。スロベニアの哲学者スラヴォイ・ジジェクが指摘したとおり、人間の欲望に自然なもの、自然発生的なものはない。そこで、どうやって欲望を満たすかということよりも、自分が何を欲しいかを知ることが問題になる。人間の欲望は人工的であり、どのように欲するか教えられ、何を欲するか示される必要がある。すでに述べたように、このプロセスで活用されるのが、政治や経済のイデオロギーであり、物語、映画、広告である。このように考えると、理性などというものは夢に操られる道具にすぎない。

人間と動物

合理性と不合理性の関係は、太古の昔から興味深い。これに関連して、ユングは次のように書いている。「ギルガメシュの神話からあきらかに読み取れるのは、潜在意識の攻撃（エンキドゥ）が英雄闘争の力の源泉になったことである。この力はきわめて強いため、母元型（アニマ）の敵意とされるものは、お気に入りの息子に力を発揮させるための母なる自然のたくらみではないか、と問わずにはいられない」[12]。ユングの見方にしたがえば、エンキドゥは始めギルガメシュのアニマとして立ち現れ、ギルガメシュと戦うために森からやって来る。だが、二人はやがて友達になる。実際に起きたのは、二つの元型の戦いではなくて和解であり、一つの偉大な人生の物語だった。

母なる自然のたくらみについてのユングの説明によれば、人間はけっして最終目標に到達することはできない[13]。人間が自ら定めた永遠の目標、たとえば功利主義的な至福点は、ギリシャ神話のオリュンポス山のようなものである。あるいは、追放されたエデンの園に戻ろうとするむなしい努力にも似ているという。

だが寄り道はやめて、不合理なアニマルスピリットに戻ることにしよう。一定不変という理想と変化する不安定な現実世界との折り合いをどうつけるかということは、ギリシャ思想における大きなテーマの一つだった。プラトンは人間の自我の移ろいやすい不安定な要素に対してきわめて否定的だった、とヌスバウムは指摘する。

> 魂の不合理な部分……人間の肉体的・感覚的本性、情念、性欲などはすべて、人間を危険と変化の世界に強く結びつける。……これらの傾向を助長することは、無秩序と狂気の危険に自己をさらすことにほかならない[14]。

アリストテレスはもうすこし肯定的であり、そうした不合理性が持つ補完的性質に気づいていた（傍点筆者）。

> 魂のある部分は不合理であり、ある部分は合理的である。……魂の不合理な部分のうちには、ひろく共通の植物的な要素があると思われる。……この要素の卓越性はあらゆる生物に共通するが、人間固有のものではないと考えられる。というのも、この部分あるいは能力は、眠っている間に機能するからだ。……だがこのほかに人間の魂には、やはり不合理でありながら、ある意味で合理的な原理にしたがっているような部分も含まれているようだ。……魂のこの部分は最善の目的へと人間をただしく駆り立てる。だがまた、合理的な原理に自然に反する要素も、そこには見受けられる。そうした要素は、合理的な原理に反抗して戦う[15]。

この不合理で、いくらか植物的で、すべての生き物に共通するアニマルスピリットは、そうと気づかぬうちに人間を刺激し、行動へと駆り立てる。結局のところ、魂の不合理な部分を合理的に理解することなど、できはしない。アニマルスピリットは、一種の発動機のように人間を突き動かす。そしてアリストテレスによれば、魂は行動の中に表れる[16]。

欲望という情念がいかに強く決定的な役割を果たすかについては、古代ギリシャ以降も多くの思想家が論じてきた。一七世紀の老練な政治家でユグノーのロアン公爵は、このことを簡潔な名言で言い表した。「王族は臣民に命令し、利益は王族に命令する」[17]。ロアン公爵から数世紀後、ヒュームは、理性は情念の奴隷であると断じた。またフランスの哲学者クロード＝アドリアン・エルヴェシウスは、さきほど引用したプラトンの主張をまさに逆転させ、情念の重要性を擁護している。「情熱的であることをやめた瞬間に、人間はつまらないものになる」[18]。感情や情念や夢がどの程度コントロール可能かということはまた別の問題であり、こちらに関してはハーシュマンが詳細な研究をしているので参照されたい。当面の目的に関する限り、人間の欲望やアニマルスピリットがどれほど強いかを理解していただければ十分である。

獣性に対する恐れ

偉大な精神ほど獣に近い。

——ユダヤの古いことわざ[19]

何を恐れるか、何から逃れるかということは、何を望むか、何をめざすかということよりも、人間性や年齢や時代をよく表すものである。人間の不合理な部分に続いて、ここでは恐怖について論じることにしたい。人間が本質的に恐れるものは二種類あるように思われる。一つは過剰な動物性（あまりに自然のままで生気がありすぎる）、もう一つは過剰な機械性（あまりに冷静で死人のようである）だ。結局のところ、「アリストテレスの哲学でさえ……過剰な秩序と無秩序……過剰と不足、超人と単なる動物の間で揺れ動き続けていた[20]」。

ここで、恐怖の対象となる存在の大半には動物と人間が入り混じっている点に注意してほしい。たとえば悪魔には雄ヤギのような角があるし、吸血鬼はコウモリに似ている。また狼人間は、文字通り狼と人間の合成物だ。このほかに、精神と肉体が切り離されたタイプもある。たとえばゾンビは、愛する家族の肉体を借りているが、実際には人間の皮をかぶった動物にすぎない。そこには魂はなく、肉体以外に人間と共通するものはない。その一方で、亡霊は肉体を持たない。肉体と精神が分離されると、どちらも恐怖の対象になる。

これは、とりたてて目新しい恐怖ではない。人間は動物になることをつねに恐れてきた。「ヨーロッパ以外の国では、サル、とくに類人猿の起源について、人間が『退化』したとか、『野生化』したと説明することが多い。人間が野生化して森で暮らすようになり、多くは自ら進んで言葉を忘れてしまうというのだ。それは呪われたせいであったり、働きたくないからであったりする」[21]。ダーウィンがこれを完全に覆すまでは、人間のほうが先だとする説が広く信じられていた。狼人間の例で言えば、人間は自分の内に獣性が入り込み、まともな人間ならやらないようなことに駆り立てられるのを恐れている。狼人間は、はじめは野生化に抵抗するが、やがては野獣的な部分が優勢になり（たとえば満月の夜に）、人間の部分を支配するようになる。

ロボットに対する恐れ

その一方で、よく映画などで見かけるのが、人間に仕えるために作られたロボットがいつの間にか人間を脅かすようになる物語だ。アラジンのランプから呼び出した精霊が途中から勝手なことを始めるように、人間の手で作り上げた機械が制御できなくなってしまう。この場合、人間を脅かすのは獣性ではなく、非人間的だが生命を持ち始めた機械である（ここで『マトリックス』が思い出されることだろう。それから、「ロボット」という言葉を生み出したカレル・チャペックの戯曲『R・U・R』も)。SFのサブジャンルであるサイバーパンクは、消費や科学技術に関する従来の楽観的な進歩観を覆し、悪夢に変えた。機械が制御不能になる点は同じだが、けっして暴走するわけではない。まるで純粋な理性を備えているかのように、機械がふるまうのだ。もちろん同情や共感は抱かない。いや、感情すら持たない(スタンリー・キューブリック監督作品『2001年宇宙の旅』はまさにそうだ)。そして、世界を自分たちのイメージに基づいて再構築しようと試み[22]、人間の中の動物の部分を破壊してロボットに置き換えたりする。脱工業化時代の終末を描くこの種のサイバーパンクは近年人気が高いが、一言で言えば「ハイテク&ローライフ」と要約できるだろう[23]。

以上をまとめると、こうなる。第一のシナリオでは、人間は動物に打ち負かされる。第二のシナリオでは、自らの手でつくったロボットに打ち負かされる。どちらの場合にも、人間が戦う相手は同じだ——無関心、無感動である。それは人間を打ち砕く。人間性などというものはホットドッグに添えられたナプキンほどの価値もなく、動物もロボットも、すぐさま破り捨てる。

だがこれらのことは、経済学とどう関係するのだろうか。第一に、人間は自分の内に潜むどちらの極端も恐れている。映画は人間の内なる自己を映し出す鏡であり、おそろしいのはスクリーン上の映像ではなく、それが鋭く暴き出した人間の内面のほうである。獣になってしまうことも、ロボットと化してしまうことも恐い。したがって両極端の間のどこかに、つまり感情を制御できない動物性と冷徹な合理性の間のどこかにとどまらなければならない。第二に、狼人間にも機械やゾンビにも、アダム・スミスが人間を人間たらしめる特徴と考えていたもの、すなわち共感が欠けている。共感が欠けていると、人間は動物か機械になってしまう。どちらになるかは、内なる獣性が強いか、理性が強いかによる。だが人間は本来的に、どちらになることも恐れている。第三に、人間は意識下では科学技術の進歩を恐れている。固有の生命を持つようになった制御不能な何かに命令されるようになることを恐れるからだ。その何かは人間による支配を逃れて人間を支配するようになり、人々が親しみ愛してきた世界を変貌させてしまうだろう。

だが人間は、自然に暮らしていた頃に森から授けられた、自然で動物的なものを失ってはいない。文明化されて都市で暮らすようになり、ネクタイを締めてデータを扱うようになってからも、動物的な部分は人間の中に潜んでいる。自然から生まれた人間は、いまとなってはその力に怯えているのである。一方、合理的で機械的なロボットについては、まったく反対のことが言える。人間はテクノロジーを必要とし、生存自体をそれに依存しているにもかかわらず、テクノロジーを恐れている。どちらの極端に偏ることも、人間にとっては悪夢にほかならない。しかもなお、両者は人間を人間たらしめている。両者をうまく調和させられたとき初めて、心の平和は訪れるのだろう。「大事なのは、潜在意識を統合することである。すなわち、認識と意識下の認識を統合することだ」とユングは語った。[24] あるいは、平和は訪れないのかもしれない。心の平和は可能だという熱烈な信念は、心理療法の最大の誤謬だということは大いにあり得る。人間は両極端の間で永遠に引き裂かれ、けっして制御できない二つの力の間で宙ぶらりんになっているのかもしれない。

人間の位置付けは、二つの間のどこかにある。すべてを説明できる合理的なホモ・エコノミクスになり切ることもできないし、アニマルスピリットに全面的に身をまかせることもできない。

夢は眠らない

映画『ウォッチメン』[25]では、この世の終わりのようなシーンが都会で繰り広げられる。街路が燃え上がり、大勢の人がバリケードの上で死んでいく。映画の主人公であるスーパーヒーローたちの一人は、拳銃を構えて大衆に発砲する仲間に問いかける。「いったい何が起きたんだ？　アメリカンドリームはどうなった？」。すると相手は答える。「アメリカンドリームがどうなったか、って？　現実になったじゃないか。見ろよ」。望みが叶っても人は満足しない、さらに多くを求める。ものごとは行き着くところまで行くのであり、この黙示録的なシーンはそのことを雄弁に物語っている。

夢はつねに人間とともにあり、その影響は考えている以上に大きい。夢は夜見るだけでなく、白昼にも働きかける。進歩の夢に浸り、生活水準の持続的向上という至上命令を信奉するからこそ、この夢が月曜の朝に人々を叩き起こし、すこしも楽しくない仕事に向かわせるのだ。その仕事にやり甲斐を感じることもなければ意味を見出すこともなく、むしろ嫌悪感だけを覚えるとしたら、監獄に閉じ込められたような気分に陥るだろう。目に見えず触れることもできないが、けっして逃れられない監獄である。夢は眠らない、寝ているときも起きているときも。

しかし夢は、別の意味でも影響力を発揮する。ある日突然、冒険がしてみたくなって、森へ行く（もっとありそうなのは、都会のジャングルであるバーへ行く）。また別の日には、セクシーなファンドマネジャーになった気分で、高級レストランでディナーとしゃれる。内なる英雄がどこから来るのか、いつ自分を支配するのかはまったくの謎だ。たぶんおとぎ話や映画、本、広告からヒーロー像を取り込んできたのだろう。これらの媒体は、何世紀も語り継がれてきた物語を、おそらくは意図せずに伝えている。こうして数千年の昔から存在する英雄の元型は、継承され、近代化され、時代に適応していく[26]。ユングによれば、「アニマ人格としての英雄は、認知的自己に代わって行動し、当の主体がすべきでなく、できもせず、したくもなかったことをやってのけ、そのことを意識的に無視する。……空想の中で起きることは、認知的自己の状態や目標への償いなのだ。夢であれば、それが支配的になる[27]」。

思うに、映画があたかも「現実の生活から」抜け出してきたようにつくられ始めたときから、人々は「映画から」抜け出してきたかのように人生を生きたがっているのではあるまいか。夢は眠らない、夢は支配できない。支配という言葉の持つさまざまな意味で自分の夢を支配できる人は、きっと自分の現実も支配できるにちがいない[28]。

第13章

メタ数学

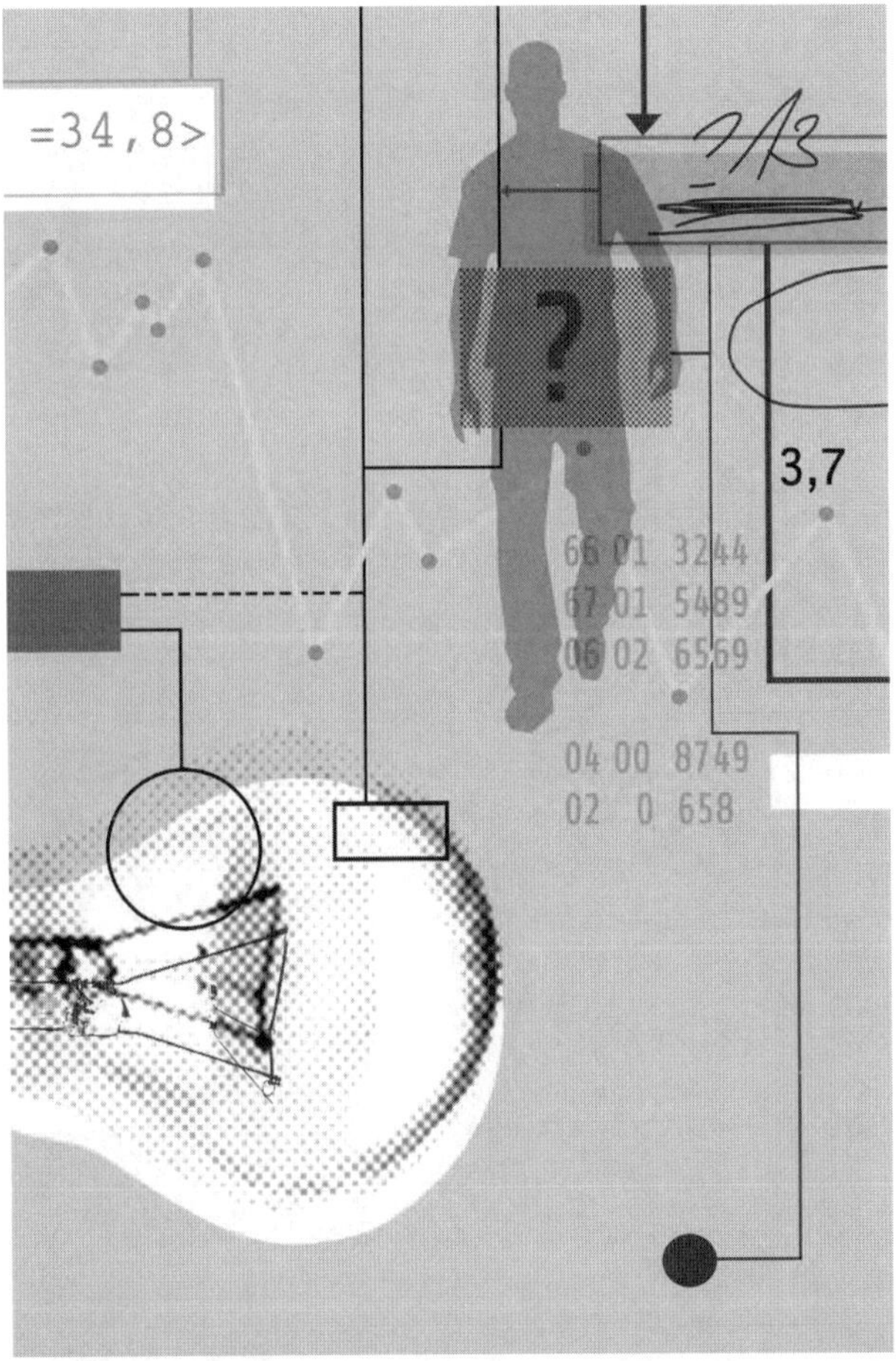

われわれの能力を何倍かに拡大すれば、三角形について知ることができるように精神について知ることができると考えるのは、まったくばかげている——音が見られるようになると期待するのと同じだ。

——ジョージ・バークリー(1)

ほとんどすべての実数は無理数である。

——ウィキペディア(2)

数学が現代の経済学の主要言語となっていることに疑いの余地はない。このことは、すでに一九六五年にジョージ・スティグラーが指摘している。「定量化の時代が全面的に始まっている。いまやわれわれは定量分析技術と分析能力の立派な武器庫を備えており、その威力たるや、専門教育を受けていない一般人の知識と比べたら、大砲の砲手に匹敵するほどだ(3)」。そして経済学は、このチャンスを最大限に活かした。今日の経済学は、社会科学の中ではあきらかに最も数学寄りである。たぶんこの学問は、物理学を模範にしているのだろう。実際、先進的な経済学の教科書か学術専門誌を開いて、字が読めない程度に離してみたら、物理学の教科書そっくりに見えるにちがいない。

本書の第1部では、歴史の展開の中で経済思想が哲学や宗教の潮流から多大な影響を受け続けてきたこと、経済学がつねに倫理的な内容を伴っていたことを示した。経済学の父と呼ばれる人々の著作を通じて慣れ親しんできた経済学は、まさにそうだった。

だがやがて経済思想は、決定論、デカルトの機械論、数学的合理主義、単純化された個人主義的功利主義の影響を受けるようになる。その大半は、二〇世紀に起きた。こうした影響を受けて、経済学は今日の教科書に示される姿に変化した。具体的には、式やグラフや図表や数字、つまり数学にどっぷり浸った経済学である。今日の経済学には、歴史、心理学、哲学はほとんど見受けられない。いや、社会科学らしい幅広いアプローチすら見当たらない。

数式を燃やす

高度なコンピュータ技術の出現により、膨大な量のデータを処理し、新しい仮説を効率的にテストすることが可能になった。これは、経済学にも真の革命をもたらすことになる。おもしろいことに、コンピュータ技術と数学の発展に期待をかけたのは、旧ソビエト圏の中央経済計画担当局だった。こうした能力が向上すれば、計画担当者は「最適な」価格設定ができるようになり、市場メカニズムを代替しうると考えたのである。ソビエト型計画経済においては、数学は計画を立て経済を支配する手段とみなされた。

ところが、二一世紀初めに人間の行動の定量化を必要としたのは、意外にも計画経済ではなく自由市場経済のほうだった（計画経済が破綻した原因の一つは、「最適な」人間の行動を設計できなかったためだろう）。今日では、数学的モデルの構築と経済予測に最も力を入れているのは、市場システムが高度に発達した国々である。経済学は、道徳哲学の領域から数学的な学問へとのように変化してきたのだろうか。

いまからほぼ一〇〇年前に、数理経済学の創始者の一人であるアルフレッド・マーシャルは、数学の役割を強調した。ただしあくまでも言語としてであって、「探求の原動力《エンジン》」としてではない。ここで、主流派経済学が数学に傾斜していった時代の最初期にいたマーシャルの言葉を引用しておこう。

後年、私はますますルールに関心を持つようになった。（一）数学は探求の原動力としてではなく、簡略な言語として使う。（二）探求が終わるまでは数学から離れない。（三）数式を英語に翻訳する。（四）現実の生活で重要な意味のある例を使って説明する。（五）数式を燃やす。（六）（四）がうまくいかない場合は、（三）を燃やす。この最後の項目を、私はよくやったものだ……英語でもって数式と同じ長さで表現できる場合には、数式を使うことは何としても禁止すべきだと思う。(4)

こうした次第で、二〇世紀初めに経済学のバイブルとなった大著『経済学原理』では、「マーシャルは数式で表した系を巻末の付録に格下げした。弟子のケインズによれば……現実生活の問題に数学だけで答が出せるという印象を与えないようにと、そうしたのだという」(5)。だがマーシャルから一〇〇年後には、まさに恐れていたことが起きた。

経済学における数学

二〇世紀にマーシャルが発した警告もむなしく、経済学と人間の行動の数式化はますます進み、信奉者の数を増やしていった。フランスの数学者ルイ・バシュリエが、パリ証券取引所の株価変動について博士論文を書いたのは、一九〇〇年のことである。バシュリエは、個々の市場参加者が全体として取引におよぼす影響を個別の影響として扱い、確率論を使ってランダム現象の法則をそこに応用することは可能だと考えた。(6) この論文は、当初まったく評価されなかった。しかし、のちにアメリカの経済学者アーヴィング・フィッシャーがこのアイデアに着目し、著書『資本と所得の性質』の中で、今日「ランダムウォーク」として知られる理論の基礎を築く。これは、市場における株価の変動を説明する理論である。(7) フィッシャーはコンサルティング会社を設立して株価データの収集、指数の作成、投資家向けの助言などを行い、一九二〇年代にはすっかり有名になって経済的にも大成功を収めた。だが彼は、一九二九年の大暴落のほんの一〇日ほど前に、「株価は恒常的な高水準に定着した」(8) と予言したことでも有名だ。皮肉にも数学は、暴落を見抜く役には立たなかったわけである。積極的に株式投資をしていたフィッシャーは、ほとんど全財産を失う羽目に陥った。

一九六五年には、やはりアメリカの経済学者ユージン・ファーマが、効率的市場仮説を打ち立てる。以来四〇年間、市場は合理的で数値化できるという信念がファイナンス理論を支えてきた。だが自由市場と数学を信奉するこのイデオロギーは、深刻な金融危機に何度も脅かされることになる。リーマンショック直後の二〇〇八年一〇月には、アラン・グリーンスパンでさえ、自由市場に関する自分の見解（および金融規制を必要最低限にとどめたこと）は誤りだったと述べた(9)。言うまでもなく、グリーンスパンは連邦準備制度理事会（ＦＲＢ）の名議長として長く君臨し、自由市場と自由放任《レッセフェール》の推進者だった人物である。いかなる数学的モデルも、投資家を暴落から守る役には立たなかったし、モデルはこれからもつねに不完全だろう。その理由の一つは、人間の行動が完全には数式で表せないことにある。どうしてもモデル化できない、予測できない行動が存在するのである。

とはいえこれは数学批判ではないし、数理経済学にケチをつけるつもりもない。私としては、経済思想が単なる応用数学よりはるかにゆたかな学問であることを、ここで思い出してほしいのである。そして、人間の行動を説明したいなら、このゆたかな学問の広がりを理解すべきであると強調したい。数学はたしかに必要だが、十分ではない。数学は経済学という大きな器の一部にすぎない。この器にはもっと根本的な問題がたくさん詰まっており、本書ではそれらを論じようと試みてきた。

いったい数学はどこから現れたのか、主流派経済学はなぜ倫理的信条と袂を分かったのか。この問題を論じ尽くすことは到底できないので、[10] ここでは私自身が関心を持っているいくつかのテーマと事例に限ることにする（経済学における数学的研究の誤りにもいくつか言及する）。私は数学に喧嘩を売るつもりはない。数学はきわめて有益で有効なツールだと考えているし、研究の材料として興味深く、歯ごたえもある。ただ、数学で現実世界を網羅的に記述できるとする一部の経済学者の信念には、賛同できない。私たち経済学者は、自分のモデルについてわからないままに話すことがよくあるが、これは、モデルが適用される問題よりも、（数学的）手法のほうに注意が向いているからだ。

形而上学としての数学

古代ギリシャを中心に幾何学の分野で次々に成し遂げられた発見が、近代数学の始まりとされている。これらの発見を示す資料は多数現存しており、近代数学に多大な貢献をしたことに議論の余地はない。[11] とはいえ、古代ギリシャ以前にも、数学の発展に寄与した文明は少なからず存在した。たとえば、今日にいたるまで使われている多くの抽象的思考は、古代バビロニアで生まれた。「円を三六〇度に分割することを考えたのは、古代バビロニアの天文学者だった。……これを受け継いだのが、プトレマイオス（紀元二世紀頃）である」[12]。バビロニア人は六進法と十進法を自在に使い分けていた（今日でも、一時間は六〇分、一分は六〇秒だが、一秒は一〇〇〇ミリセカンドである）。バビロニア人は、分数、対数、累乗根も理解していたし、代数方程式や関数方程式を解くこともできた。未知数が一〇個ある一〇の方程式（多くは一次方程式）を解いた例も残っている。[13] 幾何学分野では、バビロニア人は円周率（π）を知っていたし、それを便宜的に三あるいは三と八分の一といった概数で計算することも知っていた。

古代エジプト人も、残された建造物から判断する限り、数学と幾何学のきわめて高度な知識を持っていたことはまちがいない。古代ギリシャ人はエジプトから多くを学んだと考えられる。そして古代においては、数学は哲学や神秘主義と分ちがたく結びついていた。

ヘブライ人の世界でも、数は非常に発達していた。もっとも、旧約聖書の記述の多くにはかなりこまかい数が出てくるものの（たとえばノアの方舟[14]や最初の寺院[15]の寸法に関する指示など）、それ以外の数字の表記はかなりいい加減である。たとえば、天地創造の際には神は単数と複数を厳密に使い分けていない。ソドムとゴモラを滅ぼす前に神の使い三人がアブラハムの元を訪れるが、使いの数は単数になったり複数になったりする。さらにアブラハムは勇気を出して神と交渉し、正しい人が何人ソドムに住んでいれば滅ぼすのをやめるかと掛け合った末に、一〇人いれば滅ぼさないとの言質をとる。だが結局、神は一〇人を数えることさえ、しなかったのだろう。数を問題にしたのは的外れだったと言わざるを得ない。[16] それでも、数に関する限り、「ヘブライのゲマトリア（数秘術）は、アルファベットの一つひとつの文字に数値を割り当て、それを足し合わせて隠された意味を探る（神秘主義的な）学問だった。……「イザヤ書」二一章九節では、バビロンの滅亡が宣言される。これは、獅子を意味するヘブライの文字の数値とバビロンのそれとが等しい値になるからだった[17]」。新約聖書にもこれに類することが書かれている。「ヨハネの黙示録」では、獣の数値が計算される。「ここに知恵が必要である。賢い人は、獣の数字にどのような意味があるかを考えるがよい。数字は人間を指している。そして、数字は六百六十六である[18]」。

古代ギリシャに話を戻そう。「数は学問の王。私は学問のために数を発明した[19]」とは、偉大な悲劇詩人アイスキュロスが戯曲の中でプロメテウスに語らせた台詞である。これは、紀元前四世紀のことだ。ギリシャ人は、数学は世界を知るための重要な哲学的ツールだと考えており、とくにピタゴラス学派は、最も重要なツールとみなしていた。宇宙そのものの基本は数だと考えられていたほどである。「自然を説明する際に第一の原理となるのは数である。……ここから、ピタゴラス学派は『万物の根源は数である』と考えた。この学派の著名な数学者フィロラオスは、『もしも数とその性質とが存在しなかったら、存在するすべてのものは、それ自体としても、他との関係性においても、明確ではなくなってしまう……数の力は、悪魔の行為や神の行為の中だけでなく、人間のあらゆる行為や思想、さらには工芸や音楽の中にも見られる[20]』と語った」。プラトンはピタゴラス学派の影響を色濃く受けており、数学的・哲学的真理の探究こそが真に神秘的な知識に到達する最善の思索であると考えていた。すでに述べたとおり、これは近代科学の父であるデカルトの姿勢とまったく同じである。唯一ちがうのは、デカルトは数学の背後に神秘的なものがあるとは考えていなかったことだ。とはいえデカルト自身も神秘体験と無縁でなかったことは、すでに示したとおりである。

詩人のように人は住まう

デカルトによって、数学と力学は理性や合理性を体現するものとみなされるようになった。いや、それだけでなく、数学こそが完璧な真理だとされた。科学の発見やモデルや原理を表現するときには、必ず言語として数学を使わなければならない。また今日の経済学では、数式を使って社会のモデルを構築しなければならない。このモデルに表現される経済人は、たえず限界効用や費用を計算し、余暇の機会費用を見積もり、リソースの最適配分に気を配る一つの単位である。この意味で、「詩人のように人は住まう[21]」というハイデガーの言葉は、もうずいぶん前から当たっていない。今日では、数学者のように人は住まっている。今日無言のうちに人々を支配しているのは、ある問題（または答）が数学的であればあるほど、その知識に関してより正しく、より真実で、よりよいにちがいないという信念である。それが答であれば、より的確で、言うなれば「よりほんとうらしい」ということになる。

経済学者のピエロ・ミニは、こう指摘する。「ニュートンは物理学の問題を解く必要があった。そこで独自の計算式を考案した。彼は数学をツールとして使い、観察した事実を数式化することによって研究を容易に進められるようにした。だが経済学は、しばしば正反対のことをしているように見える。つまり、数学にうまく適合するように現実世界（および人間）をモデル化している」[22]。だが数学について私たちにわかっているのは、美しすぎて人を虜にしてしまうことではあるまいか[23]。

美しき数学を責めるべきではない

経済現象についてわれわれが知りたいことの大半は、通常の思考モデルに何ら技術的操作を、ましてや数学的操作をせずとも、また高度な統計処理をしなくとも、発見し記述できる。

——ジョゼフ・シュンペーター[24]

偉大な経済学者ジョゼフ・シュンペーターのこの言葉について、付け加えたいことが一つある。逆説的に聞こえるが、抽象的思考はごく単純な問題は扱えないことだ。ジョージ・バークリーがこのことを簡潔に説明している。「私たちの大半がよく理解し完璧に知っているごく単純なことも、抽象的に考えるとひどくむずかしく見え、理解不能になってしまう[25]」。

数学的思考は、私たちが現に住んでいる物理的な世界のある部分が人間の作り上げた抽象的な数式にある程度従ってふるまい始める、少なくともそういう印象を与える、という奇跡的な性質を備えている。[26] 古代ギリシャ人はこの不思議に気づいており、両者をどう関連づけるか、あるいはどう切り離すかに頭を悩ませた。というのも、数学には次のような特徴があったからである。「数字で表された本質は、それ自体として存在し、それ自体で完結している。そのもの以外には他の何物も参照せず、示さず、代表せず、代理せず、暗示せず、意味しない。それは精神の中に存在し……独自の世界を形成する。われわれはその世界に入り込み、浄化され、身を捧げることを学ばなければならない[27]」。

だがやがて、「自然界が幾何学的世界と同一視されるようになった……そして最終的には、それまで軽蔑されていた世俗的な実務、たとえば計算、会計……科学技術、力学といったものが、地位の低い商業から地位の高い技術に格上げされたのみならず、数学という高貴な学問の一員に迎えられたのである[28]」。数学がまちがった応用の仕方をされたからといって、数学に責任はない。責めるべきは、いい加減な数字で代用したり、不適切な手法を無理に現実に応用したりすることである。橋が落ちても、それは数学のせいではなく、正しく応用しなかった技師の責任なのだ。もっとも技師にしても、数学的なエラーは犯していなかったかもしれない。エラーというものは、往々にして数学自体よりもその利用の仕方に起きる。

数学は、新しい外国語と同じで、ルールを学びさえすれば誰にでも通じる普遍性を備えている。この普遍性には、数学の偉大さとともに危険な魅力が潜んでいる。本来以上のことができると思わせるときが、まさにそうだ。数学のいい意味でのプライドは、「数学原理主義」や「数学急進主義」とも言うべきものに結びつきやすい。こうしたイデオロギーに陥ると、少しでも不正確だったり主観的だったりするものを何によらず拒絶することになる。

数学は普遍だが、不変ではない。人工的なあらゆる構成概念同様、賞味期限が来たら変えなければならない。やりたい仕事をこなせなくなったら、新しい道具に取り替えるように。言うまでもなく、数学を構成するパーツ、たとえば幾何学は、単なる言語であり、役に立つツールあるいはトートロジーなのだから、取り替えてもふしぎではない。ところが実際には、パーツではなく本体がそっくり変えられてしまうということが起きている。言ってみれば、その時々に「新」数学が誕生する。たとえば、「ラッセルのパラドックス」を考えてみよう。バートランド・ラッセルが当時の集合論の矛盾を突いて望まれていなかった結果を導くと、ラッセルの定義を許容しないような新たな理論体系が構築された[29]。言い換えれば、望ましい結論が得られるように理論を構築し直したわけである。パラドックスを回避するには理論を変えるしかなかったのだ。

このことは、数学を含めてすべての科学に当てはまる。あるものが真理と見なされるのは、解決できない問題や矛盾に突き当たるまでだけで、矛盾にぶつかると、新たな真理が創造あるいは発明される。

魅力的な数学

エレガントで誘惑的な数学は、経済学の中に安全な避難所を見つけた。数学の最大の弱点はまさにその魅力にあり、そのせいでついつい使いすぎてしまう。あまりに優美で揺るぎなく、正確で客観的に見えるのである。

とはいえ、数学が純粋に人間の頭脳の産物であって、現実に存在するものではないとわかれば、あれほどエレガントなのも何の不思議もないし奇跡でもない。数学自体は外の世界と一切つながりがなく、物理学や土木工学といったものを外から足してやらないと、現実世界と結びつけることはできない。数学はあくまで人間が考え出した抽象的な創造物であり、それ以上でもなければそれ以下でもない。数学がエレガントでパーフェクトなのは、そうなるように考案されたからなのである。つまり数学は、事実上、現実ではないと言ってよい。

数学は純粋なトートロジーである。この意味で、抽象的な概念であり、言語であり、互いに関連づけられた（しかし有用な）数式の系である。だからこそ、二〇世紀最大級の論理学者であるウィトゲンシュタインは、「論理学の命題はトートロジーである[30]」と述べ、さらに続いて「論理は超越論的である。……数学とはひとつの論理学的方法にほかならない。……実際われわれは、生活において数学の命題などまったく必要としていない[31]」と語ったのである。たしかに数学はひとつの方法にすぎないし、純粋数学に内容はない。論理学、数学、哲学分野で活躍した思想家バートランド・ラッセルは、数学をみごとに定義してのけた。「よって数学とは、何について語っているかを知らず、語っていることが真であるかどうかも知り得ない学問であると定義してよかろう」[32]。経済学者が数学という抽象的な言語に多数の実用的応用法を発見したことは否定しない。だが、よい召使いは悪い主人になりうる。ウィトゲンシュタインの次の言葉は、まさに数学に当てはまる。「私の言語の限界が私の世界の限界を意味する」[33]。数学が経済学の言語になったのなら、結果も数学に頼ることになり、必然的に世界の限界も定められることになる。

理論経済学が現実世界の「足場」としうるものは、二つしかない。一つは仮説である。もう一つは、モデルの結果の実証的テストである。ところが経済学では、モデルの仮説が現実的でないとか、結果が現実と齟齬を来すとか、二つの対立するモデルのどちらでも説明がつく、といった好ましくないことが頻々と起きる。このような状況では、経済学は中間をとるほかあるまい。すなわち、数学と統計データのおとなしい子供になることだ[34]。数学には、思考上の競争者を何によらず排除しようとする傾向があるうえ、注意していないと制御不能になりがちだ。そのことを雄弁に物語る例を挙げておこう。「プラトンによれば、ごく凡庸な人物であるグラウコン（プラトンの兄）は、ソクラテスとの対話を通じて数学的推論の純粋さと説得力にすっかり心酔し、それまで大事だと考えていたことの多くを否定せざるを得なくなった」[35]。数学的な思考によって人間は多くを成し遂げられるが、しかしまた、人生の多面的な価値を見失ってしまう。魂や愛について数学的に考えることは可能かもしれないが、それによって得るものよりも失うもののほうが多いだろう。数学的に表せる事柄だけを科学的と呼ぶのだとすれば、感情や魂は存在価値がひどく下がってしまうことになる。

そして感情について言えば、先ほどのグラウコンの例でもあきらかなように、数学自体が感情をかき立てる。すくなくともプラトンの見方に従えば、人間は数学を熱愛することがありうる(生徒たちを見ればすぐわかるように、憎悪されることもままある)。

数学が現実に根ざしていないとすれば、人を誤った方向に導く恐れは十分にある。したがって抽象化が現実と矛盾を来さないように注意しなければならないが、理論経済学では往々にしてそれは不可能だ。ディアドラ・マクロスキーは著書『経済学の密かな罪』の中で、現代の理論経済学の大部分は、仮説を使った知的ゲーム以外の何物でもないと断言している。「経済理論の典型的な表現は、『情報が対称であれば、この等式は成り立つ』とか、『かくかくしかじかの意味において人々の期待が合理的であるなら、経済の均衡状態が成立し、政府の政策は無用になる』といったものばかりだ。……今度はちがう前提を想像してみよう[36]……前提を変えると結論は変わり始める。このことに深い意味はないし、驚くにも当たらない。前提を変えたら結論が変わったというだけのことだ……私は純粋な数学にも感心するし、モーツアルトの協奏曲にも感動する。この点に何も問題はない。ところが経済学は、ただ考えるのではなくて、世界を解き明かすことになっている[37]」。

計量経済学

多くの経済学者は、そして一般の人々の大部分も、今日では経済学と言えば計量経済学だと考えている。[38] だが経済モデルを使った予言がうまく的中するのは、現実が（偶然にも）モデル通りにふるまった場合、すなわち、モデルが依拠する過去の事例からさほど乖離しなかった場合に限られているように見える。

数式の濫用は、すくなくとも計量経済学に関する限り、現実を見えにくくしがちだ。ノーベル賞を受賞した経済学者ワシリー・レオンチェフが指摘するとおり、「残念ながら……数式への無批判な熱狂によって、論理のはかなく揺らめく本質の部分は、算術記号の圧倒的な存在の陰に隠れがちだ。……（経済学以外の）他の実証研究分野では、統計処理がこれほど大量に、かつ高度化されて、しかも結果には無関心に使用されることはない。……これらのモデルの大半は、実際には応用されることもなく、ただ死蔵されている」[39]。時系列計量経済学についても、チェコ出身の経済学者ヤン・クメンタはこう言う。「計量経済学を経済学から追放すべきだ。たとえば、経済学の専門的な教育を受けた人間が、ＧＤＰは長期的趨勢と確率的撹乱によって決まるなどと言う。これはまったく信じがたい」[40]。

デイヴィッド・ヘンドリーは、イギリスのインフレに豪雨が与えた影響を分析した論文の中で、こうしたアプローチをユーモアたっぷりに批判している。[41]豪雨はインフレに影響を与えた、それは結構だ。しかし分析によれば、通貨供給量以上に豪雨の影響のほうが大きかった。なんたる滑稽……。まことに迷惑千万だが、計量経済学的な分析では、こうしたおかしな結果が得られることがじつに多い。しかも豪雨の場合ほど、そのバカさ加減がはっきりしていないことが多いのが悩ましい。直観が働かない場合（あるいは設問そのものが見当ちがいだった場合）、分析結果がまちがいだとどうやって見抜けばいいのか。こうしたわけだから、科学者たる経済学者は、数学をあくまで補助手段の地位に留めおかなければならない。経済学者は、より広範な社会的・歴史的知識を身につけることが必要であり、そのとき初めて、ばかげた分析結果とまともな因果関係の見分けがつくようになるだろう。結局のところ、人間をコンピュータから区別しているのは、人間の中の人間的な部分なのである。

計量経済学に対しておそらく最も痛烈な批判を行ったのは、ジェフリー・サックス、クリストファー・シムズ、スティーブン・ゴールドフェルドだった。彼らは一九八〇年に、「アカデミックなマクロ経済学者の間では、（マクロ計量経済モデリングという）従来の手法はもはや単なる攻撃の的ではなく、信頼を失墜したと言って差し支えない。さまざまな政策の起こりうる結果を、計量経済学モデルを使って予想する慣行は……容認しがたいと広く考えられている。それどころか、近年の多くの問題の元凶だとさえ、みなされている」[42]と断言した。

真実は数学より大きい

計量経済学に寄り道しすぎたようだ。数学に戻ることにしよう。数学は完全で、一貫性があって、客観的で、無矛盾であるといった主張をよく聞く。しかしこのような見方、すなわち、現実のすべてのことをいくつかの広く認められた公理と、その公理の使い方に関する規則だけで記述できるとする見方には、すでに一九三一年に、致命的な一撃が加えられている。チェコのブルノ生まれの数学者クルト・ゲーデルが、あの有名な不完全性定理でもって「自然数論を含む形式的体系が無矛盾であれば、その体系内では真とも偽とも証明できない命題が存在する」ことを証明したのだ。乱暴に言えば、数学の命題は必ずしも証明できるとは限らない。以来、「真だが証明不可能」ということが数学においてもさかんに言われるようになった。その直接的な影響の一つは、真だと知っていることのすべてを証明できるわけではない、ということである。逆に言えば、真実性の感覚に関する限り、人間の自然な思考のほうが、いかなる形式的アプローチよりも幅が広い。ゲーデルの定理は、誰一人として予想していなかった点でも、今日にいたるまでこの定理の結果に数学者や哲学者が取り組んでいる点でも、他に例を見ない。ゲーデルによれば、ある系は、無矛盾か完全かのどちらかではありうるが、両方であることはできない。従って、どちらか一方を選ばざるを得ない。今日では、混乱を来しながらも、知識は知性と感情・直観の合成物に回帰しつつある。すくなくとも、理性の概念を見直す必要性が再認識されるようになっている。

セーレン・キルケゴールが、抽象的な系で現実世界を把握することは不可能だと述べているのは、興味深い。「論理的な系は可能である。実存的な系は不可能である」[43]。

決定論——シンプル・イズ・ノット・ビューティフル

一九世紀には決定論が猛威を振るい、人々は、世界の先行きは現在と過去の状態から機械的に決まるという見方に支配されていた。決定論の立場では、ランダム性や偶然を理解するのはむずかしい。そこで、そうした現象は原因がわかっていないせいだと説明した。ニュートン力学は、決定論の最たるものと言えよう。力学の世界では量子力学によって決定論は弱められたが、経済学にはいまだにしっかりと根を下ろしている。世界を方程式の集合体として表現し、外生的なショックさえ避けられれば世界の動きをいつまでも記述できると前提し、かつ信じている——これが、現代の経済学の大半の典型的な姿である。

言うまでもなく、人間のふるまいを予想するのは容易ではない。よって、経済学に根を下ろした決定論の根拠はかなり貧弱であり、これがまさに、経済学とニュートン力学の根本的なちがいの一つである。だが残念ながら、世間はそうは思っていない。分厚い文献、膨大な数式にその派生物、さらにはノーベル賞、有名大学の博士号……こうしたものものしい装備からして、いつ経済危機が終わるのか、できるだけ早く終わらせるにはどんな手段、どんな治療薬を使えばいいのか、経済学者は教えてくれるにちがいないと期待している。だがこれは、大きなまちがいだ。経済学はいまなお社会科学の一部門であり、ときに自然科学の仲間のふりをしているとしても、けっして自然科学ではない。経済学者が数学を援用するからといって、経済学が科学だということにはならない（数秘術だって数式を駆使する）。

ケインズは次のように予想した。「経済問題が本来の二番手の位置に戻り、心や頭の重要な領域が真の問題で占められるようになる日はそう遠くはあるまい。真の問題とは、人生や人間関係、創造、行動、宗教の問題のことである」[44]。だが、信じられないほど富が増えたというのに、その日はまだ遠いようだ。だからといって、数学を責めるべきではない。だが、数学だけを偏重してきた経済学が、幅広い社会科学的アプローチをしばしば無視し、経済についても、それを取り巻く社会的状況についても完全に理解したと主張し、あまつさえ未来を予想できると言い張っていることについては、責めてよいと考える。

第14章

真理の探求——科学、神話、信仰[1]

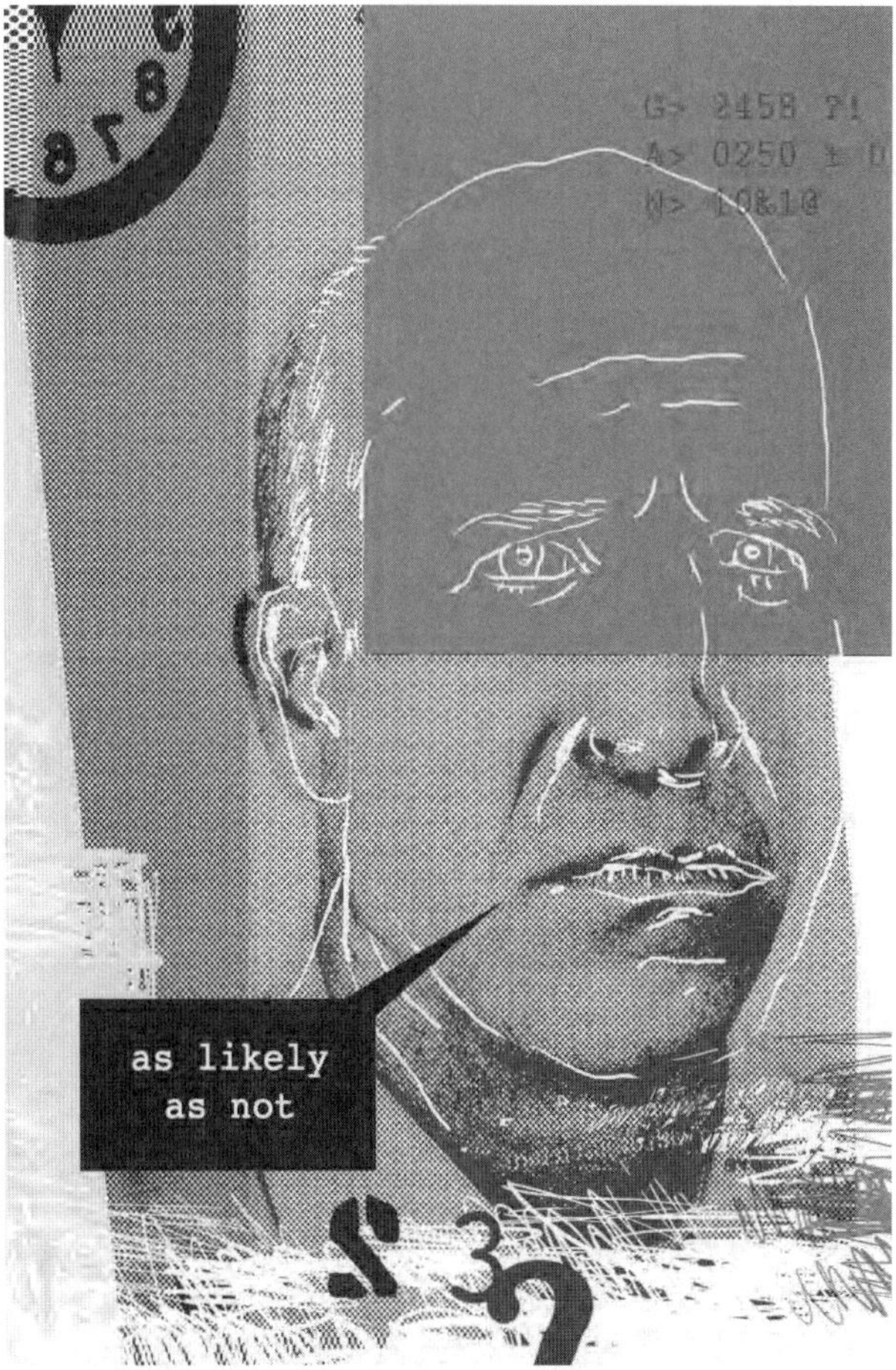

分別のある人は、自分を世界に適応させる。
分別のない人は、なんとかして世界を自分に適応させようとする。
よって、世の進歩はすべて分別のない人による。(2)

――ジョージ・バーナード・ショー

真理とは何か。真理とはどういう性質を持つのか。真理は科学的探求によってあきらかになるのか、それとも、もっと詩的な事柄なのか。クロード・レヴィ＝ストロースはこう語っている。「科学はいかなる意味においても真理を装ってはいないし、装うこともできない。これはじつにすばらしい事実だ。……科学とは、役に立つ仮説の一時的な姿にほかならない(3)」。

真理はときに理解しがたく、今日の経済学は多くの場合に分析ツールに頼って真理を理解しようとする。だが、真理は必ずしも分析可能ではない。私たちの周囲には、分析ツールでは理解できないことがたくさんある。だから、科学的な分析方法を使って真理を知ろうなどという望みは捨てなければならない。真理の解明を諦めた瞬間に、経済学がひんぱんに露呈する傲慢さもずいぶんと和らぐはずである。経済学は、二〇世紀を通じてみごとな数学的ツールを豊富に取り揃えてきた。おかげで、経済学の重要な部分を通常の言語から数学的言語に書き換えることが可能になった。数式を使うことで、経済学はより整合的になり、また正確にもなっている。そうは言っても、数学は言語にすぎない。言語は、どんな言語であれ、あらゆるものを表現できるわけではない。その点はさて措くとしても、さらに重要なことがある。別の言語で話し始めたら、発する問いまで変わってよいのか、ということだ。単に使う言語が変わるだけで、注意の対象まで変わってよいのだろうか。

近年の主流派経済学は、経済学が当初テーマにしていた倫理や道徳を打ち捨ててしまった。そしてテクニカルな分析に逃げ込んでいる。単に新しい言語を使い始めたというだけで、この学問が注意を向ける対象は大幅に変わった。経済学は数学的に表せるものに注意を向け過ぎ、そうでないものを無視している。規範的な経済学は、実証的で記述的な経済学に押しのけられた。もしも実証的・記述的経済学だけが残るとしたら、それはきわめて危険だと言わねばならない。重要な事柄から人々の目を逸らさせ、実在せず重要でもない価値についての判断を強い、その結果として危険な袋小路へと迷い込ませることになりかねないからだ。それだけではない。数学的探究の対象となりにくいというだけの理由で、人生や生活の重要な部分を無視することになる。

モデルは自分

人はものごとを在るようには見ない。
自分が在るように見る。(4)

――タルムード

何らかの抽象概念（たとえば万有引力）が導入され、広く受け入れられるようになると、それは世界観をも変えることになる。ある理論を信じるようになった瞬間に、そのプリズムを通して世界を見るようになるからだ。チェコの論理学者ヴォイチェフ・コールマンは、「合理的で自信家であるわれわれ人間は、つくられたものであると同時に、現実をつくっている。数学者も含めて科学者は、自分たちの主張につけた留保条件を組織的に忘れていく(5)」と結論づけた。かくして科学理論や現実のモデルは、現実それ自体の見えない一部となる。理論はどれも信念体系《イデオロギー》であり（ここでは悪い意味で使っているのではない）、解釈フレームワークもそうだ。そして最も成功を収めるのは、人々があまりにすんなり受け入れてしまい、疑問を抱くどころかそのことに気づきもしないような信念体系、人々の中に深く根を下ろし、ごく自然に「いつもそこにある」ような信念体系である。

この意味で、人間は創造の最後の仕上げ役を果たしている。「創世記」で、動物に名前を付ける仕事がアダムに割り当てられたことを思い出してほしい。命名することによって、世界に秩序ある分類がもたらされた。何らかの解釈フレームワークがないと、世界は知覚することさえできない。ウィトゲンシュタインの比喩を借りて言えば、いま世界を見ている目もやはり世界の一部である。この目は解釈フレームであり、これを通じて人は世界を見る。コールマンが指摘したとおり、「数学においてあきらかなのは、最初に発見のための理論を設定しない限り、直接的あるいは自然な所与の事実というものは世界にも言語にも存在しないことだ。このことは、すべてはちがうものでありうることを意味する」[6]。事実も「客観的現実」もじつはファジーであり、さまざまな解釈を許容する。そこで、同じデータセットを使い、同じ統計手法を使う経済学者が、まったく異なる結論に達するということが起きる。

科学においては、整合性のある新しいフレームワークを構築し新しい世界観を確立できるまでは、不備を承知で既存のフレームワークを使う。たとえば、世界は数世紀にわたって、万有引力の法則に従って「ふるまって」きた。この万有引力という抽象概念には、競う相手も対立概念もなかった。なぜなら、ある程度の単純化が許容されるレベルでは、この法則はたいへん満足できるものだったからである。なぜ物は地面に落ちるのかと聞かれたら、万有引力のためだと答えればよい。ある時点までは、この答で何の不足もなかった。ヘーゲルの言葉を借りるなら、「世界を合理的に見れば、世界も合理的に見返す[7]」。

同じことが経済学についても言える。仮説は世界について考える手段、あるいは世界を観察する手段にすぎない（ここで、経済学の仮説の大半は最後まで明示されないことを指摘しておかねばならない）。観察者が存在しない世界は、それ自体カオスである。モデル思考の能力を持ったとき、つまり頭の中にモデルが構築されたとき初めて、世界を合理的に見られるようになる。構成概念（数式、定理、法則など）に従って世界が「ふるまう」としても、その構成概念は世界それ自体にねざすのではなく、あくまで頭の中にあるのだ。世界を理論やモデルに体系化するのは、思考であり、想像力である。世界がどう動くか、それはなぜかをすべて説明しようという意気込みで構築された立派なモデルはどれも、単なる構成概念、単なる見解、単なる意見にすぎない。したがってあらゆる理論は役に立つ虚構であり、もっと言えば、神話であり物語である。神話が真実でないことは誰でも知っているし、経済学の仮説は非現実的だ。それでも経済理論は、人間と世界について何かしら真理を語っていると信じられている。

モデルというものは多くの場合、何かのイメージである。たとえばお城の模型、洪水のシミュレーションをするコンピュータ・モデル、宇宙の発生に関するビッグバン・モデルなどだ。それとも、お手本や模範という意味のモデルなのだろうか。つまり、経済的現実を具現化するために使うのは、どちらのモデルなのか。モデルに似せて経済を構築するのか、現実に似せてモデルを構築するのか。両者のちがいは明快である。現実のお城も、現実の洪水も、現実の宇宙も、モデルにはまったく影響されない。だが現実の経済は、理論モデルに影響される。たとえば、モデルは個人の予想に、したがって個人の行動に影響をおよぼす。モデルの選択が重要な理由は、もう一つある。

信仰の選択

モデル自体は、それだけで人を説得することはできない。ほとんどすべての世界観は、それぞれに十分つじつまの合ったモデルを持ちうる。したがってモデルの選択は、一人ひとりが抱く先験的な世界観に大きく左右される。あるモデルのパラダイムなり見解なり公理なりが証明されていなくとも、そのモデルの仮定や結論だけに注目して、自分の世界観によくマッチするものが選ばれているのである。これは完全に不合理かつ感情的な選択であり、あるモデルの仮定や予想される結果に対する先験的な共感に基づいている。このように、モデルは現実との整合性ではなく（そもそもどのモデルも現実的ではない）、概念上の世界との調和に基づいて選ばれる。言い換えれば、自分の世界観とうまくなじむか、自分が信じていること、あるいは信じたがっていることと齟齬を来さないか、という観点から選ばれている。実証的な、つまり記述的なモデルでさえ、その土台の部分は規範的だ。この意味で、経済学も信仰である。証明されていない公理は信じるしかない。極端なアプローチでは、経済学は宗教と化す。[8]

モデルについて言えることは、比喩にも通じる。もし聖書の中のイエスが「ユダヤの獅子」と表現されていたら、たてがみがあって寿命が一〇年ほどのあの肉食動物とはまったく異なるイメージを与えたにちがいない。どんな抽象概念も、文脈を無視して理解しようとするのは危険である。理論経済学は、科学的な（大人の）作法に従って語られた一連の物語にほかならず、おとぎ話や神話とは多くの点で異なるにしても、共通点も少なくない。どちらにもいくらかの真理は含まれているが[9]、やはり虚構は虚構である。

ニュートンの万有引力の物語は、相対性原理に道を譲った[10]。同じことが経済学でも起きており、将来にまたそれが起きないと誰が言えるだろう。だから経済学者は、もっと謙虚に現実を扱わねばならない。しかしそうした謙虚さは、あらゆる人間の行動を単一の原理で説明しようとする現代の経済学の野望とは相容れない。経済モデルの多くは、異なる文化、社会、歴史、宗教環境を一切考慮しない抽象世界に浮かんでいる。経済学はそうしたコンテクストを完全に切り捨ててしまった。だが文化、社会、歴史、宗教を理解せずに、人間のふるまいを理解することができるのだろうか。

物理学の仮定と経済学の仮定

経済学は物理学を手本にしている節があり、本書では何かと物理学を引き合いに出してきた。したがってこのあたりで、両者の方法論における根本的なちがいを指摘しておくべきだろう。物理学が用いる仮定のロジックは、経済学とはまったくちがう。仮定は言わば足場として組まれ、人工的な補助手段として建設作業に活用されるが、建設が完了すると撤去される。たとえば、自由落下を考えるときに空気抵抗を無視するというのは、天才的な思いつきである。この抽象化により、ものごとを単純化して考えられるようになる。だが現実の計算をするとなったら、たとえば羽根が石より早く落下するかどうかを知りたいなら、空気抵抗を考慮しなければならない。実際の応用に当たっては、単純化された仮定は忘れて現実に戻る必要がある。モデルを形成するときは現実に目をつぶり、モデルを現実に応用するときは、今度はモデルに目をつぶらなければならない。仮定の下に隠されたものを見るには、足場を取り壊さなければならないのである。

ところが経済学の場合には、往々にして仮定を撤去することができない。建設後であっても、である。仮定を取り去ると建造物全体が崩壊しかねない。そこで経済学者は、足場だけの大聖堂、中は空洞の大構造物を組み上げることになる。経済モデルの大前提であるホモ・エコノミクスという概念を捨てねばならないとなったら、主流派経済学はどうなるだろうか。この仮定の足場を解体したら、壮大な大聖堂は瓦解してしまうだろう。いや、そんなものは始めから存在していなかったのかもしれない——裸の王様の衣裳のように。

あのウィトゲンシュタインも、(ある高さに到達するための手段として)足場に言及している。「命題は、論理的足場を頼りに世界を構築する。その命題が真であれば、その命題から論理的に成り立つすべてのことを見て取れる。真でない命題からでも、推論は可能である[11]」。これはあくまで足場についてのことで、建造物そのもののことではない。大事なのは足場を活用することであって、足場自体にはそれとして意味はない。近代的な経済学の創始者の一人とされるアルフレッド・マーシャルが、研究が終わったら数学(足場)を燃やすと発言しているのは、じつに衝撃的である[12]。

だが、経済学では往々にして不快なことが起きる。モデルが非現実的な前提に立脚していたら、結果が検証不能あるいは反証不能だったら(たとえばホモ・エコノミクス・モデルのように)、どうなるのか。結論が事実上前提に含まれているようなモデルでは、得てしてそうなりがちだ。なにしろ、どんな結果が望ましいかに応じて前提や原理を選んでいるのだから。

方法論からインスピレーションへ

ただし、革新的なパラダイムを打ち出したいなら、アインシュタインがやったことをやらなければならない——古い建造物から自由になることである。新しい方法論的アプローチをするためには、言うまでもなく、古い方法論を正しく応用するだけではだめだ。もとからある方法論を一掃し、敢えてまったく新しいやり方で考えなければならない。

新しい世界観につながる道は、既存の世界観を放棄するところから始まる。ウィトゲンシュタインの梯子を思い出そう。「梯子をのぼりきった者は梯子を投げ捨てねばならない」[13]。新しい方法を見つける方法は存在しない。方法（およびそれを使った科学的思考）は二次的なプロセスにすぎず、独創的なブレークスルーは、古い方法を拒絶し、投げすて、打ち破った先に生まれる。では、その原動力は何か——インスピレーションである。そしてインスピレーションは、瞑想や夢への逃避によって、あるいは芸術や天啓の力によって、言い換えれば理性の領域ではなく感情の領域で閃くものだ。雷に打たれたように、痛みに貫かれるように、アイデアは突如として思いつく。理由などない。アイデアが生まれると、脳内の電球が点灯する。ヤナ・ヘッフェルナノーバが指摘するとおり、「アイデアは、つくるとは言わずにつかまえると言う」[14]。ヘッフェルナノーバはおもしろい考察をしている。インスピレーションについて語った科学者の経験を分類すると、Bのつく場所で閃くことが多いというのだ。バス（bus）、風呂（bath）、寝床（bed）である。[15] アイデアが理性に引き渡されるのは、その後の二次的なプロセスに移ってからのことにすぎない。アイデアを他の文脈や系の中で示すことができなければ、そのアイデアは思いついた本人によって却下されるか、科学界から門前払いを喰うことになる（発見された新しいアイデアは、他のアイデアと調和しなければならない。たとえば新しく発見された現象は、発見済みの現象が属す状況に当てはまらなければならない）[16]。「命題は既存の表現で新しい意味を伝えなければならない[17]」とウィトゲンシュタインも言っている。

感情の領域にあった柔らかいもの《ソフト》を合理的思考へと固める《ハード化》プロセスは、発見という作業の中にもある。新たな発想の最初の胎動が理論を前へと進ませ、その後に初めて新しい方法に固定される（方法の理論化は後継者に委ねられることもめずらしくない）。アイデアは誰の頭にも絶えず閃くが、合理的でないとか他と調和しないと感じて捨ててしまうことが多い。こうして大半の種は不毛な大地に無為に落ちる。誤解を恐れずに言えば、相対性原理のアイデアはいろいろな人が何度となく思いついてはいるのだが、そのような（ニュートン世界における）ナンセンスを重要な他の原理と結びつく概念に昇華させることができたのは、アインシュタインだけだった。

いささか強引な喩えだが、感覚的なインスピレーションは、発見という自動車のエンジンと言えるだろう。そして理性はブレーキである。エンジンなしの自動車もブレーキなしの自動車もあり得ないように、発見のソフトな面とハード化された面（新しい部分と固定された部分）は、互いに相手なしには機能しない。エンジンだけではどこにも行けないし、そもそもエンジンのない車は成り立たない。だが車を走らせるには、ブレーキがあってちゃんと止められると確信できなければならない。片手で拍手はできないのである。理性はインスピレーションで補われ、活性化される必要があるし、インスピレーションは理性によって修正され、現実と結びつけられ、制御されなければならない。哲学者のガレス・エヴァンズはこう言った。「知識は新しい概念の発明によって進歩する。概念を意味のあるものにするのは想像力のきらめきであり、それが科学の偉大さの源なのである[18]」。ウィトゲンシュタインは『論理哲学論考』の序文の中で、「本書は、ここに表されている思想、少なくともいくらかは似た思想をすでに自ら考えたことのある人にだけ理解されるだろう[19]」と述べている。

論理はインスピレーションの神秘で補わなければならない（たとえばラッセルはそう論じた[20]）。インスピレーションをつかまえて大勢の人に伝えるためには、方法論が必要になる。方法とは、インスピレーションという暴れ馬につける鞍であって、方法からインスピレーションを生み出せるわけではない。方法論は、新しい系の枠組みの中で補助的に力を発揮するだけである。方法は、つねに系自体が予告なしに生み出す。科学的研究に先験的な方法論というものはない。仮にそういうものをつくったら、破壊的になるだけだろう。科学にいたるための科学的アプローチは存在しないのである。

現代の預言者としての経済学者

あらゆる科学の目的は予測することにある。(21)

――オーギュスト・コント

将来の市況を計算できるなら、未来は不確実ではない。となれば、企業が損をすることもなければ、儲かることもないだろう。人々が経済学者に期待することは、人智を超えている。(22)

――ルードヴィヒ・フォン・ミーゼス

二〇世紀と二一世紀にどんな予言がなされたか知りたいなら、経済学者に注目するとよい。今日最もひんぱんに未来を予言し、古代の神託の代役を務めているのは、経済学者である。悩ましいのは、予言が再三外れること、おまけに重要な事柄は予言できないことだ。それにしても、われわれ経済学者はどうしてこうもたびたびまちがえるのだろうか。いつかそのうち正しい予言ができるようになるのだろうか。

古代ギリシャでは、真理は長いこと詩人の守備範囲だった。ホメロスの『イーリアス』と『オデュッセイア』には、人間とは何か、神とは何か、世の中のことはどうやって決まるのか、といった重要な問いに対する答が示されている。登場人物のふるまいや、その行動の詩的解釈の多くに、神や人間の性格に関する普遍的な見方が反映されているのである。やがてタレスが登場すると、真理の多くは哲学者の守備範囲になった。そしてアリストテレス以降は、そこに科学者が加わる。それでも詩と物語は、二〇世紀になるまで、世界を説明する役目を担い続けていた。チェコスロバキア第一共和制時代（一九一八～三八年）に最も広く読まれた新聞には詩と物語が掲載されており、その著者は世論の形成に大きな影響力を持っていた。今日では、科学的正確性や客観性の欠如だとか物語といった言葉は、ほとんど悪口に等しい。そうした悪口を浴びせられた物語は、たとえ現実を記述していても、あっさりと切り捨てられてしまう。ところが物語作者の中で経済学者だけは、特権的な地位を占めている。いったいなぜだろうか。

このほどの金融危機では、経済学者は何の予知能力も持ち合わせていないことをまたしても露呈し、危機の発生も規模も見通すことができなかった。こうした失敗がかなりひんぱんに起きているにもかかわらず、社会科学の中でいまだに将来予測にひどく熱心なのは、経済学者である。社会学者、政治学者、法学者、心理学者、哲学者は、未来を予想しようとはしない。彼らはせいぜいある種の洞察を示すにとどまっている。なぜ経済学者も控えめにしておかないのだろうか。世間から予測を求められていることとは別に、そこにはもう一つの理由があるように思われる。経済学はできるだけ物理学に近づきたがっている、ということだ。しかし物理学は、生命のないものを相手にしているので、将来のことを予測しやすい。

経済学者は未来を説明したがっているが、じつは過去さえ説明できないことがままある。カール・ポパーは、その名も『歴史主義の貧困』という本を書き、過去の出来事を説明することは現実には不可能か、逆に何通りもの説明を与えることが可能だという結論に達した。たとえば、経済学者は一九二九年の大暴落の原因についていまだに意見が一致していないし、大恐慌が終わった理由についても一致していない。この例一つで十分だろう。こんな具合だから、今回の危機を直接体験したにもかかわらず、経済学者には原因を特定することができない。

自己回避的な預言

あきらかに予言の最大の難点は、予想不能なものは予想できないことである。そんなことを試みるのは、どうみても矛盾である。ある出来事を予想できたとしたら、その出来事は予想不能ではなかったというだけのことだ。ものごとを注意深く観察する人なら（物理学者であれ経済学者であれ）、その出来事の特徴を把握し、どこまで広がりそうか、いつまで続きそうかを言うことはできるだろう。だが出来事自体を予想することはできまい。経済学者に言えるのは、モデルケースではどうなるか、ということだけである。だが言うまでもなく、世界はモデルではない。

おまけに経済学者は、未来を予想するときに魔法の呪文を使う。毎回、「セテリス・パリバス

(ceteris paribus)」と唱えるのだ。これは、「他の条件が等しければ」とか「他の条件が一定なら」というほどの意味である。まるで「アブラカタブラ」のようなあやしげな響きであることはともかく、現実がセテリス・パリバスでないことは認めなければならない。

そのうえ本物の預言者には、必然の不運がつきまとう。聖書に登場する預言者ヨナの例を考えてみよう。ヨナは敵国アッシリアへ行って滅びの預言をするよう神から命じられるが、それを拒んで逃げ出す。そこで神はその船を難破させ、海に投げ込まれたヨナを大きな魚に呑み込ませ、アッシリアの首都ニネヴェの海岸に吐き出させた。やむなくヨナはニネヴェの町が滅びると預言する。ところが驚いたことに、ニネヴェの人々は預言にまじめに応じ（それが期待されていたはずだが）、悪行を悔い改めた。そこで神は人々を赦し、滅ぼすのをやめた。この物語はハッピーエンドであるが、一人ヨナだけは不満だった。結局のところ、滅びどころか何も起きなかったではないか。ヨナの預言が信頼に足るものだったがゆえに、そして人々がその預言を真摯に受けとめ改心したがために、預言は外れ、町は救われた。ヨナは、自分が希代の人騒がせ男になってしまったと感じたにちがいない。

この物語のポイントは、はっきりしている。人は的確な予言の大半をありがたがらない、ということだ。その理由は、ナシーム・タレブが『ブラック・スワン』の中でみごとに説明している。二〇〇一年の時点で、国際情勢に精通した優秀なアナリストとテロの専門家がいて、アメリカに対するテロ攻撃を予想し、政権幹部を説得できたとしよう。すると、何が起きるだろうか——何も。なぜなら、その情報によって予想の実現は回避されるからだ。この場合、最善のシナリオでは、この正しい予言は忘れ去られる。最悪のシナリオでは、予言者は針小棒大に騒ぎ立てる悲観論者、人迷惑な規制論者として永久に恨まれることになる。なにしろ予言のせいで、空港で靴を脱がされたり、屈辱的なセキュリティ検査を受けたりしなければならないからだ。この種の予言は「自己回避的」と言える。予言が正しければ、予言されたことはまったく起きない。何らかの事故や災厄が正確に予想されているなら、それを起こさせるわけにはいかないからだ。これは、社会学でよく言われる「自己実現的」な予想とは正反対である。ここで悩ましいのは、どちらの原理が働くのか予見できないことだ。予言は、なされたがためにそれを引き起こすこともあれば、食い止めることもある。

信頼に値する人物が「たいへんだ、たいへんだ」と叫び出したら、その言葉は心理的パニックを引き起こし、それだけで危機を招くかもしれない。あるいは逆に、その警告が人々の行動を変え、危機は回避されるかもしれない。しかし、どちらになるかは事前にはまずわからない。それでも人々は予言に頼る。未来はおそらく神にさえわかっていないのだろう。そうでなければ、神学者がこの問題を巡って今日にいたるまで論戦を続けているはずがない。

最も妥当な結論は、二〇世紀最大級の哲学者にして神学者（そして数学者）のアルフレッド・ホワイトヘッドが下したものではないだろうか。それは、未来は神にとってさえ定まっていない、という結論である。アダムとイヴが禁断の木の実を食べると知っていたら、なぜ神はあれほど怒ったのだろう。旧約聖書の預言者たちは、未来を決定論的に預言したのではなく、とくに何か対応策が必要な場合について、警告を発して戦略的選択肢を提示したのである。対応が適切であれば、預言は実現しない。人間は未来について悲観も楽観もすべきではなく、やはり未来はわからないと考えるほかはない。

未来主義の貧困

もしほんとうに未来を知ることができるとして、あなたは知りたいだろうか。数年後には嫌いになるとわかっている人を愛することができるだろうか。自分が出世できるかどうかなど、知らないほうがいいという人のほうが多いのではあるまいか。ここで思い出されるのは、SFドラマ『銀河ヒッチハイク・ガイド』の意味深長な一シーンである。それは、哲学者の集団がストライキに突入する場面だ。万能コンピュータが「生命と宇宙と万物に関する究極の問い」という問題をもうすこしで解くというときになって、彼らは自分たちの仕事に恐怖感を抱き始めるのだった。[23]

不確実性はこれに似ている。価格動向がどうなるのかあらかじめわかっていたら、そもそも市場は存在しないのではあるまいか。石油相場の動向を知るために、これまでどれほどの資金とエネルギーが投じられてきたことだろう。将来の価格を正確に言い当てられる人は、大金持ちになるにちがいない。しかし現実には、金的を射るのは偶然による。

どの馬が勝つか、誰だって知りたいにちがいない。だがもしそれが可能なら、競馬は即刻打ち切りになるだろう。未来の不確実性に人はよく苛立つけれども、楽しい体験をたくさんできるのは、まさに先がわからないおかげなのである。

未来を知ってもさしてうれしくないとすれば、未来のことは未来にまかせ、いまの一瞬にだけ集中すればよいのだろうか。そうはいかない。未来について考えることは、人生において欠かせない。未来がなかったら人生に意味はないし、未来がなかったら現在にも意味はない。チェコの偉大な思想家ラディスラフ・ヘイダーネクは、次のように書いた。「最も近い未来から最も遠い未来まで、行く末を考えることは、現在を真剣に見据えるために必要である。現在の真の意味は、いまある状況と来たりくる状況というコンテクストの中に立ち現れるのだ(24)」。だから、いまを知りたかったら未来を展望しなければならない。未来と過去なしに現在は意味を持たない。

経済学者は何も決まっていない未来に直面し、運命を手探りする。そして、まったく同じ統計データから、ある人は恒久的経済成長を謳い上げ、ある人は経済のアルマゲドンを予言する。一方がそこに希望を見出し、他方が絶望を見出すのは、気質ゆえでなくて何だろう。

理性と感情の連続体

理性と感情のちがいは、実際にはほとんどない。(25)

――ヤナ・ヘッフェルナノーバ

ある種の心の動きは感情と呼ばれ、また別の動きは理性と呼ばれるのはなぜなのか、私はいつもふしぎに思ってきた。どちらも同じ原理に基づいているのではないのだろうか。理性と感情の間には溝があるとしても、そこに橋は架かっていないのだろうか。主観と客観のちがいにどう折り合いをつけているのだろう。宗教や信仰や神話が一方にあり、科学や証拠やパラダイムが他方にあるとして、どうやって両方を結びつけるのか。

ここではデカルトの方法論に倣って瞑想を取り入れ、理性と感情の二元論を放棄してみよう。ヒュームの「理性は情念の奴隷である」という言葉も、その逆も、忘れることにする。また、つねに効用の最大化を考え合理的最適化をめざすホモ・エコノミクスという概念もひとまず棚上げし、いまは、ただの人間に、つまりホモ・サピエンスに立ち帰ることにしよう。

知覚や感覚や感情と理性が対立しない系、すなわち理性と感情が互いに相手を必要とし、相手を補い合う統合的・連続的な系は存在しうるだろうか。現実には、理性や抽象化の枠組みなしにただ感じるということはあり得ないし、感情的知覚の刺激なしに理性による抽象概念だけが存在することもあり得ない。どれも、理性と感情から成る単一の連続体の一部にすぎないのである。理性的な部分と感情的な部分の唯一のちがいは、反復の度合い、すなわちある感情が実証的あるいは社会的に確認される度合いにある。重要な新しい感情的知覚は、とらえどころのないソフトなものとしてまず認識される。やがて繰り返し社会的に確認されるうちに、合理的な概念として固定される、つまりハード化されるようになる。文明が始まったばかりでハード化される感情が少なかった頃は、今日ほどには両者のちがいは明確ではなかっただろう。

ここで極端な例として、一般に合理性の権化とみなされている数学を取り上げることにしたい。数学は、実証的な反論を持たない完全に抽象的な記号の系であり、実証的な内容は事実上いっさいない。初めてこの事実に向き合うのは、子供の頃に1＋1＝2と教えられて、他の諸々のことと同じく「どうしてそうなるの？」と感じるときだ。数学でさえ、最初は感情で受けとめられる。いまの小学一年生同様、かつて私たちもこの感情を味わったはずだ。1＋1は必ず2になるのだと繰り返し確認することによって、この感情は次第にハード化され、信頼できる確固としたものになる。そうなれば、毎度確認や証明をしなくても、安心して活用できる。このように繰り返し確認することを通じて、感情的知覚はハード化され、理性になるのである。

この抽象化作業によって、二つの1、プラス記号、等号、2という数字は意味を持ち始める。だが、あらゆる抽象概念と同じく、世界に「1」や「＋」が存在するわけではない。1とか2という数を見たことのある人は、一人としていないのである。もちろん、二個のリンゴや二個のミカンは見るし、リンゴ一個とミカン一個を持ってきて二個セットにすることも見られる。だが2というものは、この世に存在しない。他の数学記号、たとえばマイナス記号なども同じである。これらは単なる記号であり、その意味や使い方を学べば、抽象的な数の単位やプラス、イコールの記号を使って現実の世界を認識できるようになる。ひらたく言えば、リンゴやミカンの数を足して合計を出せるようになる。認識した対象は解釈フレームワーク（この場合は数学的フレームワーク）を形成し、このフレームワークを通じて世界を認識し、単純化し、分解する。理性とは、ハード化された感情にほかならない。

数学の対極に位置づけられるものとして、経験の例も挙げておこう。経験は、おおむね具体的かつ個別的で、主観的である。たとえば燃え上がる愛や深い友情を考えてみよう。初めてそれを感じたとき、人はその強い感情をどう分類していいか、わからない。生まれて初めて味わう経験したことのない感情なので、表現する言葉を持ち合わせていないからだ。つきつめて言えば人間は（まさに動物のように）言葉をもたない（言葉で表せるのは、一般化され社会化された経験だけである。それには、少なくとも二人以上の社会の構成員が経験し、自分たちの固有の経験は似ているとそれぞれが同時に気づき、共通性を発見しなければならない。一人による一回限りの経験は、言葉で表すことはできない）。あとになって初めて、自分の経験の中にこれまでに見聞きしたものと共通する要素を見出し、言葉で表せなかった自分の個人的な体験を、他人にもわかる既存の言葉で一般化できるようになる（またはそれを強制される）。実際には、どの愛もどの友情も同じではない。愛を感じた大勢の人のうち、まったく同じ感覚や感情を抱いた人は一人もいないだろう。にもかかわらず、他人が経験した感情と似通っていれば、それを愛という抽象的な言葉で表す。このように主観的な体験は、言わば四捨五入され、最も近い社会的共通項にまるめられる。日の入り一つとっても、同じものは二度とない。日の入りはどれも一回限りである。それでも私たちは「日の入り」というたった一語で、誰もが見たことのある光景を表現できる。その出来事がひんぱんに起き、それを誰かに伝える必要があるとなれば、繰り返される経験のある面（けっして全部ではない）は固有の名前を獲得し、抽象概念となる。言い換えればハード化されて、もののように扱えるようになる。こうして、固有の主観的経験が言葉という抽象的で客観的なものに変えられるのである。この意味で言葉は、主観的な感情を既存の最も近い表現に「言語的四捨五入」したものにほかならない。

愛や友情といった感情的経験も、時間が経つにつれてハード化し、繰り返し確認されているうちに、どことなく自動的になっていく。そして安心して扱える何か理性的な概念になる。これは、経験のインフレと言えるかもしれない。同じ刺激を受けても、最初のまっさらなときの「頭にどっと血が上る」感覚はもう起きない。ハード化した愛が初めて経験した愛よりよい、悪いということではない。ただ、理性的な特性を備えた別のものになる。

経験をした瞬間に生まれる感情は、まだ理性的な表現形式を持っていない。無意識の知覚から生まれた何かは、対応する抽象的な言葉を持たないため、その時点では存在しないのであり、後になってから、分類し、伝達し、取り扱えるようになる。こうして知覚から言葉が生まれ、頭の中で現実が構築される。名前のなかったものたちの混沌の中から秩序が生まれ、繰り返され、表現され、それは理性的とみなされるようになる。

理性と感情は同じものでできていると、同じ一つの連続体の両極端だと、考えられないだろうか。心理学者のヤナ・ヘッフェルナノーバは、次のように書いている。「理性と感情の衝突というものは、実際には存在しない。なぜなら人間は生きている間に一度として、純粋に理性的推論からのみ組み立てられ、感情の一閃も混ざっていない文を発することはないからだ。どれほど理性的な言明にも、何らかの感覚、あるいは肯定的・否定的感情に根ざした意見が入り込んでいる。……日常生活では、ある一つの感情は別の感情に抵抗する。たとえば恐怖心や無慈悲が、合理的で正しいといった理性的な理由をつけて隠蔽、弁明、擁護されている状況では、恐怖心が慈悲心に抵抗する」[26]。

一部の学者が安定した感情と不安定な感情を区別し、安定した不変の感情をしばしば理性とみなすことが、混乱を引き起こしている。たとえば金銭や自己利益への関心は、単に安定した感情にすぎないにもかかわらず、合理的とされる。聖書は金銭愛に警告を発するが、これもやはり愛であって、愛はまごうかたなき感情である。金銭愛は下品で偏っていて方向もまちがっているが、それでもなお愛にちがいない[27]。

エラー万歳

どんなものにもひびがはいっている。だから光が差し込むのだ。[28]

――レナード・コーエン

理性と感情、前節の言い方に従えば古い感情的知覚と新しい感情的知覚が衝突することは、めったにない。衝突が起きるのは、まだ説明のできない新しい不確かな経験が、すでに確立し説明のついている古い経験と一致せず、その知覚や感情を既存の概念で説明できないときに限られる。その説明のできない経験が繰り返され、あるいは継続されてもなお、既存のフレームワークでうまく説明できないときには、次の二つの現象のうちどちらかが起きる。一つは、認知システムが意識的または無意識的に新しい感情的知覚を一種の異物として片付けてしまうことだ。当人は、半ば無意識的にこの違和感に気づいていても、それを取り込んだり、注意を向けたりすることはしないし、できない。新しい経験が現実となじまない場合、この操作によって、完全に消去されてしまうこともある。起こりうるもう一つの現象は、この異物、この「エラー」が古いシステムを破壊することである。

観察結果が既存のフレームワークに当てはまらないとか、既存の理論の期待値から乖離するといった程度のマイナーなエラーが、ときに理論の瑕疵を暴き出し、ついには完全に覆すことがある。まさに映画『マトリックス』のグリッチ（データ破壊）のように、基本的な世界観をぶちこわす。たとえば一九世紀の天文学者は、水星の軌道の観測値が、ニュートン力学で説明できないずれを示すことに頭を悩ませていた。この問題を解決したのが、一九一五年に発表されたアインシュタインの相対性原理である。これを使えば、件《くだん》のずれは説明がつく。そして結局は、相対性原理がニュートン力学にとって代わることになった。

モデルは、物語にすぎない。あるいは、数学者にして経済学者のエリオット・ロイ・ウェイントロープの言葉を借りれば、自伝にすぎない(29)。現在のモデルや抽象概念のエラーを通じて、新しい物語が発見される。いまの理論の数式にフィットしない落ちこぼれこそが、新しい地平を切り拓くカギを握っているのである。だから科学者はエラーを葬り去らず、最大限の注意を払う。エラーの中に、まったく新しい、そしておそらくはよりよい公理系のヒントが見つかるかもしれないからだ。このことは、きっと人生にも当てはまる。

落ちこぼれは、意識されているにせよ、いないにせよ、科学知識において（そしてある意味では人間心理において）言わば統合失調症を形成する。既存の経験とうまく統合できないため、人間で言えば二重人格が出現するような格好である（日常的にこうしたことはめずらしくない。日々の生活では、一人の人の果たす役割がめまぐるしく変わり、矢継ぎ早にちがうシステムを呼び出す必要に迫られる。私たちはその都度、異なる自己像や世界観を使い分けている(30)）。科学でも同じようなことが起きる。どんな経済モデルも、すべての状況に当てはまるわけではない。うまくいかなければ、新しいモデル、新しい理論が構築される。新しい理論は現在の理論を駆逐し、主流的な解釈フレームワークとして君臨する可能性を秘めている。

死んだ世界、生きている世界

数学は、その限界を意識して使う限りにおいて、世界を知る適切な手段である。数学的研究の対象は、まず「殺して」から定位置にセットしなければならない。ネルソンは、「近年になって経済学者がようやく気づき始めたとおり、静的な世界は現実の経済状況の本質とはほとんど何の関係もない[31]」と指摘する。

セーレン・キルケゴールは、「実在は論理を超越する[32]」と書いた。もしそうなら、現実をモデル化する試みは、二つの世界を見せようとするものだと言える。一方には、モデルが構築する抽象的な、つまり非現実的な世界があり、それを通して人々は世界を認識する。そしてもう一方には、世界そのものがある。こちらは現実であり、経験的世界であり、モデル化することはできない。なぜなら、生きているからだ。だから、理論上の構築物とは異なり、好きなように動かしてみることはできない。思うにモデルをつくる目的は、自由に扱い、言わば酷使することにある。経済学にも、まさに同じことが当てはまる。人間や社会のふるまいを記述する経済モデルでは、すべてがぴたりと符合する。しかしこの手のモデルは往々にして非現実的な前提の上に成り立っているか、実際には適用不可能な結論にいたったりする。その両方であることもめずらしくない。

オーストリア出身の経済学者フリッツ・マハループはこの問題を詳細に論じ、先験主義者の見方を次のように要約した。「経済学は先験的な真理の体系であり、純粋理性の産物であり、数学の法則に劣らぬ普遍的な法則に到達している厳密な科学であり、純然たる公理系であり、一連の仮定からの純粋な演繹の体系である。よって、経験に基づく検証や反駁は一切受け付けない」[33]。ピエロ・ミニはさらに踏み込んで、「論理の世界は死んだ世界である」[34]と述べている。

死んだ世界

科学的に把握できるのは、静止していて勝手に動いたりしないもの、予測可能なもの、つまり生きていないものである。デカルト以後の科学者はみな、科学の正確さや優雅さと引き換えに、この代償を払わねばならなかった。こうして生命あるものは科学から逃れ、論理と抽象化の世界、それとして完結して機能する世界が出現した。この世界では、数学的に認識できないものは存在する権利を持たない。ここでは、数学、力学、そして因果律など、内部的に整合する構成概念はうまく機能する。抽象的なモデルはエレガントであるかもしれないし、モデル同士は美しく調和するかもしれないが、現実の生きている世界から甚だしく乖離することがありうる。経済学は、

「セテリス・パリバス」、すなわち「他の条件が等しければ」の呪文をかけてモデルを現実世界から切り離し、生きている世界を安楽死させた。呪文のかかった人工的な世界でなら、ほとんどどんなモデルでも作り出せる。現に経済学ではそれがひんぱんに行われており、経済についての学問と言うよりは、経済学についての学問と言いたくなるような状況だ。「セテリス・パリバス」のごまかしは、経済学者であるテレンス・ハチスンも指摘している。彼によれば、この呪文は、経済理論の実証的検証を防ぐ主な手段の一つだという（もう一つの手段は、すでに述べたように、論理的推論モデルを実証的な内容から切り離すことである）。現実世界では「他の条件」は等しくも一定でもない。だから呪文一つで、経済学者は現実に邪魔されたり制限されたりする心配なく、いくらでも空想にふけることができる。[35]

中世には「ピンの頭で何人の天使が踊れるか」などという問題について神学者が激論を戦わせたという。これに対して今日では、限界効用理論といったものが論じられている。だがよく考えてみれば、中世の議論のほうがずっと現実的だ。理論経済学の秘密めいた専門用語とはちがって、ピンの頭は現に存在するし、天使という概念は誰でも知っている。とはいえ、どちらの問題も実証的に確かめることはできない。それに議論の当事者以外にとってはまったく意味がないうえ、実用性もない。ある所与の状況、つまり彼らの固有の世界においてのみ、意味を持つ。

六五番目のマス

生きている世界では、科学は沈黙する。このことをみごとに言い表したのが、ウィトゲンシュタインの代表作『論理哲学論考』の有名な最後の文章だ――「語り得ないことについては、人は沈黙せねばならない」[36]。ウィトゲンシュタインは、モデルが持つ逆説的な無意味さに気づいていた。モデルはよじ上る足場としては有用だが、がらんどうだということである。現実世界の問題を示すことはできても、明確に記述することはできず、問いも答も受け付けない。生きている現実の世界というものは、抽象的には捉えられないのだ。調整や省略なしで現実世界の複雑性を表せるモデルは、存在しない。

チェス盤には六四のマス目がある。真四角で、白と黒が互い違いに規則正しく配置されている。盤上の駒の動きは、議論の余地のない明確な規則に支配されており、投了後にゲームの進行を逆向きに再現することさえ可能だ[37]。チェスを考案し、ルールをつくったのは人間である。チェス好きの友人は、チェス盤の横に飲み物を置き、そのテーブルを「六五番目のマス」と呼ぶ。この六五番目のマスは、実際にはチェス盤を除いた全世界だと言える。この状況は、分析アプローチを思わせないだろうか。私たちはチェスについて明確に説明できるし、チェス盤に置かれた駒の動きを分析することもできる。だが重要なことが起きるのは、最も大きなマス目、つまり六五番目のマスにおいてなのだ。そもそも、プレーヤーがいるのもそこである。

科学的、分析的に語り得ず、したがって沈黙せねばならないことは、自ら叫び出す。それらこそが「最も重要で最も語りたいこと」[38]だからだ。人生には、分析的な科学が（分析を誠実かつ純粋に科学的に行なうとすれば）沈黙せねばならない領域がある。それはたぶん、いちばん大切な領域だろう。人間として、そしておそらくは科学者としても、人生の重要関心事の大半は六五番目のマスにある。現実世界の問いに対して、疑問の余地のない科学的な答を出すのは、考えるほど容易ではない。

こうしたわけで、経済学者は二重の悩みを抱えている。言わば、厄介な統合失調症に陥っている。理論経済学者は現実世界のことを忘れ、デカルトよろしく夢を見なければならない。さもないと、モデルを使って理論を展開することができない。その見返りとして到達する結論は、モデルと同じく抽象的で、現実世界には応用できない代物になりがちである。その一方で、経済学者が経済学を実用的に語らなければならないとき、たとえば経済政策を論じなければならないときには、精緻なモデルのことは忘れ、無用に高度化した理論ツールは投げ捨てて、現実の経験に基づいて話す必要がある。[39]

生きている世界の存在は、経済学者にとって重要な含意を持つ。それは、謙虚であれ、というメッセージだ。経済を考案したのも、構築したのも、経済学者ではないことを忘れてはならない。本書で繰り返し述べてきたように、経済そのものは、経済学が成立するよりはるか前から存在していた。経済は人間と同じくらい原初的な存在だった。経済学者は経済の建築家ではない。古代のすばらしい都市を感嘆して見つめる観光客にすぎない。経済学者は、時計の文字盤を観察して、その下に隠されたメカニズムの原理を解明しようとあれこれ試みているのだとも言えよう。長年努力すれば、一日のある時間には長針がどの位置に来て短針はどの位置に来るかを予測できるようにはなるかもしれない。だが宇宙人や時計を初めて見る人でも、針の動きを説明する理論ぐらいはいくらでも拵えられるのだ。この中から、所定の方法や学問的検討を経て最適のものが選ばれることになる。あるいは数学的なエレガントさや単純さを基準に、あるいは政治の都合に従って、あるいは「時計はこうあるべき」という信念から選ぶのだから、ゼンマイや歯車の複雑な関係を正しく説明する理論が選ばれるかどうかは、大いに疑わしい。

　真実がわかるのは、時計が止まってしまい、修理しなければならなくなったときだけである。そのとき初めて、時計がなぜ動くかをほんとうに理解していたかどうかがわかる。経済学者は、経済が理論通りに機能しなくなったときに修理する術も知らないし、なぜ機能しなくなったのか、原因に関して意見が一致することさえない。

　経済の原理というものを直接目で見られないのに、隠されたメカニズムを認識することがどうしてできようか。経済学者は結局いつまでも、自分がつくったわけでもない生きたメカニズムと謙虚に戯れるしかないのである。その点では、市場経済と呼ばれるこの壮大な奇跡を感嘆して見つめ、どうか止まらないようにと願う頭の悪い学生とたいして変わらない。そう、経済はあの有名なプラハの天文時計のようなものだ。これをつくった時計師以外、誰も修理方法を知らない。経済学者は、経済について論評し、微調整することができるだけだ——それも、万事がおおむねうまくいっているときに。

すばらしき経済学

経済が好調で成長しているときは、経済学という学問の能力を疑う理由はなさそうに見える。だが子供が成長するのは医者のおかげだろうか。医者は、役に立つかどうかはともかく、いろいろと助言することはできるだろう。しかし子供が健康なときには、名医と藪医者のちがいはさほどはっきりしない。病気のとき、あるいは危機のときになって初めて、よい医者、よい経済学者は見分けがつくようになる。

ときに経済学は、社会科学の女王と言われることがある(そう言うのは経済学者が多い)。経済学者は近年のグローバル経済の成長に浮かれるあまり、危機の際に経済学がどれほど役立たずだったかを完全に忘れている。危機になると、モデルは機能しなくなる。うまくいくときはうまくいくし、うまくいかないときはいかない……では、いまはどちらなのか。[40]

危機のときは、変化が激しく、かつひんぱんに起きるため、標準的な数学モデルは使い物にならない。モデルの解釈にあたっては、十分に長期的なスパンで見ると同時に、過去の実績や直観にも頼る必要がある。アナリストが「モデルはこういう結果を示しているが、しかし私の考えでは……」と言うのをたびたび耳にしたことがあるだろう。モデルは直観で補う必要があるのだし、そのことを認めなければならない[41]。

経済学者のように考えるのは思考の訓練にはなるとしても、それはあくまでチェスをするようなものだ。たしかにチェスはたいへん有益で、戦略的思考を鍛えてくれる。それでも、世界はチェス盤であって、駒の動きは実際の軍隊の動きに相当するとか、本物の馬はナイトのように斜め前方後方に飛ぶなどと言ったらばかげているだろう。だが中には経済学者という役割に没頭するあまり、人生には利己的・経済的以外の生き方もあり得るとは考えられなくなってしまう人もいる。シュンペーターはこれと似たことを言っている。「一般的な社会・政治・文化史、経済史、そしてとくに産業史は、現代の問題を考えるうえで欠かせないだけでなく、最も重要だと言える。資料や方法は、統計的なものであれ理論的なものであれ、歴史に従属するものであり、歴史なしには役に立たないどころか、むしろ有害である[42]」。

経済学者が抽象的なモデルから学べるのは、知識の断片にすぎない（チェスと同じである）。そして、経済学者にできるのは抽象化しかない、という状況はあり得る。ここで問題なのは、何らかの思考方法から何かを学んだとたんに、それが頭の中につくるイメージから逃れられなくなることだ。類似の問題に直面するたびに、そのイメージが自動的に浮かんでしまう。こうしたわけで、モデルはときに有用ではあるが、ときに道を誤らせる。どちらの場合にも、モデルは現実を記述してはいないこと、現実の合理的な抽象化にすぎないことを、経済学者はわきまえていなければならない。結局のところ、モデルは虚構である。役に立つ虚構であることを願っているが、とにかく虚構にはちがいない。経済学者たるものは、その虚構性を認識しなければならない。経済学者はモデルを使ってよろしい。だがウィトゲンシュタインも言ったように、足場として上り、周りを見回すべきであって、信用してはいけないし、まして鵜呑みにしてはならない。モデルがいつ有益でいつ有益でないかを知らなければならない。さもないと、経済学者は益より害を多くもたらすことになるだろう。

問いの力

本書は、機械論的・強権的な主流派経済学に対する批判の書と言ってよい。この強権に対抗して、ファイヤアーベントの表現を借りるなら、方法論のダダイズムを起こすことは有益だと信じる。経済理論は、いま問題にしている事柄にどれだけうまく適合するかを基準に活用するほうがよい。その公理系が自分の世界観とどれだけ近いかを基準に選ぶのはやめにしたい。ある理論を全面的に「正しい」とか「真実に近い」と決めるのではなく、ある特定の具体的な出来事に役立つかどうかで順位をつけることが望ましい。

インスピレーションは不意にやってくるものだ。そのための科学的あるいは厳密な方法などない。来たら喜ぶ、それだけである。経済学は厳密さを要求する。しかしそのために経済学者は、知識獲得のもう一つの面を無視してしまう。それは感じとること、謎を発見すること、インスピレーションをつかまえること、芸術や美に心を開き感性に従うことである。これらはどれも、厳密な科学的方法に劣らず大切である。問題に直面したとき、インスピレーションや好奇心や情熱がなかったら、発見はあり得ない。『マトリックス』の中でトリニティが言ったように、「われわれを突き動かすのは問い」[43]なのである。

終章

ここに龍あり[1]

驚いたことに、森のまんなかには空き地があった
道に迷った者だけが見つけられる
生い茂った木に隠された空き地

——トーマス・トランストロンメル(2)

本書ではずっと、経済学の精神あるいは魂を探してきた。果たしてそのようなものはあるのか——ある。少なくとも私は、あるのだと示そうとした。では経済学の魂とは何か。それはいまも生きているのか、それとも失われたのか。経済学にはどのような意味があり、世の中でどのような役割を果たしているのか。本書を通じて私はその答を探し、書き綴ってきた。

市場経済が機能するかどうかということは、ほんとうの問題ではない。ほんとうに問題なのは、それが望み通りに機能するのか、ということだ。何かが役に立つかどうかを問題にするとき、そのものの意味や目的と切り離してしまったら意味がない。意味や目的に照らして初めて、役に立つとか立たないとか言える。市場や見えざる手が機能するかどうかという問いは、じつは本来的に規範的な問いである。そもそも私たちは、見えざる手にどんなふうに働いてほしいのだろうか。

魂のない肉体――ゾンビ経済学

だがそうなると、問題は一段とややこしくなる。というのも、道具が生命を獲得し、独自の意味を、それも人間がもともと与えた意味とはちがう意味を持ち始めることがあるからだ。古今東西を問わず、道具が主人になった物語はいくらでもある。人間に仕えるべきものが生命を持ち、独自の論理でもって人間に立ち向かってくる……。それを恐れて、経済学者は経済学から魂を抜き取ったのだろうか。経済学から意味や倫理や規範性が抜き取られて久しい。不当にも意味を剥ぎ取られた経済学が勝手なことをし始めたからと言って、驚くべきではない。せめて、現在の「成長資本主義」に対する抗議の声として聞くべきである。

肉体が魂から切り離され、魂が肉体から切り離されたら、何が起きるだろうか。答は、ホラー小説や映画でおなじみのものだ。一緒にいるべきものが離されたとき、一方には魂のない肉体、すなわちゾンビが生まれる。ゾンビは人間である、いや人間の生ける屍である。愛や慈悲心など人間らしい感情はすっかり失われ、ひたすら食って再生産する（食えば再生産されるのだから効率的ではある）。近しい人、たとえば友人、家族などが突然ゾンビになって攻撃してくるようなとき、事態はいっそう悲惨になる。

道具に支配されるようになる物語としては、たとえば『マトリックス』が挙げられよう。この物語では、道具やテクノロジーが人間に仕えるのではなく、人間がマシンに仕えている。人間は生まれたときからマシンの奴隷であり、マシン独自の論理に従う。カレル・チャペックの『R・U・R』のロボットも、アラジンの魔法のランプの精霊も、プラハのユダヤ地区に伝わる泥人間ゴーレムも、人間の手に負えなくなった。新時代の物語としては、映画『A・I』（人工知能）、『アイ、ロボット』などがあり、いずれもロボットが突如として独自の生命を持ち始め、主人だったはずの人間を奴隷化する。クンデラの小説でも、人形遣いが人形に、忠実な召し使いが主人になり、冗談でしばった縄がほどけなくなる。

別の言い方をすれば、善悪の問題を経済学から切り離すことはできない。すなわち、道具から意味を、経済学から倫理を取り去ることはできない。たとえ先行世代が躍起になって試みたとしても、である。この試みを続けていたら、いずれ経済学から魂をすっぱり切り離せるのだろうか——とてもそうは思えない。むしろ、経済学は独自の目的や意味を持ち始め、経済学者の考える通りではなく、自分の論理で動き始めるだろう。倫理の真空地帯は存在し得ないのであり、おそらくは人間のものではない別の倫理が作り出されることになる。

経済学を肉体と魂の喩えで語るなら、もう一つの面があることを忘れてはなるまい。もうすこしだけ、ホラーにお付き合い願いたい。肉体が魂から切り離されると、ゾンビ（魂のない肉体）のほかに亡霊（肉体のない魂）が生まれる。亡霊はまた、ゾンビとはまた別の理由から恐ろしい。亡霊は人間を攻撃はしないけれども、無言で凝視する。うつろな、恨みがましい、非難するような、その眼。彼らは身の上に起きた不正や暴力を恨んで、生きている人間につきまとう。肉体を離れて浮遊する魂は、絶えず責め立て、不条理に過大な要求をする。経済学の魂である倫理学が経済学から切り離されたときにも、それが起きたとは考えられないだろうか。倫理学は非現実的になり、過大な要求をし、経済学には扱い切れないことを求めるようになった。

経済学は、二本の足で立つべきである――つまり、肉体と魂の両方を持つべきである。学問分野としての経済学が、もともとは道徳哲学に属していたことは偶然ではない。経済学の魂の部分は、アダム・スミスの忘れられた第二の主著『道徳感情論』がみごとに補っており、まさにタイトル通り、道徳と感情を論じている。ここに、失われたもう一本の足がある。経済学と経済がぐらついているのは、この足が欠けていたからなのである。

値段の付けられない価値

値段を付けられる価値は一部にすぎないのに、どうして価値計算ができるのだろうか。思うに、経済学はここに最大の難問を抱えている。多くのものには価値がある。だが値段が付けられるのは一部の価値だけだ。鉄道や広告や爪ヤスリには価値もあるし、値段も付く。価値を評価する市場が存在するからだ。しかし友情、子供の笑顔、きれいな空気などのように、まちがいなく価値はあるが、値段の付かないものもある。これらのものは自由に取引できず、市場が存在しない。

こうしたものに対して、経済学は力を失う。それどころか、値段の付く価値を値段の付けられない価値に対比させて、ときに破壊的な影響をおよぼす。

はるか昔から、ハードはソフトを殺してきた。鍛冶屋のカインはそよ風のアベルを殺した。エージェント・スミスは、絶えずネオを破壊しようとした（ネオは身を守ろうとはするが、破壊は目的としない）。ソフトはハードから守らなければならない。経済学もこれに似ている。巨大な広告塔（ハード）には価値があり値段も付いているが、美しい景色（ソフト）には価値はあっても値段は付かない。では、どうしたらいいか。この問題の解決方法は三通りある。第一は、ソフトの価値に値段を付けることだ。そのための経済的評価を行う試みもすでに存在する。たとえば、きれいな空気の「値段」はCO_2排出権と同等と考える、といった具合に。第二の方法は、ハードに市場を認めないことである。美しい景観の中に広告塔を設置することは、一切禁止すればよろしい。公園の中に工場を建設してはいけないのと同じである。そして第三の方法は、ハードな数字のほうをソフトにし、広告の値段をファジーにすることである。

暗闇と確実性のシミュレーション

自分を取り巻く状況が本質的に不確実なときに、確実を装ってよいのだろうか。はっきり言えば、将来の正確な予想というものは、危険ではあるまいか。照明のない真っ暗な部屋の中にいるとしよう。自分の前に何があるのかさえ見えないし、ドアがどこにあるのかも、もちろん見えない。そこに誰かの声がする。その声はひどく威圧的に、こう言う。「どこにドアがあるか、私が知っている。急げ、ついて来るんだ」。完全に不確実な状況に置かれた人間が、これを信じて全速力で声の方向に走ったら、たちどころに壁に激突するか、最悪の場合には窓から墜落しかねない。この声のようなことを誰かが言い出したら、どうすべきか。四つん這いになり、そろそろと自分の周りを手探りし、すこしずつ安全を確かめながらドアまでたどりつくことだ。たしかに、このやり方は時間がかかる。だが、鼻をぶつけたり腕を折ったりする心配はない。

いまは、この手探り、この不確実性が欠けているのではないかと感じる。確実性を装うのは非常に危険だ。経済学は、暗闇の中で速く走りすぎた。経済学者は、もうリスクは取り除かれた、予想外のことが起きても手段は講じられる、と考えた。そしてスピード（経済成長率）と引き換えに安定性（たとえば公的債務の抑制）を犠牲にしてきた。

ナノ経済学、メガ経済学、中間領域

その一方で、すばらしい価値がやりとりされるのにお金のいらない空間もある。それは、家族、友人、恋人などと分かち合うナノ空間である。この領域では、価値はやりとりされてもお金は伴わないし、厳密な契約も無縁だ。むしろ非効率に行動し、自ら利他的にふるまう。仮に利己的に行動しても、それは自己利益のためではなく、自分以外の誰かのためにそうしたのだし、すくなくともそのふりをする。この空間では経済学のルールは働かないし、それは望まれてもいない。たとえば行動経済学の分野では、こうしたナノ経済学が研究されている。

だがじつは別のルールは、ナノ空間だけでなく、もっと大きな単位でも働いている。国や大企業といったきわめて大きな組織の破綻に関する限り、別のルールが支配しているように見える。国や大企業は許され、救済される。誰も厳密な契約にはこだわらない。こだわっていたら、システム全体が崩壊してしまうからだ。経済学の古典的なルールは、この両極端の中間領域ではうまく機能する。だが両極端では無力だ。この意味で、「一般的な理論」というものは存在しないのである。ケインズでさえ、『一般理論』の中で扱うのはこの中間的な領域である。理論物理学では、量子のレベルでは通常の大きさのレベルのときと考え方を変えなければならない（通常のレベルでは、ニュートン力学で十分間に合う。これは現実の近似にすぎないと、いまではわかっているが）。そして、一般的な理論が有効な通常のレベルでは、また考え方を変える。すべてに当てはまる包括的な理論がどこかにあるはずだと考えたくなるが、いまのところは見つかっていない。

おそらく、経済学も似たような状況にあるのだと考えられる。経済学は、ニュートンの古典力学と同じく、ふつうの次元ではうまく働く。(3) 乱暴に言えば、あまり重要でない領域ではうまく働く。しかし健康、愛、死、国家の破産といった重大な領域では、経済理論とは別の、もっとあたりまえのルールが働いている。

ギルガメシュとウォール街

本書の執筆中、ウォール街に対する抗議運動は最高潮に達していた。壁《ウォール》に対する攻撃である。壁という言葉は、本書の最初に取り上げたギルガメシュを思い出させる。城壁を築こうとしたギルガメシュは、人々を効率一辺倒のロボットのように働かせようとして、人類の記録に残された中で最初の抗議に遭った。人々は神に不満を訴えたのだ。今日では、抗議する相手は政治家や官庁だが、中身は本質的には同じである。要するに、誰だってそんなに働かされたくないのだ。自分のものでもない壮大な城壁建設のために、ロボットのようになりたくはない、魂を失いたくはない。

ウォール街のすぐ横には、市場を象徴する雄牛の像が立っている。実物よりすこし大きく、ブロンズ製でピカピカしているので、どことなく金《ゴールド》を思わせる。攻撃的な姿勢をとった雄牛は、角が脅威だ。市場のシンボルが、なぜ雄牛なのだろうか。雄牛は手の付けられない荒々しい動物で、さして賢いわけでもなければ、人間と友情で結ばれているわけでもない。鞍をつけることさえできず、乗りこなす技を競う競技があるほどだ。馬や犬など、もっとおとなしくて親しみやすい動物をシンボルに選ばなかったのはなぜか。そう考えてみると、このシンボルはまさに市場に似つかわしいことがわかる。となれば、市場がやりたいようにふるまっても、驚くにはおよぶまい。

抗議運動が繰り広げられる間、雄牛は壁に囲まれていた。警察が張った非常線という保護壁である。この場合、いったいどちらが守られているのだろう。壁は雄牛から群集を守っているのか、それとも群集から雄牛を守っているのだろうか。「ウォール街を占拠せよ」集団のメンバーなら、市場の狂気やその不当で残酷な影響から人々を守るべきだと答えるだろう。ティーパーティー運動の一員なら、不合理な規制から市場を守るべきだと言うだろう。

だがここで、壁つまりウォール街が非人間性を象徴すると考えれば、抗議運動家が攻撃したかったのは、魂を失った肉体としての経済学、つまりゾンビ経済学が人々の生活を破壊する恐怖に対してだったのではないか、とも思える。ウォール街の象徴である雄牛は、自然から守られている。あるいはこの自然は、人間から守られている。都市の中で暴れる牛は、まさに都市に送り込まれた野蛮なエンキドゥであり、文明の中に置かれた野生の力である。

自然に不自然な人間

神話では、必ずと言ってよいほど、ある種の取引が登場する。たとえば知識の獲得と自然との共生のトレードオフがそうだ。動物から人間になったエンキドゥは、理性を獲得するのと引き換えに動物性を失った。アダムとイヴは、知恵の木の実と引き換えにエデンの園との共生を失った。ギリシャ神話では、プロメテウスがもたらした神の知識と引き換えに、人類は呪われ、喜びだった労働は苦痛になった。

自然との調和が失われてからというもの、人間は再びそれを求め続けている。人間は、自然にしていることが不自然で、不自然でいることが自然な動物である。自然でないときに、人間はより自然でいられる。これは心理学的にも宗教的にも真実だが、とりわけ経済学的にそう言える。

たとえば、人間がエデンの園で最初に所有したのは、衣服だった。寒かったからではない、性器を隠すためである（この意味で、人類最初の財産は「不必要」だったと言えるし、生存のためではなく、道徳観念のためだったと言える）。人類最初の所有物が物理的な必要性からではなく、心理的・道徳的な恥の感覚、裸を恥ずかしがる気持ちからだったのは意味深長である。アダムとイヴは、裸という自然な状態を恥ずかしいと思い始めたのだ。のちに二人は羊の皮にくるまって恥ずかしさを忘れられるようになったが、これも人間の皮より他の動物の皮のほうが心地よかったという点で、象徴的である。以来、人間は服を着ているときのほうが自分らしくいられる。逆に裸でいたら、生まれたときの自然な姿であるにもかかわらず、じつに不自然に感じる。

この自然な不自然さ、この自然との不調和は、今日にいたるまで、経済学の中心にある。この緊張関係、内と外とのせめぎ合い、内なる不足感の表出、不足の埋め合わせの要求が経済学の始まりだった。

成長資本主義と三杯目のビール

いま私たちが直面しているのは、資本主義の危機ではなく、成長資本主義（数千年におよぶ西洋文明の発展を見れば、こう名づけるしかあるまい）の危機である。結局のところ、資本主義は危機の前も後も変わっていない。とすれば、なぜいまだけ、資本主義は不公平だと抗議するのか。なぜいまだけ、富の分配が不公平だと主張するのか。

ここで、居酒屋に客が三人いるのに、ビールが二杯しかない状況を想像してほしい。どう分けるのが公平だろうか。いちばん貧乏な人がビールなしで済ますか、それともいちばんの金持ちか、それとも女性だろうか。酒好きに譲ってやるべきか、それとも一度もビールを飲んだことのない人に譲るべきか。いや、居酒屋の主人に権利があるのだろうか。ここには経済と哲学の複雑な問題が存在する。哲学（権利とは何か）、倫理学（どうすれば公平か）、社会学（社会的地位はどんな権利を生むか）、心理学（どう行動するか）まで絡んでくる。とはいえこれは、一種の再分配の問題にちがいない。富をどう分配するか、誰がビールに値し、それはなぜか。それによって、社会における権利関係が形成される。

だがこの厄介な問題は、三杯目のビールが魔法のようにテーブルに出現した瞬間に、解決される。一人ひとりにビールが一杯ずつ。万事解決、めでたしめでたし。この瞬間に、正義の問題は掻き消えることに注意してほしい（一人に一杯あるなら、誰がビールに値するかを考える必要はない）。富の公平な分配という問題も、瞬時に消え失せる。一人一杯なら、おおむね（この言葉は重要である）公平と言える。ここで、三人ともビールを飲みたがっているのに、理由はどうあれ誰か一人が二杯要求したら、ひどく奇妙に感じられるだろう。

この三杯目のビールのマジックは、経済成長を象徴している。そして現在経済が抱える問題は、三杯目のビールが現れないことだ。要するに、経済が成長しないのである。そうなると、経済成長が解決するはずの哲学的難題に立ち戻らなければならない。心地よいエレガントな解決は、成長である。成長はすべての問題を解決してくれるように見える。だから、「ゼロ成長」などと言われるとうろたえてしまう。だが、すでにできるだけの成長はしてしまったとしたら、どうだろう。いまの状態は一時的な落ち込みにすぎない、つねに成長しているのが当然だとする見方に、私たちは（おそらくまちがって）慣れ切っている。だから、すぐに成長は回復する、すべてはこれまでのようにうまくいく、成長が万事を解決してくれると信じ切っている。

たいへん結構。だが成長しなかったら、どうするのか。そのときにはどうやってビールを分けるのか。私たちは、長期にわたるゼロ成長に備えるべきだ。それは、数十年続くかもしれない。というのも、景気刺激策に頼らない自律的な回復が復活したら、できるだけ早く、次の危機が襲って来る前に、既存の公的債務を減らすことが至上命令となるからだ（そうなることを願っている）。つまり、次の冬が来る前にせっせと薪を集めておく必要がある。先進国の政府債務は堪えがたいほど巨額であり、破綻寸前である。これを早いところ減らさなければならない。債務を返済するとは、政府財政を黒字にすることを意味する。第一に、赤字のままでは成長は回復しない。過去にはそれが可能だったが、この打ち出の小槌は疲弊してしまった。第二に、財政を黒字にする（これが債務残高を減らす最短の近道である）とは、経済成長をスローダウンすることである。借金財政で景気拡大をめざしてきた人々は、成長を減速して借金を返す覚悟を決めなければならない。

これまで経済学者は成長（三杯目のビール）に目がくらみ、富の公正な分配という哲学的・経済学的難題を無視して、あるいは解決したものとしてきた。言い換えれば、全員が金持ちなら、どうやって金持ちになったかは問題ではない。正義のことなど誰も拘泥しない。だが成長が突然止まったら、それどころかみなが貧乏になったら、突如として正義に対して誰もが敏感になる。この非対称性こそ、人間の人間たる所以と言えよう。経済は、一世代前も今日もおおむね公平だった（あるいはおおむね不公平だった）。だが今日だけ、人々は不公平を問題にしている。これは、成長資本主義が危機に瀕しているからだ。しかし資本主義も民主主義も、成長がなくとも存在しうる（そうでないと、人類は成長頼みの脆弱で奇妙なシステムを考えついたことになる）。もちろん、三杯目のビールがあればもっとうまくいくにしても。

欲望の歴史

本書の第1部では、地球上に残された人類の最初の記録に遡って、経済の魂の部分の変遷をたどってきた。その痕跡は、今日も人々の中にあって消えない。いまを生きている物語があり、祖先が残した物語がある。赤の他人の物語も、多くは無意識のうちに引き継いでいる。誰の中にも野性的なエンキドゥの残滓があるし、いくらか暴君だが英雄的なギルガメシュも残っている。プラトンの深い影響、デカルトの夢、イエスの言葉と行動、数千年前から語り継がれる預言……。これらすべてが自分の人生の物語を紡ぐ一端を担い、行為に理由や意味を与える。人生の、そして文明の物語のこうした無意識の部分は、ときに煌めいて姿を現す――とりわけ、危機が訪れたときに。

旧約聖書が書き始められた頃から、欲望の歴史は始まっている。たとえば「原罪」は、過剰消費と捉えることが可能だ。古代ギリシャ人は、哲学の中で経済的な問題を数多く取り上げた。キリスト教もそうだ。福音書によく出て来る言葉や原理の多くは、経済や社会に由来する。また、のちにアダム・スミスのものとされた原理の導入に多大な貢献をしたのは、実際にはトマス・アクィナスを始めとする神学者たちである。アダム・スミスは、歴史の正しい瞬間に現れて、その原理を肉付けしたと言うべきだろう。続いてデカルトの科学的アプローチを取り上げ、バーナード・マンデヴィルとスミスの著作から、善悪の経済学に関連する箇所を重点的に論じた。

本書の第2部では、人間が消費に囚われていること、人間にとって自然でいることは不自然であること、人間はどれほど持っていてもなお多くを求めることを論じた。こうした見苦しい欲望は、パンドラやイヴの時代から人間とともにあり、労働の苦痛と結びついている。人類最古の文明でさえ、今日私たちが痛みとともに知り始めた事実をすでに知っていた。人類はすすんで快楽主義的プログラム（供給を増やす）を選び、禁欲主義的プログラム（需要を抑える）を退けたのだから、欲望の自制は人間にゆだねられている。旧約聖書に「忍耐は力の強さにまさる。自制の力は町を占領するにまさる」[4]とあるのは、意味のないことではない。ジョン・ミルトンは、「内なる自分を治められる人、情念や欲望や恐怖を支配できる人は、王にまさる」[5]と語っている。

崖っぷちで暮らす

現代の経済学（およびこれに基づく経済政策）は、新しい考えの一部を捨てて、古い考えの多くに立ち戻るべきである。恒久的な不満足を断ち切り、人為的に作り出された社会的経済的な不足を排除し、すでに持っているものへの充足と感謝を取り戻すべきだと信じる。実際私たちは、ほんとうに多くを持っている。物質的・経済的観点から見れば、ヘブライ思想、古代ギリシャ思想、キリスト教に根ざす西洋文明の歴史において、いや、これまでに判明した世界のどの文明の歴史においても、現代以上にゆたかだった時代はない。だからもう物質的な快適さはよしとし、物質的繁栄がもたらす幸福を躍起になって追い求めるのはやめなければならない。なぜなら、物質的目標を追求する経済政策は、必ず借金へと突き進むことになるからだ。つねに借金を背負っていたら、経済危機によって被る痛手は一段と深刻になる。次の危機が襲ってくる前に、借金は早いところ返してしまうのがよい。過去の教訓から学ばず、自己満足に浸っていると、無防備のままで次の危機を迎えることになる。

崖っぷちで暮らす人は、いつか崖が崩れると覚悟することだ。競争相手を出し抜こうとリスクをとる人は、リスクが現実になっても文句を言う資格はない。ギリシャ神話のイカロスのように空高く舞い上がり、太陽に近づきすぎる人は、翼が溶けても驚いてはいけない。高く飛べば飛ぶほど、落ちる距離は長くなるとわきまえるべきだ。私たちは高く飛びすぎた。いまはもう、安全で快適な低い高度に戻るときだろう。

法をつくるのは法律家と詩人だ、という歌がある。広い意味での詩人が法に意味と魂を与え、法律家は形式と文字を与える。これに倣って言えば、よい経済学者は、すぐれた数学者とすぐれた哲学者からつくられるべきだろう。思うにいまの経済学者は、数学者あるいは法律家に偏りすぎて、哲学者あるいは詩人の部分が乏しすぎる。正確性のためにあまりにも多くの知恵を犠牲にし、数式のためにあまりにも多くの人間性を切り捨ててしまった。そのおかげで緻密な象牙の塔は築かれたが、それは砂上の楼閣だったのである。賢明な建築家なら、塔のてっぺんにどんな装飾を施すかよりも基礎の部分に注意を払うことは、言うまでもあるまい。砂上の楼閣は、雨が降ったら砂糖細工のように溶けて崩れ落ちるだろう。

象牙の塔では専門用語が氾濫し、異なる分野との相互理解や意思疎通ができなくなっている。これは、個々の分野がそれぞれに空高く舞い上がり、孤立し、共通の大地が空っぽになってしまったからではあるまいか。科学の世界でみられる言葉の混乱は、バベルの塔を建てるときに起きたことと似ているように思えてならない。たしかに、大地にへばりついていたら高みから見下ろすことはできない。だが大地こそ、人間の住むところである。よく言われることだが、おおむね正しいほうが、正確にまちがっているよりよい。

高度化・専門化の傾向にブレーキをかけ、明確に、わかりやすく、シンプルに語るようにしたら、経済学は他の学問分野ともっと理解し合えるようになるだろう。そして、孤立した領域がお互いを必要としていること、互いに学べばもっとゆたかな実りが得られることに気づくにちがいない。

何を捨てるべきかは、本書で示したつもりだ。すると次には、何に立ち戻るべきか、ということになる。答を探すプロセスは、まず象牙の塔を出るところから始まる。言葉の混乱が深刻化して、互いに何を言っているのかわからないという事態になる前に、象牙の塔を出ることである。

科学が今日までに成し遂げた進歩を批判するつもりはまったくない。だが経済学者としては、何を知っていて何を知らないか、そして何を信じているかを日々自らに問わねばならないと考える。なるほど、たくさんのことが解明された。だがまだわからないことのほうが多いし、けっしてわからないこともたくさんあるだろう。経済学は、拠りどころとすべき倫理の原則からあまりに安易に離れてしまった。経済政策からは規律が失われ、巨額の債務という病を発症している。こうした事態に直面している現在すべきなのは、新しい理論を開拓することではなく、古い経済学に目を向けることだ。数学者は、計算の途中でまちがいに気づいたら、そこで止まる。まちがいを隠そうとはしないし、そのまま先へ進むこともない。まちがいが起きた時点まで戻り、修正し、それから改めて計算する。

危機から学ぶこと、それだけが経済学にとって希望の星である。経済が好調なときは、精査や熟考をするのに適切とは言えない。大胆な方向転換など、なおのことである。しかし危機になれば、真実が現れる。それも、不快な裸の姿がくっきりと（王様は何も着ていない！）。

危機が起きるのは、経済が安息日を要求していると解釈することが可能だろう。この声を誰も聞こうとせず、絶えずより多くを求めようとする。需要が落ち込んだときに備えて、そろそろ力を抜くほうがよい。たとえば二〇％の労働者を解雇しなくてすむよう、全員が労働時間を二〇％減らしてはどうだろう。そして木曜の夜は家ですごし、その分の給料を減らす。自然もそうだが、経済は疲弊している。経済というメカニズムも、その中にいる人間も。

債務危機は、ただの経済危機とは性質が異なる。はるかに深刻だし、影響のおよぶ範囲も広い。いまの時代は、「ほど」ということを見失っている。ここで自然に帰れとか自然状態に戻れと言うつもりはないし、モノを捨てろとか拒絶しろと言うつもりもない。モノには役割があるし、幸福の源泉の一つであることはまちがいないのだから。ただ、私たちはまるで幸福の唯一の源泉であるかのようにモノを求めるが、けっしてそうではない。私たちはすでに満たされている。そのことに気づかなければいけない。すでに持っているものに感謝しなければならない、こんなにたくさん持っているのだから。

あまりにゆたかになり強くもなった現代人には、もはや外から限界を押し付けられることはない。ほとんどどんなことも克服し、ずっと好きなようにやってきた。これだけ好き勝手にやっていながら、それほど幸福でないとしたら悲しいことである。

野生はここに

人間の歴史をふり返ってみていま言えるのは、人間は、人生の単純なことを受け入れて楽しむ方向へと進化しなければならない、ということのように思われる。私たちの親の世代は木の玩具で遊んでいた。いや、はるか昔からどの世代もそうしてきた。みんな、木の玩具で楽しく遊んだ——ちょうどいまの子供たちが電子の玩具で楽しく遊ぶように。だが木の玩具は、ほんの二世代前までは子供たちをよろこばせたが、もういまは振り向かせることもできない。人生の単純なことによろこびを見いだすためには、高度な玩具や理論や本が必要になっている。たしかに抽象的な知識や技術的な知識はどんどん進歩している。しかし現実の人生や身近なものごとについての知識は、さほど変わっていないようにみえる。

人間は、子供であれ大人であれ、物語を生きている。人生は物語で構成されると言ってもよかろう。だから人間は雄弁に語りたがる。科学者は互いに科学の物語を語る。この意味で、ウェイントロープが「すべての理論は自伝である[6]」と言ったのは正鵠を射ている。物語が現実世界を正しく表現しているわけではないことは、子供が知っているように大人も知っている。それでも物語は、はっきりそれと指摘することはできないけれども、現実世界と何かしらつながりがある。

私は本書を通じて、経済学は数学的理解よりももっと幅の広い魅力的な物語だということを示そうと試みた。ある意味では、経済と経済学の魂を、アニマルスピリットを、描いながらも伝えようと試みたとも言える。魂というものは、見守り、世話をし、育てなければならない。経済学に魂はあるし、それを失うべきではない。経済学者は現実の世界について何かを主張する前に、このことを認め、理解すべきだ。

主流派経済学は、価値中立的で倫理判断を避け、実証的で記述志向である。本書は、こうした主流派経済学に対するアンチテーゼでありたい。経済学は、経済学者が認める以上に、規範的な要素を多く含んでいる。

本書を通じて私は、数学的モデルに依拠する還元主義的・分析的なアプローチに対抗しようと試みてきた。そして、経済学には他の学問、たとえば哲学、神学、人類学、歴史学、文化史、心理学、社会学と深い結びつきがあり、多くの接点があることをいくらかでも示したつもりだ。経済学という大きな器には、モデルに示された数式や分析よりもっともっと多くのものが詰まっているのであり、数学は外から見えるごく一部にすぎない。経済学の範疇にある多くの問題は、あいまいで神秘的で、決定論的モデル構築になじまない。とはいえ、私は数学を責めているわけではない。ただし数学は、いま与えられている地位ほどに重要でないとは言っておきたい。経済学がこれ以上数学に近づかず、他の学問に近づくことを望む。経済学がより意味のあるものになるためには、メタ経済学がいま以上に必要だと信じる。そのほうが、応用数学をもっと増やすよりも、見えてくるものが多いだろう。倫理を始めさまざまな「ソフト」な要素[7]は、数学的分析というケーキに乗っかった砂糖飾りのようなものだとよく言われる。だが、それは逆だ。数学的分析は、より深くより広い経済学というケーキの砂糖飾りにすぎない。数字が語ることを無視すべきではないが、モデル化できないことを無視してもいけない。ほとんどの意思決定において、この点はきわめて重要な意味を持つ。

注意深い読者なら、本書が答を出していないことにお気づきだろう。しかし、答がありそうな領域を示そうと努力したつもりである。本書では、歴史の再確認を通じて経済学の脱構築以上のことを試みた。ある意味では新しい経済学に向けて一歩踏み出し、主流派経済学の見方から一歩退いたと言ってもよかろう。経済学者は、「人間というものをどう捉えるか」を改めて考え直すべきである。考えてみれば、今日の経済の教え方はひどく奇妙と言わねばならない。選択の自由を信奉しているにもかかわらず、学生に経済理論を選ぶ自由を与えない。教えるのは主流派経済学だけである。学生たちは数年かけて洗脳された後に初めて、他の理論、つまり異端の存在を知り、経済学の歴史を知るという段取りになっている。その経済学の歴史にしても、無知で原始的な「試行錯誤」の歴史であって、その末にようやく主流派経済学の真理にたどりついた、というような具合に教えられる。本書では正反対の見方を提出し、現在の高度な経済学を疑ってかかり、古代の思想家の考えを真摯に受けとめることを試みた。

経済学が子孫の代に邪険に扱われないことを祈りつつ、筆を擱くことにしたい。野生は過去に、英雄伝や映画の中に、あるいは遠いジャングルだけに存在するのではない。私たちの中にある。

善と悪の経済学

2015年6月11日　第1刷発行
2015年9月3日　第3刷発行

著　者——トーマス・セドラチェク
訳　者——村井章子
発行者——山縣裕一郎
発行所——東洋経済新報社
〒103-8345　東京都中央区日本橋本石町 1-2-1
電話＝東洋経済コールセンター　03(5605)7021
http://toyokeizai.net/

装　丁……………橋爪朋世
本文デザイン……アイランドコレクション
印刷・製本………リーブルテック
編集担当…………佐藤朋保
Printed in Japan　　ISBN 978-4-492-31457-9

著者紹介

トーマス・セドラチェク (Tomas Sedlacek)

1977年生まれ。チェコ共和国の経済学者。同国が運営する最大の商業銀行の一つであるCSOBで、マクロ経済担当のチーフストラテジストを務める。チェコ共和国国家経済会議の前メンバー。「ドイツ語圏最古の大学」と言われるプラハ・カレル大学在学中の24歳のときに、初代大統領ヴァーツラフ・ハヴェルの経済アドバイザーとなる。2006年には、イェール大学の学生らが発行している『イェール・エコノミック・レビュー』で注目株の経済学者5人のうちのひとりに選ばれた。本書はチェコでベストセラーとなり、刊行後すぐに15の言語に翻訳された。2012年にはドイツのベスト経済書賞（フランクフルト・ブックフェア）を受賞。

訳者紹介

村井章子 (むらい あきこ)

翻訳家。上智大学文学部卒業。翻訳書多数。最近の訳書に、『帳簿の世界史』『イスラム国　テロリストが国家をつくる時』(以上文藝春秋)、『トマ・ピケティの新・資本論』『幸福論』『道徳感情論』(共訳) (以上日経BP社)、『じゅうぶん豊かで、貧しい社会』(筑摩書房)、『ファスト＆スロー』(上下、ハヤカワ・ノンフィクション文庫) など。

索引

ア行

カ行

サ行

タ行

ナ行

ハ行

マ行

ヤ行

ラ行

文献

Adams, Douglas. *The Hitchhiker's Guide to the Galaxy*. London: Picador, 2002.（邦訳アダムス『銀河ヒッチハイク・ガイド』安原和美訳、河出文庫、2005年）

Aeschylus. *Prometheus*. Translated by Herbert Weir Smyth. Cambridge, MA: Harvard University Press, 1926.（邦訳アイスキュロス『縛られたプロメーテウス』呉茂一訳、岩波文庫、1974年；『ギリシャ悲劇1』高津春繁訳、ちくま文庫、1985年）

Akerlof, George A., and Robert J. Shiller. *Animal Spirits: How Human Psychology Drives the Economy, and Why It Matters for Global Capitalism*. Princeton, NJ: Princeton University Press, 2009.（邦訳アカロフ／シラー『アニマルスピリット』山形浩生訳、東洋経済新報社、2009年）

Anzenbaucher, Arno. *Úvod do filozofie* [Introduction to Philosophy]. Prague: Státní pedagogické nakladatelství, 1990.

Aquinas, Thomas. *Contra Gentiles: On the Truth of the Catholic Faith*. Vol. 3, Providence. New York: Hanover House, 1955-1957.（部分訳、アクィナス『トマス・アクィナスの心身問題――「対異教徒大全」第2巻より』川添信介訳、知泉書館、2009年）

Aquinas, Thomas. *De Regno: On Kingship, to the King of Cyprus*. Translated by Gerald B. Phelan. Toronto: The Pontifical Institute of Mediaeval Studies, 1949.（邦訳アクィナス『君主の統治について　謹んでキプロス王に捧げる』柴田平三郎訳、岩波文庫、2009年）

Aquinas, Thomas. *The Summa Theologica of St. Thomas Aquinas, Second and Revised Edition*. 2008. http://www.newadvent.org/summa/.（邦訳アクィナス『神学大全』全45巻、高田三郎／山田晶／稲垣良典ほか訳、創文社、1960～2012年）

Archibald, Katherine G. "The Concept of Social Hierarchy in the Writings of St. Thomas Aquinas." *Historian* 12, no. 50 (1949-1950): 28-54.

Arendt, Hannah. *The Human Condition*. Chicago: University of Chicago Press, 1998.（邦訳アレント『人間の条件』志水速雄訳、ちくま学芸文庫、1994年）

Argyle, Michael. *The Psychology of Happiness*. London, New York: Methuen, 1987.（邦訳アーガイル『幸福の心理学』石田梅男訳、誠信書房、1994年）

Aristophanes. *Ecclesiazusae*. London: Harvard University Press, 1947.（邦訳アリストパネース『女の議会』村川堅太郎訳、岩波文庫、1954年；「女の議会」『ギリシア喜劇　2（アリストパネス 下）』呉茂一ほか訳、ちくま文庫、1986年所収）

Aristotle. *The Complete Works of Aristotle: The Revised Oxford Translation*. Edited by Jonathan Barnes. Princeton, NJ: Princeton University Press, 1995.（邦訳『アリストテレス全集』全17巻、出隆監修・山本光雄編集、岩波書店、1968～1973年；『新版アリストテレス全集』全20巻＋別巻、内山勝利／神崎繁／中畑正志編集委員、岩波書店、2013年～）

Aristotle, *Nicomachean Ethics*, translated by T. Irwin. Indianapolis: Hackett Publishing, 1985.（邦訳アリストテレス『ニコマコス倫理学』上下、高田三郎訳、岩波文庫、1971～1973年、ほか）

Aristotle. *The Nicomachean Ethics*. Translated by W. D. Ross. Oxford: Clarendon Press, 1933.（邦訳アリストテレス、同上）

Augustine. *City of God*. Edinburgh: Eerdmans, 2002. http://etext.lib.virginia.edu/ebooks/.（邦訳アウグスティヌス『神の国』全5冊、服部英次郎／藤本雄三訳、岩波文庫、1982～91年、ほか）

Augustine. *Confessions*. Translated by Henry Chadwick. New York: Oxford University Press, 1991.（邦訳アウグスティヌス『告白』上下、服部英次郎訳、岩波文庫、1976年、ほか）

Augustine. *Enchiridion on Faith, Hope, and Love*. Washington, DC: Regnery, 1996.（邦訳アウグスティヌス『信仰・希望・愛（エンキリディオン）』〔『アウグスティヌス著作集』第4巻「神学論集」赤木善光訳、教文館、1979年所収〕、ほか）

Balabán, Milan, and Veronika Tydlitátová. *Gilgameš: Mytické drama o hledání věčného života* [Gilgamesh: A Mythic Drama on the Search for Immortality]. Prague: Vyšehrad, 2002.（『ギルガメシュ叙事詩』の邦訳は、月本昭男訳、岩波文庫、1996年；矢島文夫訳、ちくま学芸文庫、1998年、ほか）

Bassham, Gregory, and Eric Bronson. *The Lord of the Rings and Philosophy: One Book to Rule Them All*. Chicago: Open Court, 2003.（邦訳バッシャム／ブロンソン『指輪物語（ロード・オブ・ザ・リング）をめぐる16の哲学』金田とおる訳、ランダムハウス講談社、2006年）

Bauman, Zygmunt. *Modernity and the Holocaust*. Ithaca, NY: Cornell University Press, 2000.（邦訳バウマン『近代とホロコースト』森田典正訳、大月書店、2006年）

Becchio, Giandomenica. *Unexplored Dimensions: Carl Menger on Economics and Philosophy（1923—1938）*. Advances in Austrian Economics, 12. Bradford: Emerald Group Publishing, 2009.

Becker, Gary S. *The Economic Approach to Human Behavior*. Chicago: University of Chicago Press, 1976.

Beckett, Samuel. *Waiting for Godot: Tragicomedy in Two Acts*. New York: Grove, 1982.（邦訳ベケット『ゴドーを待ちながら』安堂信也／高橋康也訳、白水Uブックス、2013年）

Bell, Daniel. "The Cultural Contradictions of Capitalism." *Journal of Aesthetic Education* 6, no. 1 (January–April 1972): 11–38.

Berkeley, George. *A Treatise Concerning the Principles of Human Knowledge*. Oxford: Oxford University Press, 1998.（邦訳バークリ『人知原理論』大槻春彦訳、岩波文庫、1958年）

Bhagwati, Jagdish N. *In Defense of Globalization*. Oxford: Oxford University Press, 2007.（邦訳バグワティ『グローバリゼーションを擁護する』鈴木主税／桃井緑美子訳、日本経済新聞社、2005年）

Bimson, John J. *The Compact Handbook of Old Testament Life*. Minneapolis, MN: Bethany House, 1998.

Bishop, Matthew. *Economics: An A–Z Guide*. London: Economist, 2009.

Blaug, Mark. *The Methodology of Economics; or, How Economists Explain*. Cambridge: Cambridge University Press, 1980.

Blecha, Ivan. *Filosofická čítanka* [Philosophical Reader]. Olomouc: Nakladatelství Olomouc, 2000.

Boli, John. "The Economic Absorption of the Sacred." In *Rethinking Materialism: Perspectives on the Spiritual Dimension of Economic Behavior*, edited by Robert Wuthnow, 93–117. Grand Rapids, MI: Eerdmans, 1995.

Bonhoeffer, Ditrich. *Ethics*. New York: Touchstone, 1995.

Bourdieu, Pierre. *Outline of a Theory of Practice*. Cambridge, New York: Cambridge University

Press, 1977.

Brandon, Samuel G. F. "The Epic of Gilgamesh: A Mesopotamian Philosophy." *History Today* 11, no. 1 (January 1961): 18–27.

Brickman, Philip, Dan Coates, and Ronnie Janoff-Bulman. "Lottery Winners and Accident Victims: Is Happiness Relative?" *Journal of Personality and Social Psychology* 36 (1978): 917–927.

Brookes, Bert B. "Schumacher: Meta-Economics versus the 'Idolatry of Giantism.'" *The School of Cooperative Individualism*. http://www.cooperativeindividualism.org/brookes_on-e-f-schumacher.html (accessed 2010).

Bruni, L. *Civil Happiness: Economics and Human Flourishing in Historical Perspective*. London and New York: Routledge, 2006.

Buber, Martin. *I and Thou*. Translated by Ronald Gregor Smith. Hesperides Press, 2008.（邦訳ブーバー『我と汝・対話』植田重雄訳、岩波文庫、1979年）

Buchanan, James M. *Economics and the Ethics of Constitutional Order*. Ann Arbor: University of Michigan Press, 1991.（邦訳ブキャナン『コンスティテューショナル・エコノミックス』加藤寛監訳、有斐閣、1992年）

Buckle, Henry Thomas. *History of Civilization in England*. London: Parker and Son, 1857–1861.（邦訳バックル〔伯克爾〕『英国文明史』土居光華ほか訳、宝文閣、1879年。第1編から第8編まで国会図書館Webで閲覧可能）

Bunt, Lucas N. H., Phillip S. Jones, and Jack D. Bedient. *The Historical Roots of Elementary Mathematics*. New York: Dover, 1988.

Bury, J. B. *The Idea of Progress*. London: Macmillan, 1920.

Caldwell, Bruce J. *Beyond Positivism*. London: Routledge, 1994.（邦訳コールドウェル『実証主義を超えて』堀田一善／渡部直樹監訳、中央経済社、1989年）

Campbell, Joseph. *The Hero with a Thousand Faces*. 2nd ed. Princeton, NJ: Princeton University Press, 1968.（邦訳キャンベル『千の顔をもつ英雄』平田武靖／浅輪幸夫監訳、人文書院、1984年）

Campbell, Joseph. *Myths to Live By*. New York: Viking, 1972.（邦訳キャンベル『生きるよすがとしての神話』飛田茂雄ほか訳、角川書店、1996年）

Campbell, Thomas Douglas. *Adam Smith's Science of Morals*. London: Allen & Unwin, 1971.

Čapek, Karel. *R.U.R.: Rossum's Universal Robots*. National Theatre, Prague, Czech Republic, January 25, 1921.（邦訳『ロボット（R.U.R.）』千野栄一訳、岩波文庫、2003年；『カレル・チャペック戯曲集〈1〉』栗栖茜訳、海山社、2012年所収、ほか）

Čapek, Karel. *R.U.R.: Rossum's Universal Robots*. Prague: Aventinum, 1920.（邦訳同上）

Cheal, David J. *The Gift Economy*. New York: Routledge, 1988.

Chesterton, G. K. *St. Thomas Aquinas*. Middlesex: The Echo Library, 2007.（邦訳チェスタートン『聖トマス・アクィナス――だまり牛』中野記偉訳、中央出版社、1964年）

Chesterton, G. K. *Orthodoxy*. Redford, VA: Wilder Publications, 2008.（邦訳チェスタトン『正統とは何か』安西徹雄訳、春秋社、2009年）

Class, Heinrich. *Wenn ich der Kaiser wär: Politische Wahrheiten und Notwendigkeiten*. Leipzig: Weicher, 1912.

Colins, Chuck, and Mary Wright. *The Moral Measure of the Economy*. New York: Orbis Books, 2007.

Comte, Auguste. *Cours de philosophie positive* [Course of Positive Philosophy]. Paris: Bachelier, 1835.（邦訳〔部分訳〕コント「社会静学と社会動学――『実証哲学講義』第4巻より」霧生和夫訳〔清水幾太郎責任編集『世界の名著36　コント／スペンサー』中央公論社、1970年所収〕）

Cox, Steven L., Kendell H. Easley, A. T. Robertson, and John Albert Broadus. *Harmony of the Gospels*. Nashville, TN: Holman Bible, 2007.

Davies, Norman. *Europe: A History*. London: Pimlico, 1997.（邦訳デイヴィス『ヨーロッパ』I～IV、別宮貞徳訳、共同通信社、2000年）

Davis, Philip J., and Reuben Hersh: *Descartes' Dream: The World According to Mathematics*. Boston: Harcourt, Brace, Jovanovich, 1986.（邦訳デービス／ヘルシュ『デカルトの夢』椋田直子訳、アスキー、1988年）

Defoe, Daniel. *The Political History of the Devil (1726)*. Edited by John Mullan and William Robert Owens. London: Pickering and Chatto, 2005.

Descartes, René. *Discourse on the Method; and, Meditations on First Philosophy*. 4th ed. Edited by David Weismann. New Haven, CT: Yale University Press, 1996.（邦訳デカルト『方法序説』谷川多佳子訳、岩波文庫、1997年；山田弘明訳、ちくま学芸文庫、2010年；『デカルト著作集』第1巻、三宅徳嘉／水野和久訳、白水社、2001年所収、ほか。『省察』山田弘明訳、ちくま学芸文庫、2006年、ほか）

Descartes, René. *Discourse on the Method of Rightly Conducting One's Reason and of Seeking the Truth in the Sciences*. City: Wildside Press, 2008.

Descartes, René. *Meditations on First Philosophy*. Sioux Falls: NuVision, 2007.（邦訳デカルト『省察』山田弘明訳、ちくま学芸文庫、2006年；井上庄七・森啓・野田又夫訳、中公クラシックス、2002年；『デカルト著作集』第2巻、所雄章訳、白水社、2001年所収、ほか）

Descartes, René. *Principles of Philosophy*. Translated by V. R. Miller and R. P. Miller. Dordrecht: Kluwer Academic, 1984.（邦訳デカルト『哲学原理』山田弘明ほか訳、ちくま学芸文庫、2009年；桂寿一訳、岩波文庫、1964年；『デカルト著作集』第3巻、三輪正／本多英太郎訳、白水社、2001年所収、ほか）

Descartes, René. "Treatise on Man." In *The Philosophical Writings of Descartes*, edited by Dugald Murdoch, John Cottingham, and Robert Stoothoff. Cambridge: University of Cambridge, 1985.（邦訳デカルト『人間論』伊東俊太郎／塩川徹訳〔『デカルト著作集』第4巻、白水社、2001年所収〕）

Detienne, Marcel. *The Masters of Truth in Archaic Greece*. New York: Zone Books, 1999.

Diamond, Jared. *Why Is Sex Fun? The Evolution of Human Sexuality*. New York: Basic Books, 2006.（邦訳ダイアモンド『人間の性はなぜ奇妙に進化したのか』長谷川寿一訳、草思社文庫、2013年）

Diderot, Denis. *Diderot's Selected Writings*. Edited by Lester G. Crocker. Translated by Derek Coltman. New York: Macmillan, 1966.（邦訳『ディドロ著作集』全4巻、小場瀬卓三／平岡昇／鷲見洋一／井田尚監修、法政大学出版局、1976～2013年）

Diener, E., J. Horwitz, and R. A. Emmons. "Happiness of the Very Wealthy." *Social Indicators Re-*

search 16 (April 1985): 263–274.

Dixit, Avinash K., and Barry Nalebuff. *Thinking Strategically: The Competitive Edge in Business, Politics, and Everyday Life*. New York: Norton, 1991.（邦訳ディキシット／アビナッシュ／ネイルバフ『戦略的思考とは何か—エール大学式「ゲーム理論」の発想法』菅野隆・嶋津祐一訳、阪急コミュニケーションズ、1991年）

Durkheim, Emile. *The Division of Labor in Society*. Translated by George Simpson. New York: Free Press, 1947.（邦訳デュルケム『社会分業論』井伊玄太郎訳、講談社学術文庫、1989年、ほか）

Eagleton, Terry. *On Evil*. Yale University Press, 2010.

Eckstein, Walther. *Theorie der ethischen Gefühle*. Leipzig: Meiner, 1926.

Edmonds, Dave, and John Eidinow. *Wittgenstein's Poker*. New York: Ecco, 2001.（邦訳エドモンズ／エーディナウ『ポパーとウィトゲンシュタインとのあいだで交わされた世上名高い一〇分間の大激論の謎』二木麻里訳、筑摩書房、2003年）

Eliade, Mircea. *Cosmos and History: The Myth of the Eternal Return*. New York: Harper Torchbooks, 1959.（邦訳エリアーデ『永遠回帰の神話』堀一郎訳、未來社、1963年）

Eliade, Mircea. *The Myth of the Eternal Return*. London: Routledge & Kegan Paul, 1955.（邦訳エリアーデ、同上）

Eliade, Mircea. *The Sacred and the Profane: The Nature of Religion*. New York: Harcourt Brace, 1959.（邦訳エリアーデ『聖と俗』風間敏夫訳、法政大学出版局、1969年）

Elster, Jon. *Nuts and Bolts for the Social Sciences*. Cambridge: Cambridge University Press, 1989.（邦訳エルスター『社会科学の道具箱——合理的選択理論入門』海野道郎訳、ハーベスト社、1997年）

Emmer, Michele. *Mathematics and Culture*. Berlin, Heidelberg, New York: Springer-Verlag, 2004.

Epicuros. *Principal Doctrines*. *Epicurus & Epicurean Philosophy*, 1996. http://www. epicurus.net/en/principal.html.（邦訳エピクロス『主要教説』〔『エピクロス——教説と手紙』出隆／岩崎允胤訳、岩波文庫、1959年所収〕）

Epicurus. *Principal Doctrines*. Translated by Robert Drew Hicks. The Internet Classics Archive, 1925. http://classics.mit.edu/Epicurus/princdoc.html.（邦訳エピクロス、同上）

Estés, Clarissa Pinkola. *Women Who Run with the Wolves*. New York: Ballantine Books, 2003.（邦訳エステス『狼と駈ける女たち——「野生の女」元型の神話と物語』原真左子／植松みどり訳、新潮社、1998年）

Etzioni, Amitai. *Moral Dimension: Toward a New Economics*. New York: Free Press, 1988.

Fajkus, Břetislav. *Současná filosofie a metodologie* [Philosophy and the Methodology of Science]. Prague: Filosofický ústav AV ČR, 1997.

Falckenberg, Richard, and Charles F. Drake. *History of Modern Philosophy: From Nicolas of Cusa to the Present Time*. Translated by A. C. Armstrong. New York: Kessinger, 1893.

Ferguson, Niall. *The Ascent of Money: A Financial History of the World*. New York: Penguin Press, 2008.（邦訳ファーガソン『マネーの進化史』仙名紀訳、早川書房、2009年）

Ferguson, Niall. *The War of the World: Twentieth-Century Conflict and the Descent of the West*. New York: Penguin, 2006.（邦訳ファーガソン『憎悪の世紀』仙名紀訳、早川書房、2007年）

Feyerabend, Paul K. *Against Method*. 3rd ed. London, New York: Verso, 1993.（邦訳ファイヤアーベント『方法への挑戦』村上陽一郎／渡辺博訳、新曜社、1981年）

Fisher, Irving. "Fisher Sees Stocks Permanently High." *New York Times*, October 16, 1929, 2.

Fitzgerald, Allan, John C. Cavadini, Marianne Djuth, James J. O'Donnell, and Frederick Van Fleteren, eds. *Augustine through the Ages: An Encyclopedia*. Grand Rapids, MI: Eerdmans, 1999.

Force, Pierre. *Self-Interest before Adam Smith: A Genealogy of Economic Science*. Cambridge: Cambridge University Press, 2003.

Fox, Justin. *The Myth of Rational Markets*. New York: Harper Business, 2009.（邦訳フォックス『合理的市場という神話』遠藤真美訳、東洋経済新報社、2010年）

Frank, Robert. Conference on "Understanding Quality of Life: Scientific Perspectives on Enjoyment and Suffering," Princeton, NJ, November 1–3, 1996.

Frankl, Viktor E. *Man's Search for Meaning*. London: Hodder and Stoughton, 1964.（邦訳フランクル『夜と霧』霧山徳爾訳、みすず書房、1956年／（新版）池田香代子訳、2002年）

Frazer, James George. *The Golden Bough: A Study in Magic and Religion*. New York: Oxford University Press, 1994.（邦訳フレイザー『金枝篇』全2冊（1890年初版訳）吉川信訳、ちくま学芸文庫、2003年；同全5冊（1922年簡約版訳）永橋卓介訳、岩波文庫、1966～67年；同全10巻・別巻（1936年第3版訳）神成利雄訳・石塚正英監修、国書刊行会、2004年～）

Friedman, Milton. *Essays in Positive Economics*. Chicago, London: University of Chicago Press, 1970.（邦訳フリードマン『実証的経済学の方法と展開』佐藤隆三／長谷川啓之訳、富士書房、1977年）

Fromm, Erich. *To Have or to Be*. New York, London: Continuum, 2007.（邦訳フロム『生きるということ』佐野哲郎訳、紀伊國屋書店、1977年）

Fukuyama, Francis. *The Trust: The Social Virtues and the Creation of Prosperity*. New York: Free Press, 1996.（邦訳フクヤマ『「信」無くば立たず』加藤寛訳、三笠書房、1996年）

Gadamer, Hans-Georg. *The Idea of the Good in Platonic-Aristotelian Philosophy*. New Haven, CT: Yale University Press, 1988.

Gaede, Erwin A. *Politics and Ethics: Machiavelli to Niebuhr*. Lanham, MD: University Press of America, 1983.

Gaiman, Neil, and Terry Pratchett. *Good Omens: The Nice and Accurate Prophecies of Agnes Nutter, Witch*. London: Viktor Gollancz, 1990.（邦訳ゲイマン／プラチェット『グッド・オーメンズ』金原瑞人／石田文子訳、角川書店、2007年）

Galbraith, John Kenneth. *The Affluent Society*. Boston: Houghton Mifflin, 1958.（邦訳ガルブレイス『ゆたかな社会』鈴木哲太郎訳、岩波書店、1960年）

Galbraith, John Kenneth. *The Affluent Society*. Boston: Houghton Mifflin, 1998.（邦訳ガルブレイス『ゆたかな社会　決定版』鈴木哲太郎訳、岩波書店、2006年）

Galileo, Galilei. *Dialogues concerning the Two Great Systems of the World*. Translated by Stilman Drake. Ann Arbor: University of Michigan Press, 1970.（邦訳ガリレオ『天文対話』全2冊、青木靖三訳、岩波文庫、1959–61年、ほか）

George, Andrew R. *The Babylonian Gilgamesh Epic: Introduction, Critical Edition and Cuneiform*

Texts. Oxford: Oxford University Press, 2003.【本書では、『ギルガメシュ叙事詩』の粘土板写本と断片の写真および写本の翻字と翻訳が示されている。『ギルガメシュ叙事詩』の邦訳は、月本昭男訳、岩波文庫、1996年；矢島文夫訳、ちくま学芸文庫、1998年、ほか】

Goethe, Johann W. *Goethe's Faust*. Translated by Walter Kauffman. New York: Anchor Books, 1961.（邦訳ゲーテ『ファウスト』相良守峯訳、全2冊、岩波文庫、1958年；高橋義孝訳、全2冊、新潮文庫、1967～68年；手塚富雄訳、全3冊、中公文庫、1974年；柴田翔訳、全2冊、講談社文芸文庫、2003年；池内紀訳、全2冊、集英社文庫、2004年、ほか）

Graeber, David. *Toward an Anthropological Theory of Value*. New York: Palgrave, 2001.

Green, David. "Adam Smith a sociologie ctnosti a svobody [Adam Smith and the Sociology of Virtue and Freedom]." *Prostor* 7, no. 28 (1994): 41–48.

Groenewegen, John. *Transaction Cost Economics and Beyond*. Recent Economic Thought. Boston: Kluwer, 1995.

Groenewegen, Peter. *A Soaring Eagle: Alfred Marshall, 1842–1924*. Aldershot, UK: Edward Elgar, 1995.

Halík, Tomáš. *Stromu zbývá naděje. Krize jako šance* [There is Hope. Crisis as an Opportunity]. Praha: Nakladatelství Lidové noviny, 2009.

Hall, Joseph. *Heaven upon Earth and Characters of Virtues and Vice*. Edited by Rudolf Kirk. New Brunswick, NJ: Rutgers University Press, 1948.

Halteman, Richard J. "Is Adam Smith's Moral Philosophy an Adequate Foundation for the Market Economy?" *Journal of Markets and Morality* 6 (2003): 453–478.

Haney, Lewis Henry. *History of Economic Thought: A Critical Account of the Origin and Development of the Economic Theories of the Leading Thinkers in the Leading Nations*. New York: Macmillan, 1920.（邦訳ヘネー『経済思想史』大野信三訳、社会科学大系3・4、日本図書センター、2008年）

Hare, M. R., J. Barnes, and H. Chadwick. *Zakladatelé myšlení: Platón, Aristoteles, Augustinus* [Founders of Thought: Plato, Aristotle, Augustine]. Prague: Svoboda, 1994.

Harris, H. S. *The Reign of the Whirlwind*. York Space, 1999. http://hdl.handle.net/10315/918.

Harth, Phillip. Introduction to "The Fable of the Bees; or, Private Vices, Public Benefits," by Bernard Mandeville.

Hasbach, Wilhelm. *Untersuchungen über Adam Smith und die Entwicklung der Politischen Ökonomie*. Leipzig: Duncker und Humblot, 1891.

Hayek, Friedrich A. *Law, Legislation, and Liberty*. London: Routledge and Kegan Paul, 1973.（邦訳ハイエク『法と立法と自由（1）ルールと秩序』矢島鈞次／水吉俊彦訳〔西山千明／矢島鈞次監修『ハイエク全集』第I期第8巻〕春秋社、2007年）

Hayek, Friedrich A. *New Studies in Philosophy, Politics, Economics, and the History of Ideas*. London: Routledge and Kegan Paul, 1978.

Hayek, Friedrich A. *The Trend of Economic Thinking: Essays on Political Economists and Economic History. The Collected Works of F. A. Hayek*, Vol. 3. Edited by W. W. Bartley and Stephen Kresge. London: Routledge, 1991.

Hayter, David, and Alex Tse. *Watchmen*. Directed by Zack Synder. Produced by Warner Bros.

Pictures. 2009.

Heffernanová, Jana. *Gilgameš: Tragický model západní civilizace* [Gilgamesh: A Tragic Model of Western Civilization]. Prague: Společnost pro Světovou literaturu, 1996.

Heffernanová, Jana. *Tajemství dvou partnerů: Teorie a metodika práce se sny* [The Secret of Two Partners]. Prague: Argo, 2008.

Heidegger, Martin. *Philosophical and Political Writings*. Edited by Manfred Stassen. New York: Continuum, 2003.

Heidel, Alexander. *The Gilgamesh Epic and Old Testament Parallels*. Chicago: University of Chicago Press, 1949.

Heilbroner, Robert L. *The Wordly Philosophers: The Lives, Times, and Ideas of Great Economic Thinkers*. New York: Simon and Schuster, 1953.（邦訳ハイルブローナー『入門経済思想史　世俗の思想家たち』八木甫ほか訳、ちくま学芸文庫、2001年）

Hejdánek, Ladislav. "Básník a Slovo [Poet and the Word]." In *České stuide: Literatura, Jazyk, Kultura* [Czech Studies: Literature, Language, Culture], edited by Mojmír Grygar, 57–81. Amsterdam, Atlanta: Rodopi, 1990.

Heller, Jan. *Jak orat s čertem: kázání* [How to Plow with the Devil]. Prague: Kalich, 2006.

Hendry, David F. "Econometrics: Alchemy or Science?" *Economica* 47 (1980): 387–406.

Hengel, Martin. *Judentum und Hellenismus*. Tubingen: Mohr, 1969.（邦訳ヘンゲル『ユダヤ教とヘレニズム』長窪専三訳、日本基督教団出版局、1983年）

Henry, Matthew. *Matthew Henry's Commentary on the Whole Bible*. http://www.apostolic-churches.net/bible/mhc/.

Hesiod. *Works and Days*. In *Hesiod: Theogony, Works and Days, Testimonia*, edited by Glenn W. Most. Cambridge, MA: Harvard University Press, 2006.（邦訳ヘシオドス『ヘシオドス　全作品』中務哲郎訳、京都大学学術出版会、2013年〈『仕事と日』『神統記』とも収録〉；邦訳ヘーシオドス『仕事と日』松平千秋訳、岩波文庫、1986年、ほか）

Hesiod. *Theogony*. In *Hesiod: Theogony, Works and Days, Testimonia*, edited by Glenn W. Most. Cambridge, MA: Harvard University Press, 2006.（邦訳ヘシオドス『神統記』廣川洋一訳、岩波文庫、1984年、ほか）

Hildebrand, Bruno. *Die Nationalökonomie der Gegenwart und Zukunft*. Frankfurt am Main: Erster Band, 1848.

Hill, Roger B. *Historical Context of the Work Ethic*. Athens: University of Georgia, 1996.

Hirsch, Fred. *Social Limits to Growth*. 1st ed. Cambridge, MA: Harvard University Press, 1976.（邦訳ハーシュ『成長の社会的限界』都留重人訳、日本経済新聞社、1980年）

Hirschman, Albert O. *The Passions and the Interests: Political Arguments for Capitalism before Its Triumph*. Princeton, NJ: Princeton University Press, 1997.（邦訳ハーシュマン『情念の政治経済学　新装版』佐々木毅／旦祐介訳、法政大学出版局、2014年）

Hobbes, Thomas. *Leviathan*. Oxford: Oxford University Press, 1996.（邦訳ホッブズ『リヴァイアサン1・2』水田洋訳、岩波文庫、1992年）

Horsley, Richard A. *Covenant Economics*. Louisville: Westminster John Knox, 2009.

Hume, David. *Selections*. Edited by Charles William Hendel. New York, Chicago: C. Scribner's

Sons, 1927.

Hume, David. *A Treatise of Human Nature*. NuVision Publications, 2008. http://www.nuvisionpublications.com. (邦訳ヒューム『人間本性論』第1〜3巻、木曾好能訳、法政大学出版局、2011年／2012年；『人性論』土岐邦夫／小西嘉四郎訳、中公クラシックス、2010年；『人性論（一）（二）』大槻春彦訳、岩波文庫、1995年、ほか)

Hume, David. *Enquiries Concerning the Human Understanding and Concerning the Principles of Morals*. Oxford: Clarendon Press, 1902. (邦訳ヒューム『人間知性研究——付・人間本性論摘要』斎藤繁雄／一ノ瀬正樹訳、法政大学出版局、2011年、ほか)

Hurtado-Prieto, Jimena. *Adam Smith and the Mandevillean Heritage: The Mercantilist Foundations of "Dr. Mandeville's Licentious System."* Preliminary version. February 2004. Available at http://phare.univ-paris1.fr/hurtado/Adam%20Smith.pdf

Husserl, Edmund. *Cartesian Meditations*. London: Nijhoff, 1977. (邦訳フッサール『デカルト的省察』浜渦辰二訳、岩波文庫、2001年)

Huxley, Aldous. *Brave New World*. New York: Harper, 1958. (邦訳ハクスリー『すばらしい新世界』黒原敏行訳、光文社古典新訳文庫、2013年；邦訳ハックスリー『すばらしい新世界』松村達雄訳、講談社文庫、1974年、ほか)

Inglehart, Ronald. *Culture Shift: In Advanced Industrial Society*. Princeton, NJ: Princeton University Press, 1990. (邦訳イングルハート『カルチャーシフトと政治変動』村山皓ほか訳、東洋経済新報社、1993年)

Inglehart, Ronald. *World Values Survey*. 2009. http://www.worldvaluessurvey.org/ (accessed 2010).

Irwin, William, ed. *The Matrix and Philosophy: Welcome to the Desert of the Real*. Illinois: Carus Publishing Company, 2002. (邦訳アーウィン編著『マトリックスの哲学』松浦俊輔／小野木明恵訳、白夜書房、2003年)

Johnston, Louis D., and Samuel H. Williamson. *What Was the U.S. GDP Then?* 2008. http://www.measuringworth.org/usgdp/ (accessed 2010).

Jung, Carl G. "The Archetypes and the Collective Unconscious." In *The Archetypes and the Collective Unconscious: The Collected Works*, edited by R. F. C. Hull. Princeton, NJ: Princeton University Press, 1990. (邦訳ユング『元型論』林道義訳、紀伊國屋書店、1999年所収)

Jung, Carl G. *Psychology and Religion*. New Haven, CT: Yale University Press, 1962. (邦訳ユング『ユング著作集4　人間心理と宗教』浜川祥枝訳、日本教文社、2014年；『ユング・コレクション3　心理学と宗教』村本詔司訳、人文書院、1989年)

Jung, Carl G. *Výbor z díla VIII–Hrdina a archetyp matky* [Collected works vol. 8–Hero and the Archetype of a Mother]. Prague: Nakladatelství Tomáše Janečka–Emitos, 2009.

Kahn, Charles H. *Plato and the Socratic Dialogue*. Cambridge: Cambridge University Press, 1996.

Kalenská, Renata. "Někdy se mězmocňuje pocit... " *Lidové Noviny*, November 15, 2008. http://www.lidovky.cz/nekdy-se-me-zmocnuje-pocit-dca-/ln_noviny.asp?c=A081115_000040_ln_noviny_sko&klic=228612&mes=081115_0.

Kant, Immanuel. *Critique of Judgment*. Indianapolis: Hackett, 1987. (邦訳カント『判断力批判』上下、宇都宮芳明訳、以文社、2004年；『カント全集8・9　判断力批判』上下、牧野英二訳、岩波書

店、1999年／2000年；『判断力批判』上下、篠田英雄訳、岩波文庫、1964年、ほか）

Kant, Immanuel. *Introduction to the Metaphysics of Morals.* Whitefish, MT: Kessinger, 2004.（邦訳カント『カント全集7　実践理性批判　人倫の形而上学の基礎づけ』坂部恵ほか訳編、岩波書店、2000年）

Kant, Immanuel. *Religion within the Limits of Reason Alone.* New York: Harper & Brothers, 1960.（邦訳カント『カント全集10　たんなる理性の限界内の宗教』坂部恵ほか編、岩波書店、2000年ほか）

Kant, Immanuel. *The Metaphysical Elements of Ethics.* Rockville: Arc Manor, 2008.（邦訳カント『カント全集11　人倫の形而上学』坂部恵ほか編、岩波書店、2002年、ほか）

Kaye, B. Introduction to *The Fable of the Bees,* by Bernard Mandeville. Oxford: Clarendon Press, 1924.

Kerényi, Karl. *Gods of the Greeks.* London: Thames & Hudson, 1980.（邦訳ケレーニイ『ギリシアの神話――英雄の時代』植田兼義訳、中公文庫、1985年）

Kerkhof, Bert. "A Fatal Attraction? Smith's 'Theory of Moral Sentiments' and Mandeville's 'fable.'" *History of Moral Thought* 16, no. 2 (1995): 219–233.

Keynes, John Maynard. *Collected Writings of John Maynard Keynes.* Edited by Austin Robinson and Donald Moggridge. London: Macmillan for the Royal Economic Society, 1971–1989.

Keynes, John Maynard. "Economic Possibilities for Our Grandchildren." In *Essays in Persuasion,* edited by John Maynard Keynes, 358–373. New York: W. W. Norton, 1930.（邦訳ケインズ「孫の世代の経済的可能性」『ケインズ説得論集』山岡洋一訳、日本経済新聞出版社、2010年所収）

Keynes, John Maynard. *Essays in Persuasion.* New York: W. W. Norton, 1963.（邦訳ケインズ『ケインズ説得論集』山岡洋一訳、日本経済新聞出版社、2010年）

Keynes, John Maynard. *First Annual Report of the Arts Council* (*1945–1946*). http://www.economicshelp.org/blog/economics/quotes-by-john-maynard-keynes/

Keynes, John Maynard. *The General Theory of Employment, Interest, and Money.* London: Macmillan, 1936.（邦訳ケインズ『雇用・利子および貨幣の一般理論』塩野谷祐一訳、東洋経済新報社、1995年；『雇用、利子および貨幣の一般理論』間宮陽介訳、岩波文庫、2008年；『雇用、利子、お金の一般理論』山形浩生訳、講談社学術文庫、2012年）

Kierkegaard, Sören. *Concluding Unscientific Postscript to Philosophical Fragments.* Edited by Charles Moore. Rifton, NY: Plough, 1999.（邦訳キルケゴール『キルケゴール著作集7–9　哲学的断片への結びとしての非学問的あとがき』杉山好・小川圭治訳、白水社、1995年）

Kirk, G. S., J. E. Raven, and M. Schofield. *The Presocratic Philosophers.* Cambridge: Cambridge University Press, 1983.（邦訳カークほか『ソクラテス以前の哲学者たち　第二版』内山勝利ほか訳、京都大学学術出版会、2006年）

Kirk, Rudolf, ed. *Heaven upon Earth and Characters of Virtues and Vices,* by Joseph Hall. New Brunswick, NJ: Rutgers University Press, 1948.

Kline, Morris. *Mathematical Thought from Ancient to Modern Times.* New York: Oxford University Press, 1972.

Kmenta, Jan. Review of *A Guide to Econometrics,* by Peter Kennedy. *Business Economics* 39, no. 2, April 2004.

Knies, Carl G. A. *Die Politische Oekonomie vom Standpunkte der geschichtlichen Methode.* Braunschweig: C. A. Schwetsche und Sohn, 1853.

Knight, Frank Hyneman. “Liberalism and Christianity.” In *The Economic Order and Religion,* edited by Frank Hyneman Knight and Thornton Ward Merrian. New York, London: Harper & Brothers, 1945.

Knight, Frank Hyneman. *Freedom and Reform: Essays in Economics and Social Philosophy.* New York: Harper & Brothers, 1947.

Kolman, Vojtěch. *Filozofie čísla* [The Philosophy of Numbers]. Prague: Nakladatelství Filosofi ckého ústavu AV ČR, 2008.

Komárek, Stanislav. *Obraz člověka a přírody v zrcadle biologie* [Image of Man and Nature in the Mirror of Biology]. Prague: Academia, 2008.

Kratochvíl, Zdeněk. *Filosofie mezi mýtem a vědou od Homéra po Descarta* [Philosophy between Myth and Science from Homer to Descartes]. Prague: Academia, 2009.

Kratochvíl, Zdeněk. *Mýtus, filosofie, věda I. a II.* (Filosofie mezi Homérem a Descartem) [Myth, Philosophy, and Science]. Prague: Michal Jůza & Eva Jůzová, 1996.

Kugel, James L. *The Bible as It Was.* 5th ed. Cambridge, MA: Belknap Press, 2001.

Kuhn, Thomas S. *The Structure of Scientific Revolutions.* Chicago: University of Chicago Press, 1969.（邦訳クーン『科学革命の構造』中山茂訳、みすず書房、1971年）

Kundera, Milan. *Immortality.* New York: Perennial Classics, 1999.（邦訳クンデラ『不滅』菅野昭正訳、集英社文庫、1999年）

Kundera, Milan. *Laughable Loves.* London: Faber, 1999.（邦訳クンデラ『可笑しい愛』西永良成訳、集英社文庫、2003年）

Lacan, Jacques. *The Four Fundamental Concepts of Psycho-Analysis.* London: W.W. Norton, 1998.（邦訳ラカン『ジャック・ラカン　精神分析の四基本概念』ミレール編、小出浩之ほか訳、岩波書店、2000年）

Lacan, Jacques. “The Signifi cation of the Phallus.” In *EcritÉcrits: A Selection,* translated by Alan Sheridan, 311–323. London: Tavistock/Routledge, 1977.

Lalouette, Claire. *Ramessova říše — Vláda jedné dynastie,* Prague: Levné knihy, 2009[in original *L' empire de Ramsès.* Paris: Fayard, 1985].

Lanman, Scott, and Steve Matthews. “Greenspan Concedes to ‘Flaw’ in His Market Ideology.” *Bloomberg,* October 23, 2008. http://www.bloomberg.com/apps/news?pid=newsarchive&sid=ah5qh9Up4rIg.

Leacock, Stephen. *Hellements of Hickonomics, in Hiccoughs of Verse Done in Our Social Planning Mill.* New York: Dodd, Mead, 1936.

Leontief, W. “Theoretical Assumptions and Nonobserved Facts.” *American Economic Review* 61 (1971): 1–7.

Levin, Samuel M. “Malthus and the Idea of Progress.” *Journal of the History of Ideas* 27, no. 1 (January–March 1966): 92–108.

Lévi-Strauss, Claude. *Myth and Meaning: Cracking the Code of Culture.* London: Schocken, 1995.（邦訳レヴィ＝ストロース『神話と意味』大橋保夫訳、みすず書房、1996年）

Lévi-Strauss, Claude. *The Elementary Structures of Kingship*. Edited by R. Needham, J. Harle Bell, and J. R. Von Sturmer. Boston: Beacon, 1969.（邦訳レヴィ＝ストロース『親族の基本構造』福井和美訳、青弓社、2000年）

Lewis, Clive Staples. "Evolutionary Hymn." In *Poems*, 55–56. San Diego: Harcourt, 1964.

Lewis, Clive Staples. *The Four Loves*. New York: Harcourt Brace Jovanovich, 1960.（邦訳ルイス『C. S.ルイス宗教著作集2　四つの愛［新訳］』佐柳文男訳、新教出版社、2011年、ほか）

Lewis, Clive Staples. *Letters of C. S. Lewis*. Edited by W. H. Lewis. New York: Harcourt, Brace & World, 1966.

Lewis, Clive Staples. *A Preface to Paradise Lost*. New Delhi: Atlantic Publishers and Distributors, 2005.（邦訳ルイス『「失楽園」序説』大日向幻訳、叢文社、1981年）

Lewis, Clive Staples. *The Weight of Glory and Other Addresses*. 2nd ed. New York: Macmillan, 1980.（邦訳ルイス『C.S.ルイス宗教著作集8　栄光の重み』西村徹訳、新教出版社、2004年）

Lewis, Thomas J. "Persuasion, Domination and Exchange: Adam Smith on the Political Consequences of Markets." *Canadian Journal of Political Science* 33, no. 2 (June 2000): 273–289.

Liddell, H. G., and R. Scott. *Greek-English Lexicon*. 9th ed. Oxford: Clarendon, 1996.

Limentani, Ludovico. *La morale della simpatia: Saggio sopra l'etica di Adamo Smith nella storia del pensiero inglese*. Genova: A. F. Formí ggini, 1914.

Locke, John. *Two Treatises of Government*. Cambridge: Cambridge University Press, 2003.（邦訳ロック『完訳　統治二論』加藤節訳、岩波文庫、2010年）

Lowry, S. Todd. "Ancient and Medieval Economics." In *A Companion to the History of Economic Thought*, edited by Warren J. Samuels, Jeff Biddle, and John Bryan Davis, 11–27. Oxford: Blackwell Publishing, 2003.

Lowry, S. Todd. *The Archaeology of Economic Ideas: The Classical Greek Tradition*. Durham, NC: Duke University Press, 1988.

Lowry, S. Todd. "The Economic and Jurisprudential Ideas of the Ancient Greeks: Our Heritage from Hellenic Thought." In *Ancient and Medieval Economic Ideas and Concepts of Social Justice*, edited by S. Todd Lowry, and Barry Gordon. New York: Brill, 1998.

Lowry, S. Todd, and Barry Gordon, eds. *Ancient and Medieval Economic Ideas and Concepts of Social Justice*. New York: Brill, 1998.

Luther, Martin. "Martin Luther's Last Sermon in Wittenberg, Second Sunday in Epiphany, 17 January 1546." In *Dr. Martin Luthers Werke: Kritische Gesamtausgabe*, 51–126. Weimar: Herman Boehlaus Nachfolger, 1914.

Macfie, Alec L. "The Invisible Hand of Jupiter." *Journal of the History of Ideas* 32 (October–December 1971): 595–599.

Macfie, Alec L. *The Individual in Society*. London: Allen & Unwin, 1967.（邦訳マクフィー『社会における個人』舟橋喜恵ほか訳、ミネルヴァ書房、1972年）

MacIntyre, Alasdair. *After Virtue*. 3rd ed. Notre Dame, IN: University of Notre Dame Press, 2008.（邦訳マッキンタイア『美徳なき時代』篠﨑榮訳、みすず書房、1993年）

MacIntyre, Alasdair. *A Short History of Ethics: A History of Moral Philosophy from the Homeric Age to the Twentieth Century*. London: Routledge & Kegan Paul, 1998.（邦訳マッキンタイヤー

『西洋倫理学史』深谷昭三訳、以文社、1986年；マッキンタイアー『西洋倫理思想史』上下、菅豊彦ほか／井上義彦ほか訳、1985年／1994年）

Mahan, Asa. *A Critical History of Philosophy*. New York: Phillips & Hunt, 2002.

Malthus, Thomas. *An Essay on the Principle of Population*. Oxford: Oxford University Press, 2008.（邦訳マルサス『人口論』斉藤悦則訳、光文社古典新訳文庫、2011年；永井義雄訳、中公文庫、1973年；『初版　人口の原理』高野岩三郎／大内兵衛訳、岩波文庫、1962年）

Mandeville, Bernard. *A Letter to Dion*. The Project Gutenberg. http://www.gutenberg.org/files/29478/29478-h/29478-h.htm.

Mandeville, Bernard. "An Essay on Charity, and Charity-Schools." In Mandeville, *The Fable of the Bees*. Middlesex: Penguin, 1970.

Mandeville, Bernard. *The Fable of the Bees; or, Private Vices, Public Benefits*. Edited by Phillip Harth. Oxford: Clarendon Press, 1924 ; and later version Middlesex: Penguin, 1970.（邦訳マンデヴィル『蜂の寓話――私悪すなわち公益』泉谷治訳、法政大学出版局、1985年）

Mankiw, Gregory N. *Principles of Economics*. Mason, GA: South-Western Cengage Learning, 2009.（邦訳マンキュー『マンキュー経済学（ミクロ編・マクロ編）』足立英之ほか訳、東洋経済新報社、2013～2014年）

Marshall, Alfred. *Principles of Economics*. London: Macmillan for the Royal Economic Society, 1961.（邦訳マーシャル『経済学原理』第1～4、馬場啓之助訳、東洋経済新報社、1965年／1966年／1967年）

Martindale, Wayne, and Jerry Root, eds. *The Quotable Lewis: An Encyclopedic Selection of Quotes from the Complete Published Works*. Wheaton, IL: Tyndale, 1989.

Marx, Karl. *Capital*. Vol. 1. Edited by Ben Fowkes. London: Penguin, 1990.（邦訳マルクス『資本論1～9』向坂逸郎訳、岩波文庫、1969年／1970年、ほか多数）

Marx, Karl. *On the Jewish Question*. Edited by Helen Lederer. Cincinnati: Hebrew Union College–Jewish Institute of Religion, 1958.（邦訳マルクス『ユダヤ人問題によせて ヘーゲル法哲学批判序説』城塚登訳、岩波文庫、1974年；『ユダヤ人問題によせて／ヘーゲル法哲学批判序説』中山元訳、光文社古典新訳文庫、2014年；『新訳 初期マルクス――ユダヤ人問題によせて／ヘーゲル法哲学批判――序説』的場昭弘訳、作品社、2013年）

Marx, Karl, and Friedrich Engels. *Manifesto of the Communist Party*. New York: Cosimo, 2009.（邦訳マルクス／エンゲルス『共産党宣言』大内兵衛／向坂逸郎訳、岩波文庫、1971年、ほか多数）

Mauss, Marcel. *The Gift: Forms and Functions of Exchange in Archaic Societies*. London: Cohen & West, 1966.（邦訳モース『贈与論 他二篇』森山工訳、岩波文庫、2014年；『贈与論』吉田禎吾／江川純一訳、ちくま学芸文庫、2009年；『贈与論［新装版］』有地亨訳、勁草書房、2008年）

McCloskey, Deirdre N. *The Bourgeois Virtues: Ethics for an Age of Commerce*. Chicago: University of Chicago Press, 2006.

McCloskey, Deirdre N. "The Rhetoric of Economics." *Journal of Economic Literature* 21 (June 1983): 481–517.（邦訳マクロスキー『レトリカル・エコノミクス――経済学のポストモダン』長尾史郎訳、ハーベスト社、1992年）

McCloskey, Deirdre N. *The Secret Sins of Economics*. Chicago: Prickly Paradigm Press, 2002.

Merton, Robert K. *Social Theory and Social Structure*. New York: Free Press, 1968.（邦訳マートン

『社会理論と社会構造』森東吾他訳、みすず書房、1961年）

Mill, John Stuart. *Autobiography*. The Harvard Classics, 25. Edited by C. E. Norton. New York: Collier & Son, 1909.（邦訳ミル『ミル自伝』村井章子訳、みすず書房、2008年）

Mill, John Stuart. *Collected Works of John Stuart Mill. Vol. 10, Essays on Ethics, Religion, and Society*. Edited by John M. Robson. London: Routledge and Kegan Paul, 1979.

Mill, John Stuart. *Essays on Some Unsettled Questions of Political Economy*. London: Parker, 1844.（邦訳ミル『経済学試論集』末永茂喜訳、岩波文庫、1948年）

Mill, John Stuart. *Utilitarianism*. Forgotten books, 2008. www.forgottenbooks.org.（邦訳ミル『功利主義論集』川名雄一郎／山本圭一郎訳、京都大学学術出版会、2010年）

Mill, John Stuart. *Principles of Political Economy: With Some of Their Applications to Social Philosophy*. Edited, with an Introduction, by Stephen Nathanson. Indianapolis, IN: Hackett, 2004.（邦訳ミル『経済学原理』第1～5、末永茂喜訳、岩波文庫、1959年／1960年／1961年／1963年）

Mini, Piero V. *Philosophy and Economics: The Origins and Development of Economic Theory*. Gainesville: University Presses of Florida, 1974.

Mirowsky, Philip. *Machine Dreams: Economics Becomes a Cyborg Science*. Cambridge: Cambridge University Press, 2002.

Mirowsky, Philip. *More Heat Than Light: Economics as a Social Physics, Physics as Nature's Economics*. Cambridge: Cambridge University Press, 1989.

Mises, Ludwig Von. *Human Action: A Treatise on Economics*. 4th ed. Edited by Bettina Bien Graves. Irvington-on-Hudson, NY: Foundation for Economic Education, 1996.（邦訳ミーゼス『ヒューマン・アクション――人間行為の経済学』村田稔雄訳、春秋社、2008年）

Mlčoch, Lubomír. *Ekonomie důvěry a společného dobra* [Economic Trust and the Common Good]. Prague: Karolinum, 2006.

Montesquieu, Charles de Secondat. *Spirit of Laws*. Edited by Anne M. Cohler, Basia Carolyn Miller, and Harold Samuel Stone. Cambridge: Cambridge University Press, 1989.（邦訳モンテスキュー『法の精神』上中下、野田良之ほか訳、岩波文庫、1989年、ほか）

Morrow, Glenn R. "Adam Smith: Moralist and Philosopher." *Journal of Political Economy* 35 (June 1927): 321–342.

Muchembled, Robert. *A History of the Devil: From the Middle Ages to the Present*. Cambridge, UK: Polity, 2003.（邦訳ミュッシャンブレ『悪魔の歴史12～20世紀――西欧文明に見る闇の力学』平野隆文訳、大修館書店、2003年）

Mumford, Lewis. *The City in History: Its Origins, Its Transformations, and Its Prospects*. San Diego, New York, London: Harcourt, 1961.（邦訳マンフォード『歴史の都市　明日の都市』生田勉訳、新潮社、1985年）

Myers, David G. "Does Economic Growth Improve Human Morale?" *New American Dream*. http://www.newdream.org/newsletter/growth.php (accessed 2010).

Nelson, Robert H. *Economics as Religion: From Samuelson to Chicago and Beyond*. University Park: Pennsylvania University Press, 2001.

Nelson, Robert H. *Reaching for Heaven on Earth: The Theological Meaning of Economics*. Savage,

MD: Rowman & Littlefi eld, 1991.

Nelson, Robert H. *The New Holy Wars: Economic Religion vs. Environmental Religion in Contemporary America*. Pennsylvania: Pennsylvania State University Press, 2010.

Neubauer, Zdeněk. *O čem je věda?(De possest: O duchovním bytí Božím)* [What Is Science About?]. 1st ed. Prague: Malvern, 2009.

Neubauer, Zdeněk. *Přímluvce postmoderny* [Advocate of Postmodernity]. Prague: Michal Jůza & Eva Jůzová, 1994.

Neubauer, Zdeněk. *Respondeo dicendum: autosborník k desátému výročí padesátých narozenin* [*Respondeo dicendum: In Honor of Tenth Anniversary of Fiftieth Birthday*], 2 ed. Edited by Jiří Fiala. Prague: O. P. S., 2002.

New International Version of the Holy Bible. Grandville, MI: Zondervan, 2001.

Nin, Anais. *The Diary of Anais Nin, 1939–1944*. New York: Harcourt, Brace & World, 1969.（邦訳『アナイス・ニンの日記1931～34――ヘンリー・ミラーとパリで』原麗衣訳、ちくま文庫、1991年）

Nisbet, Robert A. *The History of the Idea of Progress*. New Brunswick, NJ: Transaction, 1998.

Nisbet, Robert A. "The Idea of Progress." In *Literature of Liberty: A Review of Contemporary Liberal Thought* 2 (1979): 7–37. Available at http://oll.libertyfund.org.

Novak, Michael. *The Catholic Ethic and the Spirit of Capitalism*. New York: Free Press, 1993.

Novak, Michael. *Duch demokratického kapitalismu* [The Spirit of Democratic Capitalism]. Prague: Občanský Institut, 2002.

Novotný, Adolf. *Biblický slovník* [Biblical Dictionary]. Prague: Kalich, 1992.

Novotný, František. *The Posthumous Life of Plato*. Prague: Academia, 1977.

Nussbaum, Martha C. *The Fragility of Goodness: Luck and Ethics in Greek Tragedy and Philosophy*. New York: Zone Books, 1999.

Oates, Whitney J., and Eugene O'Neill. *The Complete Greek Drama*. New York: Random House, 1938.

O'Connor, Eugene Michael. *The Essential Epicurus: Letters, Principal Doctrines, Vatican Sayings, and Fragments*. Buffalo, NY: Prometheus, 1993.

Oncken, August. "The Consistency of Adam Smith." *The Economic Journal* 7 (September 1897): 443–450.

Orwell, George. *1984*. New York: Signet, 1981.（邦訳オーウェル『一九八四年［新訳版］』高橋和久訳、ハヤカワepi文庫、2009年）

Palahniuk, Chuck. *Fight Club*. Directed by David Fincher. Produced by 20th Century Fox. 1999.（邦題『ファイト・クラブ』）

Palahniuk, Chuck. *Fight Club*. New York: Henry Holt, 1996.（邦訳パラニューク『ファイト・クラブ』池田真紀子訳、ハヤカワ文庫NV、1999年）

Pascal, Blaise. *Pensées*. New York: Penguin Classics, 1995.（邦訳パスカル『パンセ〈1〉〈2〉』前田陽一／由木康訳、中公クラシックス新書、2001年）

Pass, Christopher, Bryan Lowes, and Leslie Davies. *Collins Dictionary of Economics, Second Edition*. Glasgow: HarperCollins, 1993.

Pasquinelli, Matteo. *Animal Spirits: A Bestiary of the Commons*. Rotterdam: NAi Publishers, 2008.

Patinkin, Don. *Essays on and in the Chicago Tradition*. Durham, NC: Duke University Press, 1981.

Patočka, Jan. *Kacířské eseje o filosofii dějin* [Heretical Essays in the Philosophy of History]. Prague: OIKOYMENH, 2007.（邦訳パトチカ『歴史哲学についての異端的論考』石川達夫訳、みすず書房、2007年）

Patterson, Stephen, and Marvin Meyer. *The "Scholars' Translation" of the Gospel of Thomas*. http://home.epix.net/~miser17/Thomas.html.

Pava, Moses L. "The Substance of Jewish Business Ethics." *Journal of Business Ethics* 17, no. 6 (April 1998): 603–617.

Payne, Jan. *Odkud zlo*? [Whence Evil?]. Prague: Triton, 2005.

Penguin Classics. *The Epic of Gilgamesh*. Translated by N. K. Sandars. London, New York: Penguin Group, 1972.（邦訳『ギルガメシュ叙事詩』月本昭男訳、岩波文庫、1996年；矢島文夫訳、ちくま学芸文庫、1988年、ほか）

Pieper, Thomas J. *Guide to Thomas Aquinas*. Notre Dame, IN: University of Notre Dame Press, 1987.

Pirsig, Robert M. *Zen and the Art of Motorcycle Maintenance*. Toronto, New York, London: Bantam Books, 1976.（邦訳パーシグ『禅とオートバイ修理技術』上下、五十嵐美克訳、ハヤカワ文庫NF、2008年）

Plato. *Complete Works*. Edited by J. M. Cooper, and D. S. Hutchinson. Cambridge: Hackett, 1997.

Polanyi, Karl. "Aristotle Discovers the Economy." In *Primitive, Archaic, and Modern Economies: Essays of Karl Polanyi*, edited by Karl Polanyi, and George Dalton, 78–115. Boston: Beacon Press, 1971.

Polanyi, Michael. *Personal Knowledge: Towards a Post-Critical Philosophy*. London: Routledge & Kegan Paul, 1962.（邦訳ポラニー『個人的知識——脱批判哲学をめざして』長尾史郎訳、地方・小出版流通センター、1985年）

Pope, Alexander. "The Riddle of the World." In *Selected Poetry and Prose*, edited by Robin Sowerby, 153–154. London: Routledge, 1988.

Popper, Karl. *The Open Society and Its Enemies*. New York: Routledge, 2003.（邦訳ポパー『開かれた社会とその敵　第一部プラトンの呪文／第二部予言の大潮』内田詔夫／小河原誠訳、未来社、1980年）

Popper, Karl. *The Poverty of Historicism*. London, New York: Routledge & Kegan Paul, 1957.（邦訳ポパー『歴史主義の貧困』岩坂彰訳、日経BPクラシックスシリーズ、2013年；久野収／市井三郎訳、中央公論新社、1961年）

Punt, Jeremy. "The Prodigal Son and *Blade Runner*: Fathers and Sons, and Animosity." *Journal of Theology for Southern Africa* 119 (July 2007): 86–103.

Radin, Paul. *The Trickster: A Study in American Indian Mythology*. London: Routledge & Kegan Paul, 1956.（邦訳ラディンほか『トリックスター』皆河宗一ほか訳、晶文全書、1974年）

Rádl, Emanuel. *Dějiny Filosofie: Starověk a středověk* [History of Philosophy: Ancient and Medieval]. Prague: Votobia, 1998.

Raphael, David D. *The Impartial Spectator: Adam Smith's Moral Philosophy*. Oxford: Oxford Uni-

versity Press, 2007.（邦訳ラフィル『アダム・スミスの道徳哲学――公平な観察者』生越利昭／松本哲人訳、昭和堂、2009年）

Rawls, John. *Lectures on the History of Moral Philosophy*. Cambridge: Harvard University Press, 2000.（邦訳ロールズ『ロールズ哲学史講義』上下、坂部恵訳、みすず書房、2005年）

Redman, Deborah A. *Economics and the Philosophy of Science*. Oxford: Oxford University Press, 1993.（邦訳レッドマン『経済学と科学哲学』橋本努訳、文化書房博文社、1994年）

Rich, Arthur. *Business and Economic Ethics: The Ethics of Economic Systems*. 4th ed. Leuven, Belgium: Peeters, 2006.

Rich, Arthur. *Wirtschaftsethik*. Gütersloh: Mohn, 1984–1990.

Roll, Erich. *A History of Economic Thought*. 3rd ed. Englewood Cliffs, NJ: Prentice Hall, 1964.（邦訳ロール『経済学説史』〈上〉〈下〉隅谷三喜男訳、有斐閣、1951年／1952年）

Rothbard, Murray N. *Economic Thought before Adam Smith: Austrian Perspectives on the History of Economic Thought*. Vol. 1. Cheltenham, UK: Edward Elgar, 1995.

Rousseau, Jean-Jacques. *Discourse on the Origin of Inequality*. Oxford: Oxford University Press, 1994.（邦訳ルソー『人間不平等起源論』中山元訳、光文社古典新訳文庫、2008年、ほか）

Rushdie, Salman. *Fury: A Novel*. Toronto: Vintage Canada, 2002.

Russell, Bertrand. *Mysticism and Logic and Other Essays*. London, New York: Longmans, Green, 1918.（邦訳ラッセル『神秘主義と論理』江森巳之助訳、みすず書房、2008年）

Sallust. *On the Gods and the World*. Translated by Thomas Taylor. Whitefish, MT: Kessinger, 2003 [1793].

Schor, Juliet B. *The Overworked American: The Unexpected Decline of Leisure*. New York: Basic Books, 1993.（邦訳ショアー『働きすぎのアメリカ人――予期せぬ余暇の減少』森岡孝二ほか訳、窓社、1993年）

Schumacher, Fritz Ernst. *Small Is Beautiful: Economics as if People Mattered*. London: Vintage Books, 1993.（邦訳シューマッハー『スモール イズ ビューティフル――人間中心の経済学』小島慶三／酒井懋訳、講談社学術文庫、1986年）

Schumpeter, Joseph A. *Business Cycles: A Theoretical, Historical, and Statistical Analysis of the Capitalist Process*. New York, Toronto, London: McGraw-Hill, 1939.（邦訳シュムペーター『景気循環論――資本主義過程の理論的・歴史的・統計的分析１～５』金融経済研究所訳、有斐閣、2001年［オンデマンド版］）

Schumpeter, Joseph A. "The Common Sense of Econometrics." *Econometrica* 1, no.1 (1933): 5–12.

Schumpeter, Joseph A. *History of Economic Analysis*. London: Routledge, 2006.（邦訳シュンペーター『経済分析の歴史』上下、東畑精一／福岡正夫訳、岩波書店、2005年／2006年）

Scitovsky, Tibor. *The Joyless Economy: The Psychology of Human Satisfaction*. New York: Oxford University Press, 1992.

Sedláček, Tomáš. "Spontaneous Rule Creation." In *Cultivation of Financial Markets in the Czech Republic*, edited by Michal Mejstřík, 317–339. Prague: Karolinum, 2004.

Sen, Amartya Kumar. *On Ethics and Economics*. Oxford: Blackwell, 1987.（邦訳セン『経済学の再生――道徳哲学への回帰』徳永澄憲ほか訳、麗澤大学出版会、2002年）

Shakespeare, William. *The Merchant of Venice*. First Folio. 1623.（邦訳シェイクスピア『ヴェニスの

商人』安西徹雄訳、光文社古典新訳文庫、2007年；河合祥一郎訳、角川文庫、2005年；中野好夫訳、岩波文庫、1973年；福田恆存訳、新潮文庫、1967年、ほか）

Shaw, George B. *Man and Superman*. Rockvill: Wildside Press, 2008.（邦訳ショー『人と超人／ピグマリオン』喜志哲雄訳、白水社、1993年；『人と超人』市川又彦訳、岩波文庫、1958年）

Shils, Edward. *Remembering the University of Chicago: Teachers, Scientists, and Scholars*. Chicago: University of Chicago Press, 1991.

Shionoya, Yuichi. *Schumpeter and the Idea of Social Science: A Metatheoretical Study*. Cambridge: Cambridge University Press, 2007.

Sigmund, Paul E., ed. *St. Thomas Aquinas on Politics and Ethics*. New York: W. W. Norton, 1987.

Simmel, Georg. *Peníze v moderní kultuře a jiné eseeje* [Money in Modern Culture]. 2nd ed. Edited by Otakar Vochoč. Prague: Sociologické nakladatelství, 2006.（邦訳ジンメル「近代文化における貨幣」『ジンメル・コレクション』北川東子／鈴木直訳、ちくま学芸文庫、1999年所収）

Simmel, Georg. *The Philosophy of Money*. London: Routledge and Kegan Paul, 1978.（邦訳ジンメル『貨幣の哲学』居安正訳、白水社、1999年）

Simmel, Georg. *Simmel on Culture: Selected Writings*. Edited by David Frisby, and Mike Featherstone. Thousand Oaks, CA: Sage, 1997.

Simon, Herbert A. *An Empirically-Based Microeconomics*. Cambridge: Cambridge University Press, 1997.

Sims, Christopher A., Stephen M. Goldfeld, and Jeffrey D. Sachs. "Policy Analysis with Econometric Models." *Brookings Papers on Economic Activity* 1982, no. 1 (1982): 107–164.

Sipe, Dera. "Struggling with Flesh: Soul/Body Dualism in Porphyry and Augustine." *An Interdisciplinory Journal of Graduate Students*. http://www.publications.villanova.edu/Concept/index.html.

Šmajs, Jozef. *Filozofie: Obrat k Zemi* [Philosophy: Back to Earth]. Prague: Academia, 2008.

Smith, Adam. *Adam Smith's Moral and Political Philosophy*. Edited with an introduction by Herbert Wallace Schneider. New York: Hafner, 1948.

Smith, Adam. "Essays on Philosophical Subjects." In *The Glasgow of the Works and Correspondence of Adam Smith, III*, edited by D. D. Raphael and A. S. Skinner. Oxford: Oxford University Press, 1980.

Smith, Adam. *An Inquiry into the Nature and Causes of the Wealth of Nations*. Library of Economics and Liberty, 1904. http://www.econlib.org/library/Smith/smWN13.html.

Smith, Adam. *An Inquiry into the Nature and Causes of the Wealth of Nations*. Oxford: The Clarendon Press, 1869.（邦訳スミス『国富論』山岡洋一訳、〈上下〉、日本経済新聞社、2007年；杉山忠平訳、〈1～4〉、岩波文庫、2000年／2001年；大河内一男訳、〈1～3〉、中公文庫、1978年、ほか）

Smith, Adam. *Lectures on Jurisprudence*. Oxford: Oxford University Press, 1978.（邦訳スミス『法学講義』水田洋訳、岩波文庫、2005年）

Smith, Adam. *The Theory of Moral Sentiments*. London: H. G. Bonn, 1853.（邦訳スミス『道徳感情論』村井章子／北川知子訳、日経BPクラシックス、2014年；高哲男訳、講談社学術文庫、2013年；水田洋訳、〈上下〉、岩波文庫、2003年、ほか）

Smith, Adam. *The Theory of Moral Sentiments. In The Glasgow Edition of the Works and Correspondence of Adam Smith, I,* edited by D. D. Raphael, and A. L. Macfie. Indianapolis: Liberty Funds, 1982.

Smith, David Warner. *Helvetius: A Study in Persecution.* Oxford: Clarendon Press, 1965.

Sojka, M. *John Maynard Keynes and Contemporary Economics.* Prague: Grada, 1999.

Sokol, Jan. *Člověk a svět očima Bible* [Man and the World in the Eyes of the Bible]. Prague: Ježek, 1993.

Sokol, Jan. "Město a jeho hradby [The City and Its Walls]." *Vesmír* 5, no. 2 (May 5, 2002): 288–291.

Sombart, Werner. *The Jews and Modern Capitalism.* New Brunswick, NJ: Transaction, 1997.（邦訳ゾンバルト『ユダヤ人と経済生活』安藤勉訳、荒地出版社、1994年）

Sousedík, Stanislav. *Texty k studiu dějin středověké filosofe* [Texts on the Study of the Medieval History of Philosophy]. Prague: Karolinum, 1994.

Spiegel, Henry William. *The Growth of Economic Thought.* 3rd ed. Durham, NC: Duke University Press, 1991.

St. John of the Cross. *Dark Night of the Soul.* New York: Dover, 2003.（邦訳十字架の聖ヨハネ『暗夜』山口・女子カルメル会訳、ドン・ボスコ社、1987年）

Steven L. Cox, and Kendell H. Easley. *Harmony of the Gospels.* Nashville, TN: B&H Publishing, 2007.

Stevenson, Betsey, and Justin Wolfers. *Economic Growth and Subjective Well-Being: Reassessing the Easterlin Paradox.* Cambridge, MA: Centre for Economic Research NBE, 2008.

Stigler, George J. "Economics: The Imperial Science?" *Scandinavian Journal of Economics,* vol. 86, no. 3 (1984), 301–14.

Stigler, George J. *The Essence of Stigler.* Edited by Kurt R. Leube, and Thomas Gale Moore. Stanford: Hoover Institution Press, 1986.

Stigler, George J. "Frank Hyneman Knight." In *The New Palgrave: A Dictionary of Economics,* edited by John Eatwell, vol. 3, 55–59. New York: Stockton Press, 1987.

Stiglitz, Joseph E. *Globalization and Its Discontents.* 1st ed. New York: W. W. Norton, 2002.（邦訳スティグリッツ『世界を不幸にしたグローバリズムの正体』鈴木主税訳、徳間書店、2002年）

Suppe, Frederick. *The Structure of Scientific Theories.* Urbana: University of Illinois Press, 1977.

Taleb, Nassim. *The Black Swan: The Impact of the Highly Improbable.* New York: Random House, 2007.（邦訳タレブ『ブラック・スワン――不確実性とリスクの本質』上下、望月衛訳、ダイヤモンド社、2009年）

Tamari, Meir. "The Challenge of Wealth: Jewish Business Ethics." *Business Ethics Quarterly* 7 (March 1997): 45–56.

Tarantino, Quentin. Reservoir Dogs. Directed by Quentin Tarantino. Produced by Miramax Films. 1992.（邦題『レザボア・ドッグス』）

Tassone, Giuseppe. *A Study on the Idea of Progress in Nietzsche, Heidegger, and Critical Theory.* Lewiston, NY: Mellen Press, 2002.

The Economist. *Economics A-Z: Animal Spirits.* The Economist Newspaper Limited. 2010. http://

www.economist.com/research/economics/alphabetic.cfm?letter=A (accessed 2010).

The International Standard Bible Encyclopedia. 1939. http://www.internationalstandardbible.com/ (accessed 2010).

The Pervert's Guide to Cinema. Directed by Sophie Fiennes. Presented by Slavoj Žižek. 2006.（邦題『スラヴォイ・ジジェクによる倒錯的映画ガイド』）

Thoreau, Henry David. *Civil Disobedience and Other Essays* (*The Collected Essays of Henry David Thoreau*). Stilwell, KS: Digireads.com Publishing, 2005.（邦訳ソロー『ソローの市民的不服従――悪しき「市民政府」に抵抗せよ』佐藤雅彦訳、論創社、2011年；『市民の反抗――他五篇』飯田実訳、岩波文庫、1997年）

Tocqueville, Alexis de. *Democracy in America,* trans. and eds., Harvey C. Mansfield, and Delba Winthrop. Chicago: University of Chicago Press, 2000.（邦訳トクヴィル『アメリカのデモクラシー』松本礼二訳、〈第1巻上下、第2巻上下〉、岩波文庫、2005年／2008年；『アメリカの民主政治』井伊玄太郎訳、〈上中下〉、講談社学術文庫、1987年、ほか）

Tolkien, John Ronald Reuel. *The Lord of the Rings.* Boston: Houghton Mifflin, 2004.（邦訳トールキン『新版　指輪物語』全9巻、瀬田貞二／田中明子訳、評論社文庫、1997年）

Turner, Jonathan. *Herbert Spencer: A Renewed Appreciation.* Beverly Hills, CA: Sage, 1985.

Vanek, Jaroslav. *The Participatory Economy: An Evolutionary Hypothesis and a Strategy for Development.* Ithaca: Cornell University Press, 1974.

Veblen, Thorstein. *Essays in Our Changing Order.* Edited by Leon Ardzrooni. New Brunswick, NJ: Transaction, 1997.

Veblen, Thorstein. "The Intellectual Pre-Eminence of Jews in Modern Europe." *Political Science Quarterly* 34 (March 1919): 33–42.

Volf, Miroslav. "In the Cage of Vanities: Christian Faith and the Dynamics of Economic Progress." In *Rethinking Materialism: Perspectives on the Spiritual Dimension of Economic Behavior,* edited by Robert Wuthnow, 169 – 191. Grand Rapids, MI: Eerdmans, 1995.

Voltaire. *The Philosophical Dictionary for the Pocket* (*Dictionnaire Philosophique*). London: Thomas Brown, 1765.（邦訳ヴォルテール『哲学書簡／哲学辞典』中川信／高橋安光訳、中公クラシックス、2005年；『哲学辞典』高橋安光訳、法政大学出版局、1988年）

Von Skarżyński, Witold. *Adam Smith als Moralphilosoph und Schoepfer der Nationaloekonomie.* Berlin: Grieben, 1878.

Wachovski, Andrew, and Lawrence Wachovski. *The Matrix.* Directed by Andrew Wachovski, and Lawrence Wachovski. Produced by Warner Bros. Pictures. 1999.（邦題『マトリックス』）

Wachtel, Paul L. *The Poverty of Affluence: A Psychological Portrait of the American Way of Life.* New York: Free Press, 1983.（邦訳ワクテル『「豊かさ」の貧困――消費社会を超えて』土屋政雄訳、TBSブリタニカ、1985年）

Wallis, Jim. *God's Politics: Why the Right Gets It Wrong and the Left Doesn't Get It.* San Francisco: HarperSanFrancisco, 2005.

Walther, Eckstein. Introduction to *The Theory of Moral Sentiments,* by Adam Smith. Leipzig: Felix Meiner, 1926.

Weber, Max. *Ancient Judaism.* New York, London: Free Press, 1967.（邦訳ヴェーバー『古代ユダヤ

教』上中下、内田芳明訳、岩波文庫、2004年)
Weber, Max. *Economy and Society*. Edited by Guenther Roth, and Claus Wittich. Berkeley, Los Angeles, London: University of California Press, 1978.
Weber, Max. *The Protestant Ethic and the Spirit of Capitalism*. New York, London: Routledge, 1992.(邦訳ウェーバー『プロテスタンティズムの倫理と資本主義の精神』中山元訳、日経BPクラシックス、2010年;ヴェーバー『プロテスタンティズムの倫理と資本主義の精神』大塚久雄訳、岩波文庫、1989年、ほか)
Weber, Max. *The Sociology of Religion*. Boston: Beacon, 1963.(邦訳ヴェーバー『宗教社会学論選』大塚久雄/生松敬三訳、みすず書房、1972年)
Weber, Max, and Jan Škoda. *Autorita, Etika a Společnost* [Authority, Ethics, and Society]. Prague: Mladá fronta, 1997.
Weintraub, Roy E. *How Economics Became a Mathematical Science*. Durham, NC: Duke University Press, 2002.
Werhane, Patricia H. "Business Ethics and the Origins of Contemporary Capitalism: Economics and Ethics in the Work of Adam Smith and Herbert Spencer." *Journal of Business Ethics* 24, no. 3 (April 2000): 19–20.
Wesley, John. *Wesley's Notes on the Bible*. Grand Rapids, MI: Christian Classics Ethereal Library. http://www.ccel.org/ccel/wesley/notes.html.
Whitehead, Alfred North. *Adventures of Ideas*. New York: Free Press, 1985.(邦訳ホワイトヘッド『ホワイトヘッド著作集　第12巻　観念の冒険』山本誠作/菱木政晴訳、松籟社、1982年)
Whitehead, Alfred North. *Process and Reality: An Essay in Cosmology*. New York: Free Press, 1978.(邦訳ホワイトヘッド『ホワイトヘッド著作集　第10巻/第11巻　過程と実在』上下、山本誠作訳、松籟社、1984年/1985年)
Whitehead, Alfred North. *Science and the Modern World*. Cambridge: Cambridge University Press, 1926.(邦訳ホワイトヘッド『ホワイトヘッド著作集　第6巻　科学と近代世界』上田泰治/村上至孝訳、松籟社、1981年)
Wimmer, Kurt. *Equilibrium*. Directed by Kurt Wimmer. Produced by Dimension Films. 2002.(邦題『リベリオン』)
Wittgenstein, Ludwig. *Tractatus Logico-Philosophicus*. New York, London: Routledge & Kegan Paul, 1974.(邦訳ヴィトゲンシュタイン『論理哲学論考』丘沢静也訳、光文社古典新訳文庫、2014年;『「論理哲学論考」対訳・注解書』木村洋平訳、社会評論社、2010年;ウィトゲンシュタイン『論理哲学論考』中平浩司訳、ちくま学芸文庫、2005年;野矢茂樹訳、岩波文庫、2003年、ほか)
Wolf, Julius, ed. "Das Adam Smith–Problem." *Zeitschrift für Socialwissenschaft* 1, Berlin: 1898.
Wuthnow, R., ed. *Rethinking Materialism: Perspectives on the Spiritual Dimension of Economic Behavior*. Grand Rapids, MI: Eerdmans, 1995.
Xenophon. *The Education of Cyrus*. Edited by H. G. Dakyns. London: Dent, 1914.(邦訳クセノポン『キュロスの教育』松本仁助訳、京都大学学術出版会、2004年)
Xenophon. *Hiero*. Edited by H. G. Dakyns. Whitefish, MT: Kessinger, 2004.(邦訳クセノポン「ヒエロン——または僭主的な人」「政府の財源」〔『小品集』松本仁助訳、京都大学学術出版会、2000

年所収〕）

Xenophon. *Xenophon: Memorabilia, Oeconomicus, Symposium, Apology*. Edited by E. C. Marchant, and O. J. Todd. Cambridge, MA, and London: Harvard University Press, 1977.（邦訳クセノポン『ソクラテス言行録1』内山勝利訳、京都大学学術出版会、2011年；クセノフォーン『ソークラテースの思い出』佐々木理訳、岩波文庫、1974年；クセノフォン『オイコノミコス——家政について』越前谷悦子訳、リーベル出版、2010年；クセノポン『ソクラテスの弁明・饗宴』船木英哲訳、文芸社、2006年）

Yates, Frances A. *Giordano Bruno and the Hermetic Tradition*. London: Routledge & Kegan Paul, 1964.（邦訳イエイツ『ジョルダーノ・ブルーノとヘルメス教の伝統』前野佳彦訳、工作舎、2010年）

Yates, Frances A. *The Rosicrucian Enlightenment*. London, New York: Routledge & Kegan Paul, 2003.（邦訳イエイツ『薔薇十字の覚醒——隠されたヨーロッパ精神史』山下知夫訳、工作舎、1986年）

Yoder, John Howard. *The Politics of Jesus*. Grand Rapids, MI: Eerdmans, 1972.（邦訳ヨーダー『イエスの政治——聖書的リアリズムと現代社会倫理』佐伯晴郎／矢口洋生訳、新教出版社、1992年）

Zeyss, Richard. *Adam Smith und der Eigennutz*. Tübingen: Verlag der H. Laupp'schen Buchhandlung, 1889.

Žižek, Slavoj. *The Parallax View*. Cambridge, MA, and London: MIT Press, 2009.（邦訳ジジェク『パララックス・ヴュー』山本耕一訳、作品社、2010年）

Žižek, Slavoj. *The Plague of Fantasies*. New York, London: Verso, 1997.（邦訳ジジェク『幻想の感染』松浦俊輔訳、青土社、1999年）

注

序章

1 Xenophon, *Oeconomicus*（邦訳『オイコノミコス』）, 2.12. この「オイコノミコス」は、家計の管理を意味する。

2 家計、家、家族を意味するギリシャ語のoikonomia、oikosと法律を意味するnomosの合成語。

3 ただし、これらを成り立たせているもの自体についてはまだ理解していない。私たちは時計についてある程度は理解している。だが時間とは何かを理解しているとは言えない。理解できているのは、時計の仕組みやそれを構成する部品のことだけである。

4 ここでは「科学」という言葉をおおざっぱに使っている。「科学的」と「非科学的」を巡る踏み込んだ議論は、本書の第2部で展開する。

5 Feyerabend, *Against Method*（邦訳『方法への挑戦』）, 33-34.

6 Jung, *Psychology and Religion*（邦訳『人間心理と宗教』）, 41.

7 Smith, *The Theory of Moral Sentiments*（邦訳『道徳感情論』）, 7.4.25.

8 Akerlof and Shiller, *Animal Spirits*（邦訳『アニマルスピリット』）, 51.

9 Campbell, *Myths to Live By*（邦訳『生きるよすがとしての神話』）, 97.

10 Sallust, *On the Gods and the World,* Part IV: *That the species of myth are five, with examples of each.*

11 ジョン・スチュアート・ミルの言葉を著者が脚色した。ミルのもとの言葉は「経済学者でしかない人は、おそらくよい経済学者ではない」である。John Stuart Mill, *Essays on Ethics, Religion, and Society.* Vol.10 of *Collected Works of John Stuart Mill,* 306.

12 Nelson, *Economics as Religion,* 38.

13 Ibid., 132.

14 Whitehead, *Adventures of Ideas*（邦訳『観念の冒険』）, 130.

15 Keynes, *The General Theory of Employment, Interest, and Money*（邦訳『雇用、利子、および貨幣の一般理論』）*: Collected Writings of John Maynard Keynes,* 383.

16 「メタ経済学」という言葉を最初に使ったのはカール・メンガーである。1936年に論文 "Law of Diminishing Returns. A Study in Meta-economics" の中で使用した。「このときメンガーは、倫理学を再び経済学に統合するといったことは考えていなかったように思われる。彼が企図したのは経済学と倫理学を一貫した論理様式としてモデルに組み込むことであって、両者を統合することは視野になかった」Becchio, *Unexplored Dimensions,* 30.

17 Schumacher, *Small Is Beautiful*（邦訳『スモール イズ ビューティフル』）, 36.

18 チェコの神学者トマーシュ・ハリークの問いを改変した。もとの問いについては、*Stromu zbývá naděje*（そこには希望がある）を参照されたい。

19 Polanyi, *Personal Knowledge*（邦訳『個人的知識』）, 171.

20 「いかに古くばかげたものであっても、われわれの知識を高められない思想は存在しない」Feyerabend, *Against Method*（邦訳『方法への挑戦』）, 33.

21 Vanek, *The Participatory Economy,* 7.

22 社会学者の理想は、いまもなお古典的な（農耕）社会である。心理学者の理想は、人間の文明化

した部分と野生の部分を調和させることだ。彼らはいずれも過去を理想としており、進歩や発展には往々にして懐疑的である。こうした社会科学分野の中ではおそらく経済学者だけが、未来を理想としている。

第1部

第1章

1 ギルガメシュ叙事詩の最古の版は、ウル第三王朝（紀元前2150～前2000年）にシュメール語で書かれたものである。それより新しいアッカド語版は紀元前2000年にさしかかる頃に書かれたとされる。ここで取り上げる英訳の元になった標準アッカド語版は紀元前1300～前1000年に書かれ、ニネヴェの図書館で発見された。残存する章立てから、ギルガメシュ叙事詩は標準アッカド語版と同じく11の書板から成ると考えられる。ギルガメシュが黄泉の国に下る話は含まれておらず、これは第12書板にある。この新しい版では、ウトナピシュティムとの邂逅が第11書板に、イシュタルとの会話が第6書板に加えられている。とくに断らない限り、1999年のアンドリュー・R・ジョージによる英訳を使用した。なお、この叙事詩の舞台となったのは、現在のイラクである。

2 人類最古の文字による記録は、シュメール人の手になるものである。他の文化（中国文化、インダス文化を含む）の文字による記録は、もっと新しい。インドのヴェーダは紀元前1500年頃、エジプトの『死者の書』もその頃である。旧約聖書のいちばん古い部分は、紀元前9～前6世紀に書かれた。『イーリアス』と『オデュッセイア』は紀元前8世紀、プラトンとアリストテレスは紀元前4世紀、孔子を始めとする中国の古典は最も古くて紀元前3世紀である。

3 Kratochvíl, *Mýtus, filosofie, věda* I. a II.（神話、哲学、科学）, 11.

4 Ferguson, *The Ascent of Money*（邦訳『マネーの進化史』）, 27.

5 今日の叙事詩（神話、物語、おとぎ話）、たとえばJ・R・R・トールキンの『指輪物語』でも、お金には出る幕がない。「取引」らしきものは贈り物、闘い、詐欺、いかさま、盗みなどの形で登場する。Bassham and Bronson, *The Lord of the Rings and Philosophy*（邦訳『指輪物語をめぐる16の哲学』）, 65–104を参照されたい。

6 完璧な調査というものはあり得ないが、EconLitアーカイブ（現時点で最も広範かつ最も信頼されている経済文献データベース）をかなり徹底的に検索したにもかかわらず、ギルガメシュ叙事詩を経済的視点から検証した書籍や章・節、あるいは学術論文は発見できなかった。したがって本書では、人類最古の記録の一つを従来とは異なる角度から初めて検討することになる。最初の試みにはありとあらゆる誤り、単純化、矛盾、不正確がつきものであることをお断りしておく。

7 The Epic of Gilgamesh（邦訳『ギルガメシュ叙事詩』）, Tablet I (48), 2.

8 Ibid., Tablet I (67–68…77–78), 3.

9 Mumford, *The City in History*, 41.

10「ロボット」という言葉を最初に使ったのは、チェコの国民的作家カレル・チャペックである。1920年発表のSFドラマ『R・U・R（ロッサムの万能ロボット）』の中で、人間の労働を肩代わりする目的で制作された人工的な生き物の名称として使った。当初はlaboři（肉体労働者）と呼ぶつもりだったが、兄のヨゼフ（すぐれた芸術家だった）が「ロボット」というぴったりの名称を思いついた。

11 マルクスは人間が貶められる過程を「労働者は機械の付属品になる」と荒々しく表現した。Rich, *Business and Economic Ethics*, 51（原著はドイツで出版された。Rich, *Wirtschaftsethik*）. 今日の経済モデルでは、人間は労働（L）または人的資本（H）と表現される。また人材資源（HR）部門なる言葉がよく聞かれるようになった。これではまるで人間は、天然資源や金融資源（資本）と同様の資源であるように聞こえる。

12 ホモ・エコノミクスすなわち「経済人」は、自己の主観的な目的の達成を判断基準として、合理的に行動する利己的な人間という概念を表す。この言葉は、経済学者ジョン・スチュアート・ミルの批評の中で、人間のさまざまな行動を単純化するために初めて使われた。ミルは、政治経済学は「社会の状況によって変化した人間の性質すべてを扱うわけではなく、また社会における人間の行為すべてを扱うわけでもない。政治経済学の関心の対象は、富を手に入れたいと望み、その目的を達成するために手段の効果を比較し判断する存在としての人間である」と書いた。Mill, *Essays on Some Unsettled Questions of Political Economy*, 1874, essay 5, paragraphs 38 and 48. ホモ・エコノミクスというモデルは人間の行動を過度に単純化した点で異論の余地が多く、経済学者も含めて多くの人から批判されてきた。

13「生まれてくる子供たちは、そのために任命されている役職の者に引き渡され……劣った者たちの子供や、そうでなくとも欠陥を持って生まれた子供は、人に知られていない秘密の場所にしかるべく隠される」*Republic*（邦訳『国家』）, 460b. 子供たちは生みの親を知らず、最高の子供を生むために慎重に飼育されねばならない。「最もすぐれた男たちは最もすぐれた女たちと、できるだけしばしば交わらねばならない」（459d）。ちょうど猟犬の群れを育てるように（459a–d）。（再）生産が不可能になると、「男女が子供を産める年齢を超えたときには、誰とでも好きな相手と自由に交わることを許す」（461b）。

14 現代の物語や神話、あるいは映画（『マトリックス』、『アイランド』、『リベリオン』、『ガタカ』など）の中では、人間がしばしば無意識のうちにロボット化され、ある種の生産機能に特化させられ、感情が厳しく禁じられている点に注意されたい。この点が最もよく表現されているのは、カート・ウィマー監督の『リベリオン』である。

15 C. S. Lewis, *The Four Loves*（邦訳『四つの愛』）, 60を参照されたい。経済学者のディアドラ・マクロスキーは、著書『ノーベル賞経済学者の大罪』の中でひんぱんにルイスを引用している。

16 Stiglitz, *Globalization and Its Discontents*（邦訳『世界を不幸にしたグローバリズムの正体』）, 10.

17 本書では、職場の同僚の間に生まれる親密な関係を「弱い友情」と理解する。社会が見知らぬ者同士の間に「弱い愛」、あるいは少なくとも相互の共感という弱い感情を必要とするように、企業も社内で争いが頻発せず、同僚同士が「弱い友人」であるときにうまく機能する。共感、帰属意識すなわち「弱い愛」については、アダム・スミスの章で再び取り上げる。

18 愛と経済学については、McCloskey, *The Bourgeois Virtues*, 91–147を参照されたい。

19 Lewis, *The Four Loves*（邦訳『四つの愛』）, 64を参照されたい。

20 Balabán and Tydlitátová, *Gilgameš*（ギルガメシュ）, 72.

21 The Epic of Gilgamesh（邦訳『ギルガメシュ叙事詩』）, Tablet II（Y100–102, Y98, Y186–187）, 18–20.

22 George, *The Babylonian Gilgamesh Epic*, 144.

23 ギルガメシュの時代には、人間とは異なる領域に属すもの、したがって人間にはつくることができず制御することもできないものへの恐れをもって自然に近づくことが必要だった。自然の

ある部分には、人間を絶対に寄せ付けない神聖な領域も存在した（ギルガメシュはそれを侵した）。今日では、そうした絶対不可侵の領域は日ごとに減っている。それでも、効率的な市場の見えざる手が入り込めない現代の「聖域」はやはり存在する。その一例は、まことに逆説的ではあるが、ニューヨークのセントラルパークだ。この公園は高層ビルに象徴される効率性に取り囲まれており、この大都会では、どの一平方メートルをとっても、地上地下ともに最大限に有効活用されている。ここで、バビロンの聖なる塔ジッグラトが「天に届く」と考えられていたことを指摘しておきたい。ジッグラトの役割は、古来神が宿るとされ、人間には制御不能だった山を人間社会に同化させることにあった。人間が手なずけ飼いならしたもの、あるいは人間が作ったものは制御可能であり、中身もわかっている。ジッグラトは、自然の山を都市に出現させ、人間の手でつくって都市化しようという努力の産物なのである（野生児エンキドゥはまさにそれをした）。「洞窟は初期の人類に建築的空間の最初の概念を与えた……見かけは異なるが、ピラミッド、ジッグラト、ミトラ教の石窟、キリスト教の納骨堂はすべて、山中の洞窟にその原型がある」Mumford, *The City in History*, 17. では、都市の中の都市ニューヨークに戻ろう。地価に関する限り、セントラルパークは世界で最も高価な場所であり、おそらくは世界で最も高価な自然と言えるだろう。この聖なる場所が占める3.5平方キロメートルには、市場の力はまったく作用していない。都市建設が行われたはるか昔に根こそぎ排除されたのだと考えられる。広大な敷地のせめて一部にでも何か建設しようという提案は何度となく行われてきたが、それが市当局の提案であれ、住民からの提案であれ、ことごとく却下された。こうして天高く有効利用を図る試みはセントラルパークから完全に締め出されている。最後に付け加えるなら、セントラルパークの「保護された」自然は、長期的なタイムスパンで見れば異常とは言えない。むしろ逆に、パークを取り巻く都市のほうが異常だと言える。自然は都市の侵入者ではない——現状ではそう見えるかもしれないが。都市が自然の侵入者なのである。

24 Heffernanová, *Gilgameš*（ギルガメシュ）, 8.

25 George, *The Babylonian Gilgamesh Epic*, 98.

26 アニマルスピリットは、ケインズが作って経済学に採り入れた言葉である。この言葉で彼が意味したのは、人間の精神であり、人間を「活気づける」何かであり、したがって行動に意味とエネルギーを与える自然発生的な衝動だった。

「人々の積極的な活動の相当部分は、道徳的だろうと快楽的だろうと経済的だろうと、数学的な期待よりは、自然に湧いてくる楽観論によるものなのです。たぶん、かなりたってからでないと結果の全貌がわからないようなことを積極的にやろうという人々の決断は、ほとんどがアニマルスピリットの結果でしかないのでしょう——これは手をこまねくより何かをしようという、自然に湧いてくる衝動です。定量的な便益に定量的な発生確率をかけた、加重平均の結果としてそんな決断が下されるのではありません。目論見書に書かれた内容がいかに率直で誠意あるものだろうと、事業はそれに従って動いているふりをしているだけです。将来便益の厳密な計算などに基づいていない点では、南極探検より多少ましでしかありません。ですから、アニマルスピリットが衰えて自然発生的な楽観論が崩れ、数学的な期待以外あてにできなくなると、事業は衰退して死にます」Keynes, *General Theory*（邦訳『雇用、利子、お金の一般理論』）, 161–162.

アニマルスピリットについてくわしくは、Akerlof and Shiller, *Animal Spirits*（邦訳『アニマルスピリット』）を参照されたい。

27 The Epic of Gilgamesh (邦訳『ギルガメシュ叙事詩』), Tablet I (105…107), 5.

28 Balabán and Tydlitátová, *Gilgameš* (ギルガメシュ), 72.

29 The Epic of Gilgamesh (邦訳『ギルガメシュ叙事詩』), Tablet I (185), 7.

30 これは、おそらく現代の私たちには奇妙に感じられるだろう。なぜセックスがエンキドゥを文明化し、人間らしくするのだろうか。現代人は、性欲は本能的なもので、どちらかと言えば動物的だと考えるのではないだろうか。しかし叙事詩ではそうではない。最大の理由は豊穣儀式(多産を神に祈願する)があったからだが、そのほかに、性的な体験は人間を動物の状態から昇華させ、解放すると実感として感じられたからだろう。性行為はいくらか神聖視されており、それは性行為に身を捧げる巫女の役割にも表れている。性行為へのアプローチは、人間が他の大多数の生物と大きく異なる点である。それを快楽のためにする種は数えるほどしか存在しない。「ごく少数の種においては、性行為は再生産からかけ離れたものとなっている。この種にはボノボ(チンパンジーの一種)やイルカが含まれる」Diamond, *Why Is Sex Fun?* (邦訳『人間の性はなぜ奇妙に進化したのか』). 現代人の意識の中でエロスが動物的と認識されているのはいささか矛盾であり、経済学者のディアドラ・マクロスキーは『ノーベル賞経済学者の大罪』の中でこれを批判している。

31 ギルガメシュ叙事詩においては、自然性の喪失と人間性・精神性の発達との間には密接な関係がある。経済学においては、両者の関係は「トレードオフ」または交換条件と表される。要するに、何物もただでは手に入らない、すべてのものは対価を伴うということである。エンキドゥの場合、野生児でありながら同時に文明的になることはできない。新たな人格の獲得は、それまでの自然性を失わせた。

32 The Epic of Gilgamesh (邦訳『ギルガメシュ叙事詩』), Tablet I (195–202), 8.

33 Ibid., Tablet I (145), 6.　自然は文明化された人間に不親切なだけでなく、人間を悩ませ、魔力を振るう。ネズミ、コウモリ、クモといった動物は人間を攻撃しないにもかかわらず、理不尽な恐怖を感じさせる。自然は積極的に人間を脅すのではないが、人間に取り憑いている。暗い森、沼、霧のかかった谷といったものは人間を怖がらせる。おとぎ話にはこうした恐怖を体現する生き物(魔女、吸血鬼、狼人間など)が登場するが、これらは人間に取り憑いた自然を象徴しているのである。

34 Ibid., Tablet II (P96–97), 14.

35 Ibid., Tablet I (P109), 14.

36 Ibid., Tablet I (198), 8.

37 Sokol, "Město a jeho hradby" (都市と城壁), 288.

38 Ibid., 289.

39 今日では手つかずの自然を美と純粋の理想とする見方が多いが、西洋文明に染まった人の大半は、手つかずの自然の中では生き延びられないだろう。そこは人間の世界ではない。

40 「プロローグでは詩人は城壁をギルガメシュの創造物であると謳うが、同時にその基礎を築いたのは七賢人だったと語る。七賢人は、人間に文明の技術を教えた太古の存在を指す。この見方には、ウルクを(正しく)古代文明の発祥地とする伝統的な見解が反映されている」。George, *The Babylonian Gilgamesh Epic*, 91.

41 同時に、過去数世代の間に人類がいかに大きな変化をくぐり抜けて来たかをここで思い出すべきである。現世代の祖父母や曾祖父母の時代には、大方の人がこうした「自然な」スキルを身に

つけていたし、建前としては自分で自分の身を守ることができた。だが今日では大半の人が、毎日のように肉を食べているにもかかわらず、自分がトリやブタや牛を殺すことは想像もできない。

42 「一つのことをする」というコンセプトの行き着く先は工場生産である。そこでは人間は、ほぼロボット化された作業に従事する。経済的分業あるいは専門化の第一人者と目されるアダム・スミスが分業の魔術に気づいたのは、そうした工場の一つ（ピン工場）だった。各家庭でピンを作らねばならないとしたら、まずできない家庭が多いだろう。だがピン製造に特化した工場のおかげで、誰もがただそれを買うことができる。それもとるにたらない値段で買えるのである。

43 Sokol, "Město a jeho hradby"（都市と城壁）, 289.

44 Ibid., 290.

45 こうしたわけで、市場の社会的重要性が高まった。市場は、分業と並んで経済学者の関心の対象である。市場は、社会の他の構成員に多くを依存する個人にとって、コミュニケーション媒体となっている。というのも構成員の数が多いため、個別にコミュニケーションをとったり、売買したりするのは不可能だからだ。

46 The Epic of Gilgamesh（邦訳『ギルガメシュ叙事詩』）, Tablet I（108…110–112）, 5.

47 Stigler, "Frank Hyneman Knight," 58.

48 Heffernanová, *Gilgameš*（ギルガメシュ）, 4.

49 Mumford, *The City in History*, 44.

50 The Epic of Gilgamesh（邦訳『ギルガメシュ叙事詩』）, Tablet XI（9…11–13）, 88.

51 ギルガメシュが勝つには、娼婦というトリックを使う必要があった。ギルガメシュは、腕力だけではエンキドゥを従わせることはできなかったのである。

52 チェコの哲学者にして生物学者のズデニェク・ノイバウエルは、科学にもこれが当てはまると指摘する。「科学の自然のままの状態は、他の自然状態同様、閉ざされ隠されたがっているように見える（偶然にも『閉ざす』という言葉には秘密という意味がある）」Neubauer, *O čem je věda?*（科学は何のためか）の「近代史における宗教としての科学」の章を参照されたい。ノイバウエルはさらに、「科学はその『秘密の体』を当然ながら恥じている」とも書いている（同書「神の精神性について」）。

53 旧約聖書のこの場面は次のようになっている。

「彼（アダム）は答えた。『あなたの足音が園の中に聞こえたので、恐ろしくなり、隠れております。わたしは裸ですから』。神は言われた。『おまえが裸であることを誰が告げたのか。取って食べるなと命じた木から食べたのか』」創世記3章10～11節。

アダムが隠したのは、生殖器だった（レオナルド・ダ・ヴィンチの有名な『ウィトルウィウス的人体図』を参照されたい）。

54 イザヤ書11章6～8節。

55 ヘッフェルナノーバは著書 *Tajemství dvou partnerů*（二人のパートナーの秘密）の中で、自然のままの潜在意識（毛むくじゃらの狩人エサウ）と安定した意識（ヤコブは天幕の中に住み、言葉を自在に操り、言葉で人をだますことができる）の葛藤を論じた。毛むくじゃらのエサウの外観は、あきらかに動物や野生児エンキドゥを思わせる。これらの象徴的な特徴から、エンキドゥもエサウも自然界の生物に分類されているのである。

56 策略や詐欺は一般に古代神話で重要な役割を果たしている。いわゆるトリックスターは、英雄

の基本型の一つだ。これを裏づけたのが、アメリカの人類学者ポール・ラディンの『トリックスター』である。この中でラディンは、英雄の基本的な元型について論じている。策略は人類の解放と同時に、自分より強いもの、たとえば神や自然との闘いの始まりを象徴するものだった。それは法の支配や所与性への最初の反抗であり、受動性の最初の拒絶であり、強力な（あるいは抽象的な）原理との闘いの始まりだった。ギルガメシュにしても、野生児エンキドゥに策略を仕掛けている。父祖アブラハムは不愉快な事態を避けるために美しい妻を妹と偽り、さらには成り行きから妻をエジプト王の後宮に売る。ヤコブは生涯の大半を通じてトリックスターであり、そのことは彼の名前にもいくらか示されている。ヤコブはヘブライ語で「踵をつかむ」という意味だが、これは英語の「からかう」に相当する。古代の文化では、策略に今日のような軽蔑的な意味合いはない。策略は闘う方法の一つに過ぎず、とくに自分より強い敵と戦う場合には当然の手法だった。オデュッセウスでさえ、「抜け目ないオデュッセウス」と呼ばれている。今日では、トリックスターがよい意味の英雄として扱われるのは一種のおとぎ話のような物語の中である。そこでは騎士や王子にできないことをやってのけ、そのおかげで王女の愛と王冠を勝ち得る。

57 聖書に出てくる最初の都市は、英雄的狩人ニムロドが建設した都市である。「彼の王国の主な町はバビロン、エレク、アッカドであり、それらはすべてシンアルの地にあった。彼はその地方からアッシリアに進み、ニネヴェ……」とある（創世記10章10～11節）。バビロンは言うまでもなくバベルの塔が建設された地であり、エレクはおそらくウルクのことであろう。紀元前2700年頃にウルクを治めていたのがギルガメシュである。他の都市も、ギルガメシュ叙事詩とつながりが深い。アッカド語版は今日この叙事詩の標準版とされているし、ニネヴェはその写しが図書館で発見された都市である。

58 創世記11章9節。

59 聖書の中では、リヴァイアサンは凶暴で巨大な怪物として描かれている（ヨブ記41章1～7節）。トマス・ホッブズはこの名前を国家または支配者の隠喩として使った。ホッブズの考える社会は、このリヴァイアサンなしには混沌と無秩序に陥る。

60 Hobbes, *Leviathan*（邦訳『リヴァイアサン』）, 100（この章のタイトルは、「人類の至福と悲惨に関する自然状態について」である）。

61 The Epic of Gilgamesh（邦訳『ギルガメシュ叙事詩）, Tablet XI (128–136), 93.

62 Ibid., Tablet XI (82–87), 91.

63 Ibid., Tablet I (129–134), 6.

64 Ibid., Tablet II (59–62), 14.

65 Neubauer, *Přímluvce postmoderny*（ポストモダンの証人）, 37–36, 53–55も参照されたい。

66 ヤン・ヘラーが著書*Jak orat s čertem*（悪魔を鋤に利用する方法）, 153–156でこれについて言及している。

67 Goethe, *Faust*（邦訳『ファウスト』）第1部第3場。

68 ディアドラ・マクロスキーらも同様の視点から資本主義を擁護している。

69 Novak, *Duch demokratického kapitalismu*（民主的資本主義の精神）, 77–78.

70 Smith, *Wealth of Nations*（邦訳『国富論』）, 266.

71 チェコの経済学者ルボミール・ムルチョッホがしばしば指摘するところによれば、悪を手なずけるためには少なくとも聖人でなければならない。

72 バビロニアの文化では、豊穣祈願の儀式の一部として巫女も寺院の「娼婦」だった。「叙事詩では、ウルクにおけるシャムハの位置付けは明らかにされない。これは、シャムハが重要な登場人物ではないからだろう。だが性愛の女神イシュタルを戴くことからもわかるように、ウルクは多数の美しい娼婦がいることで知られていた。その多くはニンスンやイシュタルを祀る寺院に雇われた儀式のための娼婦である」George, *The Babylonian Gilgamesh Epic*, 148.「ギルガメシュが送り込んだ娼婦は、単なる娼婦ではなく、巫女あるいは貴人の相手をする遊女だった……彼女は性交の快楽を教えるだけでなく、粗野な人間に知恵を与え、文明的な生活のすばらしさを説得する術を知っていた」Balabán and Tydlitátová, *Gilgameš*（ギルガメシュ）, 139.

73 この言葉は経済学者がよく使う。至福点とは一種の消費者天国であり、この点に達すると所与の条件下で効用が最適化されるのみならず、理想の状態に近づく。すなわちいかなる限界（予算など）も考慮する必要がない。経済学においては、至福点（または飽和点）は理想的に望ましい消費水準を指すのに使われ、そこでは個人は完全に満たされ、それ以上の消費によって満足感を増やすことは不可能である。経済学では効用関数を山形の曲線で描くことが多く、その頂点が至福点となる。

74 不死は、どんな形であれ、バビロニア人にとって非常に重要なことだった。彼らにとって、死後に天国は待っていない。死はある不快な状態から別の不快な状態への移行であると考えられていた。

75 永遠の命の希求は、他の原始的な願望同様、今日でも続いている。ただしその形態ははるかに素朴だ。永遠の美しさや若さの崇拝は、質的な面を度外視して、可能な限り健康で長生きするための努力を命じる。このような長寿を英雄的な行為で達成することは不可能であり、ある種の基準（しかしそれは始終変わる）を満たす食品を食べ、よからぬ消費習慣を避けることでしか達成できない。この現代的な傾向でさえ、メニューの中身に関する限り「自然への回帰」という形をとる。とはいえ、奇蹟の不老不死薬としてひどく風変わりなハーブその他を取り入れる試みは、滑稽なことに古代とまったく同じである。

76 Heidel, *The Gilgamesh Epic and Old Testament Parallels*, 11.

77 Heffernanová, *Gilgameš*（ギルガメシュ）, 8.

78 The Epic of Gilgamesh（邦訳『ギルガメシュ叙事詩』）, Tablet IX（Si i 7–8）, 71.

79 Ibid., Tablet X（77–91）, 75.

80 Ibid., Tablet X（92–94）, 75.

81 叙事詩のこの部分には、数世紀におよぶ重要な変化があったことを付記しておかねばならない。古代のバビロニア語版では第10書板が最後で、ギルガメシュが女主人と言葉を交わした後に永遠の命を求めて新たな冒険に乗り出すところで物語は終わっている。この時点で彼は王族としての限りある命を受け入れている。したがってこのバビロニア版では、シャムハがエンキドゥにもたらした影響（エンキドゥを人間らしくさせ、人間社会に連れて行き、善行をするようにした）と同じような影響をシドゥリがギルガメシュにおよぼすことになっている。新しい第11書板で初めてギルガメシュはウトナピシュティムとの邂逅を果たす。シドゥリが魅力的な快楽主義を提示し、ギルガメシュがこれを拒絶する場面も第11書板で初めて登場する。

82 Patočka, *Kacířské eseje o filosofii dějin*（邦訳『歴史哲学についての異端的論考』）, 23.

83 The Epic of Gilgamesh（邦訳『ギルガメシュ叙事詩』）, Tablet XI（305–308）, 99.

84 Kratochvíl, *Mýtus, filosofie, věda I a II*（神話、哲学、科学）, 17.

85 これは、ピンク・フロイドの歌「アナザー・ブリック・イン・ザ・ウォール」にも認められる。このことからもわかるように、壁のテーマは今日でも生きている。共産主義の崩壊がベルリンの壁の崩壊で象徴されるのも、意味深長だ。

86 Kratochvíl, *Mýtus, filosofie, věda I. a I.I*（神話、哲学、科学）, 12.

第2章

1 ビムソンに従い（*The Compact Handbook of Old Testament Life*, 7–8)、神から「約束の地」を与えられた人々の名称の正しい使い方にここで言及しておこう。聖書に記された前例に倣うなら、アブラハム以降のこの人々は「ヘブライ人」と呼ぶのがおそらく正しい（創世記14章13節）。「イスラエル」は神がアブラハムの孫ヤコブに与えた新しい名前である（創世記32章28節、43章6節など）。したがってヤコブの子孫は「イスラエル人」ということになる。出エジプト記3章18節と5章1～23節では、「ヘブライ人」と「イスラエル人」が同義語として使われている。旧約聖書では、「イスラエル人」に第二の特殊な意味もあった。この言葉は、ユダ王国の北方部族を意味することがあり、とりわけ王国分裂後はこの意味で使うことが多かった。「ヘブライ人」と「イスラエル人」は新約聖書の時代にも引き続き使われたが（ローマの信徒への手紙9章4節、コリントの信徒への手紙二、11章22節、フィリピの信徒への手紙3章5節）、より多く使われたのは「ユダヤ人」である。この言葉はもともとはユダ王国の南方部族を指して使われたが（エレミヤ書32章12節、34章9節）、バビロン捕囚以降は「イスラエル人」に代わって、神の契約の民を指す言葉として広く使われるようになった。これは、北方部族（狭い意味でのイスラエル人）が紀元前722年にアッシリアに滅ぼされてアイデンティティを失ったため、当時までには事実上すべてのイスラエル人がユダ王国に属していたからである。こうしたわけだから、バビロン捕囚以前の時代について語る場合には、「ユダヤ人」という言葉を現在広く受け入れられている意味で使うべきではない。しかし本書の目的に限っては、「イスラエル人」「ヘブライ人」「ユダヤ人」は同義語として扱うことにする。

2 筆者の知る限り、ユダヤ教の経済的思考の問題を最も広く考察したのはマックス・ウェーバーである（*Ancient Judaism; Economy and Society; The Sociology of Religion*)。のちに、いくらか範囲は狭いものの、ヴェルナー・ゾンバルト（*The Jews and Modern Capitalism*〔邦訳『ユダヤ人と経済生活』〕)、カール・マルクス（*On the Jewish Question*〔邦訳『ユダヤ人問題によせて』〕）が論じた。だがいずれも（マックス・ウェーバーの著作の一部は除いてよかろう）、古代ユダヤ教の基本的な資料から経済面を分析するという目標は掲げていない。経済専門誌（*Journal of Business Ethics, Business Ethics Quarterly*など）はユダヤ人の職業倫理に関する論文を多数掲載しているが、いずれも筆者の知る限りでは、ユダヤ教全体の歴史的・哲学的基礎の経済面を検証するものではない。経済思想の文献も同様で、多くの本の中からマッキンタイアの*A Short History of Ethics*（邦訳『西洋倫理思想史』）を例にとれば、同書の「道徳哲学の歴史、ホメロスから20世紀まで」という章ではヘブライ人について一行も言及していない。他の文献も似たようなものである。経済思想史の文献で、例外的にこの問題を深く考察しているのは、いくらか古く、今日ではあまり活用されない文書である。たとえばHaney, *History of Economic Thought*（邦訳『経済思想史』), Roll, *A History of Economic Thought*, Spiegel, *The Growth of Economic Thought*などだ。西洋文明の知的生活へのヘブライ人の貢献については、ソースティン・ヴェブレンが"The Intellectual Pre-Eminence of Jews in Modern Europe"で論じた（Ve-

blen, *Essays in Our Changing Order*）ほか、他の研究者も取り上げている。

3 Weber, *The Protestant Ethic and the Spirit of Capitalism*（邦訳『プロテスタンティズムの倫理と資本主義の精神』）.

4 Novak, *The Catholic Ethic and the Spirit of Capitalism.*

5 Sombart, *The Jews and Modern Capitalism*（邦訳『ユダヤ人と経済生活』）.

6 これは、マックス・ウェーバーが明らかにしようとした点の一つである。彼はこれをテーマに一冊の本を書き上げた（Weber, *Ancient Judaism*）。

7 Weber, *Wirtschaft und Gesellschaft*, 369–370.

8 ヘブライ人の影響に関するマルクスの見解については、Mini, *Philosophy and Economics*, 201を参照されたい。

9 Ferguson, *The War of the World*（邦訳『憎悪の世紀』）, 35.

10 Class, *Wenn ich der Kaiser wär*（もし私が皇帝だったら）.

11 Yoder, *The Politics of Jesus*（邦訳『イエスの政治』）の"The Kingdom Coming"を参照されたい。この章では、ユダヤの人々が救世主、この場合にはイエスについて抱いていた政治的な期待を取り上げている。

12 Tamari, "The Challenge of Wealth," 47–48.

13 ギルガメシュがエンキドゥと死に別れ、永遠の命を手に入れることにも失敗すると、むなしくウルクに戻ってくる。そこには何事もなかったかのように、未完成の城壁がある。「誰のためにわが手は疲れたのか。誰のためにわが血は流れたのか。私自身には恵みが得られなかった」The Epic of Gilgamesh（邦訳『ギルガメシュ叙事詩』）, Tablet X（III.15–16）, 80. ギルガメシュはいまや、叙事詩の冒頭で描かれた英雄と何も変わらない。ウトナピシュティムから大洪水の前の出来事を教えてもらうことはできたが、それを除けば、叙事詩はまた繰り返すことができそうである。歴史的観点からすれば、これは単なる冒険譚であり、外伝にすぎない。冒険については、社会学者のゲオルク・ジンメルが*The Philosophy of Money*（邦訳『貨幣の哲学』）で興味深く論じている。冒険は、古代に支配的だった循環的時間感覚に対応する現象だという。

14 くわしくは、Eliade, *The Myth of the Eternal Return*の"Regeneration of Time"を参照されたい。

15 技術的あるいは物質的に先進国より劣る文明のことを私たちは遅れているとみなし、「追いつかなければならない」と考える。

16 Keynes, *Economic Possibilities for Our Grandchildren*（邦訳『ケインズ説得論集』の「孫の世代の経済的可能性」）, 360–361. さらにここで、興味深いもう一つのパラグラフを引用しておこう。「ほんとうに重要な技術で、近代の初めにあったものはすべて、有史時代の黎明期にすでに知られていた。言語、火、いまと同じ家畜、小麦、大麦、ぶどうとオリーブ、鋤、車輪、オール、帆、革、亜麻布と毛織物、煉瓦と壷、金と銀、銅、錫、鉛と鉄（鉄は紀元前1000年までに加わった）、銀行、政治、数学、天文学、宗教である。これらがいつから使われるようになったのかは、記録に残されていない」Ibid., 360–361.

17 「西洋世界では、肉体と魂の完全な『分離』という考えはギリシャ哲学によってもたらされた。ジュリアン・ジェインズは、その時期を紀元前6世紀頃だとしている。魂が非常に根本的なもので肉体とはまったく別だという考えを初めて提唱したのは、プラトンとアリストテレスである。後にキリスト教がこれを発展させた。初期のユダヤ教は肉体と魂を分けて考えようとはしなかったが、のちに『不死の魂』という概念を受け入れた」Heffernanová, *Tajemství dvou part-*

nerů（二人のパートナーの秘密），61.

18 申命記（モーセ五書の5番目の書）4章15～19節。描画が禁じられる一方で、解釈や口伝は奨励された。主はこう語っている。「ただひたすら注意してあなた自身に十分気をつけ、目で見たことを忘れず、生涯心から離すことなく、子や孫たちにも語り伝えなさい」申命記4章9節。他の文化とは異なり、ヘブライ文化では口伝が重要な役割を果たしていた。他の民族の場合には、絵や彫刻などの表現を通じて文化的遺産を残すという形が主流である。とくにギリシャの英雄は、魅力的な描写を求める人々の要求を満たしてきた。

19 くわしくは、Weber, *Ancient Judaism*, 141を参照されたい。

20 創世記2章10～14節。

21 Voltaire, *The Philosophical Dictionary for the Pocket*（邦訳『哲学書簡／哲学辞典』），308.

22 ユダヤ教は後に（とくに離散後）禁欲的な要素が多くなるが、本書では後世の発展は追究しない。本書では旧約聖書の経済人類学的な検討のみを行う。

23 Weber, *Economy and Society*, 611.

24「したがってユダヤ教は、経済的な欲望や願望を人間の他の傾向とまったく同じように扱った。そうした欲望を破壊すべきであるとも、破壊できるともみなさなかった。むしろ正当とみなすことができ、それとして正当とされるべきだった……こうしたわけだから、ユダヤ教においては経済的資産を獲得・維持することは正当であり、許容でき、有益でもあった。ただし神の戒律の遵守によって、この行為は制限され正当化されていた」Tamari, "The Challenge of Wealth," 47.

25 Sombart, *The Jews and Modern Capitalism*（邦訳『ユダヤ人と経済生活』），216.

26 Lalouette, *Ramessova říše*（ラムセスの帝国），194を参照されたい。

27 今日でも徳と美を関連づけて考えることは、指摘しておくべきだろう。悪人は見た目も不快だが、善人は見た目も美しい。読者は苦労して探すまでもなく、多くの例が思い浮かぶにちがいない。現代の神話（本や映画）に登場する悪魔や怪物は死体と見まがうほどであり、美しい場合でもそれはすぐに消える偽の美である。しかもその美しさは、性的魅力としてのみ活用される。現代の神話の大半において、悪人が美しいことはめったにない。

28 ラムセス2世は「比肩する者のない英雄であり、強い腕と勇敢な心を持っていた」。

29 ラムセス2世は「トート（エジプト神話の神）に劣らぬ賢い心臓を持っていた」。エジプト人にとって、知恵は心に宿るものであり、心は思考を行うところだった。今日では心は感情を生むとされているのと対照的である。しかも感情はしばしば理性と衝突するが、その理性は今日では頭に宿るとされている。Pascal, *Pensées*（邦訳『パンセ』）を参照されたい。「心には理性ではわからない理屈がある」とある。この「理性」は「頭」と置き換えることができよう。

30 ラルエットはこれを精神的な武器と呼んだ。この武器はつねに同じ効果を発揮する。ただの一撃も与えなくとも、敵を倒すか、すくなくとも麻痺させる。ここでは、ヘブライ人が占領した最初の都市エリコの滅亡が思い出される。エリコの城壁は、ただの一撃も与えないうちに崩れ落ちた。ヨシュア記6章を参照されたい。

31 Lalouette, *Ramessova říše*（ラムセスの帝国），277–283の"Portrait of a Hero"を参照されたい。

32 旧約聖書の大部分において、書き手は出来事の起きた日付（その多くは王の治世から数えた年または系図から推定されている）と場所を記そうとした。

33 このことは、ヘブライ人の重要な支配者すべてに当てはまる。ただし、預言者もしばしば誤り

を犯したことが記録されている。預言者ヨナは神の言葉を聞かなかったうえ、神がニネヴェの町を慈悲心から救うと、激しく神を罵った。エレミヤは死にたいと願った、等々。輝かしい例外は預言者ダニエルである。彼は、欠点が記録されていない数少ない人物の一人である。

34 Heffernanová, *Gilgameš*（ギルガメシュ）, 6.

35 これは、ニーチェが手ひどく批判した元型だと思われる。

36 Lalouette, *Ramessova říše*（ラムセスの帝国）, 118.

37 創世記では、太陽と月（原始文化における伝統的な神性）には名前も付けられていない。大きい光、小さい光とのみ記されている。

38 ギルガメシュ叙事詩では、人々を取り囲む自然は移り気な神を体現していた。その神は人間と同じ弱点や気まぐれを備えていた。たとえば、神々が大洪水を起こしたのは、人間の立てる物音がうるさく気に障ったからだと説明されている。自然は神聖視されており、干渉は言うまでもなく、科学的に調べることももってのほかだった（そんなことができるのは、三分の二が神のギルガメシュだけである）。気分次第で何をするかわからない神の住まう森を徹底的に（科学的に）調べるのは危険な所業だった。それに、自然には信頼できる規則性が存在しないので、調べても得るものはない。

39 Tamari, "The Challenge of Wealth," 51.

40 トクヴィルによる立法権、司法権、行政権の分割を想起させる。主は立法者と考えられる。士師は主から指名された預言者である。

41 詩篇147篇6節。

42 サムエル記上8章11～19節。

43 もっとも、最新の科学はある種のカオスも解明できる。たとえばカオス理論は初期条件に極度に感度の高いダイナミックな系のふるまいを研究する。

44 このような混沌は、古代の他の物語や神話にもよく見られる。

45 命名がいかなる創造や分離にも関連する点に注意されたい。ものが命名されない場合、すなわち他のものから分離されない場合、それはそのものではない。輪郭がなく、したがって定義できない。

46 これまでのところ、科学の女王である理論物理学でさえ「客観的な現実」のおおもとの土台を解明できていない。今日にいたるまで、物理学者は「物質とは何か」といった基本的な問いに適切に答えることはできない。こうした根源的な問題は、いまだに神秘のヴェールに覆われている。

47 箴言8章22～30節。

48 箴言8章30～36節。

49 箴言1章20～22節。

50 箴言4章7節。

51 この参加が神の意志であることは、神がアダムにすべての創造物に名前をつけさせたことでもあきらかだ。古い文化ではとくに、そしてある程度までは今日でも、名前を付けることは特権的な行為である。ユダヤ人は、名前をつけたものに対してはある程度の支配権を持つと理解していた。

52 創世記1章1～10節。

53 Wittgenstein, *Tractatus Logico-Philosophicus*（邦訳『論理哲学論考』）, 5.6.

54 Ibid., 5.61.

55 創世記2章19～20節。

56 創世記2章15節。命名権の解釈に関しては、アダムも女性にイヴと名前をつけたことを指摘すべきかもしれない。しかし、これは罪を犯した後のことで、その前は名づけていなかった。

57 Neubauer, *Respondeo dicendum*, 23.

58 Neubauer, *O čem je věda?*（科学は何のためか）, 173–174. Pirsig, *Zen and the Art of Motorcycle Maintenance: An Inquiry into Values*（邦訳『禅とオートバイ修理技術』）, 32–37も参照されたい。同書から一部を引用しよう。
「あなたは幽霊を信じるか」

「信じない」

「なぜ信じないのか」

「幽霊などというものは非・科・学・的だからだ。幽霊は……人間の頭の中にしか存在しない」

（中略）

「たとえば、重力と重力の法則がアイザック・ニュートン以前にも存在していたと考えることは、きわめて自然だと思われる。17世紀までは重力がなかったと考えるのは、ばかげているだろう……このことをよくよく考え、唯一可能かつ合理的かつ知性的な結論に達するまで何度も何度も何度も何度も繰り返し検討してほしい。すると、重力の法則も、重力そのものも、アイザック・ニュートン以前は存在していなかったことになる……重力の法則は人々の頭の中以外、どこにも存在しない。それは幽霊だ！……そもそも論理というものは頭の中に存在する。数も頭の中にだけ存在する。幽霊は頭の中に存在すると科学者が言っても、私は驚かない。いやむしろ、それなら理解できる。科学にしても、あなたの頭の中にだけ存在するのだ。だからといって科学が悪いものになるわけではない。幽霊にしても同じことだ」

59 Locke, *Two Treatises of Government*（邦訳『統治二論』）, book 2, chapter 5, sec. 37, 304–305.

60 Novak, *The Catholic Ethic and the Spirit of Capitalism*, 150–151.

61 Neubauer, *Respondeo dicendum*, 28.

62 Mini, *Philosophy and Economics*, 228. Veblen, "The Intellectual Pre-Eminence of Jews in Modern Europe"も参照されたい。

63 Mini, *Philosophy and Economics*, 229.

64 Lalouette, *Ramessova říše*（ラムセスの帝国）, 336を参照されたい。

65 ゾンバルトによれば「ユダヤ教の他の異質な要素（すなわち他民族にルーツのある物語）と同じく、倫理観もまた宗教の特質に応じた民族的な意味合いを持つ」という。*The Jews and Modern Capitalism*（邦訳『ユダヤ人と経済生活』）, 215.

66 悪は認識によって誘発されると言ってもよかろう。Bonhoeffer, *Ethics*を参照されたい。同書の中でBonhoefferは、「善悪を知ることは神から離れることである。神に反抗して初めて人間は善悪を知ることができるからだ。……旧約聖書にも、『主なる神は言われた。「人は我々の一人のように、善悪を知る者となった。今は、手を伸ばして命の木からも取って食べ、永遠に生きる者となるおそれがある。」』（創世記3章22節）とある。……善悪を知るとは、自分自身が善悪の根源であると知ることである……こうして秘密は神から盗まれた……人間の生活はこうして神から分離し、人間とものと自分自身と暮らすようになる」Ibid., 21–24.

67 創世記3章。ギルガメシュ叙事詩、創世記どちらでも、人間に永遠の生命を失わせたのは蛇だった。蛇はギルガメシュが苦労してとってきた永遠の若さの草を食べてしまった。エデンの

園では、イヴをそそのかして知恵の木の実を食べさせた。

68 創世記6章5節。ただしノアだけは例外だった。主はノアに言われた。「さあ、あなたとあなたの家族は皆、箱舟に入りなさい。この世代の中であなただけはわたしに従う人だと、わたしは認めている」創世記7章1節。

69 創世記18章20～21節。

70「この悪い世代の人々のうちで、わたしが与えると先祖に誓った良い土地を見る者はない」申命記1章35節。

71 創世記41章1～4節。

72 創世記41章29～30節。

73 創世記41章33～36節。

74 創世記に出てくる最初の税である。

75 興味深いことに、近代国家はもっと高い税率で国民から税を徴収しているにもかかわらず、予算の均衡を維持できていない。一部の国は、数十年にわたり財政黒字を達成していない。

76 重大な例外は、迫り来る問題に気づいていても、誰も対策を講じる勇気を持ち合わせていない場合である。多くの国の経済政策は、好意的に見ても、必要な改革を短期的な選挙サイクルを超えて先送りしているだけだ。

77 ナシーム・タレブは著書『ブラック・スワン』の中で同様の原理を論じている。

78「ヨナはまず都に入り、1日分の距離を歩きながら叫び、そして言った。『あと40日すれば、ニネヴェの都は滅びる』。すると、ニネヴェの人々は神を信じ、断食を呼びかけ、身分の高い者も低い者も身に粗布をまとった……神は彼らの業、彼らが悪の道を離れたことを御覧になり、思い直され、宣告した災いをくだすのをやめられた」ヨナ書3章4～10節。この「良い結果をもたらしたが外れた預言」にヨナは大いに立腹し、主に対して怒る。「ああ、主よ、わたしがまだ国にいましたとき、言ったとおりではありませんか。だから、わたしは先にタルシシュに向かって逃げたのです。わたしには、こうなることが分かっていました。あなたは、恵みと憐れみの神であり、忍耐深く、慈しみに富み、災いをくだそうとしても思い直される方です」ヨナ書4章2節。

79 ここではファラオは神あるいは神の息子として描かれてはいない。ファラオが困難に直面して技術的に、また人間的に悩んだことは、興味深い事実を暗示する。ファラオは危機を回避するのに何も魔法のようなものは使っていない。読者はファラオの舞台裏を、つまり経済政策の秘密を知る。それは、与えられた情報に賢く反応することである。

80 この種の予言の例は歴史の多くの場面で見受けられる。しかし自己実現的な予言に関するくわしい研究は、社会学者のロバート・キング・マートンの*Social Theory and Social Structure*（邦訳『社会理論と社会構造』）が初めてであり、1949年のことだった。

81 政治学者なども未来を扱いはするが、経済学者のほうが将来予測の能力に自信を持っている。しかも経済学者は、長期予想をするよう求められる。経済のあらゆるレベルにおける意思決定がそうした予想に基づいて行われる。国家、企業から家計までが経済予想に頼って計画される。

82 付け加えるなら、これはユダヤ人ではなくファラオの功績とされ、エジプトはその地位を強化し、周辺諸国を支配下に置いた（ヨセフの息子たちはその一例である）。そして、必要なときに穀物を売ったり、土地と交換したりすることによって、富と権力を拡大した。

83 約束の地の平定を巡っては、こうした例が多数見られる。とくに民数記（モーセ五書の第4）の31章を参照されたい。

84 ダビデ王とソロモン王の治世が顕著な例である。とくに歴代誌上9章を参照されたい。

85 申命記7章12〜14節。他の例としては、出エジプト記23章25節に「あなたたちは、あなたたちの神、主に仕えねばならない。主はあなたのパンと水を祝福するであろう」とある。

86 出エジプト記22章21〜22節。

87 列王記下13章1〜3節。ただし、ヤロブアム2世は悪を行ったにもかかわらず経済的に繁栄した。理由は、聖書によれば「主は、イスラエルの苦しみが非常に激しいことを御覧になったからである。つながれている者も解き放たれている者も……主はヨアシュの子ヤロブアムによって彼らを救われたのである」列王記下14章26〜27節。

88 規則が守られない理由については、ここでは扱わない。個人のレベルでは、ゲームのルールに従わなかったり、他人の信用につけこんで無賃乗車をしたりする理由はたくさんある（ゲーム理論などで説明される）。こうした規則破りは、言うまでもなく社会のレベルでは幸福を損ねる。くわしくは、Sedláček, "Spontaneous Rule Creation"を参照されたい。

89 Sombart, *The Jews and Modern Capitalism*（邦訳『ユダヤ人と経済生活』), 214–215.

90 マラキ書3章9〜12節。このような指示は、旧約聖書の多くの箇所で見られる。たとえば、次の一節がそうだ。「わたしは主、あなたの神。わたしは熱情の神である。わたしを否む者には、父祖の罪を子孫に三代、四代までも問うが、わたしを愛し、わたしの戒めを守る者には、幾千代にも及ぶ慈しみを与える」出エジプト記20章5〜6節。

91 ヤン・パインが著書*Odkud zlo?*（悪はどこに？）, 69の中でこう名づけた。ユダヤ教ハシッド（敬虔）派と預言学派の分離については、以下を参照されたい。Hengel, *Judentum und Hellenismus*（邦訳『ユダヤ教とヘレニズム』）, 310–381, 394–453.

92 エデンの園に登場する蛇をサタンとみなさなければ、の話である。これ以外にサタンに言及されている箇所は旧約聖書の中では1カ所のみで、それもごく短い（マラキ書）。新約聖書と比べると、その差は歴然としている。ロベール・ミュッシャンブレは、「悪魔の概念は中世以来ヨーロッパ人の生活の一部となっており、さまざまな変化を経てきたにもかかわらず……やはり悪魔は西洋文化の暗部を代表しており、西洋文明が生み出し世界中に輸出してきた偉大な想念の反対概念なのだ」と主張する。*A History of the Devil*（邦訳『悪魔の歴史12〜20世紀』), 1–2. これに関連して、悪魔の影響を論じた箇所をもう一カ所引用しておこう。ダニエル・デフォーの著書*The Political History of the Devil*について論じた文脈で、「ロックとヒュームのごとく、デフォーはカントに先立って、悪魔を歴史の原動力と定義しようとした」と述べている（166）。

93 ヨブ記1章8〜11節。

94 ヨブ記19章6節。ヨブの正しさを証明する箇所としては、同31章1〜40節も挙げられる。

95 ヨブ記13章15節。

96 ヨブ記27章5〜6節。

97 コヘレトの言葉8章14節。

98 詩篇73篇2〜5節。

99 物語の最後にヨブは元の境遇を取り戻す（「ヨブが友人たちのために祈ったとき、主はヨブを元の境遇に戻し、更に財産を2倍にされた」ヨブ記42章10節）。だがヨブが受けた苦しみ（善行の報い）を考えたら、これで収支が見合うとはとても言えまい。それに、財産を取り戻したことはこの物語の主眼ではない。この見返りはボーナスに過ぎず、計算の結果ではない。

100 ソクラテスは悪の収入と悪の支出のちがいについて興味深い見解を示している。『パイドン』の

中で、捕らえられたソクラテスは逃亡せず毒人参を飲んで死ぬことを選ぶ。自分が悪と考えることをするよりも、自分に対して悪がなされる方を選んだのだ。ソクラテスによれば、悪の支出は悪の収入よりも重大である。「悪をするより悪に堪える方がましだ」*Gorgias*（邦訳『ゴルギアス』）, 473a–475e。

101 コヘレトの言葉11章9節。

102 Tamari, "The Challenge of Wealth," 45.

103 主流的なキリスト教が発展した最初の一世紀間は、ギリシャの文化的遺産の影響や、中東の宗教的混乱の影響もあった。禁欲的な要素として定期的な断食などを想起するとしたら、そうしたものが旧約聖書はごくわずかであることに気づく。これに対してこの最初の一世紀には、キリスト教徒（およびユダヤ人）の信心においてこうした禁欲主義がひんぱんに見受けられた。

104 ルカによる福音書16章19～25節。

105 カントの倫理学（今日まできわめて強い影響力を持つ）における重要な要素は義務である。「カントは、倫理学の歴史において重要な分水嶺の一つに位置づけられる。おそらく以後の哲学者の大半が、反カントを自認する多くの学者を含め、カントの言葉で倫理を定義している。哲学など聞いたこともない、ましてカントなど知らないという多くの人も、倫理というものをおおむねカントが言ったように理解している」MacIntyre, *A Short History of Ethics*（邦訳『西洋倫理思想史』）, 122.

106 申命記10章12～22節。

107 申命記11章18節。

108 詩篇119篇97、127節。

109 詩篇1篇1～2節。

110 Sombart, *The Jews and Modern Capitalism*（邦訳『ユダヤ人と経済生活』）, 134, 136. この引用は不正確で、実際には申命記6章7節である。ゾンバルトでさえ不正確なことがある。

111 モーセ五書で言及されている法律は全部で613ある。その大半がレビ記に記されている。

112 Lalouette, *Ramessova říše*（ラムセスの帝国）, 284を参照されたい。

113 すでに述べたように、"economics"という言葉の一部にはギリシャ語のnomosが含まれている。この語は、法律または法の精神を意味する。nomosは接尾辞-onomyの語源である（astronomy, economy, taxonomyなど）。

114 出エジプト記23章2節。

115 Sokol, *Člověk a svět očima Bible*（聖書の視点から見た人間と世界）, 30. ソコルは、アメリカ建国の父らはある程度まで遊牧民であり、自由に対してユダヤ人と同じような志向性を持っていたと論じている。

116 楽園の自然から都市への変遷が起きたのはかなり後のことで、新約聖書の「ヨハネの黙示録」の末尾に出てくる。そこでは死後の世界が天国のごときエルサレムにあると描かれる。すなわち都市である。ヘブライ語では、エルサレムは平和の都を意味する。

117 創世記11章4節。

118 創世記13章10節。

119 創世記12章1節。

120 民数記11章4～6節。

121 Sokol, *Člověk a svět očima Bible*（聖書の視点から見た人間と世界）, 33.

122 レビ記25章2～5節。6年目には祝福が与えられ、3年分の収穫が得られる（同21節）。

123 この数字は象徴的に7の2乗になっている。

124 レビ記25章8節。

125「この50年目の年を聖別し、全住民に解放の宣言をする。それが、ヨベルの年である。あなたたちはおのおのその先祖伝来の所有地に帰り、家族のもとに帰る。50年目はあなたたちのヨベルの年である。種蒔くことも、休閑中の畑に生じた穀物を収穫することも、手入れせずにおいたぶどう畑の実を集めることもしてはならない。……ヨベルの年には、おのおのその所有地の返却を受ける。……あなたはヨベル以来の年数を数えて人から買う。すなわち、その人は残る収穫年数に従ってあなたに売る。その年数が多ければそれだけ価格は高くなり、少なければそれだけ安くなる。その人は収穫できる年数によってあなたに売るのである。相手に損害を与えてはならない。あなたの神を畏れなさい。わたしはあなたたちの神、主だからである」レビ記25章10～17節。

126「もし同胞が貧しく、あなたに身売りしたならば、その人をあなたの奴隷として働かせてはならない。雇い人か滞在者として共に住まわせ、ヨベルの年まであなたのもとで働かせよ。その時が来れば、その人もその子供も、あなたのもとを離れて、家族のもとに帰り、先祖伝来の所有地の返却を受けることができる。エジプトの国からわたしが導き出した者は皆、わたしの僕《しもべ》である。彼らは奴隷として売られてはならない。あなたは彼らを過酷に踏みにじってはならない。あなたの神を畏れなさい」レビ記25章39～43節。

127 Ferguson, *The Ascent of Money*（邦訳『マネーの進化史』）, 30を参照されたい。

128 じつはメソポタミア、旧約聖書時代いずれについても、史料が物語るところによれば、これらの規則は実際にはめったに守られなかった。

129 詩篇24篇1節。

130 レビ記25章13～16節。

131 レビ記25章23節。

132 レビ記23章22節。

133 申命記24章19節。

134 申命記26章12～15節。

135 Tamari, "*The Challenge of Wealth*," 52.

136「わたしが喜ぶのは愛であっていけにえではなく、神を知ることであって焼き尽くす献げ物ではない」ホセア書6章6節。また、イザヤ書1章11節も参照されたい。新約聖書にもこれに対応する表現がマタイによる福音書9章13節にある。「『わたしが求めるのは憐れみであって、いけにえではない』とはどういう意味か、行って学びなさい。わたしが来たのは、正しい人を招くためではなく、罪人を招くためである」。同12章7節には「もし、『わたしが求めるのは憐れみであって、いけにえではない』という言葉の意味を知っていれば、あなたたちは罪もない人たちをとがめなかったであろう」とある。

137 サムエル記上2章8節。

138 箴言14章31節。

139 箴言21章13節。

140 出エジプト記22章20節。

141 レビ記25章47節。

142 レビ記24章22節。

143 レビ記19章10節。

144 Pava, "*The Substance of Jewish Business Ethics,*" 607.

145「近代は、16世紀に始まった資本蓄積とともに幕を開けたとみている。ここでは議論の妨げとなるので敢えて立ち入らないが、いくつかの理由から、資本蓄積は物価上昇とそれに伴う利益の増加によって始まったと考えられる。それが可能になったのは、スペインが金と銀という財宝を新世界から旧世界に持ち込んだからだ。長らく忘れられていたらしい複利の威力によって、資本蓄積は新たな力強さで蘇り、それが当時から現在まで続いている。200年におよぶ複利の威力は想像を絶するほどだ」Keynes, *Economic Possibilities for Our Grandchildren*（邦訳『ケインズ説得論集』の「孫の世代の経済的可能性」), 358.

146 Ferguson, *The Ascent of Money*（邦訳『マネーの進化史』), 30.

147 Ibid., 25, 28.

148 Ibid., 30.

149 Ibid., 29.

150 その一方で貨幣には、大きな社会を結びつける力もある。貨幣があるからこそ、知りもしない人を信用することができる。というのも相手も同じ価値を尊重するからだ。ジンメルの『貨幣の哲学』の「経済活動が距離を作り、距離を克服する」の章では、このことが指摘されている（章のタイトル自体が多くを語っている）。従来以上に人々の結びつきに依存するのは貨幣なのである。Simmel, *The Philosophy of Money*（邦訳『貨幣の哲学』), 75–79を参照されたい。貨幣がある意味で具現化された信用であることは、紙幣や貨幣に記されたさまざまな装飾や記号やシンボルによって保証されており、それは今日でも変わらない。それらは独立国家の「聖なる」象徴であり、歴史的人格の重要な象徴でもある。紙幣あるいはその所有者は、その発行者に対し、「私はこれを信じます、これを尊重します、これを認めます」と誓っているようにも見える。

151 Simmel, *The Philosophy of Money*（邦訳『貨幣の哲学』）も参照されたい。

152「アブラハムは遺体の傍らから立ち上がり、ヘトの人々に頼んだ。『わたしは、あなたがたのところに一時滞在する寄留者ですが、あなたがたが所有する墓地を譲ってくださいませんか。亡くなった妻を葬ってやりたいのです』。ヘトの人々はアブラハムに答えた。『どうか御主人、お聞きください。あなたはわたしどもの中で神に選ばれた方です。どうぞわたしどもの最も良い墓地を選んで、亡くなられた方を葬ってください。わたしどもの中には墓地の提供を拒んで亡くなられた方を葬らせない者など、一人もいません』。アブラハムは改めて国の民であるヘトの人々に挨拶をし、頼んだ。『もし、亡くなった妻を葬ることをお許しいただけるなら、ぜひわたしの願いを聞いてください。ツォハルの子、エフロンにお願いして、あの方の畑の端にあるマクペラの洞穴を譲っていただきたいのです。十分な銀をお支払いしますから、皆様方の間に墓地を所有させてください』。エフロンはそのとき、ヘトの人々の間に座っていた。ヘトの人エフロンは、町の門の広場に集まって来たすべてのヘトの人々が聞いているところで、アブラハムに答えた。『どうか御主人、お聞きください。あの畑は差し上げます。あそこにある洞穴も差し上げます。わたしの一族が立ち会っているところで、あなたに差し上げますから、早速亡くなられた方を葬ってください』。アブラハムは国の民の前で挨拶をし、国の民の聞いているところでエフロンに頼んだ。『わたしの願いを聞き入れてくださるなら、どうか畑の代金を払わせてください。どうぞ受け取ってください。そうすれば、亡くなった妻をあそこに葬ってやれます』。

エフロンはアブラハムに答えた。『どうか御主人、お聞きください。あの土地は銀400シェケルのものです。それがあなたとわたしの間でどれほどのことでしょう。早速亡くなられた方を葬ってください』。アブラハムはこのエフロンの言葉を聞き入れ、エフロンがヘトの人々が聞いているところで言った値段、銀400シェケルを商人の通用銀の重さで量り、エフロンに渡した」創世記23章3～16節。

153 アブラハムはアビメレクに自分の妻サラを妹と偽ったのであるが、そのアビメレクからたくさんの贈り物を受け取った。「アビメレクは羊、牛、男女の奴隷などを取ってアブラハムに与え、また妻サラを返して言った。『この辺りはすべてわたしの領土です。好きな所にお住まいください』。また、サラに言った。『わたしは銀1000シェケルをあなたの兄上に贈りました。それは、あなたとの間のすべての出来事の疑惑を晴らす証拠です。これであなたの名誉は取り戻されるでしょう』」創世記20章14～16節。

154 創世記14章。

155 出エジプト記22章24節。

156 申命記23章20～21節。レビ記25章36～37節、エゼキエル書24章も参照されたい。

157 Ferguson, *The Ascent of Money*（邦訳『マネーの進化史』）, 35.

158 申命記24章6節。

159 レビ記25章35～37節。

160「ほとんどの現代人は、人生の大半を、差し迫った目的としてお金を得ることに集中しなければならない。その結果、人生における幸福や明確な満足感が、ある程度のお金を所有することと密接に結びついている。……だがこの目的が達成されてしまうと、おぞましい退屈と失望に陥ることになる。これは、ある程度の蓄えを得て定年退職した勤労者にきわめてよく見られる現象だ。……お金の正体は、単なる手段である。人生がお金だけに集中したとたんに、それは役に立たず不要になる手段である。お金は、ものを明確な価値と結びつける橋にすぎない。そして人は橋の上に住むことはできない」Simmel, *Simmel on Culture*, 250.

161 しかしハイエクらは、後段で取り上げるが、あらゆる組織は固有の通貨を印刷して競うべきだと述べている。

162「最も憎むべきことは貨幣それ自体から儲けを得ることであり、それには十分な理由がある。貨幣は交換を目的とするものであって、利子で増やすことを目的とはしていない……したがって、富を得るあらゆる方法の中で、これは最も不自然である」Aristotle, *Politics*（邦訳『政治学』）, 1258a39–1258b7.

163 いくらか誇張ではあるが、通貨は酒に似ているとも言えよう。酒にも、よく似た固有の力がある。酒はある人の気分やエネルギーをすっかり上向かせることはできないが、翌日のエネルギーをその日に移転させることはできる。言い換えれば、将来（土曜の朝）のエネルギーの一部をいま（金曜の夜）に移転させることはできるが、週末のエネルギー収支は変わらない。借金と同じく、酒は土曜の朝からエネルギーを吸い上げて、金曜の夜にそれを投じる。すると私たちは突如として気勢を上げ、いつもとはちがうふるまいをする。大胆になり、金遣いが荒くなる、といった調子だ。そしてじつに楽しいひとときを過ごす。お金のエネルギーの場合は、週末よりかなり先まで続く。

164 今日の国家予算はあまりに巨額であるため、財政不均衡を引き起こすことによって経済成長を操作し、加速または減速させることができる。

165 たとえば、私が年収の10%の借金があるとしよう。すると、私が10%金持ちになった（正確にはより生産性が高まった）と言うのはよほど頭のおかしい人だけだ。私は1セントも金持ちにはなっていない。ただし外見的には私の年収が増えたように見える。そして私は（借金のおかげで）10%余計に使う。

166 肉体労働は奴隷の仕事だとして、奴隷は機械だとすると、プラトンは今日の真実からさほど遠くなかったことになる。これは興味深い。今日では、肉体労働はほぼ機械に任され、創造性や理性や自由な意思決定を必要とする仕事が人間に残されている。これこそ、プラトンの言う自由人（奴隷でない）の仕事、すなわち知的活動である。

167 創世記1章28節。

168「神はアダムに向かって言われた。『おまえは女の声に従い、取って食べるなと命じた木から食べた。おまえのゆえに、土は呪われるものとなった。おまえは、生涯食べ物を得ようと苦しむ。おまえに対して、土は茨とあざみを生えいでさせる、野の草を食べようとするおまえに。おまえは額に汗してパンを得る、土に返るときまで。おまえがそこから取られた土に。塵にすぎないおまえは塵に返る』」創世記3章17～19節。

169 創世記3章19節。

170 箴言22章29節。

171 歴史の中では、労働者の価値が極端に高まったときもある。共産主義における労働者の位置付けがそうだ。労働者は最重視され、価値の唯一の源泉とみなされた。

172 申命記24章19節。

173 Hill, *Historical Context of the Work Ethic*, 1.

174 箴言10章4節。

175 コヘレトの言葉5章11節。

176 箴言21章25節。

177 Eliade, *The Sacred and the Profane: The Nature of Religion* および *Cosmos and History: The Myth of the Eternal Return* も参照されたい。

178 出エジプト記20章8～11節。

179 経済学者のジャグディシュ・バグワティが著書 *In Defense of Globalization*（邦訳『グローバリゼーションを擁護する』）の中で指摘したとおり、そう遠くない昔には、GDP成長率が年2%であればなかなか優秀だとされていた。しかし近年では（危機前の話だが）、開発途上国の成長率は最低でも6%に達しないと経済の失敗だと言われる。

第3章

1 本章はルカーシュ・トートとの共著である。トートは本書の共同編集者でもある。

2 Lowry, "Ancient and Medieval Economics," 19.

3 Nussbaum, *The Fragility of Goodness: Luck and Ethics in Greek Tragedy and Philosophy*, 12.

4 Hesiod, *Theogony*（邦訳『神統記』）, 25.

5 Nussbaum, *The Fragility of Goodness: Luck and Ethics in Greek Tragedy and Philosophy*, 12.

6 Detienne, *The Masters of Truth in Archaic Greece*, 128. 引用元はPsellos, M: *Energeias Daimonon*, 821B, Migne, PG, CXXII.

7 引用箇所の続きは「頭の中にそれに対する考えが生まれるのはその後だ」とある。Campbell,

Myths to Live By（邦訳『生きるよすがとしての神話』），88. 後の章では、今日でも心の内の「物語との一致」（あるいはモデル、前提、結論、パラダイム等々）が経済・科学全般において重要な役割を果たしていることを示したい。

8 Nussbaum, *The Fragility of Goodness: Luck and Ethics in Greek Tragedy and Philosophy*, 13.

9 Detienne, *The Masters of Truth in Archaic Greece*, 128.

10 Hesiod, *Theogony*（邦訳『神統記』），28, 38.

11 Euripides, *The Iphigenia in Tauris*（邦訳『タウリケのイピゲネイア』），92. 同書1240にはこうある。「大地は夜々の夢の示現をたくみ出して、人界の者どもに、ことの起源、次いでのことや、また将来の定業を……告げ知らさせた」。1261nnおよび1278を参照されたい。またAeschylus, *The Seven against Thebes*（邦訳『テーバイ攻めの七将』）には「すべての預言は眠りの中から現れる、先見は主君の土地から生まれる」とある。

12「ほんのわずかの疑いでもかけうるものはすべて、絶対に偽なるものとして投げすて……それまでに私の精神に入りきたったすべてのものは、私の夢の幻想と同様に、真ならぬものである、と仮想しようと決心した」Descartes, *Discourse on the Method*（邦訳『方法序説』），part 4, 28.

13「ギリシャ最初の経済思想家の名誉は、詩人ヘシオドスに与えられる。ヘシオドスはボイオティアの住人で、紀元前8世紀半ばという古代ギリシャ最初期の人である……『仕事と日』828行のうち最初の383行では、人間の数多くの目的や欲望を追求するうえで資源が稀少であるという、経済の基本的な問題を取り上げている」Rothbard, *Economic Thought before Adam Smith: Austrian Perspectives on the History of Economic Thought*, 8.

14 Hesiod, *Works and Days*（邦訳『仕事と日』），42–49.

15 Ibid., 305.

16 Kratochvíl, *Filosofie mezi mýtem a vědou od Homéra po Descarta*（神話と科学の間の哲学——ホメロスからデカルトまで），53.

17「ピタゴラス学派は……数の構成要素をすべての存在の構成要素であると考え……事物そのものが数であると主張した」Aristotle, *Metaphysics*（邦訳『形而上学』），986a1–987b30を参照されたい。

18 Bunt, Jones and Bedient, *The Historical Roots of Elementary Mathematics*, 82.

19 Mahan, *A Critical History of Philosophy*, Volume 1, 241.

20 Aristoxen of Stobaia, 58 B 2. Guthrie, *A History of Greek Philosophy*, Vol. I, 177を参照されたい。

21 Harris, *The Reign of the Whirlwind*, 80.

22 参考のために、この数的神秘主義が当初どのような形だったかを示す例をいくつか挙げておこう。愛と友情は調和の表れであるとして、音楽のオクターブと同じ数すなわち8が与えられた。健康は7、正義は4である。正義は報復という罪を伴いうるとしてこの数になった。結婚は、数学の創始者に従い3となった。宇宙は1である。この神秘主義は後に夢の研究に多大な影響を与えた。Rádl, *Dějiny Filosofie: Starověk a středověk*（哲学の歴史：古代から中世へ），89を参照されたい。また、Kirk, Raven and Schofield, *The Presocratic Philosophers*, chapter 7も参照されたい。

23 バートランド・ラッセルは論文「神秘主義と論理」の中で、古代ギリシャ思想がいかに科学的であったか、科学的な観察と神秘的な想念をどのように結びつけていたかを論じている。Russell,

Mysticism and Logic（邦訳『神秘主義と論理』に収録）, 20.

24 ピタゴラスは、無理数という概念を最初に考えた人物でもある。ピタゴラス学派にしては変わった名前をつけたものだ。私たちは、数こそ何かを表現する最も合理的な手段だと考えやすい。単に日常の経験と相容れないとか、羊を数えるのに使えないというだけの理由から、数のように絶対的なものが「無理（非合理）」だとみなされるとしたら、人間は自分を客観的で合理的な生き物だと考えられるだろうか。

25 ピタゴラスは、「宇宙（cosmos）」という言葉を最初に使った哲学者の一人でもある。また「哲学（philosophy）」という言葉も彼が最初に使った。

26 Lowry, "Ancient and Medieval Economics," 19.

27 Herakleitos, B51.

28 Lowry, *The Archaeology of Economic Ideas*, 46.

29 この著作をアリストテレスの弟子テオプラストスの手になるものと考える専門家もいる。

30 Aristotle, *Economics*（邦訳『経済学』）, 1353b27.

31 Ibid., 1344a3.

32 Xenophon, *Ways and Means*（邦訳『政府の財源』）, 2.7.

33 Ibid., 2.4–7.

34 ゼロサムゲームとは、参加者の得点と失点の総和（サム）がゼロになるゲームのことである。

35 Xenophon, *Ways and Means*（邦訳『政府の財源』）, 3.4.

36 Xenophon, *Oeconomicus*（邦訳『オイコノミコス』）, 1.11–14.

37 使用価値とはものの消費の効用である。交換価値はそのものの相対的な稀少性に基づく。たとえば水は、それなしには生きられないという点で高い使用価値を持つ。しかし潤沢に存在するため、交換価値（たとえば市場価格）は低い。

38 Xenophon, *The Education of Cyrus*（邦訳『キュロスの教育』）, 7, C.2, 5.

39 Lowry, *The Archaeology of Economic Ideas*, 90.

40「行政にかかる費用を抑え……得られた収入の残高を投資し……投資が最も多くの収益を生み出すようにする」Xenophon, *Ways and Means*（邦訳『政府の財源』）, 4.40.

41 Xenophon, *Oeconomicus*（邦訳『オイコノミコス』）, 1.11–14.

42「よく聞きなさい。『今日か明日、これこれの町へ行って1年間滞在し、商売をして金もうけをしよう』と言う人たち、あなたがたには自分の命がどうなるか、明日のことは分からないのです。あなたがたは、わずかの間現れて、やがて消えて行く霧にすぎません。むしろあなたがたは、『主の御心であれば、生き永らえて、あのことやこのことをしよう』と言うべきです。ところが実際は、驕り高ぶっています。そのような驕りはすべて悪いことです。人がなすべき善を知りながら、それを行わないのは、その人にとって罪です」新約聖書「ヤコブの手紙」4章13～17節。この言葉は、すべての出来事を広い視野から見なければならないことを教えている。未来や未来へつながる行動を、宇宙全体から切り離して考えてはならない。

43 Xenophon, *Ways and Means*（邦訳『政府の財源』）, 6.2.

44「たとえば銅細工師の数が増えれば、銅細工は値下がりし、銅細工師は職を失う。鉄でも同じことが言える。また、穀物やぶどう酒が豊富になれば、それらは値下がりし、利益はなくなってしまう。そこで多くの者が農業を離れて、貿易や小売りや金貸しに従事するようになる」Xenophon, *Ways and Means*（邦訳『政府の財源』）, 4.6.

45「貿易や商業が国家に利益をもたらすのであれば、これに最も熱心に取り組む者を表彰すれば、それに応じて商人の数は増えるでしょう。また、個人の利益を損なうことなく国家の収入を増やす方法を発見する人には、報賞を与えることを公に周知してはどうでしょう。こうした企図が無視されることはありますまい」Xenophon, *Hiero*（邦訳『ヒエロン』）, 9.9.

46「以上のように、国家がどのような制度を導入すれば、国の支出によってアテナイの全市民が十分な生活を維持できるか、ということを説明した。中には、これらの計画に必要な資金を計算し、必要な巨額の資金を拠出するだけの歳入はけっして得られまいと考える人がいるかもしれない。だがたとえそうでも、悲観するにはおよばない。なぜなら、計画をすべて実行することは重要ではないからだ……家は何戸建てても、船は何艘建造しても、奴隷は何人買っても、すぐに利益を生むだろう。むしろ、ある面では、計画を全部一度に実行するよりも、段階的に進める方が有益である……財力の許す限りで進めていけば、うまくいったものは繰り返し、失敗は二度と犯さずに済む」Xenophon, *Ways and Means*（邦訳『政府の財源』）, 4.33–37.

47 Xenophon, *Ways and Means*（邦訳『政府の財源』）, 4.7.

48 これ以降、両者をとくに区別しない。ソクラテス自身は何も書き残しておらず、ソクラテスの思想として私たちが知っているものは、すべてプラトンの記述に拠っている。したがって、両者を区別することはむずかしい。そこで哲学者はこの問題には敢えて触れない。私もこの慣習に倣うことにする。くわしくは、Kahn, *Plato and the Socratic Dialogue*を参照されたい。

49 Plato, *Timaeus*（邦訳『ティマイオス』）, 29b.

50 Plato, *The Republic*（邦訳『国家』）, 7, 515c.

51 あるいは、テレビから抜け出さなければならない。ある意味で、テレビで放映される現実は、現実の影にすぎないと言える。テレビで育った人間は、ものごとをそういうものとして見るようになり、現実にしばしば失望させられる。そして快適な長い時間を過ごした後に「目がすっかりだめになる」。

52 Plato, *The Republic*（邦訳『国家』）, 7, 515c.

53「そこでもし彼が、ずっとそこに拘禁されたままでいた者たちを相手にして、もう一度例のいろいろな影を判別しながら争わなければならないことになったとしたら……彼は失笑を買うようなことにならないだろうか。そして人々は彼について、あの男は上へ登って行ったために目をすっかりだめにして帰ってきたのだと言い、上へ行くなどということは試みる値うちさえない、と言うのではなかろうか。こうして彼らは、囚人を解放して上へ連れて行こうと企てる者に対して、もしこれを捕えて殺すことができるならば、殺してしまうのではないだろうか」Plato, *The Republic*（邦訳『国家』）, 7, 517a.

54 映画『マトリックス』はこのアイデアをさらに発展させ、私たちは奴隷であって（動力源として培養されている）、投影された極彩色の影を見ているだけだとしている。

55 私たちは刷り込まれたイデアとともにこの世に生まれ、それを発見しなければならない。これらのイデアはそれ自体として客観的である。プラトンは対話篇『プロタゴラス』の中で、同名の哲学者が言ったとされる「人間は万物の尺度である」という言葉に代表される主観主義を批判した。Plato, *Protagoras*, 361c. プラトンによれば、人間は何も新しいことは学ばない。すでに自分自身が知っていたことを発見するだけである。

56 Popper, *The Open Society and Its Enemies*（邦訳『開かれた社会とその敵』）, volume 1, *The Spell of Plato*（プラトンの呪文）, 19.

57 Nelson, *Reaching for Heaven on Earth*, 34–35. ここでは、Aristotle, *Nicomachean Ethics*（邦訳『ニコマコス倫理学』）を引用している。

58 McCloskey, *The Bourgeois Virtues*, 152. ここでは、Davis and Herch, *Descartes' Dream*（邦訳『デカルトの夢』）を引用している。

59 ディアドラ・マクロスキーはさらに踏み込み、プラトンを援用して善（Good）と神（God）という言葉の類似に言及している。プラトンは、太陽が人間の思考を照らし、善の理解に近づけると語った。信仰心の篤いキリスト教徒なら、「善の光（Sun of Good）」を「神の息子（Son of God）」と言い換えたいところだろう。McCloskey, *The Bourgeois Virtues*, 365を参照されたい。

60 数学者や物理学者が偶然の統計的解釈に関してよく言う言葉も、この考えといくらか似ている。それは「神はサイコロは振らない」という言葉である。

61 Polanyi, *Personal Knowledge*（邦訳『個人的知識』）, 171.

62 McCloskey, *The Bourgeois Virtues*, 153.

63 Sallust, *On the Gods and the World*, part4.

64 ただし、すべては現実の表象あるいはイメージである（ただし現実それ自体ではない）ことに注意しなければならない。科学的な「真理」も、神話の真実も、である。

65「真に重要な仮説は、現実をひどく不正確に記述した『前提』を立てていることがわかるだろう。そして一般に、重要な理論ほど非現実的な前提を立てていると言える……したがって重要であるためには、仮説はその前提の記述が虚偽でなければならない。その仮説は、他の付随する状況をいっさい考慮せず、いっさい説明していない。なぜなら、仮説の成功そのものが、そうした状況が説明する現象と無関係であることを示しているからだ」Friedman, *Essays in Positive Economics*（邦訳『実証的経済学の方法と展開』）, 14.

66 質問は、「私たちのモデルとは何か、それらは真実を表そうとしているのか、それとも単なる手段なのか。また、もし何らかの意味で真実ではないとするなら、どうして手段となりうるのか、あるいは有用となりうるのか」というものである。

67 Plato, *Phaedo*（邦訳『パイドン』）, 64d.

68 Ibid., 66d.

69 Ibid., 66b.

70 Ibid., 66c.

71 Ibid., 65b–66a.

72 Ibid., 66e–67a.

73 Nussbaum, *The Fragility of Goodness: Luck and Ethics in Greek Tragedy and Philosophy*, 142.

74 Nelson, *Economics as Religion*, 105.

75 ニーチェ以降、全体主義批判が強まり、第二次世界大戦後にはプラトンを全体主義の祖とみなす習慣が定着した（カール・ポパー、ジグムント・バウマン、ユルゲン・ハーバーマス、ミシェル・フーコーらを参照されたい）。

76 プラトンが後世でどれほど参照され引用されたかについては（スターリンでさえ引用した）、F. Novotný, *The Posthumous Life of Plato*を参照されたい。

77 Nelson, *Economics as Religion*, 270. また、Popper, *The Open Society and Its Enemies*（邦訳『開かれた社会とその敵』）, 38, 164も参照されたい。

78 マルクスは『資本論』の第12章「分業とマニュファクチュア」の中で、「プラトン哲学はどこにでも顔を出す」とこぼしている。そして、プラトンが「分業を身分の社会的な区別の基盤」とみなしていたこと、「労働者がみずからを仕事に合わせるべきであって、仕事が労働者に合わせられるべきではない」と考えていたことを指摘し、やや軽蔑的に「プラトンは『国家』で分業を国家の形成原理として論じているが、これはエジプトの身分制度をアテナイ風に理想化したにすぎない」と論評した。Marx, *Capital*（邦訳『資本論』), volume 1, chapter 12.

79 Lowry, "The Economic and Jurisprudential Ideas of the Ancient Greeks: Our Heritage from Hellenic Thought," 25.

80 Nussbaum, *The Fragility of Goodness: Luck and Ethics in Greek Tragedy and Philosophy*, 138.

81 Rádl, *Dějiny Filosofie: Starověk a středověk*（哲学の歴史：古代から中世へ), 185.

82 Nussbaum, *The Fragility of Goodness: Luck and Ethics in Greek Tragedy and Philosophy*, 139.

83 Nelson, *Reaching for Heaven on Earth*, 36.

84 Ibid., 61.

85 Plato, *The Republic*（邦訳『国家』), 5.

86 字義通りの意味では、ユートピアは「存在しない場所」という意味である。したがって現実世界での実現をめざす構想ではない。

87 ソポクレスは『アンティゴネー』の中で、さらに踏み込んだ考えを示した。最も悪いのは、いかなる理由にせよ、共同体のために自己の能力の範囲内で最善を尽くさない者である。全体の利益を考えれば、そのような人間に安んじる場所は得られない。「自分の祖国に代えて身内をそれより大切にする者」は最悪の人間であり（*Antigone* 181）、「ただ国家のためを衷心善かれと計る者」と対比される（同210）。Nussbaum, *The Fragility of Goodness: Luck and Ethics in Greek Tragedy and Philosophy*, 55.

88 Nelson, *Economics as Religion*, 271.

89 Nussbaum, *The Fragility of Goodness: Luck and Ethics in Greek Tragedy and Philosophy*, 89–90.

90 Ibid., 91.

91 Popper, *The Open Society and Its Enemies*（邦訳『開かれた社会とその敵』), volume 1, *The Spell of Plato*（プラトンの呪文), 17.

92 Ibid., 18.

93 Plato, *Timaeus*（邦訳『ティマイオス』), 22e–23b.

94 Campbell, *Myths to Live By*（邦訳『生きるよすがとしての神話』), 72.

95 Plato, *Timaeus*（邦訳『ティマイオス』), 23c.

96 たとえば『ピレボス』では、「古代の人々はわれわれよりすぐれている上に、はるかに神々の近くで暮らしていた」とある。Plato, *Philebus*（邦訳『ピレボス』), 16d.

97 「あなたがたは地上の大洪水をただ一つ記憶しているにすぎないが、そのような大洪水はその前に何度もあった」Plato, *Timaeus*（邦訳『ティマイオス』), 23b.

98 「主は憐れんで、二人の客にロト、妻、二人の娘の手をとらせて町の外へ避難するようにされた。彼らがロトたちを町外れへ連れ出したとき、主は言われた。『命がけで逃れよ。後ろを振り

返ってはいけない。低地のどこにもとどまるな。山へ逃げなさい。さもないと、滅びることになる』」創世記19章16～17節。「預言者ダニエルの言った憎むべき破壊者が聖なる場所に立つのを見たら、読者よ悟れ、そのとき、ユダヤにいる人々は山に逃げなさい」マタイによる福音書24章15～16節。

99 Nussbaum, *The Fragility of Goodness: Luck and Ethics in Greek Tragedy and Philosophy*, 261.

100 Aristotle, *Metaphysics*（邦訳『形而上学』), 1025b25.

101 Nussbaum, *The Fragility of Goodness: Luck and Ethics in Greek Tragedy and Philosophy*, 260.

102 Ibid., 260.

103 Aristotle, *Nicomachean Ethics*（邦訳『ニコマコス倫理学』), 1094b3.

104 Ibid., 1113a15.

105「徳倫理学」とは、（責任、利益、効用、結果の見通しではなく）徳に基づく倫理学を意味する。くわしくはMacIntyre, *After Virtue*（邦訳『美徳なき時代』）を参照されたい。マッキンタイアは始めアリストテレス派だったが、のちにトマス・アクィナス派に転じた。アクィナスの語るアリストテレスは「アリストテレス以上にアリストテレスだ」という。MacIntyre, *After Virtue*, x. 徳倫理学の祖はプラトンだが、完成させたのはまちがいなくアリストテレスであり、啓蒙時代が来るまで、西洋文明の倫理学における支配的な学派であり続けた。啓蒙時代に入ると、この伝統の一部は功利主義とカントの義務論（責任、善い意志、信条の遵守に基づく倫理学）に取って代わられた。

106 Aristotle, *Politics*（邦訳『政治学』), 2.5.

107 Ibid., 1258b. 1.10.

108 Ibid., 1.10. アリストテレスはここでは全体の利益のために実践されるよい経済学と、富のためのとめどを知らぬ富の蓄積を行う悪い経済学とを峻別している。

109 Ibid., 1.8–10.

110 Ibid., 2.3, 1261b.

111 Ibid., 1.11.

112 Aristotle, *Nicomachean Ethics*（邦訳『ニコマコス倫理学』), 1103b27–29.

113 Aristotle, *Eudemian Ethics*（邦訳『エウデモス倫理学』), 1214a6–7.

114 Ibid., 1214a18–19.

115 Aristotle, *Politics*（邦訳『政治学』), 1.1253a2.

116『ニコマコス倫理学』と『政治学』における社会経済プロセスの異なる解釈については、Polanyi, "Aristotle Discovers the Economy"を参照されたい。

117 Aristotle, *Politics*（邦訳『政治学』), 2.1.1261a18, 3.1.1275b20.

118 Aristotle, *Nicomachean Ethics*（邦訳『ニコマコス倫理学』), 1175b2–13.

119 Ibid., 1175a19–22.

120 Ibid., 1174b23.

121 マッキンタイアは現代における重要なアリストテレス研究者の一人である。彼は「エウダイモニア」を「自らに対しても神に対しても誠実な人間が善く生きて善いことをしている状態」と定義した。MacIntyre, *After Virtue*（邦訳『美徳なき時代』), 148.

122 Aristotle, *Politics*（邦訳『政治学』), 1.1.1252a2–3.

123 Aristotle, *Nicomachean Ethics*（邦訳『ニコマコス倫理学』), 1094a1–3. 都市国家に従属する小集団としての世帯においては、「医術の目的とするところは健康……家政は富であった」Ibid., 1094a8–9.

124 Ibid., 1172a19–29.

125 Ibid., 1172b10–28.

126 Ibid., 1095a14–23.

127 Aristotle, *Politics*（邦訳『政治学』), 1.1.1252a1–7.

128 この点でアリストテレスはストア派に近い。「大半の人、すなわち世の中のきわめて低俗な人間が善や幸福としているものは（もっともなことではあるが）、快楽であるように思われる。彼らが享楽的な生活を好むのはこのためだ」Aristotle, *Nicomachean Ethics*（邦訳『ニコマコス倫理学』), 1095b15–17.「これに対して、高い教養があり活動的な性質の人が幸福とするものは名誉であるようだ。……だがわれわれの考える善とは、何かその人に固有であって容易には取り去ることのできないものである。それに、彼らは自分の資質を確信したいがために名誉を追求しているように見える」Ibid., 1095b24–29.

129 この点でアリストテレスはプラトンの説に同意している。「思うに真に賢明な善き人は、いかなる運命も立派に引き受け、与えられた状況でつねに最善を尽くす」Ibid., 1101a1–2.

130 Ibid., 1174a4–9.

131 Ibid., 1106b29–30.

132 Ibid., 1106b31–34.

133 Ibid., 1107b9–10.

134 Ibid., 1104a19–27.

135 Ibid., 1106b6–7.

136 Ibid., 1109a25–29.

137 Ibid., 1109a24.

138 中庸の探求はアリストテレス学派においてきわめて重要な問題だった。探求は試行錯誤や経験によるのではなく、プラトンの言うフロネシス（fronésis）による。これは実際的な知恵、分別というほどの意味である。Gadamer, *The Idea of the Good in Platonic-Aristotelian Philosophy*を参照されたい。

139 Smith, *The Theory of Moral Sentiments*（邦訳『道徳感情論』), 395–430.

140 Ibid., 415.

141「聡明な人間は……日常のあらゆる出来事を導く叡智の存在を確信しているため、いかなる運命がわが身に降りかかろうと喜んで受け入れ、もし自分が宇宙の全構成要素の相互の関係を知っていたら、まさにその運命を自ら切望したにちがいないと考えて満足する。与えられた運命が生であるなら、生きることに満足するし、死であるなら、自然が自分の生存をもはや必要としないにちがいないのだから、命じられるがままどこへでも赴く。この点に関してストア派と同じ考え方をもつ犬儒学派のある哲学者はこう語った。『身に降りかかる運命がどんなものであろうと、同じように喜び満足して受け入れる。ゆたかでも貧しくても、楽しくても苦しくても、健やかでも病んでも、すべては同じであり、神々が自分の運命をいかなる点でも変えることなど望みはしない』」Ibid., 405–406.

142「ストア派は、人生とはすぐれた技を競う競技だとみなしていたようである。だが、そこには偶然が、正確には一般に偶然と理解されているものが入り込む。人生という競技……の楽しみは存分に競うこと、公平に競うこと、巧みに競うことから生まれる。すぐれた競技者が、立派な腕前にもかかわらず偶然のために負けたなら、それは悲しむべきことではなく、笑い飛ばすべきことである。違反を犯したわけではなく、……競技の楽しさを満喫したのだから。これに対し、下手な競技者が失敗を重ねながら偶然のせいで勝ったとしても、ほとんど満足は得られない。自分の犯した失敗を思い出しては屈辱を覚え、競技中も競う楽しさをまったく味わえない」Ibid., 409.

143 Ibid., 409.

144「古代の哲学者が記した断片の中で今日に伝わるいくつかは、きわめて興味深いと同時に、古代の遺産としてまことに示唆に富む。彼らの主張に表れた気概と男らしさは、今日の一部の学説の悲観的で哀れっぽい泣き言じみた調子と驚くべき好対照をなしている」Ibid., 415.

145「航海に出ることになったら、最高の船と船頭を選び、自分の置かれた状況と義務の許す範囲で最高の天候を待つ。行動指針として神々が与えてくれた思慮と適否の基準はそうするよう私に要求し、それ以上は要求しない。こうした準備にもかかわらず、船の強度でも船頭の技術でも耐えられないような嵐が起こったら、その結果について私が思い煩うことはない。なすべきだったことはすでにすべてなされた。私の行動を導く神々は、歎け、心配せよ、落胆せよ、恐れよ、とは一度も命じていない。私たちが溺れるのか港へたどり着くのかを決めるのは全知全能の神の仕事であって、私の仕事ではない。私はそれを神の決定に全面的に委ね、神がどちらを選ぶつもりかと案じて心を乱すことはない。来るものを何であれ淡々と心安らかに受け入れるだろう」Ibid., 406.

146「たとえば思慮は、この哲学によればあらゆる徳の源泉であり原動力でもある」Ibid., 434.

147「この二つがつねにこれらの情念の自然な対象であることは、証明するまでもないとエピクロスは考えた」Ibid., 431.

148 Ibid., 431.

149 Ibid., 432.

150 Epicurus, *Principal Doctrines*, 1.

151 Mill, *Utilitarianism*（邦訳『功利主義論』）.

152 Smith, *The Theory of Moral Sentiments*（邦訳『道徳感情論』）, 436.

153 Ibid., 438.

154 たとえば、Kant, *Introduction to the Metaphysics of Morals*（邦訳『人倫の形而上学の基礎づけ』）を参照されたい。

第4章

1 マタイによる福音書4章4節。

2「おまえは額に汗してパンを得る」創世記3章19節。

3 キリスト教の時代になって初めて、ユダヤ教の基本的な観念が広く受け入れられ、西洋文明全体の歴史に深い影響を与えるようになった。

4 Nelson, *Economics as Religion*, 329.

5 McCloskey, “The Rhetoric of Economics.”

6「あるいは、ドラクメ銀貨を10枚持っている女がいて、その1枚をなくしたとすれば、ともし火をつけ、家を掃き、見つけるまで念を入れて捜さないだろうか。そして見つけたら、友達や近所の女たちを呼び集めて『なくした銀貨を見つけましたから、一緒に喜んでください』と言うであろう。言っておくが、このように一人の罪人が悔い改めれば、神の天使たちの間に喜びがある」ルカによる福音書15章8～10節。

7「それなら、わたしの金を銀行に入れておくべきであった。そうしておけば、帰って来たとき、利息付きで返してもらえたのに」マタイによる福音書25章27節。

8「そこで、管理人は主人に借りのある者を一人一人呼んで、まず最初の人に、『わたしの主人にいくら借りがあるのか』と言った。『油100バトス』と言うと、管理人は言った。『これがあなたの証文だ。急いで、腰を掛けて、50バトスと書き直しなさい』。また別の人には、『あなたは、いくら借りがあるのか』と言った。『小麦100コロス』と言うと、管理人は言った。『これがあなたの証文だ。80コロスと書き直しなさい』。……不正にまみれた富について忠実でなければ、だれがあなたがたに本当に価値あるものを任せるだろうか。また、他人のものについて忠実でなければ、だれがあなたがたのものを与えてくれるだろうか」ルカによる福音書16章5～12節。同19章13～24節も参照されたい。

9「夕方になって、ぶどう園の主人は監督に、『労働者たちを呼んで、最後に来た者から始めて、最初に来た者まで順に賃金を払ってやりなさい』と言った」マタイによる福音書20章8節。

10「『ある金貸しから、二人の人が金を借りていた。一人は500デナリオン、もう一人は50デナリオンである。二人には返す金がなかったので、金貸しは両方の借金を帳消しにしてやった。二人のうち、どちらが多くその金貸しを愛するだろうか』。シモンは、『帳消しにしてもらった額の多い方だと思います』と答えた。イエスは、『そのとおりだ』と言われた」ルカによる福音書7章41～43節。

11「ある金持ちの畑が豊作だった。金持ちは……言った。『さあ、これから先何年も生きて行くだけの蓄えができたぞ……』。しかし神は『愚かな者よ、今夜おまえの命は取り上げられる。おまえが用意した物はいったいだれのものになるのか』と言われた。自分のために富を積んでも、神の前にゆたかにならない者はこのとおりだ」ルカによる福音書12章16～21節。

12 ここではいくつかを列挙するにとどめよう。隠された宝の寓話（マタイによる福音書13章44節）、真珠の寓話（同45節）、よきサマリア人の寓話（ルカによる福音書10章25～37節）、忠実な僕《しもべ》の寓話（マルコによる福音書13章33～37節、ルカによる福音書12章35～48節、マタイによる福音書24章42～51節）、放蕩息子の寓話（ルカによる福音書15章11～32節）などである。Cox, Easley, Robertson and Broadus, *Harmony of the Gospels*, 348を参照されたい。

13 ここには、過度な物欲に対する戒めも含まれる。「だれも、二人の主人に仕えることはできない。一方を憎んで他方を愛するか、一方に親しんで他方を軽んじるか、どちらかである。あなたがたは、神と富とに仕えることはできない」マタイによる福音書24章42～51節。ルカによる福音書16章13節も参照されたい。

14 Wallis, *God's Politics: Why the Right Gets It Wrong and the Left Doesn't Get It*, 212. Collins and Wright, *The Moral Measure of the Economy*も参照されたい。

15 マタイによる福音書5章2～3節。

16 マタイによる福音書6章11節。

17 Liddell and Scott, *Greek-English Lexicon*: "reward of good tidings, given to the messenger."

18 「この刻印のある者でなければ、物を買うことも、売ることもできないようになった。この刻印とはあの獣の名、あるいはその名の数字である」ヨハネの黙示録13章17節。

19 Horsley, *Covenant Economics*, 81, 95も参照されたい。

20 マタイによる福音書6章12節。

21 ギリシャ語では“ophēilemata”という言葉が使われており、この言葉は“opheilo”と同じく「債務」の意味である。英語の聖書はすべて両方の単語を“debt”と訳している。この祈りは「ルカによる福音書」11章2～4節にもある。ただしこちらでは、ギリシャ語は“amartias”が使われている。これは“hamart”に由来し、「罪を犯す」という意味と「失敗する、誤りを犯す」という意味がある。この2つの言葉は同義語として使われることが多い（新約聖書では、“amartias”が181回、“hamarant”が36回、“opheilo”が36回使われている）。

22 レビ記25章39節。

23 出エジプト記21章1～6節、レビ記25章8～10節、41～42節、申命記15章1～6節、12～15節など。債務の取り消しは、ハンムラビ法典117条にも定められている。Horsley, *Covenant Economics*, 45を参照されたい。

24 「あなたがたは、身代金を払って買い取られたのです。人の奴隷となってはいけません」コリントの信徒への手紙一、7章23節。類似の記述は旧約聖書にも見られる。ここでは、奴隷の買い戻しに関する古典的な例を挙げよう。「身売りをした後でも、その人は買い戻しの権利を保有する。その人の兄弟はだれでもその人を買い戻すことができる」レビ記25章48節。「また、この地上に一つでも、あなたの民イスラエルのような民がありましょうか。神は進んでこれを贖って御自分の民とし、名をお与えになりました。御自分のために大きな御業を成し遂げ、あなたの民のために御自分の地に恐るべき御業を果たし、御自分のために、エジプトおよび異邦の民とその神々から、この民を贖ってくださいました」サムエル記下7章23節。「主に贖われた人々は唱えよ。主は苦しめる者の手から彼らを贖い」詩篇107篇2節。「主は御自分の民に贖いを送り、契約をとこしえのものと定められた」詩篇111篇9節。

25 マルコによる福音書10章42～45節。「身代金」とは借金証書に定められた金額で、これを払えば債務奴隷になった人を買い戻すことができる（レビ記25章25～28節、47～55節を参照されたい）。Horsley, *Covenant Economics*, 123も参照されたい。

26 エフェソの信徒への手紙1章7節。

27 コロサイの信徒への手紙1章14節。

28 ヘブライ人への手紙9章12～15節。

29 エフェソの信徒への手紙2章8～9節。

30 ローマの信徒への手紙3章22～24節。

31 ヨハネの黙示録21章6節。傍点筆者。

32 「超越して、別の状態に、外に」を意味する“trans”という接頭辞が、超越（transcendental）にも取引（transaction）にもついている。これは「超えて、向こうに」を意味するラテン語の前置詞が語源である。

33 使徒言行録8章20節。

34 Graeber, *Toward an Anthropological Theory of Value*, 154. また、Cheal, *The Gift Economy*も参照されたい。

35 チェコの哲学者ヤン・ソコルは、これに加えて、自分の祖父は年に数回しかお金を必要としな

かった、それは塩を買うためだったと言う。

36 どんな分野、どんな文化でチップを渡すことが行われているのかを調べるのは興味深い。レストランではチップは渡されるが、店で渡されることはない。タクシーの運転手には渡されるが、バスの運転手には渡されない。チェコでは修理工に渡すが、アメリカではメイドや門番には渡さない。

37 チップが話題になるのは経済学者の間だけではない。これに関するおもしろい議論は、クエンティン・タランティーノ監督の映画『レザボア・ドッグス』の冒頭に見られる。

38 レストランやバーでの相互贈与の関係性を考えてみよう。人々はよくディナーに招待したり、一杯おごってやったりする。ただ面前に8ドル50セント置いても、相手は全然いい気持ちにはならないが、8ドル50セント相当の酒をごちそうするなら、相手はよろこんで受け入れるはずだ。実際には「数的な」経済計算上は両者は同じであるにもかかわらず、である。

39 旧約聖書の一節にはこうある。「渇きを覚えている者は皆、水のところに来るがよい。銀を持たない者も来るがよい。穀物を求めて、食べよ。来て、銀を払うことなく穀物を求め、価を払うことなくぶどう酒と乳を得よ」イザヤ書55章1節。

40 Bassham and Bronson, *The Lord of the Rings and Philosophy*（邦訳『指輪物語をめぐる16の哲学』）. アリソン・ミルバンクが指摘するように、あらゆる善きものと贈り物には金銭取引は発生しない。

41 もっとも、指輪を所有したのか、指輪に所有されているのかは検討の余地がある。たとえばゴクリ（ゴラム）は指輪を持っていたのか、指輪に支配されていたのか、どちらだろうか。ガラドリエル、さらにはガンダルフでさえ、自分たちには指輪を制御できず、むしろ指輪に支配され、外見まで変わってしまうのではないかと心配していた。これは、双方向所有の極端な例だと言えよう。つまり、ものを所有すると同時にものに所有されている。チャック・パラニュークの小説およびその映画作品『ファイト・クラブ』（デヴィッド・フィンチャー監督、1999年）も同様のテーマを扱った。この映画でタイラー・ダーデンは「僕」（名前はなく、平均的アメリカ人を表す）に向かって「おまえが持っているものはおまえを持っているんだ」と言う。

42 Mauss, *The Gift*（邦訳『贈与論』）, 66, 67.

43 Cheal, *The Gift Economy*, 2. また、Durkheim, *The Division of Labor in Society*（邦訳『社会分業論』）, 4–7, Lévi-Strauss, *The Elementary Structures of Kingship*, Bourdieu, *Outline of a Theory of Practice*も参照されたい。

44 Neubauer, *O čem je věda?*（科学は何のためか）, 145.

45 Simmel, *Peníze v moderní kultuře a jiné eseje*（貨幣と近代文化）, 249.

46 イエス自身の生涯も逆説的である。まぐさ桶の中で生まれ（ルカによる福音書2章）、同時代の熱心な「信者」に拒絶され（マタイによる福音書21章45～46節）、徴税人や売春婦の味方になった。その強さは弱さの中に、また受難によって示された。地上で最も強力な存在であるはずの神は、罪人と並んで十字架に釘で打ち付けられた。こうした逆説が描かれている箇所のほんの一部を挙げておこう。「はっきり言っておく。徴税人や娼婦たちの方が、あなたたちより先に神の国に入るだろう。なぜなら、ヨハネが来て義の道を示したのに、あなたたちは彼を信ぜず、徴税人や娼婦たちは信じたからだ。あなたたちはそれを見ても、後で考え直して彼を信じようとしなかった」マタイによる福音書21章31～32節。「人の子は必ず罪人の手に渡され、十字架につけられ、3日目に復活することになっている、と言われたではないか」ルカによる福音書24

章7節。「あなたがたは、命への導き手である方を殺してしまいましたが、神はこの方を死者の中から復活させてくださいました」使徒言行録3章15節。

47「一人の貧しいやもめが来て、レプトン銅貨2枚、すなわち1クァドランスを入れた。イエスは弟子たちを呼び寄せて言われた。『はっきり言っておく。この貧しいやもめは、賽銭箱に入れている人の中で、だれよりもたくさん入れた。皆は有り余る中から入れたが、この人は、乏しい中から自分の持っている物をすべて、生活費を全部入れたからである』マルコによる福音書12章42～44節。

48「『ところで、どうお思いでしょうか、お教えください。皇帝に税金を納めるのは律法に適っているでしょうか、適っていないでしょうか』。イエスは彼らの悪意に気づいて言われた。『偽善者たち、なぜわたしを試そうとするのか。税金に納めるお金を見せなさい』。彼らがデナリオン銀貨を持って来ると、イエスは『これはだれの肖像と銘か』と言われた。彼らは『皇帝のものです』と言った。するとイエスは言われた。『では、皇帝のものは皇帝に、神のものは神に返しなさい』」マタイによる福音書22章17～21節。ルカによる福音書20章25節も参照されたい。

49 ヨハネによる福音書2章14節。

50「イエスは縄で鞭を作り、羊や牛をすべて境内から追い出し、両替人の金をまき散らし、その台を倒し、鳩を売る者たちに言われた。『このような物はここから運び出せ。わたしの父の家を商売の家としてはならない』」ヨハネによる福音書2章15～16節。これは、ヨハネが福音書に記したイエスの行為の中で、公に行われた2番目のものである（最初の行為は、ガリラヤのカナで水をぶどう酒に変えた）。

51 マタイによる福音書6章19～21節。

52 マタイによる福音書6章25～34節。

53 テモテへの手紙一、6章10節。

54 ヘブライ人への手紙13章5節。

55 ルカによる福音書8章14節。

56 Dixit and Nalebuff, *Thinking Strategically*（邦訳『戦略的思考とは何か』), 106.

57 シェークスピアの戯曲では、最初は小さな誤解だったものが時の経過とともに巨大に膨れ上がっていくことが重要なテーマとなっている。喜劇では最後に全員が笑うが、悲劇では登場人物が殺し合う。

58「もしその他の損傷があるならば、命には命、目には目、歯には歯、手には手、足には足、やけどにはやけど、生傷には生傷、打ち傷には打ち傷をもって償わねばならない」出エジプト記21章23～25節。

59 マタイによる福音書5章38～42節。

60 ニール・ゲイマンとテリー・プラチェットの『グッド・オーメンズ』はその好例である。

61 マタイによる福音書5章43～47節。Dixit and Nalebuff, *Thinking Strategically*（邦訳『戦略的思考とは何か』), 109.

62 マタイによる福音書20章1～16節。

63 ヤコブの手紙4章4節。

64「わたしにとって、生きるとはキリストであり、死ぬことは利益なのです。けれども、肉において生き続ければ、実り多い働きができ、どちらを選ぶべきか、わたしには分かりません。この二つのことの間で、板挟みの状態です。一方では、この世を去って、キリストと共にいたいと

熱望しており、この方がはるかに望ましい。だが他方では、肉にとどまる方が、あなたがたのためにもっと必要です。こう確信していますから、あなたがたの信仰を深めて喜びをもたらすように、いつもあなたがた一同と共にいることになるでしょう。そうなれば、わたしが再びあなたがたのもとに姿を見せるとき、キリスト・イエスに結ばれているというあなたがたの誇りは、わたしゆえに増し加わることになります」フィリピの信徒への手紙1章21～26節。

65「旧約聖書においては、サタンは堕落した悪質なものではなく、ヤハウェの僕《しもべ》であり、神聖な役割を演じ、居場所も天国にある。ダビデがイスラエルの人口を数える話では（サムエル記下24章1節、歴代誌上21章1節）、ダビデの行為はヤハウェとサタンの両方に属す。……世界に対抗する力の持ち主としてサタンが姿を現すのは、新約聖書においてである」*International Standard Bible Encyclopedia*の“Satan”の項による。

66 旧約聖書に登場するサタンは以下のとおり。「サタンがイスラエルに対して立ち、イスラエルの人口を数えるようにダビデを誘った」歴代誌上21章1節（ちなみに、同じ物語を時系列で比べてみると、「サムエル記」では逆の記述になっている。「主の怒りが再びイスラエルに対して燃え上がった。主は、『イスラエルとユダの人口を数えよ』とダビデを誘われた」サムエル記下24章1節）。「主は、主の御使いの前に立つ大祭司ヨシュアと、その右に立って彼を訴えようとしているサタンをわたしに示された。主の御使いはサタンに言った。『サタンよ、主はおまえを責められる。エルサレムを選ばれた主はおまえを責められる。ここにあるのは火の中から取り出された燃えさしではないか』」ゼカリヤ書3章1～2節。さらにヨブ記の冒頭（1～2章）にはサタンがたびたび登場する。そして4番目のケースは、エデンの園の「蛇」である。この蛇はサタンの化身とみなされることが多い。また一部の翻訳では、詩篇109篇の「神に逆らう者」をサタンと訳している。

67「ヨハネによる福音書」では、イエスはサタンのことをこの世の支配者と呼んでいる。「もはや、あなたがたと多くを語るまい。世の支配者が来るからである」ヨハネによる福音書14章30節。「今こそ、この世が裁かれる時。今、この世の支配者が追放される」同12章31節。また、パウロはこう書いている。「悪魔の策略に対抗して立つことができるように、神の武具を身に着けなさい。わたしたちの戦いは血肉を相手にするものではなく、支配と権威、暗闇の世界の支配者、天にいる悪の諸霊を相手にするものなのです」エフェソの信徒への手紙6章11～12節。

68「第一の掟は、これである。『イスラエルよ、聞け、わたしたちの神である主は、唯一の主である。心を尽くし、精神を尽くし、思いを尽くし、力を尽くして、あなたの神である主を愛しなさい』。第二の掟は、これである。『隣人を自分のように愛しなさい』。この二つにまさる掟はほかにない」マルコによる福音書12章29～31節。

69 ガラテヤの信徒への手紙5章14節。また、「どんな掟があっても、『隣人を自分のように愛しなさい』という言葉に要約されます」ローマの信徒への手紙13章19節。さらにヤコブは、この教えを最も尊い律法とした。「もしあなたがたが、聖書に従って、『隣人を自分のように愛しなさい』という最も尊い律法を実行しているのなら、それは結構なことです」ヤコブの手紙2章8節。

70 McCloskey, *The Bourgeois Virtues*, 8.

71「園のすべての木から取って食べなさい。ただし、善悪の知識の木からは、決して食べてはならない。食べると必ず死んでしまう」創世記2章16～17節。

72 マタイによる福音書13章24～30節。

73「あまねく与える者は、全体の善が損なわれることのないよう、わずかな瑕疵が残ることを容認

する。……一つのことの瑕疵は別のことの善を生み、さらには普遍的な善を生むこともある。一つのことの腐敗は別の腐敗を生み、それを通じてさまざまな種は生存を維持する。神はありとあらゆる生物にあまねく与えるのであるから、宇宙の完全な善が損なわれることのないよう、何らかのことがらに瑕疵を容認することは神意に属する。あらゆる悪を防いだら、多くの善は宇宙に存在しないだろう。動物を殺すことがないなら、獅子は生きることをやめるだろう。非道な迫害がないなら、殉教者の忍耐もないだろう」Aquinas, *Summa Theologica*（邦訳『神学大全』）I. Q.22, A.2, R.O.2.

74 Augustine, *Enchiridion on Faith, Hope, and Love*（邦訳『信仰・希望・愛（エンキリディオン）』）, 33, 110.

75 悪が存在しなかったら、善を認識できないのだろうか。歯が痛くなってから痛みが止まるまで、歯は大丈夫だということは認識できないのだろうか。

76 マタイによる福音書7章1節。また「人を裁くな。そうすれば、あなたがたも裁かれることがない。人を罪人だと決めるな。そうすれば、あなたがたも罪人だと決められることがない。赦しなさい。そうすれば、あなたがたも赦される」ルカによる福音書6章37節。

77 マタイによる福音書7章3～5節。

78「ものの見えない案内人、あなたたちはぶよ一匹さえも漉して除くが、らくだは飲み込んでいる」マタイによる福音書23章24節。

79「そして更に言われた。『安息日は、人のために定められた。人が安息日のためにあるのではない。だから、人の子は安息日の主でもある』マルコによる福音書2章27～28節。

80 Payne, *Odkud zlo?*（悪はどこに？）, 78.

81 テモテへの手紙一、1章5節。

82 テトスへの手紙1章15節。

83 コリントの信徒への手紙一、6章12節。パウロはこの言葉を10章23節でも繰り返している。「すべてのことが許されている。しかし、すべてのことが益になるわけではない。すべてのことが許されている。しかし、すべてのことがわたしたちを造り上げるわけではない」。

84 くわしくはBonhoeffer, *Ethics*を参照されたい。

85「あなたがたも聞いているとおり、昔の人は『殺すな。人を殺した者は裁きを受ける』と命じられている。しかし、わたしは言っておく。兄弟に腹を立てる者はだれでも裁きを受ける。兄弟に『ばか』と言う者は、最高法院に引き渡され、『愚か者』と言う者は、火の地獄に投げ込まれる」マタイによる福音書5章21～22節。

86 ローマの信徒への手紙4章8節。

87 あらゆる罪は償われるが、その一方で人間は、まさに愛と感謝ゆえに神と自分と隣人に対して責任を負うという考え方は、きわめて特殊である。これなら、アウグスティヌスの「愛し、己の欲するところをせよ」のほうが理解しやすい。恩寵と律法を巡る議論は当然ながら複雑で根が深い。この議論は、たとえばパウロが「ローマの信徒への手紙」で扱っている。

88「主なる神は人を連れて来てエデンの園に住まわせ、人がそこを耕し、守るようにされた」創世記2章15節。

89 くわしくは Aquinas, *Summa Theologica*（邦訳『神学大全』）I. Q.102, A.3を参照されたい。

90 Ibid., I. Q.97, A.3, Corpus.

91 Hesiod, *Theogony*（邦訳『神統記』）, 571nn.

92 創世記3章17節。

93 テサロニケの信徒への手紙二、3章10節。

94「その後、パウロはアテネを去ってコリントへ行った。ここで、ポントス州出身のアキラというユダヤ人とその妻プリスキラに出会った。クラウディウス帝が全ユダヤ人をローマから退去させるようにと命令したので、最近イタリアから来たのである。パウロはこの二人を訪ね、職業が同じであったので、彼らの家に住み込んで、一緒に仕事をした。その職業はテント造りであった。パウロは安息日ごとに会堂で論じ、ユダヤ人やギリシャ人の説得に努めていた」使徒言行録18章1～4節。

95 テサロニケの信徒への手紙二、3章6～14節。

96 使徒言行録20章33～35節。

97 Aquinas, *Summa Theologica*（邦訳『神学大全』）IIa–IIae. Q.66, A.7, Corpus.

98 Locke, *Second Treatise of Government*（邦訳『統治二論』の第二論）, 5.25.

99 Mill, *Principles of Political Economy*（邦訳『経済学原理』）, 142. またM. Novak, *The Catholic Ethic and the Spirit of Capitalism*, 151, 285, 287なども参照されたい。

100「私は以下のように答える。人間の権利となるものは、自然の権利すなわち神の権利の行使を制限することはできない」Aquinas, *Summa Theologica*（邦訳『神学大全』）IIa–IIae. Q.66, A.7, Corpus.

101 Ibid., IIa–IIae. Q.66, A.7, Corpus.

102 Ibid., IIa–IIae. Q.66, A.6, R.O.1.

103 Locke, *First Treatise of Government*（邦訳『統治二論』の第一論）, 4.42. Sigmund, *St. Thomas Aquinas on Politics and Ethics*, 73も参照されたい。

104「外のものについて人間に資格のある第二のことは、使うことである。このことに関して言えば、外のものを自分だけのものとしてではなく、共有のものとして持たねばならない。それはすなわち、他人が困窮したときには他人に与える用意があるということである。使徒は『この世で富んでいる人々に命じなさい。……物惜しみをせず、喜んで分け与えるように』と言っている（テモテへの手紙一、6章17～18節）」Aquinas, *Summa Theologica*（邦訳『神学大全』）IIa–IIae. Q.66, A.2, Corpus.

105「隣人のぶどう畑に入るときは、思う存分満足するまでぶどうを食べてもよいが、籠に入れてはならない。隣人の麦畑に入るときは、手で穂を摘んでもよいが、その麦畑で鎌を使ってはならない」申命記23章25～26節。

106「法律の目的は、人々が自分のものを他人によろこんで与えられるようにすることにある」Aquinas, *Summa Theologica*（邦訳『神学大全』）Ia–IIae, Q.105 A.2, R.O.1.

107「穀物を収穫するときは、畑の隅まで刈り尽くしてはならない。収穫後の落ち穂を拾い集めてはならない。ぶどうも、摘み尽くしてはならない。ぶどう畑の落ちた実を拾い集めてはならない。これらは貧しい者や寄留者のために残しておかねばならない」レビ記19章9～10節。

108 使徒言行録2章44～45節、4章32～35節。

109 コリントの信徒への手紙一、16章19節、ローマの信徒への手紙16章5節。

110 Horsley, *Covenant Economics*, 140.

111 Ibid., 144. パウロが旅の途上で訪れたり手紙を書いたりしたのはこうした地域共同体だったと思われる。

112 コリントの信徒への手紙一、14章15節、ローマの信徒への手紙11章20節、16章23節。

113 ガラテヤの信徒への手紙2章1～10節、使徒言行録15章6～41節。

114 くわしくは、Lewis, *The Four Loves*（邦訳『四つの愛』）、McCloskey, *The Bourgeois Virtues* を参照されたい。また、*Letters of C. S. Lewis*, 225と比較されたい。

115 ローリーによれば、「社会的あるいは経済的な正義の概念が最初に示されたのは、旧約聖書ネヘミヤ記の5章5節である」Lowry and Gordon, *Ancient and Medieval Economic Ideas and Concepts of Social Justice*, 5.

この部分の聖書の記述は次のとおり。

「民とその妻たちから、同胞のユダの人々に対して大きな訴えの叫びがあがった。ある者は言った。『わたしたちには多くの息子や娘がいる。食べて生き延びるために穀物がほしい』。またある者は言った。『この飢饉のときに穀物を得るには畑も、ぶどう園も、家も抵当に入れなければならない』。またある者は言った。『王が税をかけるので、畑もぶどう園も担保にして金を借りなければならない。同胞もわたしたちも同じ人間だ。彼らに子供があれば、わたしたちにも子供がある。だが、わたしたちは息子や娘を手放して奴隷にしなければならない。ある娘はもう奴隷になっている。どうすることもできない。畑とぶどう園はもう他人のものだ』。この嘆きと訴えを聞いて、わたしは大いに憤りを覚え、居たたまれなくなって貴族と役人をこう非難した。『あなたたちは同胞に重荷を負わせているではないか』。わたしはまた大きな集会を召集して、言った。『わたしたちは異邦人に売られていた同胞のユダの人々を、できるかぎり買い戻した。それなのに、あなたたちはその同胞を売ろうというのか。彼らはわたしたち自身に売られることになるのに』。彼らは黙りこみ、何も言えなかった」ネヘミヤ記5章1～8節。

116 Horsley, *Covenant Economics*, 155.

117 ルカによる福音書12章31～33節。

118 コリントの信徒への手紙二、9章6～7節。

119 コリントの信徒への手紙二、8章11～15節。

120 コリントの信徒への手紙一、16章1～3節。

121 「時は満ち、神の国は近づいた。悔い改めて福音を信じなさい」マルコによる福音書1章15節。神の国というのは奇妙な概念であり、理解がむずかしい。「『ここにある』『あそこにある』と言えるものでもない。実に、神の国はあなたがたの間にあるのだ」ルカによる福音書17章21節。神の国があそこにはないということは、トマスによる福音書（外典）にわかりやすく説明されている。「イエスが言った、『もしあなたがたを導く者があなたがたに「見よ、王国は天にある」と言うならば、天の鳥があなたがたより先に（王国へ）来るであろう。彼らがあなたがたに、「それは海にある」と言うならば、魚があなたがたより先に（王国へ）来るであろう。そうではなくて、王国はあなたがたのただ中にある。そして、それはあなたがたの外にある』」。最後の文章は、Patterson and Meyer, *The "Scholars' Translation" of the Gospel of Thomas* に拠る。

122 神の国の到来について最も巧みな説明をしたのは、おそらくC. S.ルイスだろう。それによれば「私たちは現時点では世界の外にいる。つまり扉のまちがった側にいる。私たちはそのことの意味に気づいてはいるが、意識を改め純粋になることができないし、目の当たりにしている光輝と交わることもできない。だが新約聖書のどのページも、いつまでもそうではないのだと囁き続ける。いつかある日神は訪れ、私たちは迎え入れられる」*The Weight of Glory*, 16-17.

123 たとえば、*Confessions*（邦訳『告白』）, book 7などを参照されたい。

124 「そのような平和に達したとき、そこには死すべき生はなく、永遠の生が取って代わるだろう。腐敗によって魂に重荷を課す動物的な肉体はもはやなく、いかなる欠乏も感じずあらゆる部分が意志に従う霊的な肉体のみが存するであろう」Augustine, *City of God*（邦訳『神の国』）, 19.17. ただし、アウグスティヌスはプラトンの極端な学説、とりわけプロティノスの物体と精神の二重性からは距離を置いた。プロティノスでは、肉体は非常に否定的な意味を与えられている。くわしくは、詩篇142篇8節を参照されたい。また、Sipe, “Struggling with Flesh: Soul/Body Dualism in Porphyry and Augustine”が参考になる。

125 Falckenberg and Drake, *History of Modern Philosophy*, 13.

126 トマス・アクィナスはアリストテレスの大部分を自らの学説に取り入れてはいるが、無批判にそうしているわけではない。トミズムが形を変えたアリストテレス哲学にすぎないとか、そのキリスト教化であるというのは、単純化が過ぎる。トマス・アクィナスがアリストテレスを引用したのは、すでに証明されたことの不要な重複を避けるためで、アリストテレスの言葉に盲目的に敬意を表するためではない。同時代のSiger of Brabantは真実以上にアリストテレスの学説を尊重すべきだと言ったと伝えられるが、トマス・アクィナスにとって擁護すべきは真実であってアリストテレスではなかった。むしろある点ではトマス・アクィナスはアリストテレスの誤った主張を指摘しているし、いくつかの問題ではアウグスティヌスに賛成したり、新プラトン主義のアレオパゴスのディオニシオスを支持したりしている。

127 「歴史的に見て、カトリック教会がプラトン哲学から始まったこと、むしろあまりにプラトン主義的であったことはまちがいない」Chesterton, *St. Thomas Aquinas*（邦訳『聖トマス・アクィナス』）, 36.

128 Pieper, *Guide to Thomas Aquinas*, 121.

129 Ibid., 142.

130 この論理を説明すれば、次のようになる。「以上の考察から、悪には何も本質がないことはあきらかである。実際には悪は、何らかのものが所有しうるものの欠如にほかならない。欠如は本質ではない。むしろ、非存在である。よって悪はものの中に本質を持たない。しかし、個々のものはその本質に応じて存在する。そのものが存在する限りにおいて、何かしら善である。善はあらゆるものが望むものだとすれば、すべてが善であろうとするのだから、存在自体は、善でなければならないからだ。よって個々のものは、現に存在するがゆえに善である。さてここで、善と悪は反対である。したがって、いかなるものも本質を持つがゆえに、何ものも悪ではない……あらゆる存在は善であろうとする……よって、いかなるものもその本質として悪ではない……すでに証明したとおり、すべてのものは、行為するときに善であろうとする。よって存在するものは、存在として悪ではない」Aquinas, *Contra Gentiles*（対異教徒大全）III, Q.7, part 3.

131 Aquinas, *Summa Theologica*（邦訳『神学大全』）I. Q.8, A.1, Corpus.

132 Novak, *The Spirit of Democratic Capitalism*, 71, 96.

133 Aquinas, *Summa Theologica*（邦訳『神学大全』）I. Q.44, A.2, Corpus.

134 テモテへの手紙一、4章4節。

135 Aquinas, *Summa Theologica*（邦訳『神学大全』）Ia–IIae. Q.4, A.6, Corpusに引用されている。引用元は、Augustine, *City of God*（邦訳『神の国』）, 22.26.

136 Chesterton, *St. Thomas Aquinas*（邦訳『聖トマス・アクィナス』）, 91.

137 「人間は……懲罰に対する恐怖から諸契約を履行する……正義、公平、謙虚、慈悲など、要するに己の欲するところを人にもなすことが何かの力に対する恐怖なしにひとりでに遵守されることは、私たちの自然の情に反している」Hobbes, *Leviathan*（邦訳『リヴァイアサン』), 129.

138 Aquinas, *Contra Gentiles*（対異教徒大全）III, chapter 11（この章のタイトルは「悪は善に基づくこと」である)。「前述の考察から、次のことが言える。いかなる悪も何かしら善に基づいている。すでに示したとおり、悪は単独では存在し得ない。なぜなら、悪は本質を持たないからである」。

139 Ibid., chapter 12. 第7章では、トマス・アクィナスはいくらか喜ばしく、「いかなる存在も、存在として悪であることは不可能である。……この考察から、マニ教は誤りだと言うことができる。なぜなら彼らは、ある種のものは本質的に悪だと主張しているからである」と結論づけている。

140 Ibid., chapters 4, 6, 7.

141 Ibid., chapter 14.「よって、悪は偶発的に生ずること、単独で直接生ずるものでないことはあきらかである」。また、次のような記述もある。「ある主体が、何か善きことを意図していたのではなくて何か悪いことをすることは、不可能である」III, chapter 71.

142 Aquinas, *Summa Theologica*（邦訳『神学大全』）Ia–IIae, Q.18, A.1.

143 Ibid., Q.71, A.2, O.T.C. ここではアウグスティヌスが引用されている（*De Lib.* Arb. III, 13)。「あらゆる悪は、悪であるがゆえに自然に反する」。

144 「それではまるで、世には自らすすんで悪をなす人々がいるかのようです。これはほとんど私の確信なのですが、およそ知者ならば誰一人として、世に自らすすんで過ちを犯したり、自らすすんで醜く悪しき所行をなしたりする者がいるとはけっして考えないはずですし、醜い行為や悪しき行為をする者たちはすべて、みずからの意に反してそうするのだということを、よく知っているはずです」Plato, *Protagoras*（邦訳『プロタゴラス』), 345d–e.

145 マルコによる福音書7章20～23節、エレミヤの手紙17章9節。

146 「医者を必要とするのは、丈夫な人ではなく病人である」マルコによる福音書2章17節。「神は、すべての人々が救われて真理を知るようになることを望んでおられます」テモテへの手紙一、2章4節。

147 Aquinas, *Summa Theologica*（邦訳『神学大全』）I. Q.22, A.2, R.O.2.

148 Aquinas, *Contra Gentiles*（対異教徒大全）III, chapter 71.

149 Ibid., chapter 71, part 7.

150 マンデヴィルの同書が発売されたときには一大スキャンダルとなった（Hayek, *New Studies in Philosophy, Politics, Economics, and the History of Ideas*, 252)。これについては後の章で触れる。

151 Hayek, *New Studies in Philosophy, Politics, Economics, and the History of Ideas*, 252. 引用元はAquinas, *Summa Theologica*（邦訳『神学大全』）IIa–IIae. Q.78, A.2.

152 Aristophanes, *Ecclesiazusae*（邦訳『女の議会』), 289. ハイエクは*The Trend of Economic Thinking: Essays on Political Economists and Economic History*, vol.3, 85および*New Studies in Philosophy, Politics, Economics, and the History of Ideas*, 254で引用している。

153 Aquinas, *Contra Gentiles*（対異教徒大全）I, chapter 95.

154 Aquinas, *Summa Theologica*（邦訳『神学大全』）I. Q.22, A.2, R.O.2.

155 イザヤ書45章7節。

156 アモス書3章6節。これに対するジョン・ウェスレーの注記は次のとおり。「悪は……直接神の手になるものか、その代理人の手になるものである。手段がどうあれ、悪の主体は神である。神の口から善と悪の両方が始まる」。マシュー・ヘンリー注解書は次のとおり。「罪の悪は、われわれ自身に、我々自身の行為に由来する。しかし悪の苦しみは、神に由来し、行為主体が誰であれ、神の行為に由来する」。

157 創世記3章22節。

158 Aquinas, *Summa Theologica*（邦訳『神学大全』）I. Q.92, A.1, R.O.3.

159 Ibid., IIa–IIae. Q.78, A.4, Corpus.

160 Goethe, *Faust*（邦訳『ファウスト』）, 第1部第3場。

161 Novak, *The Spirit of Democratic Capitalism*, chapter 4 "Sin."

162 この一節はティルス王に対する預言である。非常に説得力があり、堕天使ルシファーと直接関連づけられている。この一節はたいへん詩的で力強いので、全文を引用しておこう。「主なる神はこう言われる。おまえは全きものの典型であり、知恵に満ち、美しさの極みである。おまえは神の園であるエデンにいた。あらゆる宝石がおまえを包んでいた。ルビー、黄玉、紫水晶、かんらん石、縞めのう、碧玉、サファイア、ざくろ石、エメラルド。それらは金で作られた留め金でおまえに着けられていた。それらはおまえが創造された日に整えられた。 わたしはおまえを、翼を広げて覆うケルブとして造った。おまえは神の聖なる山にいて火の石の間を歩いていた。 おまえが創造された日からおまえの歩みは無垢であったが、ついに不正がおまえの中に見いだされるようになった。 おまえの取引がさかんになると、おまえの中に不法が満ち、罪を犯すようになった。そこでわたしはおまえを神の山から追い出し、翼で覆うケルブであるおまえを火の石の間から滅ぼした。 おまえの心は美しさのゆえに高慢となり、栄華のゆえに知恵を堕落させた。わたしはおまえを地の上に投げ落とし、王たちの前で見せ物とした。 おまえは悪行を重ね、不正な取引を行って自分の聖所を汚した。それゆえ、わたしはおまえの中から火を出させ、おまえを焼き尽くさせた。わたしは見ている者すべての前で、おまえを地上の灰にした。諸国の民のなかでおまえを知っていた者は皆、おまえのゆえにぼう然とする。おまえは人々に恐怖を引き起こし、とこしえに消えうせる」エゼキエル書28章12～19節。

163 Aquinas, *Summa Theologica*（邦訳『神学大全』）I. Q.97, A.4, Corpus. また、Aquinas, *Contra Gentiles*（対異教徒大全）III, chapter 117も参照されたい。「人間は社会的動物である」という言葉は、言うまでもなくアリストテレスのものである。なおトマス・アクィナスは次のようにも書いている。「人間は、他のどの動物にもまして社会的・政治的動物であり、集団の中で生活することが自然である」Aquinas, *De Regno*（邦訳『君主の統治について』）, 1.1.4.

164 なお誤解を避けるためにも、トマス・アクィナスの言う人間が個人であることを指摘しておくべきだろう。彼にとって個人というものは存在した（*Contra Gentiles*（対異教徒大全）III, chapter 113参照）。また魂とは個別のものであった（Sigmund, *St. Thomas Aquinas on Politics and Ethics*, 137）。当時は、この点でさえ明確ではなかったのである。この問題に関しては、あらゆる人には共通の理性があるとするイスラム圏の哲学者との対立も存在した。

165 創世記2章18節。

166「人間は生まれながらにして社会的動物である。したがって無知な状態でも社会生活を営む」Aquinas, *Summa Theologica*（邦訳『神学大全』）I. Q.97, A.4, Corpus.

167 Aquinas, *Contra Gentiles*（対異教徒大全）III, chapter 117（この章には「われわれは神の律法により隣人愛を命じられていること」と表題が付けられている）。

168 Aquinas, *Contra Gentiles*（対異教徒大全）III, chapter 128.

169 Aquinas, *De Regno*（邦訳『君主の統治について』）, 1.1.8.

170 Ibid., 1.1.3.

171 箴言3章5節。

172 Luther, *Last Sermon in Wittenberg*, Band 51:126, Line 7ff. 引用箇所の全文は次のとおり。「だが、悪魔の花嫁であるあの理性、あの小さな娼婦がやって来て、自分は賢いと考え、彼女の言うことや彼女の考えることが精霊によるとしたら、いったい誰がわれわれを助けられるのか。裁判官も医者も王も皇帝も役に立たない。なぜなら理性は悪魔の偉大な娼婦だからだ」。Nelson, *Economics as Religion*, 131も参照されたい。

173 Aquinas, *Contra Gentiles*（対異教徒大全）I, chapter 7, part 1.

174 Ibid., II, chapter 3. Pieper, *Guide to Thomas Aquinas*, 118–119も参照されたい。

175 Chesterton, *St. Thomas Aquinas*（邦訳『聖トマス・アクィナス』）を参照されたい。

176 Chesterton, *St. Thomas Aquinas*（邦訳『聖トマス・アクィナス』）.

177 Aquinas, *Summa Theologica*（邦訳『神学大全』）I. chapter 2, Q.76, A.2.

178「この種の酩酊は大罪である。なぜなら、人間は自ら進んで故意に理性に頼ることをやめてしまうからだ。理性があれば有徳な行動をとり、罪を防げたはずである」*Summa Theologica*（邦訳『神学大全』）IIa–IIae, Q.150, A.2.

179 Descartes, *Discourse on the Method*（邦訳『方法序説』）. 同様のテーマは、*Meditations*（邦訳『省察』）でも取り上げられている。

180 チェスタートンは次のように書いている。「私は合理主義者である。自分の直観には何らかの知的な裏付けがほしい」Chesterton, *Orthodoxy*（邦訳『正統とは何か』）, 203.

181 Aquinas, *De Regno*（邦訳『君主の統治について』）, 1.1.4–5.

182 Simmel, *Simmel on Culture*, 176.

第5章

1 Mini, *Philosophy and Economics*, 24.

2「この代数的な解析学の発展は、デカルトの解析幾何学の発見、続いてニュートンとライプニッツの微分法の発見と時を同じくして起きた。もしピタゴラスが、自身の唱導した一連の思想の将来を予見できたなら、神秘的なことに魅せられていたのはけっして悪くなかったと確信したにちがいない。……17世紀の科学の歴史を読むと、まるでプラトンやピタゴラスの夢を鮮明に映し出しているように感じられる」Whitehead, *Science and the Modern World*（邦訳『科学と近代世界』）, 32–34.

3 近代科学の真の祖は大司教ニコラウス・クザーヌスであるという見方もある。この場合、ニコラウス・クザーヌスが主著*Idiota de sapientia*（邦訳『知恵に関する無学者考』）を著した1450年が「近代哲学とスコラ哲学が決別した日」ということになる。そして、デカルトの『哲学原理』が刊行された1644年は近代科学の再興ということになろう。Falckenberg and Drake, *History of Modern Philosophy*, 27を参照されたい。

4「しかしデカルトとその後継者による哲学の再興は、その発展にあたって、科学的宇宙論を額面

通りに受け取る傾向にすっかり染め上げられた。彼らの基本的な考え方が成功を収めたせいで、科学者たちはその合理性を吟味したうえで修正することをますます拒むようになる。あらゆる哲学は、ともかくも彼らの考え方を丸呑みしなければならなかった。さらに、科学の手本が思想の他の領域にも影響をおよぼした。かくしてこの歴史的反逆はいよいよ過激になり、ついには方法論的思考がもたらすさまざまな抽象観念を調和させるという哲学本来の役割から哲学を閉め出すことになる。思考とは抽象的なものである。抽象観念を狭量に扱うことは知性の大悪である」Whitehead, *Science and the Modern World*（邦訳『科学と近代世界』), 19.

5「また『哲学原理』の中で、デカルトは次のように言っている。『感覚によってわれわれが外的物体について知ることができるのは、形（あるいは位置)、大きさ、運動だけである』このようにして物体は、実際には物体自身には属さない性質を備えたものとして知覚されるが、そうした性質はじつは精神の産物にほかならない。こうして、本来は我々自身に帰すべき功績が自然に与えられている。ばらの香りも、ナイチンゲールのさえずりも、太陽の光輝も、自然のものとされる。だが詩人たちは完全にまちがっている。彼らの叙情詩は自分に向かって謳われるべきであり、人間精神の卓越を歌い上げる讃歌に変えるべきである。自然は無味乾燥で、音も香りも色もない。ただ物質が忙しく動き回り、それが際限なく、意味もなく続くだけだ。自然をどう取り繕うとも、以上が17世紀に特徴的な科学的哲学の現実の結果なのである」Whitehead, *Science and the Modern World*（邦訳『科学と近代世界』), 56.

6 Mini, *Philosophy and Economics*, 24.

7 Ibid., 18.

8 Descartes, *Treatise on Man*（邦訳『人間論』), 99, AT XI, 120.

9 Ibid., 100, AT XI, 131.

10 Descartes, *Principles of Philosophy*（邦訳『哲学原理』), 2.22.

11 しかしデカルトは、「我感じる、ゆえに我あり」ということもできたはずだし、「我愛する、ゆえに我あり」でもよかったはずだ。

12「ここで考察すべき神の第一の属性は、絶対的に誠実で、あらゆる光を授ける者だということである。となれば、神がわれわれを欺くと考えるのは、まったくの矛盾になる」Descartes, *Principles of Philosophy*（邦訳『哲学原理』), 1.29.

13「もしも神が、そうした長さや幅や奥行きを持つ物質の観念を人間の精神に自ら直接示すのであれば、あるいは、長さ・幅・奥行きも形も運動も持たないものでそれを示すよう精神に働きかけるのであれば、神を欺瞞者とみなしても問題はない。というのも、われわれはこの物質を神とは無関係に明確に認識しているからである。……しかしすでに指摘したとおり、神が欺瞞者であるということは、神の本質と矛盾する。したがってわれわれは断固として、長さ・幅・奥行きを持つ物質が存在すると結論しなければならない」Descartes, *Principles of Philosophy*（邦訳『哲学原理』), 2.1.

14「そしてたしかに、私はさまざまな色、音、香り、味、熱、硬さなどを知覚する。よって身体の中には、そこから発したさまざまな感覚知覚により、現実には知覚とは似ていないにしても、それに対応する多様性があると結論しうる」Descartes, *Meditations*（邦訳『省察』), 6.14.「人間は、光、色、匂い、味、音、触感以外は何も知覚することはできない。それ以外は、少なくとも、大きさ、形、運動として知られる物体の性質以外は、何も知覚しない」Descartes, *Principles of Philosophy*（邦訳『哲学原理』), 1.71.

15 Anzenbacher, *Úvod do filozofie*（哲学入門）, 79を参照されたい。

16 Descartes, *Meditations*（邦訳『省察』）, 2.1.

17 Berkeley, *A Treatise Concerning the Principles of Human Knowledge*（邦訳『人知原理論』）, 9.

18 Arendt, *The Human Condition*（邦訳『人間の条件』）, 274による。引用元はGalileo, *Dialogues concerning the Two Great Systems of the World.*

19 このテーマに関するすぐれた二次文献としては、Fajkus, *Současná filosofie a metodologie vědy*（現代の哲学と科学の方法）、Mini, *Philosophy and Economics*、Caldwell, *Beyond Positivism*（邦訳『実証主義を超えて』）などが挙げられる。

20 その結果、「科学的知識を科学界の人々の集団的信念に貶めた」。Redman, *Economics and the Philosophy of Science*（邦訳『経済学と科学哲学』）, 22を参照されたい。ここでは、Suppe, *The Structure of Scientific Theories*, 647–648を援用してクーンの見解を要約している。

21 「デカルトはダニューブ地方で冬の数カ月間、ドイツ式のストーブで暖まりながら一連の深い瞑想にふけった。1619年11月10日の夜、デカルトは夢を見る。これがきわめて重要な意味を持っていたようであり、数学が自然を理解する唯一の手がかりだという確信を抱くにいたった」Yates, *The Rosicrucian Enlightenment*（邦訳『薔薇十字の覚醒』）, 152. ルネサンス期の解釈学の意義については、以下を参照されたい。「アリストテレスとプトレマイオス以降、地球が動くという考えは、大昔の奇妙でばかげたピタゴラス的見解として、歴史のがらくたの山に投げ捨てられた。これが蘇るのは、コペルニクスを待たねばならない。コペルニクスはこの考えを練り上げて敵を打ち負かすための武器とした。このときにヘルメス主義（神秘主義）の文献が重要な役割を果たしたのだが、このことはまだ十分に理解されていない。偉大なニュートンその人も、ヘルメス文書を熱心に研究した」Feyerabend, *Against Method*（邦訳『方法への挑戦』）, 35. また、以下も参照されたい。「デカルト哲学という新しい学派にとって、ルネサンスの神秘主義に基づくアニミズム的哲学は完全に時代遅れだった。17世紀の偉大な進歩の中で、科学は魔術に取って代わったのである」Yates, *Giordano Bruno and the Hermetic Tradition*（邦訳『ジョルダーノ・ブルーノとヘルメス教の伝統』）, 395. とくに同書の第8章「ルネサンスの魔術と科学」が参考になる。

22 McCloskey, "The Rhetoric of Economics," 16.

23 たとえばローマ教皇は「私は全能の神、天と地の創造者を信じる」と信仰告白を行う。

24 「理性への信仰は……事実の根底に単なる恣意的神秘は存在しない、ということへの信仰である。自然の秩序への信仰は科学の発展を可能にしたが、それは一段と深い信仰の特殊な例と言える。この信仰は、いかなる帰納的概括によっても正当化できない」Whitehead, *Science and the Modern World*（邦訳『科学と近代世界』）, 20.

25 Whitehead, *Science and the Modern World*（邦訳『科学と近代世界』）, 82.

26 「潜在的な自然哲学としての機械論は、機械科学の発展を背景に生まれたのであるが、それ自体がルネサンスの魔術的伝統の産物だということは思想史におけるこのうえない皮肉と言えよう」Yates, *The Rosicrucian Enlightenment*（邦訳『薔薇十字の覚醒』）, 150. イギリスの思想家フランセス・イエイツは、ルネサンス期の精神史分野の権威である。

27 意味を持たないとは、解釈の枠組みや説明理論を持たないことである。枠組み、ストーリー、解釈、意味なしに事実を意識的に知覚することはできない。

28 Caldwell, *Beyond Positivism*（邦訳『実証主義を超えて』）, 48.

29 Husserl, *Cartesian Meditations*（邦訳『デカルト的省察』）, 4.

30 Mini, *Philosophy and Economics*, 174を参照し、マルクスの視点と比較されたい。

第6章

1 ノーベル賞受賞経済学者のアマルティア・センもこのテーマを取り上げており、ケンブリッジ大学ではごく最近まで道徳哲学の一環として経済学を教えていたと指摘した。*On Ethics and Economics*（邦訳『経済学の再生』）, 2.

2「人間社会は……巨大なすばらしい機械とみなすことができる。その規則正しい調和のとれた運動は、無数の快い効果をもたらす。……社会の歯車のいわば潤滑油である徳は必然的に快感をもたらし、悪徳は歯車を軋らせ摩耗させるいやな錆のように、必然的に不快感を起こさせる」Smith, *The Theory of Moral Sentiments*（邦訳『道徳感情論』）, 464.

3 *The Journal of Rev. John Wesley*, London 1909–1916, IV, 157, note from 14 April 1756. ハースによる『蜂の寓話』の序文で引用された。

4 Smith, *The Theory of Moral Sentiments*（邦訳『道徳感情論』）, 451.

5 Mandeville, *The Fable of the Bees*（邦訳『蜂の寓話』）, 9.

6 Ibid., 70.

7 Mandeville, *An Essay on Charity, and Charity-Schools*, 164.

8 Mandeville, *The Fable of the Bees*（邦訳『蜂の寓話』）, Preface, 55.

9 Ibid., Preface, 56.

10 Ibid., Preface, 57.

11 Ibid., Preface, 57.

12 Ibid., Preface, 57.

13 Ibid., 68.

14 Ibid., 68.

15 Mandeville, *Search into the Nature of Society*, 197.

16 Mandeville, *The Fable of the Bees*（邦訳『蜂の寓話』）, 23.

17 Ibid., note M on 149.

18 Ibid., note Q on 200–201.

19 Ibid., 68.

20 Ibid., 76.

21 マタイによる福音書13章29～30節。

22 Aquinas, *Contra Gentiles*（対異教徒大全）III, chapter 71.

第7章

1 Leacock, *Hellements of Hickonomics*. Sen, *On Ethics and Economics*（邦訳『経済学の再生』）, 21で引用された。

2 Ibid., 75. Sen, *On Ethics and Economics*（邦訳『経済学の再生』）, 21も参照されたい。

3 名前にまつわる奇妙な符号は、古今を問わずひんぱんに見受けられる。たとえば映画『マトリックス』の主人公はネオ（Neo）である。ネオのアナグラムはOneであり、これは救世主を連想させる。またネオはギリシャ語では「新しい」という意味になる。仮想現実の世界では、ネオの本

名はアンダーソンというありふれた名字である（アメリカでは9番目によくある名字）。したがって、「新しい」というネオとはまったく矛盾する。アンダーソンとは「アンドリューの息子」という意味であり、アンドリューはギリシャ語では、ヘブライ語のアダムに相当する。つまり「人間」である。したがってアンダーソンは「人間の息子」という意味になる。イエスはしばしば自分のことをこう呼んでいた。ちなみに映画『マトリックス』では、ネオの主な敵はほかならぬ（エージェント）スミスである。

4 Smith, *The Theory of Moral Sentiments*（邦訳『道徳感情論』）, 1853, 3.

5 Schumpeter, *History of Economic Analysis*（邦訳『経済分析の歴史』）, 177.

6 Davies, *Europe: A History*（邦訳『ヨーロッパ』）, 604.

7 Raphael, *The Impartial Spectator*（邦訳『アダム・スミスの道徳哲学』）, 1.

8 Kerkhof, "A Fatal Attraction?", Force, *Self-Interest before Adam Smith*, 14を参照されたい。また、Hurtado-Prieto, *Adam Smith and the Mandevillean Heritage: The Mercantilist Foundations of "Dr. Mandeville's Licentious System"*も参照されたい。

9 ラファエルとマクフィーは、『道徳感情論』グラスゴー版の序文の中で、「スミスの倫理思想に主たる影響を与えたのは、ストア思想である。この思想は彼の経済学説にも重要な影響をおよぼした」と述べている。Smith, *The Theory of Moral Sentiments*（邦訳『道徳感情論』）, 1982, 5.

10 Ibid., 1853, 438.

11 Ibid., 438.

12 Ibid., 415.

13 「第六版では自制についてより深く取り上げている。このことは、スミスがストア思想に対して当初より好意的な見方をしていることを意味する」Ibid., 18（序文）.

14 Ibid., 302.

15 Ibid., 444.

16 Ibid., 445.

17 Ibid., 1853, 164.

18 ラファエルとマクフィーは、「研究者は見えざる手を強調しすぎている。どちらも、スミスの二冊の著書に一回ずつしか出て来ない。しかもどちらの場合も、社会の仕組みにみられる調和的な制度というストア思想的な文脈で論じられている」と指摘し、「『国富論』においては、自然な調和というストア思想の概念が、『自然的自由という単純明快なシステム』という表現によくあらわれている」と述べている。Smith, *The Theory of Moral Sentiments*（邦訳『道徳感情論』）, 1982年版解説を参照されたい。

19 Smith, *Wealth of Nations*（邦訳『国富論』）, 266.

20 Smith, *The Theory of Moral Sentiments*（邦訳『道徳感情論』）, 1853, 264–265.

21 Smith, *Essays on Philosophical Subjects*, 49. Macfie, "The Invisible Hand of Jupiter"も参照されたい。

22 Smith, *The Theory of Moral Sentiments*（邦訳『道徳感情論』）, 1853, 451.

23 たとえば、Heilbroner, *The Wordly Philosophers*（邦訳『入門経済思想史　世俗の思想家たち』）, Smith, *Adam Smith's Moral and Political Philosophy*, Morrow, "Adam Smith: Moralist and Philosopher," Gaede, *Politics and Ethics: Machiavelli to Niebuhr*などがある。

24 あまたある中で筆者がとくに注目するのは、Witzumの1998年の論文である。この論文では、

利己心と慈愛の間で起こりうる衝突と調和について、また『国富論』と『道徳感情論』の（見かけの）矛盾について、詳細かつ心理学的な分析がなされている。このほか、以下も参照されたい。Doomen, "Smith's Analysis of Human Actions," Hurtado, "Pity, Sympathy and Self-interest: Review of Pierre Force's Self-interest before Adam Smith," Friedman, "Adam Smith's Relevance for 1976," Evensky, "Adam Smith on the Human Foundation of a Successful Liberal Society".

25 Smith, *Wealth of Nations*（邦訳『国富論』）, 1869, 15.

26 Smith, *The Theory of Moral Sentiments*（邦訳『道徳感情論』）, 1853, 446–447.

27 Hildebrandは*Die Nationalökonomie der Gegenwart und Zukunft*（現在と未来の国家経済）の中で、スミスを「物質主義」（人間性を利己主義で説明した）だと非難した。Kniesは*Die Politische Oekonomie vom Standpunkte der geschichtlichen Methode*（歴史的方法の観点から見た政治経済）の中で、スミスは『道徳感情論』と『国富論』の間で意見を変えたとし、この変化はフランスに行った結果だと論じた。*Adam Smith als Moralphilosoph und Schoepfer der Nationaloekonomie*（道徳哲学者および国家経済の創造者としてのアダム・スミス）におけるVon Skarżyński も参照されたい。それによれば、スミスの哲学はすべてハチスンとヒュームに由来し、経済学はフランスの学者に由来するという。Smith, *The Theory of Moral Sentiments*, 1982, 20（序文）を参照されたい。

28 Buckle, *History of Civilization in England*（邦訳『英国文明史』）, Vol.2, 432–433, 437.

29「いわゆるアダム・スミス問題は、無知と誤解に基づく偽の問題である。『道徳感情論』を初版で読み、次に第6版を読んだ人は、同じ人物がこの本と『国富論』を書いたことに何の不思議も感じないだろうし、スミスの人間観が劇的に変化したとも考えないだろう。倫理と人間の行動に関するスミスの説明は、1790年の第6版と1759年の初版との間で基本的に何も変わっていない。発展はあっても、根本的な変化はない。また、『道徳感情論』が『国富論』と無関係でないことも明らかである」Smith, *The Theory of Moral Sentiments*（邦訳『道徳感情論』）, 1982, 20（序文）.
スミスの二つの見解をとくに問題視しない研究者としては、Hasbach, *Untersuchungen über Adam Smith und die Entwicklung der Politischen Ökonomie*; Limentani, *La morale della simpatia*; Eckstein（訳書の序文）（1926）; Campbell, *Adam Smith's Science of Morals*が挙げられる。ここに、以下を付け加えてもよいかもしれない。*Umschwungstheorie*についてはZeyss, *Adam Smith und der Eigennutz*; Oncken, "The Consistency of Adam Smith," さらにくわしくは、Wolf, ed., "Das Adam Smith-Problem," *Zeitschrift für Socialwissenschaft*, 25–33, 101–108, 276–287. またMacfie, *The Individual in Society*も参照されたい。

30 Smith, *The Theory of Moral Sentiments*（邦訳『道徳感情論』）, 1853, 124–125.

31 Buber, *I and Thou*（邦訳『我と汝・対話』）を参照されたい。

32 Smith, *The Theory of Moral Sentiments*（邦訳『道徳感情論』）, 1853, 465.

33 Ibid., 463.

34 Ibid., 464.

35 Hume, *An Enquiry Concerning the Principles of Morals*（邦訳『道徳原理の研究』）, 245.

36 Ibid., 213.

37 Ibid., 215.

38 Ibid., 214.

39 Ibid., 215.

40 Halteman, "Is Adam Smith's Moral Philosophy an Adequate Foundation for the Market Economy?"

41 Hume, *An Enquiry Concerning the Principles of Morals*（邦訳『道徳原理の研究』）, 215.

42 Ibid., 216.

43 Ibid., 229.

44 Ibid., 230.

45 Ibid., 219.

46 Smith, *The Theory of Moral Sentiments*（邦訳『道徳感情論』）, 1853, 470.

47 Hume, *A Treatise of Human Nature*（邦訳『人間本性論』）, 297.

48 Mandeville, *The Fable of the Bees*（邦訳『蜂の寓話』）, 56と比較されたい。

49 Rawls, *Lectures on the History of Moral Philosophy*（邦訳『ロールズ哲学史講義』）, 29, 30.

50 Hayek, *Law, Legislation, and Liberty*, 151の引用による。

51 Hume, *An Enquiry Concerning the Principles of Morals*（邦訳『道徳原理の研究』）, 239.

52 Ibid., 197.

53 Kant, *The Metaphysical Elements of Ethics*（邦訳『人倫の形而上学』）, 41.

54 Rawls, *Lectures on the History of Moral Philosophy*（邦訳『ロールズ哲学史講義』）, 31–32.

55 Hume, *An Enquiry Concerning the Principles of Morals*（邦訳『道徳原理の研究』）, 198.

56 Hume, *A Treatise of Human Nature*（邦訳『人間本性論』）, 298.「自分の指を一本欠くことより全世界の破壊を選んだとしても、理性に反しない。インド人や私のまったく知らない人物のささやかな不快を防ぐために、自分自身の破滅を選んだとしても、理性に反しない。……要するに、情念が理性に反するためには、何らかの誤った判断が必ず伴う。その場合でも、正確に言えば、理性に反するのは情念ではなく、判断である」。

57 ハイエクは次のように書いた。「私は彼を偉大な経済学者として取り上げるつもりはない。……私は彼を真に偉大な心理学者として称賛したいと考えている」Hayek, *The Trend of Economic Thinking: Essays on Political Economists and Economic History; The Collected Works of F. A. Hayek*, Vol.3, 74–75, chapter "Dr. Mandeville".

58 シュンペーターは次のように書いた。「彼は、ダーウィンの明快さをもって先人の足跡を発見することはなかった。彼の批判は狭量で非寛容である。……先人から何を学んだにせよ、学ばなかったにせよ、『国富論』には1776年当時にまったく新しい分析的な見解、原理、方法はただの一つも含まれていない」Schumpeter, *History of Economic Analysis*（邦訳『経済分析の歴史』）, 177–179.

第2部

1 Jung, "The Archetypes and the Collective Unconscious," 33–34.

第8章

2 Lowry, "Ancient and Medieval Economics," 15と比較されたい。

3 創世記3章16～19節。ここで、呪われたのは人間ではなく蛇だったことは興味深い。男も女も呪われはしなかった。女は出産の苦痛という罰を受け、「おまえは男を求め、彼はおまえを支配

する」と言われ、男は「おまえのゆえに、土は呪われるものとなった」と言われた。

4 創世記2章15節。

5「主なる神は、見るからに好ましく、食べるに良いものをもたらすあらゆる木を地に生えいでさせ、また園の中央には、命の木と善悪の知識の木を生えいでさせられた」創世記2章9節。

6 Irwin, *The Matrix and Philosophy* (邦訳『マトリックスの哲学』), 139.

7 Lowry, "Ancient and Medieval Economics," 14.

8 創世記3章6節。

9 広告は「消費者（聖なる個人の派生物）とモノの価値を結びつける。実際には、広告が強調するのは合理的な金銭的価値ではなく、モノのクオリティである。クオリティの価値は数値化されてこなかった (cf. Lears 1983) ……したがって広告は、一時的に支配的な流行（ファッション）を設定し、日常生活の中でモノを神聖化するメカニズムを創出する」Boli, "The Economic Absorption of the Sacred," 104.

10 創世記3章6節。

11 Davies, *Europe: A History* (邦訳『ヨーロッパ』), 604.

12 Žižek, *The Pervert's Guide to Cinema,* movie.

13 この点で、広告の必要性と有用性は相互補完的である。広告は消費者を必要とするが、消費者も広告を必要とする。何が欲しいのかを教えてくれるからだ。くわしくは、Boli, "The Economic Absorption of the Sacred," 105を参照されたい。ラシュディは「広告に人気があるのは当然である。広告はすべてのものを実際よりよく見せるからだ。それに広告は、道案内もしてくれる」と書いている。Rushdie, *Fury*, 29.

14 Marshall, *Principles of Economics* (邦訳『経済学原理』), 86.

15 Nelson, *The New Holy Wars*, 293.

16 Stigler, "Frank Hyneman Knight," 58. Nelson, *Economics as Religion*, 294-295も参照されたい。

17 Malthus, *An Essay on the Principle of Population* (邦訳『人口論』), chapter 7, 6.

18 したがって産児制限が必要になる。最低水準の生活を営む以上の賃金を労働者が得ると、彼らは子供を生み、したがって再び食糧が足りなくなる。マルサスの悲観的な予測では、長期的にみて、労働者は最低水準の生活を大幅に上回るだけの所得を得ることはできないとされた。

19「人口と食糧が同じスピードで増えたとしても、人間は未開の状態からけっして抜け出せまい……この世に悪が存在するのは、絶望を生むためではなく、行動を生むためである」Malthus, *An Essay on the Principle of Population* (邦訳『人口論』), 158.

20 Patinkin, *Essays on and in the Chicago Tradition*, 34.

21 Žižek, *The Plague of Fantasies* (邦訳『幻想の感染』), 39. ラカンは、願望を必要および要求から次のように区別した。必要は生物学的な本能であり、それは要求として明確に現れる。ただし要求には二つの役割がある。一つは必要を強調することだが、もう一つは愛を求めることである。したがって、要求の中で明確化された必要が満たされたとしても、愛の要求は満たされないままとなり、これが願望となる。ラカンにとって、「願望とは満足への欲求でもなければ、愛の要求でもなく、前者から後者を差し引いた残りである」Lacan, *The Four Fundamental Concepts of Psycho-Analysis* (邦訳『精神分析の四基本概念』), 318. すると願望は、要求の中で必要が明示されたことから生じた余剰ということになる。「願望は、要求が必要から分離されたあとの空隙に形成される」Ibid., 344。チェコの生物学者ヨセフ・シュマイスは、これを非生物的要求

（または非生物的必要、非生物的消費）と呼んだ。Šmajs, *Filosofie: Obrat k Zemi*（哲学：大地への回帰）, 356–392.

22 コヘレトの言葉1章8節。

23 Marshall, *Principles of Economics*（邦訳『経済学原理』）, 86.

24 Estés, *Women Who Run with the Wolves*（邦訳『狼と駈ける女たち』）, 492.

25 Rushdie, *Fury*, 28.

26 「徳とは何らかの中庸、すなわち中間をめざすことにある……悪は制限のないところに属し、善は制限のあるところに属す」Aristotle, *Nicomachean Ethics*（邦訳『ニコマコス倫理学』）, 1106b29–30.

27 「彼らは無知であり、背きと罪の道のために屈従する身になった。どの食べ物も彼らの喉には忌むべきもので、彼らは死の門に近づいた」詩篇107篇17～18節。

28 引用元は、Pascal, *Pensées*（邦訳『パンセ』）, 70.

29 Knight, "Liberalism and Christianity," 71.

30 Simmel, *Money in Modern Culture*, 19–20を参照されたい。

31 Volf, "In the Cage of Vanities," 177に引用されたポール・L・ワクテルの言葉。

32 Mill, *Utilitarianism*（邦訳『功利主義論』）, 12.

33 Plato, *Gorgias*（邦訳『ゴルギアス』）, 492e.

34 Weber, *The Protestant Ethic and the Spirit of Capitalism*（邦訳『プロテスタンティズムの倫理と資本主義の精神』）, 123.

35 快楽主義的順応の問題として知られるパラドックスで、文学において論議を呼んでいる。

36 Volf, "In the Cage of Vanities," 172. Kant, *Critique of Judgment*（邦訳『判断力批判』）.「貪欲は人間の基本的性質に属す」とも言う。

37 Becker, *The Economic Approach to Human Behavior*, 8. Force, *Self-Interest before Adam Smith*, 8も参照されたい。

38 Diderot, *Diderot's Selected Writings*, 77.

39 一部の経済学の教科書では、「効用」という言葉は索引にも登場しない。Mankiw, *Principles of Economics*（邦訳『マンキュー経済学（ミクロ編・マクロ編）』）では、ようやく442ページに効用が出てくる。そこでは、効用とは生活状況に応じて得られる幸福や満足のことだとされている。これもまた同義語による定義だと言える。幸福とは効用または満足の度合いであるとか、満足とは幸福と効用の度合いである、と言い換えることは十分に可能だからだ。

40 「財やサービスの消費」をふつうの言葉にしたら、「効用とは消費を通じて得られる効用のことである」となる。

41 「あらゆる行動は利己的だという仮説は、およそ思いつく限りで節約の原理を最もよく遵守している。そして科学者はつねにできるだけ少ないことでできるだけ多くを説明したがる。だがわれわれは、一般的にも、個別の状況についても、利己心が最も強い動機だと結論づけることはできない。ときに混沌とした世界には、節約した説明は当てはまらない。自己利益が世界を前進させるという考え方には、よく見かける事実で反証できる。ある種の人助けは互恵的ではないし、長期的な自己利益でも説明できない。親は、自分が年をとったら子供が面倒を見てくれるだろうと考えて、自己利益から子供を助けるとしても、子供にとって親の面倒を見るのは自己利益にはならない。それでも多くの子供が面倒を見ている」Elster, *Nuts and Bolts for the So-*

cial Sciences（邦訳『社会科学の道具箱』）, 54. Force, *Self-Interest before Adam Smith*, 10も参照されたい。

42 ドイツの経済学者アルバート・O・ハーシュマンは、「効用」の代わりに「利益」という言葉を使った。とはいえ、意味するところは同じである。ハーシュマンは効用の原理を称賛したものの、彼自身は次のように述べた。「それは流行のようなものだし、クーン流に言えばパラダイムだ。人間の行動の大半は、突然自己利益で説明できることになり、ときにはトートロジーに陥っている」Hirschman, *The Passions and the Interests*（邦訳『情念の政治経済学』）, 42.

43 カール・ポパーは、反証可能な科学的仮説のみを仮説として認めることを提唱した。ある仮説が反証可能であるとはどういうことか。ある仮説に対して現実的な異説が存在していれば、たとえそれが立証不能であっても、その仮説は科学的だと言える。一方、ある仮説が起こりうるすべてのことを説明できるなら、その仮説は科学的とは言えない。たとえばポパーは、マルクス史観が彼にとってなぜ非科学的なのかを説明している。それによれば、マルクスは自分の理論ですべてを説明でき、反対の立場でさえ説明できる。ある理論が、たとえば階級闘争について想像しうるすべての状況を説明できるなら、どこかに誤りがあるにちがいない。すべてを説明できることは、その理論の長所ではなく、弱点となる。

44 Caldwell, *Beyond Positivism*（邦訳『実証主義を超えて』）, 108.

45 Ibid., 146.

46 Wittgenstein, *Tractatus Logico-Philosophicus*（邦訳『論理哲学論考』）, 4.461–4.462.

47 現代よりも前の時代は食糧不足が常態化していた。そうした状況では、肉で最も貴重なのは脂肪だと考えられていた（このため聖書では「最良のもの」を「土地の脂肪（fat of the land）」と言う。創世記45章18節には、「わたしは、エジプトの国の最良のものを与えよう。あなたたちはこの国の最上の産物（fat of the land）を食べるがよい」とある）。脂肪のない赤身肉は犬に与えられた。またギリシャ神話では、プロメテウスが骨をいかにもうまそうに脂肪でくるんだものを皮で包んだ肉と並べ、まんまとゼウスに骨を選ばせた。しかし現代人の嗜好はまさに逆になっている。

48 マタイによる福音書6章25節。

第9章

1 Thoreau, *Civil Disobedience and Other Essays*（邦訳『市民の反抗』）, 96.

2 Havel, interview with R. Kalenská.「私はときにこうしたむなしい感覚に襲われた」。Lidové noviny, Kalenská, November 15, 2008.

3 くわしくは、Irwin, *The Matrix and Philosophy*（邦訳『マトリックスの哲学』）, chapter by Daniel Barwick, "Neo-Materialism and the Death of the Subject," 258を参照されたい。また、「人間をマトリックスに閉じ込めた知性は、この囚人たちを囚人自身の願望に従って支配するはずである」という指摘もある。Irwin, *The Matrix and Philosophy*（邦訳『マトリックスの哲学』）, chapter by James Lawler, "We Are (the) One! Kant Explains How to Manipulate the Matrix," 139.

4 つい二世代前まで、子供たちがまったく同じ種類の木製玩具で遊んできたことは、特筆に値する。この点で大きな進歩はなかった。また標準的な家庭の設備にも、今日まで大々的な変化はない。

5 Johnston and Williamson, *What Was the U.S. GDP Then?*

6 Nisbet, "The Idea of Progress," 4.

7 今日では、ほぼ一世紀を経た古典となったBury, *The Idea of Progress*は、啓蒙時代から始まる。ニスベットは、著書*The History of the Idea of Progress*、論文"The Idea of Progress: A Bibliographical Essay"いずれも、ギリシャから始める。ヘブライについても言及はしているが、しかるべき紙面を割いていない。論文には「われわれはヘシオドスの『仕事と日』から始める」と明記されている。

8 ヴォルフは、「17世紀以降の多くの時代に、富は次第に魅力と権力を増していった」と述べた。Volf, "In the Cage of Vanities," 170.

9 Lewis, C. S., *Evolutionary Hymn*, 55–56.

10 これは、ウィットに富んだポーランドの作家スタニスラフ・レックの警句のもじりである。元の警句は、「われわれはまちがった進路に入り込んでしまったことに気づいているが、ひたすら加速して誤りを埋め合わせようとしている」である。

11 Nisbet, *History of the Idea of Progress*, 9.

12 Nussbaum, *The Fragility of Goodness*も参照されたい。『プロタゴラス』によれば、ギリシャ人は「知識が人間を救い、人間を変え、目的の実現を助け、目的自体を見直すことを助ける」ことに気づいていた、とある。このテーマに関するくわしい分析は、Eliade, *Cosmos and History*（邦訳『永遠回帰の神話』）を参照されたい。

13 Hobbes, *Leviathan*（邦訳『リヴァイアサン』）, chapter 13.

14 Volf, "In the Cage of Vanities," 175.

15 Nisbet, "The Idea of Progress," in the section "Greek Poets, Sophists, and Historians on Progress".

16 Nisbet, *History of the Idea of Progress*, 11.

17 Nisbet, "The Idea of Progress." このあとに、ニスベットはこう続けた。「トゥキディデスは、ペロポネソス戦争を描いた『戦史』の最初の数節で、古代ギリシャ人の生活は同時代の野蛮人や未開人とまったく同じだったと述べている。だが長い年月を経るうちに、ギリシャ人は自らの努力により偉大な水準に達したと指摘した」。

18 Nelson, *Economics as Religion*, xix. 同著者の著書としては、*Reaching for Heaven on Earth*も興味深い。

19 http://www.newsweek.com/how-our-american-dream-unraveled-195900

20 Knight, *Freedom and Reform*, 46.

21 Nelson, *Economics as Religion*, xxiv.

22 Hume, *Selections*, 203–204.

23『経済学原理』は1848年に初版が発行されるとすぐに、19世紀イギリスにおける経済学のバイブルとなった。ある最新版は、『経済学原理およびその社会哲学への応用』と改題されている。

24「苦労して前へ進むのが人間の正常な状態だと考える人たちが掲げる理想には、じつはあまり魅力を感じていない。互いの足を踏みつけ、押しつぶし、肘で突きのけ、蹴飛ばし合うというのがいまの社会の状況だが、こうした手合いは、それが多くの人間にとって最も望ましいと考えている。すくなくとも、産業の進歩の不快な一面であるとはまったく考えていない。なるほどこれは、文明の進歩にとって必要な段階であるのかもしれない。ヨーロッパ諸国は幸運にもこ

れまでその段階に陥らなかっただけで、これから突入するのかもしれない」Mill, *Principles of Political Economy*（邦訳『経済学原理』）, 88, in 4.6.2.

25 Ibid., 4.6.2.

26 Ibid., 188, in 4.6.

27 Keynes, *Economic Possibilities for Our Grandchildren*（邦訳『ケインズ説得論集』の「孫の世代の経済的可能性」）, 358–373.

28 Ibid., 369.

29 Ibid., 373.

30 Nelson, *Economics as Religion*, 162.

31 Becker, "Milton Friedman," 138–146.

32 スティグラーは、「経済学は皇帝の学問である。なぜなら、招かれようと招かれまいと、多数の周辺学問領域の中心的な問題に取り組むからだ」と述べた。Stigler, "Economics: The Imperial Science?" 311.

33 Ferguson, *The War of the World*（邦訳『憎悪の世紀』）, xxxvii–xxxviii.

34 くわしくは、Kuhn, *The Structure of Scientific Revolutions*, Redman, *Economics and the Philosophy of Science*, 16–22を参照されたい。

35 Bauman, *Modernity and the Holocaust*（邦訳『近代とホロコースト』）を参照されたい。

36 Volf, "In the Cage of Vanities," 176.

37 Palahniuck, *Fight Club*, 1996, 141.

38 経済成長が個人の幸福を高めるかどうかは、定かではない。古典的なScitovsky, *The Joyless Economy*, 新しいものではBruni, *Civil Happiness: Econoimcs and Human Flourishing in Historical Perspective*などを参照されたい。

39 Inglehart, *World Values Survey*.

40 Inglehart, *Culture Shift*（邦訳『カルチャーシフトと政治変動』）, 242.

41 Myers, "Does Economic Growth Improve Human Morale?"

42 Diener, Horwitz, and Emmons, "Happiness of the Very Wealthy".

43 Brickman, Coates, and Janoff-Bulman, "Lottery Winners and Accident Victims," Argyle, *The Psychology of Happiness*（邦訳『幸福の心理学』）も参照されたい。

44 Aristotle, *Nicomachean Ethics*（邦訳『ニコマコス倫理学』）, 1154a27–1154b9.

45 この例は、コーネル大学の経済学者ロバート・フランクが"Understanding Quality of Life: Scientific Perspectives on Enjoyment and Suffering"会議で報告した。

46 Stevenson and Wolfers, *Economic Growth and Subjective Well-Being*.

47 Beckett, *Waiting for Godot*（邦訳『ゴドーを待ちながら』）, 66. Bell, "The Cultural Contradictions of Capitalism," 22も参照されたい。

48 アリストテレスは、あらゆる活動には目的と意味、すなわちテロスがあると主張した。現代の思想家では、MacIntyre, *After Virtue*（邦訳『美徳なき時代』）を参照されたい。

49 心理学者のヴィクトール・フランクルは、著書*Man's Search for Meaning*（邦訳『夜と霧』の中）で、意味を失うことについて書いている。

50 Xenophon, *Hiero*（邦訳『ヒエロン』）.

51 Patočka, *Kacířské eseje o filosofii dějin*（邦訳『歴史哲学についての異端的論考』）, 98.

52 Volf, "In the Cage of Vanities," 172.

53 Ibid., 171.

54 Hirsch, *Social Limits to Growth*（邦訳『成長の社会的限界』）を参照されたい。

55 Augustine, *Confessions*（邦訳『告白』）, 1.1.

56 コヘレトの言葉1章8節。

57「だれでも安息日に仕事をする者は、必ず死刑に処せられる」出エジプト記31章15節。

58 スロバキア共和国は、2007年にGDP成長率10％を達成し、財政赤字はGDP比1.9％だった。すると、責任ある財政政策だとして高く評価されたものである。だがここで、次の疑問が湧いてくる。財政黒字を実現するには、どれほど成長しなければならないのか。

59 過去の成長期に、世界は驚くほどゆたかになった。ちなみに、ドットコム・バブルからリーマンショックまではちょうど7年（7頭の肥えた牛）経っている。ゆたかになったにもかかわらず、古い債務の返済はほとんど行われず、次の危機の備えもできていない。それどころか、多くの国は債務を増やしている。このような文化は是正が必要だ。放置するなら、次に7頭の痩せた牛が来ても驚いてはいけない。

第10章

1「倫理に関わる分野の一つとして、経済は善悪の重要な源泉である。善（good）は経済の本質であって、経済は価値を持つモノ（goods）を生産する」Wuthnow, *Rethinking Materialism*, 103.

2「あきらかな真実」でさえ、あきらかとは言えないのであって、十字架のヨハネは苦痛についてちがう考えを持っていた。「苦痛の中でこそ、魂は徳を備え、純化し、より聡明により思慮深くなる」St. John of the Cross, *Dark Night of the Soul*（邦訳『暗夜』）, 84.

3 コヘレトの言葉11章9節。

第11章

1 Hirschman, *The Passions and the Interests*（邦訳『情念の政治経済学』）, 15. ただし、アウグスティヌスにとって愛が人間の基本的な衝動だったことは指摘しておかねばならない。ハーシュマンはこの点に気づいていなかったように思われる。善悪を問わず、すべてのことの背後には愛が存在する。アウグスティヌスが挙げた三つの悪徳は、愛が制御あるいは節度を失い、悪い方向へ向かった状態である。くわしくは、Hare, Barnes, and Chadwick, *Zakladatelé myšlení*（思想の創始者たち）, chapter 9を参照されたい。

2 アウグスティヌスによれば、バビロンの主な特徴は権力欲である。Augustine, *City of God*（邦訳『神の国』）を参照されたい。また、Fitzgerald et al., *Augustine through the Ages: An Encyclopedia*, 84も参照されたい。

3 Fitzgerald et al., *Augustine through the Ages: An Encyclopedia*, 84. トマス・ルイスが指摘したように、「支配それ自体が目的ではない。権力者であることを知らしめることが目的であり、支配はそのための手段にすぎない」Lewis, T., "Persuasion, Domination and Exchange: Adam Smith on the Political Consequences of Markets," 287. ここでは、原動力となっているのはルソーの言う意味での利己心ではなく、共感であり、また共感への願望である。Force, *Self-Interest before Adam Smith*, 46を参照されたい。

4 Hare, Barnes, and Chadwick, *Zakladatelé myšlení*（思想の創始者たち）, chapter 9.「カルタゴの

滅亡後に、不和と強欲は最高潮に達した。野心を始めとするあらゆる悪は、ふつうは繁栄の時代に生まれるものだ。だがこのことから、悪は繁栄期の前にも芽を出し繁殖することがわかる」。なおアウグスティヌスはここでローマの歴史家ガイウス・サルスティウス・クリスプスを引用している。

5 Boli, "The Economic Absorption of the Sacred," 97.

6 くわしくは、Hirschman, *The Passions and the Interests* (邦訳『情念の政治経済学』), Force, *Self-Interest before Adam Smith*を参照されたい。

7 このことから、命名の重要性がうかがわれる。名前がつけられないままだったら、話題にもならなかったかもしれない。マンデヴィルが「見えざる手」を思いついていたら、まちがいなく彼がこの理論の創始者とされただろう。彼はスミスよりもくわしく網羅的に見えざる手の原理を説明したが、ふさわしい名前に思いいたらなかった。

8 ハイエクは*The Trend of Economic Thinking*, 85および*New Studies in Philosophy, Politics, Economics, and the History of Ideas*, 254でこれを引用した。

9 Aristophanes, *Ecclesiazusae* (邦訳『女の議会』), 289.

10 マタイによる福音書13章29節。

11 Aquinas, *Summa Theologica* (邦訳『神学大全』) I. Q.92, A.1, R.O.3.

12 Ibid., Ia–IIae. Q.79, A.1. また、Aquinas, *Contra Gentiles* (対異教徒大全) III, chapter 71も参照されたい。

13 Hirschman, *The Passions and the Interests* (邦訳『情念の政治経済学』), 11. この中では英雄の破滅が語られている。残された最後の英雄は、ドンキホーテだと言えよう。

14 Montesquieu, *Spirit of Laws* (邦訳『法の精神』), 70.

15 Ibid., 70.

16 Pascal, *Pensées* (邦訳『パンセ』), numbers 402, 403, 416.

17 Kaye, Introduction to *The Fable of the Bees*, by Bernard Mandeville, 48.

18 Turner, *Herbert Spencer: A Renewed Appreciation*, 107. また、Werhane, "Business Ethics and the Origins of Contemporary Capitalism: Economics and Ethics in the Work of Adam Smith and Herbert Spencer," 19–20も参照されたい。

19 Komárek, *Obraz člověka a přírody v zrcadle biologie* (生物学という鏡に映った人間と自然の像), 80.

20 くわしくは、前掲書14頁を参照されたい。

21 Smith, *Wealth of Nations*(邦訳『国富論』), 1. 2. 2, or page 30. この部分の前後は次のとおり。「わたしの欲しいものをくれれば、そちらの欲しいものをあげようというのが、そうした提案の意味なのだ。そして人間はほとんどの場合、自分が必要とする他人の助けを、この方法で得ている。われわれに食事ができるのは、肉屋や酒屋やパン屋の主人が博愛心を発揮するからではなく、自分の利益を追求するからである。人は相手の善意に訴えるのではなく、利己心に訴えるのであり、自分が何を必要としているのかではなく、相手にとって何が利益になるのかを説明する。主に他人の善意に頼ろうとするのは物乞いだけだ」30–31。

22 ローマの信徒への手紙7章21～24節。

23「主なる神は言われた。『人は我々の一人のように、善悪を知る者となった』」創世記3章22節。

24 社会的回勅は、社会問題を取り上げた回勅である。くわしくは、Rich, *Business and Economic*

*Ethics*を参照されたい。

25 Morgenthau, *Truth and Power: Essays of a Decade*, 159. "The Economic Review: Edition 13," 189も参照されたい。

26 意図的に注の形をとってではあるが、罪深い構造をより系統的に当てはめてみよう。すると驚くべき結論が得られる。市場資本主義というシステム全体は、奇跡的にうまく機能しているように見えるが、実際には罪深い構造であると後に判明する可能性がある、ということだ。市場資本主義はこれまでのところ、人類が共存のために活用してきた中で最も効率的なシステムであるが、このシステムが人類を袋小路に追い込む可能性はなしとしない。その先に待っているのは悲劇である。とはいえ、未知のことに対する意識下の恐怖はどんなシステムにも潜在的につきまとうのだし、それから完全に免れることはできない。

27 ルカによる福音書23章34節。

28 マタイによる福音書15章14節。

29 マニ教は善悪二元論で知られ、ペルシャのゾロアスター教に起源があるとされる。

30「悪魔は宇宙において神の敵だとされているが、その悪魔にしても神の創造物であって、悪魔は神の意志によって存在するのである。悪魔の力は人間の力と釣り合っていない以上に神の力と釣り合っていない」。*The International Standard Bible Encyclopedia*の"Satan"の項による。

31「わたしも口を閉じてはいられない。苦悶のゆえに語り、悩み嘆いて訴えよう」ヨブ記7章11節。

32 ヨブ記6章4節。

33 ヨブ記13章24節。

34 悪の目的に関して多少認識は異なるものの、このテーマに関してはTerry Eagletton, *On Evil*がおもしろい。

35「よく知られたアウグスティヌスの悪の概念は、それ自体としてはっきりした実体を持たないということである」Žižek, *The Parallax View*（邦訳『幻想の感染』), 152.

36「12世紀フランスの神学者クレルヴォーのベルナルドゥスは、人間と悪魔を神の僕《しもべ》と位置付け、神が悪魔を含めてすべての生き物の主であることを暗に示した」Marx, *The Devil's Rights and the Redemption in the Literature of Medieval England*, 22.

37 Marshall, *Principles of Economics*（邦訳『経済学原理』), 253. また、Simon, *An Empirically-Based Microeconomics*, 12も参照されたい。

38 この点でとくに興味を引かれるのは、ジェームズ・ブキャナンの思想である。ブキャナンは三種類の倫理的判断基準を示した。第一は「規則破りのコスト」である。これは最もリベラルなアプローチで、利他的行動の余地はない。ブキャナンはこれに賛同していない。第二は「超越的規範の無効化」である。ブキャナンはこれをアウグスティヌス的モデルと呼んでいる。ここでは利他的行動の一部が説明される。第三は「見識ある自己利益」で、これはデイヴィッド・ヒュームの倫理学に基づいており、個人は自己の行動の影響に気づいているとする。このモデルは、デイヴィッド・ゴーティエの「拡張された合理性」モデルと似ている。ゴーティエのモデルでは、協力行動の説明として囚人のジレンマを用いる。Buchanan, *Economics and the Ethics of Constitutional Order*, the chapter "Economical Origins of Ethical Constraints," 179. これとは異なるアプローチを試みた代表的な研究者としては、アマルティア・セン、フランシス・フクヤマ、アミタイ・エツィオーニ、ハーバート・サイモンなどがいる。

39 Sojka, *John Maynard Keynes a současná ekonomie*（ジョン・メイナード・ケインズと同時代の

経済学』), 89. また、Simon, *An Empirically-Based Microeconomics*, 15–16も参照されたい。

40 この問題の深い考察については、Etzioni, *Moral Dimension*, chapters 1–6を参照されたい。

41「第一の掟は、これである。『イスラエルよ、聞け、わたしたちの神である主は、唯一の主である。心を尽くし、精神を尽くし、思いを尽くし、力を尽くして、あなたの神である主を愛しなさい。』第二の掟は、これである。『隣人を自分のように愛しなさい』。この二つにまさる掟はほかにない」マルコによる福音書12章29～31節。この掟はすでに旧約聖書のレビ記19章18節にもある。

42 詩篇137篇8節。

43 レビ記24章19～20節。

44 マタイによる福音書5章43～48節。

45 Smith, *Wealth of Nations*（邦訳『国富論』), 1.2.2, 31.

46 Aristotle, *Politics*（邦訳『政治学』), 1263b.

第12章

1 Akerlof and Shiller, *Animal Spirits*（邦訳『アニマルスピリット』), 1.

2 Keynes, *The General Theory of Employment, Interest, and Money*（邦訳『雇用、利子、お金の一般理論』), 273–274.

3 Bishop, *Economics: An A–Z Guide*の"animal spirits"の項による。

4 Pasquinelli, *Animal Spirits*, 13.

5 Akerlof and Shiller, *Animal Spirits*（邦訳『アニマルスピリット』), 3.

6 たとえば、Frazer, *The Golden Bough*など。

7 Lewis, *The Four Loves*（邦訳『四つの愛』), 147. ルイスは、「われわれは裸のときにはほんとうの自分自身ではないのだろうか。ある意味では、そうだ。……われわれは着物を着ているときのほうが、よりいっそう自分自身である」とも語っている。

8 Lewis, *A Preface to Paradise Lost*（邦訳『失楽園』序説), 112.

9 ここで、恥ずかしいという感覚が共通項であることに注意したい。子供は裸を恥ずかしいと感じないが、見知らぬ人に出会うと恥ずかしがる。裸の子供が恥ずかしいと感じると、隠れようとする。隠れるところがないと、両手で目を覆ってしまう。大人は生殖器を隠すが目は隠さない。子供が知らない人を恥ずかしいと思うのに対し、大人は生殖器を恥ずかしいと感じる。このことは、人間が自然状態すなわち裸を遠ざける理由を暗示しているのではないか。

10「持つことに対立する選択肢である『在ること』は、一般に魅力がない。持つことは、生活の自然な営みであるように見える」Fromm, *To Have or to Be*（邦訳『生きるということ』), 13.

11 Rousseau, *Discourse on the Origin of Inequality*（邦訳『人間不平等起源論』), 96. また、Force, *Self-Interest before Adam Smith*, 45も参照されたい。

12 Jung, *Hrdina a archetyp matky*（英雄と母元型), *Výbor z díla*（ユング著作集), vol. 8, 197.

13 Ibid., 201.

14 Nussbaum, *The Fragility of Goodness*, 7.

15 Aristotle, *Nicomachean Ethics*（邦訳『ニコマコス倫理学』), 1102a, 27–1102b7.

16 Aristotle, *On the Soul*（邦訳『心とは何か』), 405b11; 409b19–24.

17 引用元は、Hirschman, *The Passions and the Interests*（邦訳『情念の政治経済学』), 34.

18 Hirschman, *The Passions and the Interests*（邦訳『情念の政治経済学』）, 27. Smith, D., *Helvetius*, 55–56.

19 Pasquinelli, *Animal Spirits*, 9. 広く知られているこの諺の起源は、おそらくユダヤの格言だろう。*Talmud*, Tractate Sukkah 52aを参照されたい。「偉大になるほど、悪に染まる傾向は強まる」Pasquinelli, *Animal Spirits*, 211.

20 Nussbaum, *The Fragility of Goodness*, 262. 238ページも参照されたい。「私たちは繰り返し次の問いに立ち戻った。それは、人間は植物（または不合理な動物）とどれほど隔たっているのか、神あるいは永遠不動のものにどれほど近いのか、という問いである」。

21 Komárek, *Obraz člověka a přírody v zrcadle biologie*（生物学という鏡に映った人間と自然の像）, 144–145.

22 マルクスは、これを産業ブルジョワ階級の特徴だとした。「一言でいえば、ブルジョワジーは自分の姿に似せて世界を創造する」Marx and Engels, *Manifesto of the Communist Party*（邦訳『共産党宣言』）, 46.

23 Punt, "The Prodigal Son and *Blade Runner*, Fathers and Sons, and Animosity"を参照されたい。

24 Jung, *Hrdina a archetyp matky*（英雄と母元型）, *Výbor z díla*（ユング著作集）, vol.8, 194.

25 映画『ウォッチメン』（2009年）、監督ザック・スナイダー、脚本デイヴィッド・ヘイター、アレックス・ツェー。くわしくは、Internet Movie Database（IMDb, www.imdb.com）を参照されたい。

26 Campbell, *The Hero with a Thousand Faces*を参照されたい。

27 Jung, *Hrdina a archetyp matky*（英雄と母元型）, *Výbor z díla*（ユング著作集）, vol. 8, 204–205.

28 ここで取り上げたすべての点から、経済学以外のことも研究しない限り、経済学で人間の行動を完全に説明することはできないと、私は考えている。こうした形而上学的な問題を無視していたら、経済学は憂鬱な学問に成り下がるだろう。主流派経済学はそれに近づいているのではないかと懸念される。

第13章

1 Berkeley, *A Treatise Concerning the Principles of Human Knowledge*（邦訳『人知原理論』）, part 3, 97.

2 http://ja.wikipedia.org/wiki/無理数.

3 Stigler, *The Essence of Stigler*, 113.

4 Weintraub, *How Economics Became a Mathematical Science*, 22. 引用元は、Groenewegen, P., *A Soaring Eagle: Alfred Marshall 1842–1924*, 413.

5 Emmer, *Mathematics and Culture*, 105.

6 Fox, *The Myth of Rational Markets*, 6.

7 Ibid., 13.

8「フィッシャー、株価は恒常的に高いと予想」*The New York Times*, 16 October 1929, 8.

9 Lanman and Matthews（23 October 2008）「グリーンスパン、自身の市場主義に誤りがあったと認める」Bloomberg.com

10 この問題については、すぐれた著作が多数ある。たとえば、E. R. Weintraub: *How Economics Became a Mathematical Science*, Mirowsky, *More Heat Than Light: Economics as a Social*

Physics, Physics as Nature's Economics and *Machine Dreams: Economics Becomes a Cyborg Science*, Blaug, *The Methodology of Economics*; and last but not least, Deirdre McCloskey *The Secret Sins of Economics*などである。

11 概念的思考は、ギリシャ文明が近代数学にもたらした最大の貢献と言ってよいだろう。何かの意味の一部だけを取り出し、それに基づいて思索を深められるようにできる限り正確に定義することは、けっして些細なことではない。こうした思考法がなかったら、現代の数学、それどころか科学は不可能だっただろう。

12 Kline, *Mathematical Thought from Ancient to Modern Times*, vol. 1, 13.

13 Ibid., 9.

14 創世記6章15～16節。

15 出エジプト記25章。

16 創世記18章23～33節。

17 Kline, *Mathematical Thought from Ancient to Modern Times*, vol. 1, 13.

18 ヨハネの黙示録13章18節。

19 Aeschylus, *Prometheus*（邦訳『縛られたプロメーテウス』）, 459.

20 Kline, *Mathematical Thought from Ancient to Modern Times*, vol. 1, 147–148.

21 Heidegger, *Philosophical and Political Writings*, 265.

22 Mini, *Philosophy and Economics*, 84, 88.

23 ツールとして数学がすぐれていることに議論の余地はない。その特徴の一つは、きわめて明確であることだ。1はつねに1であって、0.999999でもなければ、1.00001でもない。数学はつねに明快至極で、曖昧なところは一切ない。この長所により、つねに一貫性と普遍性のある結果が導き出される。数学は、感覚では処理できない抽象的な領域でも力を発揮する。数学はきわめて厳密であるため、人間の精神を研ぎすます効果があるからだ。

24 Schumpeter, "The Common Sense of Econometrics," 5. この論文が掲載されたのは、*Econometrica*誌創刊号だった。しかし他の掲載論文は、数学的アプローチをある程度支持している。Shionoya, *Schumpeter and the Idea of Social Science: A Metatheoretical Study*, 44を参照されたい。

25 Berkeley, *A Treatise Concerning the Principles of Human Knowledge*（邦訳『人知原理論』）, 127.

26 ソクラテスはこう尋ねた。「生成する限りなく多数の事物の中に、何かけっして変わらないものを見つけることは可能なのか」Plato, *Philebus*（邦訳『ピレボス』）, 15b.

27 Neubauer, *O čem je věda?*（科学は何のためか）, 72–73.

28 Ibid., 74.

29 20世紀初めの時点では、定義された物体の集まりはすべて集合と考えられていた。しかし「ラッセルのパラドックス」が出現したために、このような集合理論は成り立たなくなった。そこで公理的集合論というものが構築された。

30 Wittgenstein, *Tractatus Logico-Philosophicus*（邦訳『論理哲学論考』）, 6.1.

31 Ibid., 6.2.

32 Russell, *Mysticism and Logic*（邦訳『神秘主義と論理』）, 76.

33 Wittgenstein, *Tractatus Logico-Philosophicus*（邦訳『論理哲学論考』）, 5.6.

34 Mini, *Philosophy and Economics*, 8も参照されたい。

35 Nussbaum, *The Fragility of Goodness*, 5.

36 さらに言えば、仮説の変化の領域にはまさに何の制限もない。人間の動機として、自己利益以外のもの、あるいはすべての情報（または対称な情報、ランダムな情報）を持ち合わせていない（あるいは持ち合わせている）理由を何か付け加えるだけでよい。

37 McCloskey, *The Secret Sins of Economics*, 43–44.

38 計量経済学では、原則として、非決定論的なランダムな成分は落ちこぼれ扱いする。

39 Leontief, "Theoretical Assumptions and Nonobserved Facts," 1, 3.

40 Kmenta, Review of *A Guide to Econometrics* by Peter Kennedy, 2003.

41 Hendry, "Econometrics: Alchemy or Science?" 387–406.

42 Sims, Goldfeld, Sachs, "Policy Analysis with Econometric Models," 107.

43 Kierkegaard, *Concluding Unscientific Postscript to Philosophical Fragments*（邦訳『哲学的断片への結びとしての非学問的あとがき』), 99.

44 Keynes, *First Annual Report of the Arts Council* (*1945–1946*).

第14章

1 本章はマルティン・ポスピーシルとの共著である。ポスピーシルはチェコで先行出版された本書およびこの英国版の共同編集者でもある。

2 Shaw, *Man and Superman*（邦訳『人と超人』), 189.

3 Lévi-Strauss, *Myth and Meaning: Cracking the Code of Culture*（邦訳『神話と意味』), 16.

4 Kofman, *Conscious Business*, introduction to chapter 4, in Czech *Vědomý business*, 97. Nin, *The Diary of Anais Nin, 1939–1944*（邦訳『アナイス・ニンの日記』), 220.

5 Kolman, *Filozofie čísla*（数の哲学), 592.

6 Ibid., 592.

7 Mini, *Philosophy and Economics*, 40に引用された。

8 例として、経済成長や科学の進歩の神格化をすでに挙げておいた。

9 パトチカは、神話の神性についての講演を、次の問いで締めくくっている。「この見方は正しいのだろうか。人間の人生はいま述べた本質で表現できるのだろうか」Patočka, *Kačířské eseje o filosofii dějin*（邦訳『歴史哲学についての異端的論考』), in the chapter "Pre-historické úvahy"（先史時代の思想), 270.

10「プランクとアインシュタインによって、新しい物理学が誕生した。……物理的世界の物体が変化したように見える。言わばビリヤードのボールがポケットに消えて、新しいボールが現れた。この新しいボールの名前は『量子』である。数学的な世界は変化した……われわれは経済学の背景としての数学の世界の特徴がどのように変化したのか、見つめる必要がある。それによって、20世紀前半に数学分野としての経済学がどのように再編されたのかを理解できるだろう」Weintraub, *How Economics Became a Mathematical Science*, 11.

11 Wittgenstein, *Tractatus Logico-Philosophicus*（邦訳『論理哲学論考』), 4.023.

12 第13章で取り上げた。

13 Wittgenstein, *Tractatus Logico-Philosophicus*（邦訳『論理哲学論考』), 6.54.

14 Heffernanová, *Tajemství dvou partnerů*（二人のパートナーの秘密), 71.

15 Ibid., 73.

16 Neubauer, *Respondeo dicendum* と比較されたい。

17 Wittgenstein, *Tractatus Logico-Philosophicus*（邦訳『論理哲学論考』）, 4.03.

18 Weintraub, *How Economics Became a Mathematical Science*, 75.

19 Wittgenstein, *Tractatus Logico-Philosophicus*（邦訳『論理哲学論考』）, 7.

20「本能と理性との対立がよく問題にされる。……だがじつのところ、本能と理性の対立という観念は、大部分架空のものである。本能、直観あるいは洞察は、まず人に何かを信じさせ、のちに理性がそれを確認あるいは論破する。……理性は創造する力ではなくて、調和し制御する力である。きわめて純粋な論理的領域においても、新しいことにまず到達するのは洞察力なのだ」Russell, *Mysticism and Logic*（邦訳『神秘主義と論理』）, 30.

21 Comte, *Cours de philosophie positive*（実証哲学講義）, 28.

22 Mises, *Human Action: A Treatise on Economics*（邦訳『ヒューマン・アクション』）, chapter 38, "The Place of Economics in Learning".

23 Adams, *The Hitchhiker's Guide to the Galaxy*（邦訳『銀河ヒッチハイク・ガイド』）, chapter 25.

24 Hejdánek, "Básník a Slovo"（詩人と言葉）, 57.

25 Heffernanová, *Tajemství dvou partnerů*（二人のパートナーの秘密）, 61.

26 Ibid., 61.

27 フランスの神学者クレルヴォーのベルナルドゥスはこう言った。「魂と戦う主要な悪は二つしかない。一つは世界に対する空疎な愛、もう一つは激しすぎる自己愛である（1 Pt 2:11）」*Sermon on the Song of Songs*, 211. 人間は悪に立ち向かうが、それが根本的には愛であることを忘れてはならない。金銭愛については、新約聖書に「金銭の欲は、すべての悪の根です」とある（テモテへの手紙一、6章10節）。

28 Cohen, "Anthem".

29「ポール・ヴァレリーの言葉『すべての理論は自伝である』を引用したジェームズ・オルニーに倣って……」Weintraub, *How Economics Became a Mathematical Science*, 6.

30 既存の概念では説明できなかったり、既存の世界観と齟齬を来したりするような経験をあまりに大量に吸収しなければならないとき、人間の心理は自己防衛のために二つの役割あるいは二つの世界観を形成し、状況に応じて使い分ける。演じる役割があまりに大幅に乖離する場合には、もはや使い分けでは維持できなくなり、人格を変える必要が出てくる。

31 Nelson, *Economics as Religion*, 58.

32 Mini, *Philosophy and Economics*, 211. 引用元は、*Søren Kierkegaard's Journals and Papers*, 1054. おそらくキルケゴールは、ウィトゲンシュタインが示そうとしたのと同じことを考えていたのだろう。

33 Caldwell, *Beyond Positivism*（邦訳『実証主義を超えて』）, 140.

34 Mini, *Philosophy and Economics*, 213.

35 Caldwell, *Beyond Positivism*（邦訳『実証主義を超えて』）, 112も参照されたい。

36 Wittgenstein, *Tractatus Logico-Philosophicus*（邦訳『論理哲学論考』）, 7.

37 この意味で時間は両方向に流れるとも言える。

38「だが、ウィトゲンシュタインは、語り得ぬことが無意味だと考えてはいなかった。この点は多くの人が誤解している。彼はむしろ、語り得ないことは真に重要だと考えていた」Edmonds and Eidinow, *Wittgenstein's Poker*（邦訳『ポパーとウィトゲンシュタインとのあいだで交わさ

れた世上名高い一〇分間の大激論の謎』), 163.

39 Mini, *Philosophy and Economics*, 16も参照されたい。

40 シュンペーターは、モデルから自由になって歴史的経験に学べとアドバイスしている。ドイツ歴史学派は時間経過を無視した抽象モデルを認めず、歴史こそが唯一の教師であるとした。

41 そのモデルが直観の助けを借りずに構築できたかどうかという疑問は、措いておこう。

42 Schumpeter, *Business Cycles: A Theoretical, Historical, and Statistical Analysis of the Capitalist Process* (邦訳『景気循環論――資本主義過程の理論的・歴史的・統計的分析』), 20.

43 Wachovski and Wachovski, *The Matrix*, 1999.

終章

1 古地図に見られる注記。未踏査の地帯が白く抜けており、「ここに龍あり」とか「ここに獅子あり」などと記入されていた。

2 スウェーデンの詩人で、2011年にノーベル文学賞受賞。引用箇所は、代表作の一つ「空き地」の冒頭部である。トランストロンメルが道に迷った者に託した希望が、時代の希望を表すものかどうかは、推測するほかない。答は問いのあとにしか来ない。道を見失った者しか、道を見つけることはできない。何かを(意味を)探すのは、それを失ったと認めることだ。それを持っているべきなのに、持っていない。子供は人生の意味など探しはしない。きっと子供はいまを生きていて、意味をちゃんと知っている、だから探さないのだろう。

3 今日では経済学は、20世紀の物理学の人間とは独立した無情で正確で冷たく機械的なルールが適用される領域だと考えられており、これが広く行き渡って生きた神話のようになっている。だがこの見方は誤りだ。現代の物理学は、すでに正確性の限界に気づいており(プランクの不確定性)、完全な正確性は不可能であることを知っている。量子物理学は機械論ではなく確率論である(シュレーディンガーの猫、素粒子実験)。

4 箴言16章32節。

5 Milton, *The Poetical Works of John Milton*, 106.

6 Weintraub, *How Economics Became a Mathematical Science*, 6.

7 社会学で使われる用語はじつに特徴的である。たとえば、自己移入、伝達性、自己批判、リーダーシップ能力など。